SE05

Curso

La diferencia entre aprobar y sacar plaza

Personal Auxiliar de Servicios Generales y Auxiliar de Conserjería de Universidades

Accede a tu **Curso MAD360** y disfruta de los siguientes recursos:

- Técnicas de Memoria 360.
- Test *online.*
- Temario en formato digital.
- Planificación de estudio.
- Foro entre opositores.
- Recursos y novedades exclusivas.
- Consulta sobre la oposición y el proceso selectivo.
- Actualizaciones legislativas (Boletines Oficiales).

AF617099

Para acceder al Curso MAD360* será necesaria la compra de todos los libros para esta especialidad de la edición 2024.

Valida los códigos que encuentras en la última página de tus libros y disfruta de la experiencia MAD360.

Infórmate en: mad.es/registro-campus

NOTA IMPORTANTE:

* El acceso al CURSO MAD360 estará disponible desde diciembre de 2023 (algunos recursos podrían estar disponibles en fecha posterior). Tendrá una duración de 365 días, desde la validación de códigos, o hasta el 31 de diciembre de 2024, lo que se cumpla antes.

MAD se reserva el derecho a ampliar dichas fechas.

Personal Auxiliar de Servicios Generales y Auxiliar de Conserjería de Universidades

Noviembre, 2023

Personal Auxiliar de Servicios Generales y Auxiliar de Conserjería de Universidades

Temario General
Volumen 1

TERESA MARÍA TORRES FONSECA
Licenciada en Derecho

JESÚS M.ª CALVO PRIETO
Licenciado en Derecho

Primera edición, noviembre 2023 (416 páginas)
Derechos de edición reservados a favor de 7 Editores
IMPRESO EN ESPAÑA
Diseño Portada: 7 Editores
Edita: 7 Editores
Avda. San Francisco Javier, 9 · Edificio Sevilla 2 · Planta 11 · Módulos 25-27 · 41018 Sevilla
Teléfono: 954 784 411 · WEB: www.mad.es · e-mail: administracion@7editores.com
ISBN: 978-84-142-7672-3
ISBN Obra Completa: 978-84-142-7674-7

Presentación

Presentamos el primer volumen de nuestro Temario General para la adecuada preparación de las oposiciones de acceso a plazas de Personal Auxiliar de Servicios Generales y Auxiliar de Conserjería de las distintas Universidades, con el desarrollo de los temas que frecuentemente se exigen en las pruebas de ingreso a dicho personal.

Incluye el desarrollo de los temas dedicados a la Constitución Española, el procedimiento administrativo común, el régimen jurídico del sector público, el Estatuto Básico del Empleado Público, la prevención de riesgos laborales, la igualdad efectiva de mujeres y hombres, la protección de datos y la Ley Orgánica de Universidades, desarrollados con profundidad y rigor para que tu preparación sea lo más completa posible.

La colección se completa en un segundo volumen de Temario y un manual de Test, con el que podrás autoevaluarte y comprobar los conocimientos adquiridos.

Finalmente, a través de nuestro Curso *online* MAD360, te ofrecemos una serie de recursos adicionales para completar tu preparación. Consulta las condiciones en la primera página de tu manual.

Índice

TEMA 1

La Constitución Española. Estructura. Título Preliminar. Derechos y deberes fundamentales. Las Cortes Generales. El Gobierno y la Administración

Índice

1. La Constitución Española de 1978. Estructura. Título Preliminar

1.1. Introducción

Proclamado Rey de España JUAN CARLOS I DE BORBÓN, tras la muerte de FRANCO, el sistema de Leyes Fundamentales que regía el anterior régimen político, se mostró inapropiado para la efectiva implantación de un Estado de Derecho y, consiguientemente, de un régimen democrático, en la forma en que este se entiende en los países occidentales y en la teoría constitucional.

Por ello, utilizando el resorte del referéndum, se aprobó, como nueva Ley Fundamental, la Ley para la Reforma Política (Ley 1/1977, de 4 de enero), que modificó sustancialmente los esquemas de las anteriores Leyes Fundamentales, abriendo la vía para la instauración de un sistema político pluralista, con claro protagonismo de los partidos políticos.

Acto seguido, el 15 de junio de 1977, se celebraron elecciones generales para Cortes, sin que en momento alguno se planteara, al menos formalmente, su carácter de constituyentes. No obstante, a la vista de la citada inadecuación de las Leyes Fundamentales, las nuevas Cortes elegidas democráticamente y representativas del pluripartidismo existente, asumieron como misión fundamental la elaboración de una Constitución.

Para ello, en el seno de la Comisión de Asuntos Constitucionales del Congreso de los Diputados, se designó una Ponencia Constitucional encargada de redactar el Proyecto de Constitución.

Tras la pertinente tramitación parlamentaria, ambas Cámaras (Congreso de los Diputados y Senado), por separado, aprobaron el texto de la Constitución el 31 de octubre de 1978.

Posteriormente, el 6 de diciembre siguiente, se aprobó en referéndum, sancionándolo y promulgándolo el Rey el 27 del mismo mes y año, y publicándose en el Boletín Oficial del Estado el 29 de diciembre de 1978, entrando en vigor ese mismo día, a tenor de lo dispuesto en su Disposición Final.

Portada de la Constitución Española de 1978

1.2. Caracteres

La Constitución (CE, en adelante) se caracteriza por:

a) Su codificación en un solo texto, es decir, es una Constitución cerrada, a diferencia de las Leyes Fundamentales que vino a sustituir.

b) Su extensión, fruto de su propio pragmatismo, a diferencia de otras Constituciones occidentales, de breve contenido y, por lo mismo, más flexibles a los cambios y evolución política de los regímenes a que se aplican.

   La extensión se debe, además, al laborioso consenso entre las distintas fuerzas políticas al elaborarla, lo que ha quedado reflejado en numerosos artículos del texto constitucional, señaladamente en el 2, como se expondrá.

   La contrapartida a esta extensión y a su carácter consensuado es la dificultad en su interpretación y aplicación, resultando fundamental, a estos efectos, la intervención del Tribunal Constitucional, intérprete supremo de la Constitución, según el art. 1 de su Ley reguladora (la Ley Orgánica 2/1979, de 3 de octubre), que ha venido depurando, con la doctrina contenida en sus pronunciamientos, su alcance y significado.

c) Su rigidez, es decir, la imposibilidad de modificarla a través de procedimientos legislativos ordinarios, regulando su Título X los mecanismos de reforma.

d) El establecimiento, como forma política del Estado, de la monarquía parlamentaria (art. 1.3).

e) La configuración del Estado como unitario regionalizado y no federal.

Finalmente, la CE, aunque no exenta de originalidad, se ha basado en otras Constituciones históricas, como la Española de 9 de diciembre de 1931, y de nuestro entorno, como la Ley Fundamental de Bonn de 1949, la Constitución Italiana de 1947, etc., sin olvidar textos internacionales como la Declaración Universal de Derechos Humanos, el Convenio Europeo para la Protección de los Derechos Humanos y de las Libertades Fundamentales, adoptado en Roma el 4 de noviembre de 1950, entre otros.

1.3. Estructura

Nuestra Constitución, como las Constituciones de la mayor parte de los países europeos y americanos, consta de un preámbulo, una parte dogmática, una parte orgánica, una regulación de las garantías de su mantenimiento y de los procedimientos para, excepcionalmente, proceder a su reforma o revisión, y de un sector dedicado a la estructura socioeconómica del Estado (que podría llamarse Derecho Constitucional Socioeconómico).

Su estructuración concreta se lleva a cabo a través de:

1. El Preámbulo.
2. Ciento sesenta y nueve artículos, repartidos en un Título Preliminar y otros diez Títulos más.
3. Cuatro Disposiciones Adicionales.
4. Nueve Disposiciones Transitorias.
5. Una Disposición Derogatoria.
6. Una Disposición Final.

En cuanto a su desarrollo, exponemos, a continuación, una somera idea del contenido de la CE, con especial referencia a los principios generales recogidos en el Título Preliminar.

1.4. Preámbulo

Es muy breve, pero constituye una declaración solemne y de gran fuerza política.

Deja traslucir, como ha señalado el Profesor ALZAGA VILLAAMIL, una filosofía de la libertad y un horizonte de una sociedad democrática más progresiva.

Resume o incorpora ideas que están plasmadas en forma dispositiva en numerosos artículos de la Constitución.

Se trata, en definitiva, de un texto sin fuerza jurídica de obligar, aunque con un gran valor declaratorio-político, constituyendo, en cuanto declaración solemne de intenciones que formula colectivamente el poder constituyente, un factor decisivo o de la mayor importancia a la hora de interpretar rectamente el contenido normativo de nuestra Ley política fundamental.

En el mismo se manifiesta que «la Nación española, deseando establecer la justicia, la libertad y la seguridad y promover el bien de cuantos la integran, en uso de su soberanía, proclama su voluntad de:

- Garantizar la convivencia democrática dentro de la Constitución y de las leyes, conforme a un orden económico y social justo.
- Consolidar un Estado de Derecho que asegure el imperio de la Ley como expresión de la voluntad popular.
- Proteger a todos los españoles y pueblos de España en el ejercicio de los derechos humanos, sus culturas y tradiciones, lenguas e instituciones.
- Promover el progreso de la cultura y de la economía para asegurar a todos una digna calidad de vida.
- Establecer una sociedad democrática avanzada.
- Colaborar en el fortalecimiento de unas relaciones pacíficas y de eficaz cooperación entre todos los pueblos de la Tierra».

1.5. Título Preliminar

Podría calificarse como la «antesala» de la Constitución, en la que se han recogido preceptos de importancia capital, como los arts. 1, 2 y 9, junto a otros preceptos que no han encontrado una incardinación a lo largo del texto constitucional, y que, por su generalidad, se han agrupado bajo esta rúbrica.

En efecto:

1. El **art. 1** define el tipo de Estado de Derecho por el que se opta (Estado social y democrático de Derecho, que propugna como valores superiores de su ordenamiento jurídico la libertad, la justicia, la igualdad y el pluralismo político), enuncia el titular de la soberanía (el pueblo español) y consagra la llamada forma política del Estado (la Monarquía Parlamentaria).

En este contexto, como manifestaciones del Estado de Derecho recogidas en la CE, deben señalarse:

a) El imperio de la Ley, al que se refiere, además del Preámbulo en la forma expuesta, el art. 9,3.º cuando dice que la Constitución garantiza el principio de legalidad; el art. 97, al señalar que el Gobierno ejerce sus funciones de acuerdo con la Constitución y las Leyes, y el art. 103,1.º al establecer que la Administración actúa con sometimiento pleno a la Ley y al Derecho.

b) La división de poderes, prefigurada por CHARLES LOUIS DE SECONDAT, BARÓN DE LA BREDE ET DE MONTESQUIEU, en 1748, en su obra «De l'Esprit des Lois» y recogida por la CE en sus arts. 66,2.º, que dispone que «las Cortes Generales ejercen la potestad legislativa» y «controlan la acción del Gobierno»; 97, al prescribir que «el Gobierno dirige la política interior y exterior, la Administración civil y militar y la defensa del Estado. Ejerce la función ejecutiva y la potestad reglamentaria de acuerdo con la Constitución y las Leyes», y 117,1.º, cuando señala que «la justicia emana del pueblo y se administra en nombre del Rey por Jueces y Magistrados integrantes del Poder Judicial, independientes, inamovibles, responsables y sometidos únicamente al imperio de la Ley».

c) El principio de legalidad en la actuación administrativa, al que se ha hecho referencia.

d) El reconocimiento formal de los derechos y libertades.

Por su parte, como manifestaciones del Estado Social de Derecho, deben citarse, además del principio de igualdad recogido en los arts. 9,2.º y 14, los llamados derechos económicos y sociales, a los que se refiere el Capítulo Tercero del Título I de la CE, y la denominada Constitución económica, plasmada en el Título VII a la que aludiremos más adelante.

Finalmente, como expresión del Estado Democrático de Derecho, debe hacerse mención al reconocimiento de la soberanía popular, manifestado en el art. 1,2.º: «la soberanía nacional reside en el pueblo español, del que emanan los poderes del Estado», en el art. 66,1.º: «las Cortes representan al pueblo español» y en el art. 117: «la justicia emana del pueblo». Asimismo, debe citarse la aceptación del pluralismo político y social, de la que son claros exponentes los arts. 6 y 7 CE, la participación de los ciudadanos en los asuntos públicos, reflejada esencialmente en el art. 23,1.º, así como en los arts. 29 (derecho de petición), 87,3.º (iniciativa legislativa popular), 105 (participación en los procedimientos administrativos), 125 (participación en la administración de la justicia) y 92, 167 y 168 (que recogen la figura del referéndum).

En cuanto a los valores superiores del ordenamiento jurídico, como ha indicado PECES-BARBA, constituyen la meta del Estado y del Derecho que pretende el Constituyente de 1978, siendo el punto de partida de todo el resto del ordenamiento jurídico, en el sentido de que suponen el marco, el límite y el objetivo a alcanzar por el ordenamiento, al que tienen que acoplarse todas las demás normas y al que tienen que ajustar su actuación todos los operadores jurídicos.

Estos valores enunciados en el art. 1 se han plasmado a lo largo del texto constitucional en la forma que sigue:

a) El valor libertad, en el Título I, que regula los derechos y deberes fundamentales, fundamento del orden político y de la paz social (art. 10,1.º CE).

b) El valor justicia se concreta constitucionalmente en los Títulos VI, relativo al Poder Judicial, y IX, sobre el Tribunal Constitucional.

c) El valor igualdad se positiviza en los arts. 9,2.º y 14 CE.

d) El valor pluralismo político es recogido en los arts. 6 y 7 CE.

2. El **art. 2** encierra la transacción más discutida de cuantas han sido acogidas en el articulado de la CE, estableciendo que «la Constitución se fundamenta en la indisoluble unidad de la Nación española, patria común e indivisible de todos los españoles, y reconoce y garantiza el derecho a la autonomía de las nacionalidades y regiones que la integran y la solidaridad entre todas ellas».

   La concreción de este artículo se efectúa en el Título VIII CE: «De la Organización Territorial del Estado».

3. El **art. 9**, que, tras señalar la sujeción de los ciudadanos y de los poderes públicos a la Constitución y al resto del ordenamiento jurídico, e impeler a los segundos a velar por la libertad e igualdad del individuo y de los grupos en que se integra, así como a facilitar la participación de todos los ciudadanos en la vida política, económica, cultural y social, declara solemnemente los principios de nuestro ordenamiento jurídico, estableciendo como tales los de:

   a) Legalidad.

   b) Jerarquía normativa.

   c) Publicidad de las normas.

   d) Irretroactividad de las disposiciones sancionadoras no favorables o restrictivas de derechos individuales.

   e) Seguridad jurídica.

   f) Responsabilidad e interdicción de la arbitrariedad de los poderes públicos.

Los restantes artículos de este Título Preliminar tratan de:

1. El castellano como lengua española oficial del Estado, que todos los españoles tienen el deber de conocer y el derecho de usar, así como las restantes lenguas españolas, que serán también oficiales en las respectivas Comunidades Autónomas (**art. 3**).

   En relación con esta previsión constitucional, debe tenerse en cuenta la Carta Europea de las Lenguas Regionales o Minoritarias, de 5 de noviembre de 1992, ratificada por España por Instrumento de ratificación de 2 de febrero de 2001. Asimismo, hay que hacer notar que por el Real Decreto 905/2007, de 6 de julio, se han creado el Consejo de la Lenguas Oficiales en la Administración General del Estado y la Oficina para las Lenguas Oficiales.

2. La bandera de España (formada por tres franjas horizontales, roja, amarilla y roja) y las banderas y enseñas propias de las Comunidades Autónomas (que estas utilizarán junto a la española en sus edificios públicos y actos oficiales) (**art. 4**).

3. La Villa de Madrid como capital del Estado (**art. 5**).

4. Los partidos políticos, que expresan el pluralismo político, concurren a la formación y manifestación de la voluntad popular y son instrumento fundamental para la participación política. Su creación y el ejercicio de su actividad son libres dentro del respeto a la Constitución y a la Ley, y su estructura interna y funcionamiento deberán ser democráticos (**art. 6**). Sobre los mismos, habrá que estar a lo dispuesto por la Ley Orgánica 6/2002, de 27 de junio, de Partidos Políticos, así como por la Ley Orgánica 8/2007, de 4 de julio, sobre financiación de los partidos políticos, debiendo hacerse mención a la Ley 43/1998, de 15 de diciembre, de restitución o compensación a los Partidos Políticos de bienes y derechos incautados en aplicación de la normativa sobre responsabilidades políticas del período 1936-1939, modificada por la Ley 50/2007, de 26 de diciembre.

5. Los Sindicatos de trabajadores y las Asociaciones empresariales, que contribuyen a la defensa y promoción de los intereses económicos y sociales que les son propios, con igual pronunciamiento que el de los partidos políticos en cuanto a su creación, ejercicio, estructura interna y funcionamiento (**art. 7**).

6. Las Fuerzas Armadas, que tienen como misión garantizar la soberanía e independencia de España, defender su integridad territorial y el ordenamiento constitucional (**art. 8**), en relación con las cuales ha de tenerse en cuenta la Ley Orgánica 14/2015, de 14 de octubre, del Código Penal Militar, la Ley 17/1999, de 18 de mayo, de Régimen de Personal de las Fuerzas Armadas, la Ley Orgánica 5/2005, de 17 de noviembre, de la Defensa Nacional, dictada en desarrollo de este art. 8 CE, la Ley 8/2006, de 24 de abril, de Tropa y Marinería, la reiterada Ley Orgánica 9/2011, de 27 de julio, de derechos y deberes de los miembros de las Fuerzas Armadas y la citada Ley Orgánica 8/2014, de 4 de diciembre, de Régimen Disciplinario de las Fuerzas Armadas.

1.6. Título Primero

Trata de los derechos y deberes fundamentales, comenzando por la declaración general del **art. 10**, conforme al cual:

1. La dignidad de la persona, los derechos inviolables que le son inherentes, el libre desarrollo de la personalidad, el respeto a la Ley y a los derechos de los demás son el fundamento del orden político y de la paz social.

2. Las normas relativas a los derechos fundamentales y a las libertades que la Constitución reconoce se interpretarán de conformidad con la Declaración Universal de Derechos Humanos y los Tratados y Acuerdos Internacionales sobre las mismas materias ratificados por España.

Junto a estas normas, hay que tener en cuenta lo dispuesto por el art. 2 de la Ley Orgánica 1/2008, de 30 de julio, por la que se autoriza la ratificación por España del Tratado de Lisboa, por el que se modifican el Tratado de la Unión Europea y el Tratado Constitutivo de la Comunidad Europea, firmado en la capital portuguesa el 13 de diciembre de 2007, según el cual a tenor de lo dispuesto en el párrafo segundo del artículo 10 de la Constitución española, y en el apartado 8 del artículo 1 del Tratado de Lisboa, las normas relativas a los derechos fundamentales y a las libertades que la Constitución reconoce se interpretarán también de conformidad con lo dispuesto en la Carta de los Derechos Fundamentales publicada en el «Diario Oficial de la Unión Europea» de 14 de diciembre de 2007.

Los restantes artículos se agrupan en los siguientes cinco capítulos:

a) El Capítulo Primero, dedicado a los españoles y extranjeros, con tres artículos que tratan, respectivamente, de:

   1. La nacionalidad española, que se adquiere, se conserva y se pierde de acuerdo con lo establecido en la Ley, sin que ningún español de origen pueda ser privado de la misma (art. 11). En relación con este artículo, puede hacerse mención a la Ley 12/2015, de 24 de junio, en materia de concesión de la nacionalidad española a los sefardíes originarios de España, respecto a la que se ha dictado la Instrucción de 29 de septiembre de 2015, de la Dirección General de los Registros y del Notariado, sobre la aplicación de esta Ley 12/2015, de 24 de junio (**art. 11**).

   2. La mayoría de edad de los españoles a los dieciocho años (**art. 12**).

   3. Los derechos y libertades de los extranjeros en España, similares a los de los españoles en los términos que establezcan los tratados y las leyes, que han sido regulados por la Ley Orgánica 4/2000, de 11 de enero, sobre derechos y libertades de los extranjeros en España y su integración social y cuyo Reglamento de ejecución se ha aprobado por el Real Decreto 557/2011, de 20 de abril (**art. 13**).

b) El Capítulo Segundo, que se dedica a los derechos y libertades.

c) El Capítulo Tercero, que trata de los principios rectores de la política social y económica, consagrando los llamados derechos sociales.

d) El Capítulo Cuarto, que versa sobre las garantías de las libertades y derechos fundamentales, regulando la figura del Defensor del Pueblo.

e) El Capítulo Quinto, finalmente, que se dedica a la suspensión de los derechos y libertades en los estados de excepción y sitio, así como en la actuación contra bandas armadas o elementos terroristas.

1.7. Título Segundo

Trata «de la Corona», regulándose la figura del Rey, la sucesión a la Corona, la Regencia, las funciones del Rey, etc.

1.8. Título Tercero

Trata «de las Cortes Generales», constando de tres Capítulos relativos a las Cámaras (Congreso de los Diputados y Senado), la elaboración de las Leyes y los Tratados Internacionales.

1.9. Título Cuarto

Trata «del Gobierno y de la Administración» y regula la composición y funciones del Gobierno, su nombramiento, cese, responsabilidad, etc.

1.10. Título Quinto

Trata «de las relaciones entre el Gobierno y las Cortes Generales», regulando la responsabilidad política del Gobierno, las mociones, interpelaciones y preguntas al mismo, así como los estados de alarma, excepción y sitio.

1.11. Título Sexto

Trata «del Poder Judicial», regulando sus funciones y las de su órgano de gobierno: el Consejo General del Poder Judicial.

1.12. Título Séptimo

Trata «de la Economía y Hacienda», regulando lo que se ha venido a llamar el Derecho Constitucional Socioeconómico.

Bajo la denominación de Constitución Económica o Derecho Constitucional Económico, acuñada por BECKERATH en 1932, se ha designado a una serie de preceptos de las Constituciones posteriores a 1917 donde se tratan cuestiones económicas. No ya el derecho de propiedad y las libertades de comercio e industria, que es lo que habían hecho las Constituciones del siglo XIX, sino, como ha señalado HERRERO RODRÍGUEZ DE MIÑÓN, la intervención del Estado en la economía, para posibilitarla, para orientarla y para limitarla.

La Constitución española no es ajena a esta tendencia, consagrando a la Economía y Hacienda su Título VII, sin que pueda omitirse, al respecto, también, el Capítulo III del Título I («de los principios rectores de la política social y económica»), así como algunos preceptos de la Sección Segunda del Capítulo Segundo de este Título I, como los arts. 31, 33, 35, 37 y 38.

En concreto, la regulación de la Constitución española se contiene en los siguientes preceptos:

A) El **art. 128** subordina al interés general toda la riqueza del país en sus distintas formas y sea cual fuere su titularidad, lo que debe relacionarse con el derecho a la propiedad privada y a la herencia que, como se ha expuesto, está delimitado en su contenido por la función social que debe cumplir, permitiéndose a la Administra-

ción la privación a los particulares de sus bienes y derechos por causa justificada de utilidad pública e interés social, mediante la correspondiente indemnización, y de conformidad con lo dispuesto en las Leyes (art. 33).

Asimismo, reconoce este art. 128 la iniciativa pública en la actividad económica, pudiéndose reservar mediante Ley al sector público recursos o servicios esenciales, especialmente en caso de monopolio y acordar la intervención de empresas cuando así lo exigiere el interés general. Este artículo está íntimamente relacionado con el art. 38, que reconoce la libertad de empresa en el marco de la economía de mercado, correspondiendo a los poderes públicos garantizar y proteger su ejercicio y la defensa de la productividad, de acuerdo con las exigencias de la economía general y, en su caso, de la planificación.

B) El **art. 129,** tras indicar que la Ley establecerá las formas de participación de los interesados en la Seguridad Social y en la actividad de los organismos públicos cuya función afecte directamente a la calidad de la vida o al bienestar social, dispone que «los poderes públicos promoverán eficazmente las diversas formas de participación en la empresa y fomentarán, mediante una legislación adecuada, las sociedades cooperativas. También establecerán los medios que faciliten el acceso de los trabajadores a la propiedad de los medios de producción».

C) El **art. 130** obliga a los poderes públicos a atender a la modernización y desarrollo de todos los sectores económicos y, en particular, de la agricultura, de la ganadería, de la pesca y de la artesanía, a fin de equiparar el nivel de vida de todos los españoles. Con el mismo fin, se dispensará un tratamiento especial a las zonas de montaña.

D) El **art. 131** trata de la planificación de la actividad económica, que podrá hacer el Estado, mediante Ley, con el fin de atender a las necesidades colectivas, equilibrar y armonizar el desarrollo regional y sectorial y estimular el crecimiento de la renta y de la riqueza y su más justa distribución. El Gobierno elaborará los proyectos de planificación, de acuerdo con las previsiones que le sean suministradas por las Comunidades Autónomas y el asesoramiento y colaboración de los sindicatos y otras organizaciones profesionales, empresariales y económicas, a cuyos efectos se constituirá un Consejo, cuya composición y funciones se desarrollarán por Ley.

E) El **art. 132** versa sobre los bienes de dominio público y comunales, cuya regulación legal se inspirará en los principios de inalienabilidad, imprescriptibilidad e inembargabilidad, así como su desafectación.

Se consideran bienes de dominio público estatal los que determine la Ley y, en todo caso, la zona marítimo-terrestre, las playas, el mar territorial y los recursos naturales de la zona económica y la plataforma continental.

Por Ley se regularán el Patrimonio del Estado, su administración, defensa y conservación.

F) El **art. 133**, íntimamente relacionado con el art. 31, se refiere a la potestad tributaria, reservando en exclusiva al Estado y mediante Ley de Cortes Generales la potestad originaria para establecer los tributos.

En este contexto, las Comunidades Autónomas y las Corporaciones Locales solo podrán establecer y exigir los tributos que previamente haya creado el Estado, de acuerdo con la Constitución y las Leyes.

Por otra parte, todo beneficio fiscal que afecte a los tributos del Estado deberá establecerse en virtud de Ley. Finalmente, las Administraciones Públicas solo podrán contraer obligaciones financieras y realizar gastos de acuerdo con las Leyes.

En relación con esta materia, debe hacerse mención a la Ley 58/2003, de 17 de diciembre, General Tributaria, antes aludida, junto a la que ha de hacerse mención al Real Decreto 1676/2009, de 13 de noviembre, por el que se regula el Consejo para la Defensa del Contribuyente.

G) El **art. 134** trata de los Presupuestos Generales del Estado, como instrumento de la política económica, cuyo examen, enmienda y aprobación corresponde a las Cortes Generales, siendo competencia del Gobierno la aprobación del Proyecto de Ley de Presupuestos, así como la ejecución de los mismos.

H) El **art. 135**, que ha sido modificado por la última reforma de la Constitución, de 27 de septiembre de 2011, y que ha sido desarrollado por la Ley Orgánica 2/2012, de 27 de abril, de Estabilidad Presupuestaria y Sostenibilidad Financiera dispone que:

1. Todas las Administraciones Públicas adecuarán sus actuaciones al principio de estabilidad presupuestaria.
2. El Estado y las Comunidades Autónomas no podrán incurrir en un déficit estructural que supere los márgenes establecidos, en su caso, por la Unión Europea para sus Estados Miembros.

   Una ley orgánica fijará el déficit estructural máximo permitido al Estado y a las Comunidades Autónomas, en relación con su producto interior bruto. Las Entidades Locales deberán presentar equilibrio presupuestario.
3. El Estado y las Comunidades Autónomas habrán de estar autorizados por ley para emitir deuda pública o contraer crédito.

Los créditos para satisfacer los intereses y el capital de la deuda pública de las Administraciones se entenderán siempre incluidos en el estado de gastos de sus presupuestos y su pago gozará de prioridad absoluta. Estos créditos no podrán ser objeto de enmienda o modificación, mientras se ajusten a las condiciones de la ley de emisión.

El volumen de deuda pública del conjunto de las Administraciones Públicas en relación con el producto interior bruto del Estado no podrá superar el valor de referencia establecido en el Tratado de Funcionamiento de la Unión Europea.

4. Los límites de déficit estructural y de volumen de deuda pública solo podrán superarse en caso de catástrofes naturales, recesión económica o situaciones de emergencia extraordinaria que escapen al control del Estado y perjudiquen considerablemente la situación financiera o la sostenibilidad económica o social del Estado, apreciadas por la mayoría absoluta de los miembros del Congreso de los Diputados.
5. Una ley orgánica desarrollará los principios a que se refiere este artículo, así como la participación, en los procedimientos respectivos, de los órganos de coordinación institucional entre las Administraciones Públicas en materia de política fiscal y financiera. En todo caso, regulará:
   a) La distribución de los límites de déficit y de deuda entre las distintas Administraciones Públicas, los supuestos excepcionales de superación de los mismos y la forma y plazo de corrección de las desviaciones que sobre uno y otro pudieran producirse.
   b) La metodología y el procedimiento para el cálculo del déficit estructural.
   c) La responsabilidad de cada Administración Pública en caso de incumplimiento de los objetivos de estabilidad presupuestaria.
6. Las Comunidades Autónomas, de acuerdo con sus respectivos Estatutos y dentro de los límites a que se refiere este artículo, adoptarán las disposiciones que procedan para la aplicación efectiva del principio de estabilidad en sus normas y decisiones presupuestarias.

l) El **art. 136**, finalmente, regula el Tribunal de Cuentas, como supremo órgano fiscalizador de las cuentas y de la gestión económica del Estado, así como del sector público.

1.13. Título Octavo

Trata «de la Organización Territorial del Estado», con tres Capítulos, relativos a los Principios Generales, la Administración Local y las Comunidades Autónomas. Este último es el más amplio de todos, regulándose con mucho detalle las competencias exclusivas y delegables de las Comunidades Autónomas y del Estado, así como el contenido y aprobación de los Estatutos de Autonomía.

1.14. Título Noveno

Trata «del Tribunal Constitucional», como órgano supremo del Estado en materia de garantías constitucionales e interpretación de la Constitución.

1.15. Título Décimo

Trata «de la reforma constitucional», garantizando al texto constitucional frente a intentos simples de revisión.

1.16. Disposiciones adicionales y transitorias

Entre otras materias, regulan algunos procedimientos especiales de acceso a la autonomía, como el caso de Navarra, Ceuta y Melilla, etc.; asimismo, tratan de los Derechos Históricos Forales, su posible actualización, etc.

1.17. Disposición derogatoria

Deja sin vigor a la Ley para la Reforma Política, de 4 de enero de 1977, así como, en tanto no estuvieran ya derogadas por esta, a las anteriores Leyes Fundamentales.

Contiene, también, una cláusula derogatoria general respecto de cuantas disposiciones se opongan a lo establecido en la Constitución.

1.18. Disposición final

Establece que «esta Constitución entrará en vigor el mismo día de la publicación de su texto oficial en el Boletín Oficial del Estado. Se publicará, también, en las demás lenguas de España».

2. Derechos y deberes fundamentales. Su garantía y suspensión

2.1. Introducción

La CE trata de los derechos y deberes fundamentales de los españoles en su Título I: «De los derechos y deberes fundamentales» y, señaladamente, en los Capítulos:

a) Segundo: «De los derechos y libertades», que abarca a los arts. 14 a 38, divididos, tras la mención general del art. 14, en dos Secciones:

    1. Sección 1.ª: «De los derechos fundamentales y de las libertades públicas» (arts. 15 a 29).

    2. Sección 2.ª: «De los derechos y deberes de los ciudadanos» (arts. 30 a 38).

b) Tercero: «De los principios rectores de la política social y económica»; Capítulo, este, donde se recogen los denominados «derechos sociales» (arts. 39 a 52).

c) Cuarto: «De las garantías de las libertades y derechos fundamentales» (arts. 53 y 54).

d) Quinto: «De la suspensión de los derechos y libertades» (art. 55).

2.2. Derechos

Como se expuso, el **art. 10 CE** dispone que:

1. La dignidad de la persona, los derechos inviolables que le son inherentes, el libre desarrollo de la personalidad, el respeto a la Ley y a los derechos de los demás son el fundamento del orden político y de la paz social.
2. Las normas relativas a los derechos fundamentales y a las libertades que la Constitución reconoce se interpretarán de conformidad con la Declaración Universal de Derechos Humanos y los Tratados y Acuerdos Internacionales sobre las mismas materias ratificados por España.

Junto a estas normas, hay que tener en cuenta lo dispuesto por el art. 2 de la Ley Orgánica 1/2008, de 30 de julio, por la que se autoriza la ratificación por España del Tratado de Lisboa, por el que se modifican el Tratado de la Unión Europea y el Tratado Constitutivo de la Comunidad Europea, firmado en la capital portuguesa el 13 de diciembre de 2007, según el cual a tenor de lo dispuesto en el párrafo segundo del artículo 10 de la Constitución española, y en el apartado 8 del artículo 1 del Tratado de Lisboa, las normas relativas a los derechos fundamentales y a las libertades que la Constitución reconoce se interpretarán también de conformidad con lo dispuesto en la Carta de los Derechos Fundamentales publicada en el «Diario Oficial de la Unión Europea» de 14 de diciembre de 2007.

Por su parte, el art. 14 CE trata del **principio de igualdad**, al establecer que «los españoles son iguales ante la Ley, sin que pueda prevalecer discriminación alguna por razón de nacimiento, raza, sexo, religión, opinión o cualquier otra condición o circunstancia personal o social». Una plasmación práctica de este derecho es la Ley 33/2006, de 30 de octubre, sobre igualdad del hombre y la mujer en el orden sucesorio de los títulos nobiliarios, junto a la que debe hacerse mención especial a la Ley Orgánica 3/2007, de 22 de marzo, para la igualdad efectiva de mujeres y hombres.

En cuanto a los demás derechos que se reconocen en este Título I, son los siguientes:

Derecho a la vida y a la integridad física y moral, sin que, en ningún caso, pueda ser sometido alguien a tortura ni a penas o tratos inhumanos o degradantes, quedando abolida la pena de muerte, salvo lo que dispongan las leyes penales militares para tiempos de guerra (art. 15), sobre lo que habrá que estar a lo dispuesto en la Ley Orgánica 14/2015, de 14 de octubre, del Código Penal Militar. Sobre la pena de muerte, hay que señalar, asimismo, que España manifestó el 16 de diciembre de 2009 su consentimiento al Protocolo n.º 13 al Convenio para la Protección de los Derechos Humanos y de las Libertades Fundamentales (hecho en Vilna el 3 de mayo de 2002), relativo a la abolición de la pena de muerte en todas las circunstancias, con entrada en vigor en nuestro país el 1 de abril de 2010.

Libertad ideológica, religiosa y de culto (art. 16), sin más limitación en sus manifestaciones que la necesaria para el mantenimiento del orden público protegido por la Ley, y sin que nadie pueda ser obligado a declarar sobre su ideología, religión y creencias, consagrándose la aconfesionalidad del Estado. La libertad religiosa ha sido regulada por la Ley Orgánica 7/1980, de 5 de julio, de Libertad Religiosa, desarrollada por el Real Decreto 932/2013, de 29 de noviembre, por el que se regula la Comisión Asesora de Libertad Religiosa. Asimismo, debe hacerse mención al Real Decreto 593/2015, de 3 de julio, por el que se regula la declaración de notorio arraigo de las confesiones religiosas en España, y al Real Decreto 594/2015, de 3 de julio, por el que se regula el Registro de Entidades Religiosas.

Derecho a la libertad y a la seguridad personal, por lo que nadie podrá ser privado de su libertad, sino con la observancia de lo dispuesto en el art. 17 y en los casos y en la forma prevista en la Ley.

Asimismo, la detención preventiva no podrá durar más del tiempo estrictamente necesario para la realización de las averiguaciones tendentes al esclarecimiento de los hechos, y, en todo caso, en el plazo máximo de setenta y dos horas, el detenido deberá ser puesto en libertad o a disposición de la autoridad judicial.

Por otro lado, toda persona detenida debe ser informada de forma inmediata, y de modo que le sea comprensible, de sus derechos y de las razones de su detención, no pudiendo ser obligada a declarar. Se garantiza la asistencia de Abogado al detenido en las diligencias policiales y judiciales, en los términos que la Ley establezca (esta es la Ley 14/1983, de 12 de diciembre, junto a la que debe tenerse en cuenta la Ley 1/1996, de 10 de enero, de Asistencia Jurídica Gratuita).

Finalmente, la Ley regulará un procedimiento de «habeas corpus» para producir la inmediata puesta a disposición judicial de toda persona detenida ilegalmente (es la Ley Orgánica 6/1984, de 24 de mayo). Asimismo, por Ley se determinará el plazo máximo de duración de la prisión provisional (art. 17).

En relación con estos derechos, ha de hacerse mención a la Ley Orgánica 4/2015, de 30 de marzo, de protección de la seguridad ciudadana, a la que habrá que estar, así como a la mencionada Ley 36/2015, de 28 de septiembre, de Seguridad Nacional.

Derecho al honor, a la intimidad personal y familiar y a la propia imagen, reconocido en el art. 18 y regulado por la Ley Orgánica 1/1982, de 5 de mayo, derogada parcialmente por la Ley Orgánica 10/1995, de 23 de noviembre, del Código Penal, y modificada por la Ley Orgánica 5/2010, de 22 de junio, por la que se modifica la Ley Orgánica 10/1995, de 23 de noviembre, del Código Penal.

Por lo demás, este art. 18 establece que:

a) **El domicilio es inviolable**, sin que pueda hacerse entrada o registro en él sin consentimiento del titular o resolución judicial, salvo en caso de flagrante delito, debiendo tenerse en cuenta, al efecto, la Ley 22/1995, de 17 de agosto, mediante la que se garantiza la presencia Judicial en los registros domiciliarios.

b) Se garantiza el **secreto de las comunicaciones**, y, en especial, de las postales, telegráficas y telefónicas, salvo resolución judicial.

c) **La Ley limitará el uso de la informática** para garantizar el honor y la intimidad personal y familiar de los ciudadanos y el pleno ejercicio de sus derechos (al efecto, habrá que estar a lo dispuesto en la Ley Orgánica 3/2018, de 5 de diciembre, de Protección de Datos Personales y garantía de los derechos digitales).

Derecho a la libre elección de residencia y a la libre circulación por el territorio nacional, recogido en el art. 19, así como el derecho a entrar y salir libremente de España en los términos que la Ley establezca; derecho que no podrá ser limitado por motivos políticos o ideológicos.

Derecho de expresión, que engloba los siguientes, enunciados por el art. 20, según el cual:

1. Se reconocen y protegen los derechos:
   a) A expresar y difundir libremente los pensamientos, ideas y opiniones mediante la palabra, el escrito o cualquier otro medio de reproducción.
   b) A la producción y creación literaria, artística, científica y técnica.
   c) A la libertad de cátedra.
   d) A comunicar o recibir libremente información veraz por cualquier medio de difusión. La Ley regulará el derecho a la cláusula de conciencia (en concreto, habrá que estar a lo dispuesto en la Ley Orgánica 2/1997, de 19 de junio, reguladora de la cláusula de conciencia de los profesionales de la información) y al secreto profesional en el ejercicio de estas libertades.
2. El ejercicio de estos derechos no puede restringirse mediante ningún tipo de censura previa.
3. La Ley regulará la organización y el control parlamentario de los medios de comunicación social dependientes del Estado o de cualquier ente público y garantizará el acceso a dichos medios de los grupos sociales y políticos significativos, respetando el pluralismo de la sociedad y de las diversas lenguas de España.
4. Estas libertades tienen su límite en el respeto a los derechos reconocidos en este Título I, en los preceptos de las leyes que lo desarrollen y, especialmente, en el derecho al honor, a la intimidad, a la propia imagen, y a la protección de la juventud y de la infancia.
5. Solo podrá acordarse el secuestro de publicaciones, grabaciones y otros medios de información en virtud de resolución judicial.

Derecho de reunión pacífica y sin armas, sin necesidad de autorización previa, y con comunicación previa a la Autoridad, que solo podrá prohibirlas cuando existan razones fundadas de alteración del orden público, con peligro para personas o bienes, en los casos de reuniones en lugares de tránsito público y manifestaciones, según el art. 21 CE (el derecho de reunión se ha regulado por Ley Orgánica 9/1983, de 15 de julio).

Derecho de asociación, debiendo inscribirse en un Registro a los solos efectos de publicidad, y sin que las asociaciones que se creen se disuelvan o suspendan en sus actividades sino en virtud de resolución judicial.

Declara, además, el art. 22, como ilegales, las asociaciones que persigan fines o utilicen medios tipificados como delito. Y prohíbe las asociaciones secretas y las de carácter paramilitar.

El derecho de asociación se ha regulado por la Ley Orgánica 1/2002, de 22 de marzo.

Derecho de participación en los asuntos públicos, directamente o por medio de representantes, libremente elegidos en elecciones periódicas por sufragio universal.

Asimismo, los ciudadanos tienen **derecho a acceder en condiciones de igualdad a las funciones y cargos públicos**, con los requisitos que señalen las Leyes (art. 23).

Sobre este derecho tiene una especial incidencia la Ley Orgánica 3/2007, de 22 de marzo, para la igualdad efectiva de mujeres y hombres, tanto en cuanto al acceso a las funciones y cargos públicos como en lo referente al sistema electoral, así como el Texto Refundido de la Ley del Estatuto Básico del Empleado Público, aprobado por el Real Decreto Legislativo 5/2015, de 30 de octubre.

Derecho de todas las personas a obtener la tutela efectiva de los Jueces y Tribunales en el ejercicio de sus derechos e intereses legítimos, sin que, en ningún caso, pueda producirse indefensión.

Asimismo, todos tienen derecho al Juez ordinario predeterminado por la Ley, a la defensa y a la asistencia de Letrado (sobre lo que debe tenerse en cuenta la Ley 1/1996, de 10 de enero, de Asistencia Jurídica Gratuita), a ser informados de la acusación formulada contra ellos, a un proceso público sin dilaciones indebidas y con todas las garantías, a utilizar los medios de prueba pertinentes para su defensa, a no declarar contra sí mismos, a no confesarse culpables y a la presunción de inocencia.

La Ley regulará los casos en que, por razón de parentesco o de secreto profesional, no se estará obligado a declarar sobre hechos presuntamente delictivos (art. 24).

Principio de legalidad penal, que recoge el art. 25, conforme al cual:

1. Nadie puede ser condenado o sancionado por acciones u omisiones que en el momento de producirse no constituyan delito, falta o infracción administrativa, según la legislación vigente en aquel momento.

2. Las penas privativas de libertad y las medidas de seguridad estarán orientadas hacia la reeducación y reinserción social y no podrán consistir en trabajos forzados. El condenado a pena de prisión que estuviere cumpliendo la misma gozará de los derechos fundamentales de este Capítulo, a excepción de los que se vean expresamente limitados por el contenido del fallo condenatorio, el sentido de la pena y la ley penitenciaria. En todo caso, tendrá derecho a un trabajo remunerado y a los beneficios correspondientes de la Seguridad Social, así como al acceso a la cultura y al desarrollo integral de su personalidad.

3. La Administración civil no podrá imponer sanciones que, directa o subsidiariamente, impliquen privación de libertad.

Prohibición de los Tribunales de Honor en el ámbito de la Administración Civil y de las Organizaciones Profesionales (art. 26).

Derecho a la Educación, que se recoge en el art. 27, conforme al cual:

1. Todos tienen el derecho a la educación. Se reconoce la libertad de enseñanza.
2. La educación tendrá por objeto el pleno desarrollo de la personalidad humana en el respeto a los principios democráticos de convivencia y a los derechos y libertades fundamentales.
3. Los poderes públicos garantizan el derecho que asiste a los padres para que sus hijos reciban la formación religiosa y moral que esté de acuerdo con sus propias convicciones.
4. La enseñanza básica es obligatoria y gratuita.
5. Los poderes públicos garantizan el derecho de todos a la educación mediante una programación general de la enseñanza, con participación efectiva de todos los sectores afectados y la creación de centros docentes.
6. Se reconoce a las personas físicas y jurídicas la libertad de creación de centros docentes, dentro del respeto a los principios constitucionales.
7. Los profesores, los padres y, en su caso, los alumnos intervendrán en el control y gestión de los centros sostenidos por la Administración con fondos públicos, en los términos que la Ley establezca.
8. Los poderes públicos inspeccionarán y homologarán el sistema educativo para garantizar el cumplimiento de las leyes.
9. Los poderes públicos ayudarán a los centros docentes que reúnan los requisitos que la ley establezca.
10. Se reconoce la autonomía de las Universidades en los términos que la ley establezca.

El derecho de educación ha sido regulado por la Ley Orgánica 8/1985, de 3 de julio, Reguladora del Derecho a la Educación, por la Ley Orgánica 5/2002, de 19 de junio, de las Cualificaciones y de la Formación Profesional, y por la reiterada Ley Orgánica 2/2006, de 3 de mayo, de Educación.

Derecho de libre sindicación, reconocido en el art. 28 y regulado por la Ley Orgánica 11/1985, de 2 de agosto, de Libertad Sindical, pudiéndose limitar o exceptuar, por Ley, a las Fuerzas o Institutos armados o a los demás Cuerpos sometidos a disciplina militar y debiéndose regular las peculiaridades de su ejercicio para los Funcionarios Públicos, lo que se hizo a través de la Ley 9/1987, de 12 de junio, de Órganos de Representación, Determinación de las Condiciones de Trabajo y Participación del Personal al Servicio de las Administraciones Públicas, prácticamente derogada en su totalidad por la también derogada Ley 7/2007, de 12 de abril, del Estatuto Básico del Empleado Público (actualmente, el Real Decreto Legislativo 5/2015, de 30 de octubre, por el que se aprueba el texto refundido de la Ley del Estatuto Básico del Empleado Público).

Esta libertad sindical comprende el derecho a fundar Sindicatos y a afiliarse al de su elección, así como el derecho de los Sindicatos a formar Confederaciones y a fundar Organizaciones Sindicales Internacionales o a afiliarse a las mismas, sin que pueda ser obligado nadie a afiliarse a un Sindicato.

Se reconoce, también, el **derecho de huelga de los trabajadores** para la defensa de sus intereses, debiendo garantizarse, en todo caso, por Ley, el mantenimiento de los servicios esenciales de la comunidad durante la huelga.

Derecho de petición individual y colectiva, por escrito, en la forma y con los efectos que determine la Ley (se trata de la Ley Orgánica 4/2001, de 12 de noviembre, Reguladora del Derecho de Petición, parcialmente modificada por la mencionada Ley Orgánica 9/2011, de 27 de julio).

En cuanto a los miembros de las Fuerzas o Institutos armados o de los Cuerpos sometidos a disciplina militar, podrá ejercerse este derecho solo individualmente y con arreglo a lo dispuesto en su legislación específica (art. 29).

Derecho-deber de defender a España, recogido en el art. 30 y regulado por la Ley Orgánica 5/2005, de 17 de noviembre, de la Defensa Nacional y derecho a la objeción de conciencia, regulado por la Ley 22/1998, de 6 de julio, reguladora de la Objeción de Conciencia y de la Prestación Social Sustitutoria, desarrollada por el Real Decreto 700/1999, de 30 de abril, por el que se aprueba el Reglamento de la objeción de conciencia y de la prestación social sustitutoria.

Sobre este derecho-deber ha de hacerse notar que desde el 31 de diciembre de 2001 se suspendió la prestación del servicio militar, así como la prestación social sustitutoria del servicio militar.

Asimismo, este artículo dispone que pueda establecerse un servicio civil para el cumplimiento de fines de interés general. Y que mediante Ley podrán regularse los deberes de los ciudadanos en los casos de grave riesgo, catástrofe o calamidad pública. A esta materia se refieren la Ley Orgánica 4/1981, de 1 de junio, de estados de Alarma, Excepción y Sitio, y la Ley 17/2015, de 9 de julio, del Sistema Nacional de Protección Civil.

Derecho del hombre y de la mujer a contraer matrimonio con plena igualdad jurídica. La Ley –dice el artículo 32– regulará las formas de matrimonio, la edad y capacidad para contraerlo, los derechos y deberes de los cónyuges, las causas de separación y disolución y sus efectos (contempladas en la Ley 30/1981, de 7 de julio de 1981, por la que se modifica la regulación del matrimonio en el Código Civil y se determina el procedimiento a seguir en las causas de nulidad, separación y divorcio, que se ha visto afectada por la Ley 15/2005, de 8 de julio, por la que se modifican el Código Civil y la Ley de Enjuiciamiento Civil en materia de separación y divorcio). En relación con este derecho, ha de tenerse en cuenta la Ley 13/2005, de 1 de julio, por la que se modifica el Código Civil en materia de derecho a contraer matrimonio.

Derecho a la propiedad privada y a la herencia, delimitándose el contenido de estos derechos por la función social que han de cumplir (art. 33 CE).

Asimismo, se establece por este art. 33 CE que nadie podrá ser privado de sus bienes y derechos sino por causa justificada de utilidad pública o interés social, mediante la correspondiente indemnización y de conformidad con lo dispuesto por las Leyes (actualmente, la Ley de Expropiación Forzosa, de 16 de diciembre de 1954, sucesivamente modificada).

Derecho de Fundación, para fines de interés general, con arreglo a la Ley, rigiendo para las Fundaciones lo expuesto respecto de las asociaciones (art. 34). Este derecho se ha desarrollado por la Ley 50/2002, de 26 de diciembre, de Fundaciones, así como por la Ley 30/1994, de 24 de noviembre, de Fundaciones y de Incentivos Fiscales a la Participación Privada en Actividades de Interés General **Derecho-deber al trabajo**, al que se refiere el art. 35 y junto al que se reconocen los siguientes derechos:

a) Derecho a la libre elección de profesión u oficio.

b) Derecho a la promoción a través del trabajo.

c) Derecho a una remuneración suficiente para satisfacer sus necesidades y las de la familia, sin que, en ningún caso, pueda hacerse discriminación por razón de sexo.

En cuanto a la regulación del mismo, aparte de las previsiones específicas que puedan existir para determinados segmentos de trabajadores, por ejemplo los integrantes de la Función Pública en sus múltiples vertientes, que se regulan por su legislación específica, ha de estarse a lo dispuesto en el Texto Refundido de la Ley del Estatuto de los Trabajadores, aprobado por el Real Decreto Legislativo 2/2015, de 23 de octubre. Junto al mismo, ha de hacerse expresa mención a la Ley 20/2007, de 11 de julio, del Estatuto del Trabajo Autónomo, y desarrollada por el Real Decreto 197/2009, de 23 de febrero, por el que se desarrolla el Estatuto del Trabajo Autónomo en materia de contrato del trabajador autónomo económicamente dependiente y su registro y se crea el registro Estatal de asociaciones profesionales de trabajadores autónomos, entre otras. El art. 36 señala que la Ley regulará las peculiaridades propias del régimen jurídico de los **Colegios Profesionales y el ejercicio de las profesiones tituladas**, debiendo ser democráticos la estructura interna y el funcionamiento de los Colegios.

Los Colegios Profesionales se regularon por la Ley 2/1974, de 13 de febrero, que ha sido objeto de diferentes modificaciones.

Derecho a la negociación colectiva, al que se refiere el art. 37, al establecer que «la Ley garantizará el derecho a la negociación colectiva laboral entre los representantes de los trabajadores y empresarios, así como la fuerza vinculante de los convenios».

Esta materia se ha regulado por el Título III, arts. 82 a 92, inclusive, del reiterado Texto Refundido de la Ley del Estatuto de los Trabajadores, junto al que debe tenerse en cuenta el Real Decreto 713/2010, de 28 de mayo, sobre registro y depósito de convenios y acuerdos colectivos de trabajo.

Asimismo, se reconoce el **derecho de los trabajadores y empresarios a adoptar medidas de conflicto colectivo**, debiendo garantizarse el funcionamiento de los servicios esenciales para la comunidad.

Libertad de empresa en el marco de la economía de mercado, garantizando los poderes públicos y protegiendo su ejercicio y la defensa de la productividad, de acuerdo con las exigencias de la economía general y, en su caso, de la planificación (art. 38). Sobre esta materia debe tenerse en cuenta la Ley 15/2007, de 3 de julio, de Defensa de la Competencia, desarrollada por el Real Decreto 261/2008, de 22 de febrero, por el que se aprueba el Reglamento de Defensa de la Competencia.

Junto a los derechos enunciados, el Capítulo III de este Título I reconoce una serie de derechos denominados sociales, como se dijo, como:

El art. 39 trata del **derecho de la familia a ser protegida social, económica y jurídicamente por los poderes públicos**, así como del **derecho de los hijos, iguales ante la Ley con independencia de su filiación y de las madres, cualquiera que sea su estado civil, a una protección** integral (debiendo tenerse en cuenta la citada Ley Orgánica 1/2004, de 28 de diciembre, de Medidas de Protección Integral contra la Violencia de Género, también modificada por Ley Orgánica 8/2015, de 22 de julio, de modificación del sistema de protección a la infancia y a la adolescencia citada y por Ley 42/2015, de 5 de octubre, de reforma de la Ley 1/2000, de 7 de enero, de Enjuiciamiento Civil), reconociéndose, también, el **deber de los padres de prestar asistencia de todo orden a los hijos habidos dentro y fuera del matrimonio, durante su minoría de edad y en los demás casos en que legalmente proceda**.

El art. 40, por su parte, recoge los siguientes derechos:

a) **Derecho a una distribución más equitativa de la renta y a una política orientada al pleno empleo.**

b) **Derecho a la formación y readaptación profesionales.**

c) **Derecho a la seguridad e higiene en el trabajo,** sobre el que deben tenerse en cuenta las previsiones de la Ley 31/1995, de 8 de noviembre, de Prevención de Riesgos Laborales.

d) **Derecho al descanso necesario**, mediante la limitación de la jornada laboral, las vacaciones periódicas retribuidas y la promoción de centros adecuados.

El art. 41 CE reconoce el **derecho a la Seguridad Social para todos los ciudadanos**, que garantice la asistencia y prestaciones sociales suficientes ante situaciones de necesidad, especialmente en caso de desempleo. Al respecto, puede citarse el Real Decreto Legislativo 8/2015, de 30 de octubre, por el que se aprueba el texto refundido de la Ley General de la Seguridad Social.

El art. 42 impele al Estado a **salvaguardar los derechos económicos y sociales de los trabajadores españoles en el extranjero** y a orientar su política hacia el retorno. Al efecto, debe tenerse en cuenta la Ley 40/2006, de 14 de diciembre, del Estatuto de la ciudadanía española en el exterior.

El art. 43 reconoce el **derecho a la protección de la salud**, a través de medidas preventivas y de las prestaciones y servicios necesarios, debiendo los poderes públicos fomentar la educación sanitaria, la educación física y el deporte, facilitando, además, la adecuada utilización del ocio.

En relación con este derecho, deben tenerse en cuenta, además de la Ley 14/1986, de 25 de abril, General de Sanidad, la Ley 41/2002, de 14 de noviembre, básica reguladora de la autonomía del paciente y de derechos y obligaciones en materia de información y documentación clínica; la Ley 16/2003, de 28 de mayo de cohesión y calidad del Sistema Nacional de Salud; la Ley 55/2003, de 16 de diciembre, del Estatuto Marco del personal estatutario de los servicios de salud, entre otras.

El art. 44 regula el **derecho de acceso a la cultura por parte de todos**, impeliéndose a los poderes públicos a promover la ciencia y la investigación científica y técnica en beneficio del interés general. Al efecto, debe tenerse en cuenta la Ley 10/2007, de 22 de junio, de la lectura, del libro y de las bibliotecas.

El art. 45 CE sanciona el derecho a **disfrutar de un medio ambiente adecuado para el desarrollo de la persona**, debiendo los poderes públicos velar por la utilización racional de todos los recursos naturales, con el fin de proteger y mejorar la calidad de vida y defender y restaurar el medio ambiente, apoyándose en la indispensable solidaridad colectiva. Para quienes violen estas previsiones, en los términos que la ley fije se establecerán sanciones penales o, en su caso, administrativas, así como la obligación de reparar el daño causado.

El art. 46 señala que los poderes públicos garantizarán la **conservación y** promoverán el **enriquecimiento del patrimonio histórico, cultural y artístico de los pueblos de España y de los bienes que lo integran**, cualquiera que sea su régimen jurídico y su titularidad. La ley penal sancionará los atentados contra este patrimonio.

Conforme al art. 47 CE, todos los españoles tienen **derecho a disfrutar de una vivienda digna y adecuada**, debiendo los poderes públicos regular la utilización del suelo de acuerdo con el interés general para impedir la especulación, y participando la comunidad en las plusvalías que genere la acción urbanística de los Entes Públicos. En relación con esta materia, habrá que estar a la legislación sobre Régimen del Suelo y Ordenación Urbana tanto estatal –constituida, básicamente, por el citado Real Decreto Legislativo 7/2015, de 30 de octubre, por el que se aprueba el texto refundido de la Ley de Suelo y Rehabilitación Urbana, así como la Ley 29/1994, de 24 de noviembre, de Arrendamientos Urbanos.

El art. 48 trata del **derecho de la juventud a una participación libre y eficaz en el desarrollo político, social, económico y cultural**.

El art. 49 CE impone a los poderes públicos la realización de una **política de previsión, tratamiento, rehabilitación e integración de los disminuidos físicos, sensoriales y psíquicos**, a los que prestarán la atención especializada que requieran y los ampararán especialmente para el disfrute de los derechos que el Título I otorga a todos los ciudadanos. Podemos destacar aquí el Real Decreto Legislativo 1/2013, de 29 de noviembre, por el que se aprueba el Texto Refundido de la Ley General de derechos de las personas con discapacidad y de su inclusión social.

El art. 50 se ocupa de la **Tercera Edad**, estableciendo su derecho a pensiones adecuadas y periódicamente actualizadas y a la utilización de un sistema de servicios sociales que atenderán sus problemas específicos de salud, vivienda, cultura y ocio. En relación con este artículo, debe tenerse en cuenta el Real Decreto 117/2005, de 4 de febrero, por el que se regula el Consejo Estatal de las Personas Mayores.

El art. 51 impone a los poderes públicos la obligación de garantizar la **defensa de los consumidores y usuarios**, protegiendo, mediante procedimientos eficaces, la seguridad, la salud y los legítimos intereses económicos de los mismos. Asimismo, se promoverá la información y la educación de los consumidores y usuarios, fomentándose sus organizaciones, a las que se oirá en las cuestiones que les puedan afectar.

En relación con este artículo, ha de tenerse en cuenta el Texto Refundido de la Ley General para la Defensa de los Consumidores y Usuarios y otras leyes complementarias, aprobado por el Real

Decreto Legislativo 1/2007, de 16 de noviembre (cuya última modificación se ha producido por Ley 7/2017, de 2 de noviembre, por la que se incorpora al ordenamiento jurídico español la Directiva 2013/11/UE, del Parlamento Europeo y del Consejo, de 21 de mayo de 2013, relativa a la resolución alternativa de litigios en materia de consumo y por Ley 4/2018, de 11 de junio, por la que se modifica el texto refundido de la Ley General para la Defensa de los Consumidores y Usuarios y otras leyes complementarias, aprobado por Real Decreto Legislativo 1/2007, de 16 de noviembre).

El art. 52 prescribe, finalmente, que la Ley regulará las **Organizaciones Profesionales** que contribuyan a la defensa de sus intereses, cuya estructura interna y funcionamiento deberán ser democráticos.

2.3. Deberes de los españoles

Fundamentalmente son:

1. **Deber** (que es también un derecho) **de defender a España**, regulándose en el art. 30, además, la prestación obligatoria del servicio militar, remitiéndose a una regulación por Ley (ya citada) de lo relativo a la objeción de conciencia, así como las causas de exención del servicio militar obligatorio, pudiendo imponer, en su caso, una prestación social sustitutoria.

   Asimismo, este artículo dispone que pueda establecerse un servicio civil para el cumplimiento de fines de interés general. Y que mediante Ley podrán regularse los deberes de los ciudadanos en los casos de grave riesgo, catástrofe o calamidad pública (a esta materia se refieren la Ley Orgánica 4/1981, de 1 de junio, de estados de Alarma, Excepción y Sitio, y la citada Ley 17/2015, de 9 de julio, del Sistema Nacional de Protección Civil).

2. **Deberes tributarios**, recogidos en el art. 31,1.º conforme al cual «todos contribuirán al sostenimiento de los gastos públicos de acuerdo con su capacidad económica mediante un sistema tributario justo inspirado en los principios de igualdad y progresividad que, en ningún caso, tendrá alcance confiscatorio».

   A este respecto, el número 3 de este artículo dispone que «solo podrán establecerse prestaciones personales o patrimoniales de carácter público con arreglo a la Ley».

   Por su parte, el número 2 prescribe que «el gasto público realizará una asignación equitativa de los recursos públicos, y su programación y ejecución responderán a los criterios de eficiencia y economía».

3. **Deber** (que, a la vez, es derecho) **de trabajar, sin discriminación por razón de sexo** (art. 35).

4. **Deber de los padres a prestar asistencia de todo orden a sus hijos habidos dentro y fuera del matrimonio, durante su minoría de edad y en los demás casos en que legalmente proceda** (art. 39).

5. **Deber de conservación del medio ambiente**, conforme al art. 45, estableciéndose, en los términos que la Ley fije, sanciones penales (sobre lo que habrá que estar a la Ley Orgánica 10/1995, de 23 de noviembre, del Código Penal) o, en su caso, administrativas, así como la obligación de reparar el daño causado.

6. **Deber de conservación del patrimonio histórico, cultural y artístico** (art. 46).

2.4. Garantías de los derechos y libertades

Vienen recogidas en los arts. 53 y 54 CE.

El art. 53 dispone que:

1. Los derechos y libertades reconocidos en el capítulo segundo del presente título (es decir los contenidos en los arts. 14 a 38) vinculan a todos los poderes públicos. Solo por ley, que en todo caso deberá respetar su contenido esencial, podrá regularse el ejercicio de tales derechos y libertades, que se tutelarán de acuerdo con lo previsto en el artículo 161.1.a) (es decir, a través del recurso de inconstitucionalidad ante el Tribunal Constitucional, de acuerdo con lo dispuesto en la Ley Orgánica 2/1979, de 3 de octubre, del Tribunal Constitucional).
2. Cualquier ciudadano podrá recabar la tutela de las libertades y derechos reconocidos en el artículo 14 y la sección primera del capítulo segundo (integrada por los arts. 15 a 29) ante los Tribunales ordinarios por un procedimiento basado en los principios de preferencia y sumariedad (recogido en los arts. 114 a 122 de la Ley 29/1998, de 13 de julio, Reguladora de la Jurisdicción Contencioso-Administrativa) y, en su caso, a través del recurso de amparo ante el Tribunal Constitucional. Este último recurso será aplicable a la objeción de conciencia reconocida en el artículo 30.
3. El reconocimiento, el respeto y la protección de los principios reconocidos en el capítulo tercero (los derechos reconocidos en los arts. 39 a 52) informarán la legislación positiva, la práctica judicial y la actuación de los poderes públicos. Solo podrán ser alegados ante la jurisdicción ordinaria, de acuerdo con lo que dispongan las leyes que los desarrollen.

El art. 54, por su parte, trata del Defensor del Pueblo, estableciendo que «una Ley Orgánica regulará la institución del Defensor del Pueblo, como Alto Comisionado de las Cortes Generales, designado por estas para la defensa de los derechos comprendidos en este Título, a cuyo efecto podrá supervisar la actividad de la Administración, dando cuenta a las Cortes Generales».

Esta Ley Orgánica es la 3/1981, de 6 de abril, junto a la que debe tenerse en cuenta la Ley 36/1985, de 6 de noviembre, por la que se regulan las relaciones entre la Institución del Defensor del Pueblo y las figuras similares de las distintas Comunidades Autónomas.

Finalmente, dentro de estos mecanismos de garantías, hemos de señalar que, una vez agotadas las instancias internas, y en virtud de una Declaración de nuestro Ministerio de Asuntos Exteriores, de 11 de junio de 1981 (renovada el 18 de octubre de 1985, por cinco años, prorrogables tácitamente), se pueden plantear demandas ante el Secretario General del Consejo de Europa, conociendo de las mismas la Comisión Europea de Derechos Humanos, por la violación de los derechos reconocidos en el Convenio Europeo para la Protección de los Derechos Humanos y de las Libertades Fundamentales, de Roma, de 4 de noviembre de 1950. En la actualidad, estas demandas se dirigirán ante el Tribunal ante el Tribunal Europeo de Derechos Humanos.

2.5. Suspensión de los derechos y libertades

Viene regulada en el art. 55 de la Constitución, sobre la base del cual se puede hacer la siguiente distinción:

1. Los derechos reconocidos en los artículos 17, 18, apartados 2 y 3, artículos 19, 20, apartados 1,a) y d), y 5, artículos 21, 28, apartado 2, y artículo 37, apartado 2 (es decir, los derechos a la libertad y seguridad personal, la inviolabilidad del domicilio y secreto de las comunicaciones, libertad de residencia y circulación, libertad de expresión e información, de reunión y manifestación, a la huelga y a la adopción de medidas de conflicto colectivo), podrán ser suspendidos cuando se acuerde la declaración del estado de excepción o el de sitio en los términos previstos en la Constitución. Se exceptúa de lo establecido anteriormente el apartado 3 del artículo 17 (el derecho de información del detenido de sus derechos, razones de su detención y asistencia de Letrado en las diligencias policiales y judiciales) para el supuesto de declaración del estado de excepción (a estos estados de excepción y sitio se refiere el art. 116 de la Constitución).
2. Una ley orgánica podrá determinar la forma y los casos en los que, de forma individual y con la necesaria intervención judicial y el adecuado control parlamentario, los derechos reconocidos en los artículos 17, apartado 2, y 18, apartados 2 y 3 (los derechos de plazo de setenta y dos horas para ser puesto el detenido a disposición de la Autoridad Judicial o en libertad, a la inviolabilidad del domicilio y al secreto de las comunicaciones), pueden ser suspendidos para personas determinadas, en relación con las investigaciones correspondientes a la actuación de bandas armadas o elementos terroristas.

Los mecanismos de protección para cada derecho y libertad son:

TIPO DE DERECHO	PROTECCIÓN
Principios rectores de la Política Social y Económica (Cap. III) (Nivel más bajo de protección)	Su reconocimiento, respeto y protección han de informar: – La legislación positiva. – La práctica judicial. – La actuación de los poderes públicos.
Derechos y deberes de la Sección II del Capítulo II (Nivel medio de protección)	– Vinculan a todos los poderes públicos en sus actuaciones. – Solo puede regularse su ejercicio mediante Ley que debe respetar su contenido esencial. – Si no lo hiciera se podrá impugnar dicha ley ante el Tribunal Constitucional que la podrá declarar inconstitucional. – Protección ante Tribunales de Justicia por procedimiento ordinario.
Derechos Fundamentales y Libertades Públicas (Sección I, del Capítulo II) (Máxima protección) (Además de lo establecido en el apartado anterior)	– Protección ante Tribunales Ordinarios mediante procedimiento preferente y sumario. – Protección ante el Tribunal Constitucional mediante recurso de amparo. – Su desarrollo solo puede hacerse mediante Ley Orgánica (art. 81). – Se excluye en su desarrollo la delegación legislativa. – Su modificación constitucional se equipara a una reforma total de la Constitución.

3. Las Cortes Generales

3.1. Introducción

El Poder Legislativo reside en las Cortes Generales, de las que se ocupa el Título III de la Constitución.

En España, desde sus Constituciones del siglo XIX, rigió el sistema bicameral, que funcionó hasta 1931, en que la Constitución de la II República estableció el sistema unicameral, que se mantuvo durante el régimen de FRANCO, a través de la idea (acuñada por MADARIAGA) de la democracia y representación orgánica.

Con la Ley 1/1977, de 4 de enero, para la Reforma Política, se restauró el sistema bicameral, que ha sancionado, también, nuestra vigente Constitución.

Este sistema bicameral asegura una doble discusión y garantiza una mayor madurez en las resoluciones adoptadas por las Cámaras.

Sobre la base del articulado de la CE, pasamos a tratar de este Poder Legislativo, de las Cortes Generales.

3.2. Composición y funciones fundamentales

Conforme al art. 66 CE, «las Cortes Generales representan al pueblo español y están formadas por el Congreso de los Diputados y el Senado.

Las Cortes Generales ejercen la potestad legislativa del Estado, aprueban sus Presupuestos, controlan la acción del Gobierno y tienen las demás competencias que les atribuya la Constitución.

Las Cortes Generales son inviolables».

3.3. Congreso de los Diputados

Conforme al art. 68:

1. El Congreso se compone de un mínimo de 300 y un máximo de 400 Diputados (actualmente hay 350), elegidos por sufragio universal, libre, igual, directo y secreto, en los términos que establezca la Ley (que es la LOREG).
2. La circunscripción electoral es la Provincia. Las poblaciones de Ceuta y Melilla estarán representadas cada una de ellas por un Diputado. La Ley distribuirá el número total de Diputados, asignando una representación mínima inicial a cada circunscripción y distribuyendo los demás en proporción a la población.
3. La elección se verificará en cada circunscripción atendiendo a criterios de representación proporcional.

4. El Congreso es elegido por cuatro años. El mandato de los Diputados termina cuatro años después de su elección o el día de la disolución de la Cámara.

El Congreso de los Diputados

5. Son electores y elegibles todos los españoles que estén en pleno uso de sus derechos políticos.

   La Ley reconocerá y el Estado facilitará el ejercicio del derecho de sufragio a los españoles que se encuentren fuera del territorio de España.

6. Las elecciones tendrán lugar entre los treinta y sesenta días desde la terminación del mandato (en concreto, en los días antes señalados, sobre la base del art. 42,2.º LOREG). El Congreso electo deberá ser convocado dentro de los veinticinco días siguientes a la celebración de las elecciones.

3.4. Senado

Lo regula el art. 69 de la Constitución, al establecer que:

1. El Senado es la Cámara de representación territorial.
2. En cada Provincia se elegirán cuatro Senadores por sufragio universal, libre, igual, directo y secreto por los votantes de cada una de ellas, en los términos que señale una ley orgánica (ya citada).
3. En las Provincias insulares, cada Isla o agrupación de ellas, con Cabildo o Consejo Insular, constituirá una circunscripción a efectos de elección de Senadores, correspondiendo tres a cada una de las Islas mayores –Gran Canaria, Mallorca y Tenerife– y uno a cada una de las siguientes Islas o agrupaciones: Ibiza-Formentera, Menorca, Fuerteventura, Gomera, Hierro, Lanzarote y La Palma.
4. Las poblaciones de Ceuta y Melilla elegirán cada una de ellas dos Senadores.

5. Las Comunidades Autónomas designarán, además, un Senador y otro más por cada millón de habitantes de su respectivo territorio. La designación corresponderá a la Asamblea Legislativa o, en su defecto, al órgano colegiado superior de la Comunidad Autónoma, de acuerdo con lo que establezcan los Estatutos, que asegurarán, en todo caso, la adecuada representación proporcional.
6. El Senado es elegido por cuatro años. El mandato de los Senadores termina cuatro años después de su elección o el día de la disolución de la Cámara.

Edificio del Senado

3.5. Incompatibilidad, inelegibilidad, inviolabilidad e inmunidad de los Diputados y Senadores

El art. 67,1.º CE parte de que "nadie podrá ser miembro de las dos Cámaras simultáneamente, ni acumular el acta de una Asamblea de Comunidad Autónoma con la de Diputado al Congreso", para señalar, acto seguido, en su número 2, que "los miembros de las Cortes Generales no estarán ligados por mandato imperativo".

En concreto, a la inviolabilidad e inmunidad se refiere el art. 71,1.º a 3.º CE, que establece la inviolabilidad de los Diputados y Senadores por las opiniones manifestadas en el ejercicio de sus funciones, así como la inmunidad durante el período de su mandato, en virtud de la cual solo podrá ser detenidos en caso de flagrante delito, sin que puedan ser inculpados ni procesados sin la previa autorización de la Cámara respectiva, siendo competente en las causas contra Diputados y Senadores la Sala de lo Penal del Tribunal Supremo.

Al margen de ello, en su núm. 4.º, señala este artículo que "los Diputados y Senadores percibirán una asignación que será fijada por las respectivas Cámaras."

En cuanto a las causas de inelegibilidad e incompatibilidad, el art. 70 CE se remite a la Ley electoral (la LOREG) para su determinación, comprendiendo, en todo caso:

a) A los componentes del Tribunal Constitucional.
b) A los altos cargos de la Administración del Estado que determine la Ley, con la excepción de los miembros del Gobierno.

c) Al Defensor del Pueblo.

d) A los Magistrados, Jueces y Fiscales en activo.

e) A los Militares profesionales y miembros de las Fuerzas y Cuerpos de Seguridad y Policía en activo.

f) A los miembros de las Juntas Electorales.

3.6. Atribuciones

De entre el articulado de la Constitución podemos entresacar, con carácter general, las siguientes:

1. Representar al pueblo español (art. 66).
2. La potestad legislativa del Estado (art. 66).
3. Aprobación de los Presupuestos del Estado (art. 66).
4. Control de la acción del Gobierno (art. 66).
5. Establecer sus propios Reglamentos (art. 72), lo que se efectuó el 10 de febrero de 1982, en cuanto al Congreso de los Diputados, y el 3 de mayo de 1994, respecto del Texto Refundido del Reglamento del Senado, parcial y sucesivamente modificados con posterioridad.
6. La aprobación de sus Presupuestos (art. 72).
7. Elegir sus respectivos Presidentes y los demás miembros de sus Mesas, así como regular el Estatuto del Personal de las Cortes Generales, rigiendo en la actualidad el aprobado por Acuerdo de 27 de marzo de 2006, adoptado por las Mesas del Congreso de los Diputados y del Senado en reunión conjunta y modificado por Acuerdo de 16 de septiembre de 2008, así como por Acuerdo de 21 de septiembre de 2009 y afectado por Resolución de 10 de mayo de 2016, conjunta de las Presidencias del Congreso de los Diputados y del Senado, por la que se publica la modificación del Estatuto del Personal de las Cortes Generales (art. 72).
8. Las competencias, ya examinadas en otro lugar, en relación con la Corona, como nombramiento, en su caso, de Regente y Tutor, etc. (arts. 57, 59, 60 y 63).
9. La aprobación, modificación o derogación de Leyes Orgánicas (art. 81).
10. Delegar en el Gobierno la potestad de dictar normas con rango de Ley sobre materias determinadas (art. 82).
11. Pronunciarse sobre la convalidación o derogación de los Decretos-Leyes dictados por el Gobierno (art. 86), atribuyéndose esta competencia específicamente al Congreso de los Diputados.
12. Velar por el cumplimiento de los Tratados Internacionales y de las Resoluciones emanadas de los Organismos Internacionales o Supranacionales (art. 93).

13. La previa autorización para facultar al Estado para obligarse por medio de Tratados o Convenios Internacionales en los casos que prevé el art. 94.
14. Otorgar la confianza al candidato a la Presidencia del Gobierno (art. 99), correspondiendo esta atribución al Congreso de los Diputados.
15. Someter a interpelaciones y preguntas al Gobierno (art. 111).
16. Pronunciarse sobre la cuestión de confianza planteada por el Presidente del Gobierno (art. 112), ejerciendo esta atribución el Congreso de los Diputados.
17. Exigir la responsabilidad política del Gobierno mediante la moción de censura (art. 113), correspondiendo esta atribución al Congreso de los Diputados.
18. Declaración del estado de sitio y autorización de la declaración del estado de excepción y de la prórroga del estado de alarma declarado por el Gobierno (art. 116), correspondiendo estas atribuciones al Congreso de los Diputados.

3.7. Funcionamiento

Se deduce de los arts. 73 a 80, que pasamos a exponer:

Antes de ello, no obstante, ha de señalarse que cada legislatura va precedida de una solemne sesión de apertura de la misma, que, con arreglo al art. 5 del Reglamento del Congreso, tiene lugar dentro del plazo de los quince días siguientes a la celebración de la sesión constitutiva del propio Congreso, que, a su vez, se celebra el día y hora señalados en el Real Decreto de convocatoria de elecciones generales.

Asimismo, que los Presidentes de las Cámaras ejercen en nombre de las mismas todos los poderes administrativos y facultades de policía en el interior de sus respectivas sedes (art. 72,3.º CE).

3.7.1. Sesiones

Conforme al art. 73, «las Cámaras se reunirán anualmente en dos períodos de sesiones: el primero, de septiembre a diciembre, y el segundo, de febrero a junio.

Las Cámaras podrán reunirse en sesiones extraordinarias a petición del Gobierno, de la Diputación Permanente o de la mayoría absoluta de los miembros de cualquiera de las Cámaras. Las sesiones extraordinarias deberán convocarse sobre un orden del día determinado y serán clausuradas una vez que este haya sido agotado».

El art. 74, por su parte, trata de las sesiones conjuntas de las Cámaras, para ejercer las competencias no legislativas que el Título II (de la Corona) atribuye expresamente a las Cortes, y que serán presididas por el Presidente del Congreso.

3.7.2. Funcionamiento concreto

El art. 75 establece que «las Cámaras funcionarán en Pleno y por Comisiones.

Las Cámaras podrán delegar en las Comisiones Legislativas Permanentes la aprobación de proyectos o proposiciones de Ley. El Pleno podrá, no obstante, recabar en cualquier momento el debate y votación de cualquier proyecto o proposición de Ley que haya sido objeto de esta delegación.

Quedan exceptuados de lo dispuesto en el apartado anterior la reforma constitucional, las cuestiones internacionales, las Leyes Orgánicas y de Bases y los Presupuestos Generales del Estado».

3.7.3. Comisiones de Investigación

Dispone el art. 76, que «el Congreso y el Senado y, en su caso, ambas Cámaras conjuntamente, podrán nombrar Comisiones de Investigación sobre cualquier asunto de interés público. Sus conclusiones no serán vinculantes para los Tribunales, ni afectarán a las resoluciones judiciales, sin perjuicio de que el resultado de la investigación sea comunicado al Ministerio Fiscal para el ejercicio, cuando proceda, de las acciones oportunas.

Será obligatorio comparecer a requerimiento de las Cámaras. La Ley regulará las sanciones que puedan imponerse por incumplimiento de esta obligación».

En concreto, esta materia ha sido regulada por la Ley Orgánica 5/1984, de 24 de mayo, sobre comparecencia ante las Comisiones de Investigación (derogada parcialmente por la Ley Orgánica 19/1995, de 23 de noviembre, del Código Penal), debiendo tenerse en cuenta, también, lo dispuesto en el Real Decreto-Ley 5/1994, de 29 de abril, por el que se regula la obligación de comunicación de determinados datos a requerimiento de las Comisiones Parlamentarias de Investigación.

3.7.4. Peticiones individuales y colectivas

El art. 77 prescribe que «las Cámaras pueden recibir peticiones individuales y colectivas, siempre por escrito, quedando prohibida la presentación directa por manifestaciones ciudadanas.

Las Cámaras pueden remitir al Gobierno las peticiones que reciban. El Gobierno está obligado a explicarse sobre su contenido, siempre que las Cámaras lo exijan».

3.7.5. Diputación Permanente

Conforme al art. 78, «en cada Cámara habrá una Diputación Permanente compuesta por un mínimo de veintiún miembros, que representarán a los grupos parlamentarios, en proporción a su importancia numérica». Estas Diputaciones, que estarán presididas por el Presidente de la Cámara respectiva, asumirán diversas funciones de las mismas en el caso

de que hubiesen sido disueltas o hubiere expirado su mandato, y velarán por los poderes de las Cámaras cuando estas no estén reunidas, dando cuenta de los asuntos tratados y de sus decisiones a la Cámara cuando se reúna de nuevo.

3.7.6. Orden del día y quórum

Como regla general, el art. 67,3.º CE dispone que las reuniones de Parlamentarios que se celebren sin convocatoria reglamentaria no vincularán a las Cámaras, y no podrán ejercer sus funciones ni ostentar sus privilegios.

A tenor del art. 67 del Reglamento del Congreso, el Orden del Día de las sesiones del Pleno será fijado por el Presidente, de acuerdo con la Junta de Portavoces.

En cuanto al Orden del Día de las sesiones de las Comisiones del Congreso, se establece por su respectiva Mesa, de acuerdo con el Presidente de la Cámara, teniendo en cuenta el calendario fijado por la Mesa del Congreso.

Por lo que se refiere al Senado, el art. 71 de su Reglamento dispone que el Orden del Día de las sesiones del Pleno se fije por el Presidente, de acuerdo con la Mesa y oída la Junta de Portavoces.

El Orden del Día de las sesiones de las Comisiones en el Senado se fija por el Presidente de la Comisión de que se trate, oída la Mesa respectiva y teniendo en cuenta, en su caso, el programa de trabajo de la Cámara, sin perjuicio de que el Presidente de la Cámara pueda convocarlas, fijando su Orden del Día, cuando lo haga necesario el desarrollo de los trabajos legislativos de la Cámara.

En cuanto al quórum, establece el art. 79 CE que «para adoptar acuerdos, las Cámaras deben estar reunidas reglamentariamente y con asistencia de la mayoría de sus miembros.

Dichos acuerdos, para ser válidos, deberán ser aprobados por la mayoría de los miembros presentes, sin perjuicio de las mayorías especiales que establezcan la Constitución o las Leyes Orgánicas y las que para elección de personas establezcan los Reglamentos de las Cámaras.

El voto de Senadores y Diputados es personal e indelegable».

3.7.7. Publicidad de las sesiones

Establece el art. 80 que «las sesiones plenarias de las Cámaras serán públicas, salvo acuerdo en contrario de cada Cámara, adoptado por mayoría absoluta o con arreglo al Reglamento».

3.8. La potestad legislativa

Las Cortes Generales ejercen la potestad legislativa del Estado (art. 66.2. de la CE) y por tanto, al ejercer –por representación– la suprema potestad política del Estado (la potestad legislativa), las Cortes Generales son inviolables (art. 66.3. de la CE). La Ley es:

- Fuente del derecho del Estado, pues el resto del ordenamiento, salvo la CE, se encuentra subordinado a la Ley.

- El mandato del órgano que representa al pueblo soberano.
- Elaborada por un procedimiento formalizado y público que permite someter el proceso al debate con la oposición parlamentaria y ante la opinión pública.
- Goza de un privilegio jurisdiccional: el control de su constitucionalidad encomendado al TC.

3.8.1. Leyes ordinarias

3.8.1.1. Procedimiento legislativo ordinario

A) La *FASE DE LA INICIATIVA LEGISLATIVA* corresponde al Gobierno, al Congreso y al Senado, de acuerdo con la Constitución y los Reglamentos de las Cámaras (art. 87.1 de la CE).

- La iniciativa del Gobierno se ejercita mediante la presentación de *proyectos de Ley*, que deben ser aprobados en Consejo de Ministros, que los remitirá al Congreso, acompañados de una exposición de motivos y de los antecedentes necesarios para pronunciarse sobre ellos (art. 88 de la CE).
- La iniciativa del Congreso y del Senado es ejercida por los grupos parlamentarios o por los parlamentarios individualmente (15 diputados o 25 senadores) y reciben el nombre de *proposiciones de ley*. La tramitación de las proposiciones de Ley se regulará por los Reglamentos de las Cámaras, sin que la prioridad debida a los proyectos de Ley impida el ejercicio de esta forma de iniciativa legislativa (art. 89.2. de la CE).
- La iniciativa de las Asambleas de las Comunidades Autónomas, puede manifestarse indirectamente, solicitando al Gobierno la adopción de un *proyecto de Ley* o bien directamente, remitiendo a la Mesa del Congreso una *proposición de Ley*, delegando ante dicha Cámara un máximo de tres miembros de la Asamblea encargados de su defensa (art. 87.2. de la CE).
- La iniciativa popular será regulada por una Ley orgánica que determinará las formas de ejercicio y requisitos de la iniciativa popular para la presentación de proposiciones de Ley. En todo caso se exigirán no menos de quinientas mil firmas acreditadas. No procederá dicha iniciativa en materias propias de Ley orgánica, tributarias o de carácter internacional, ni en lo relativo a la prerrogativa de gracia (art. 87.3. de la CE). El régimen de la iniciativa popular ha sido desarrollado por la Ley Orgánica 3/1984, de 26 de marzo, Reguladora de la Iniciativa Legislativa Popular.

B) La aprobación de los proyectos o proposiciones de Ley es la *FASE DECISORIA DEL PROCEDIMIENTO LEGISLATIVO* y se encuentra regulado en los respectivos Reglamentos del Congreso y el Senado. En todo caso, esta fase siempre se inicia en el Congreso de los Diputados, incluso cuando se trata de proposiciones de Ley del Senado, que se remitirá al Congreso para su trámite en este (art. 89.2. de la CE).

Recibido el proyecto o proposición de Ley, la Mesa del Congreso ordena su publicación en el Boletín Oficial de las Cortes Generales, lo remite a la Comisión correspondiente y abre el periodo de presentación de enmiendas. En caso de presentarse *enmiendas a la totalidad*,

se produce un debate de totalidad en el Pleno; si sólo se presentan *enmiendas parciales*, o cuando se haya finalizado el debate de totalidad, la Comisión nombra una Ponencia para que redacte un *informe*. Concluido el informe, comienza el *debate* en Comisión, artículo por artículo, y termina con un *dictamen*, que se eleva al Pleno para su *debate* y *votación*.

Aprobado un proyecto de ley ordinaria u orgánica por el Congreso de los Diputados, el Presidente del Congreso dará inmediata cuenta al Presidente del Senado, que lo someterá a la deliberación de éste (art. 90.1. de la CE). En el Senado sigue una tramitación semejante, aunque limitado temporalmente, pues dispone de un plazo de dos meses a partir del día de la recepción del texto, que se reduce a veinte días naturales, en proyectos de ley declarados urgentes, por el Gobierno o el Congreso, para oponer su veto (mediante mensaje motivado) o introducir enmiendas al mismo (art. 90.2. y 3. de la CE).

El Senado puede *aprobar* el proyecto o proposición en los mismos términos que el Congreso, o bien *enmendarlo* o *vetarlo* (por mayoría absoluta). En caso de enmienda, el proyecto o proposición de ley vuelve al Congreso, donde por mayoría simple, se aceptan o rechazan las enmiendas introducidas por el Senado. Pero en caso de veto el Congreso puede ratificar el texto inicial por mayoría absoluta o transcurrido dos meses, por mayoría simple.

C) En caso de aprobación por el Congreso y después por el Senado, se sanciona, promulga y publica la Ley, siendo esta la *FASE INTEGRADORA DE LA EFICACIA*.

- La sanción es un acto obligatorio para el Jefe del Estado. El Rey sancionará en el plazo de quince días las Leyes aprobadas por las Cortes Generales, y las promulgará y ordenará su inmediata publicación (art. 91 de la CE).
- La promulgación es una declaración solemne, efectuada de acuerdo con una fórmula ritual, mediante la cual, se formaliza la incorporación de la Ley de forma definitiva en el ordenamiento jurídico.
- La publicación no es un acto jurídico, sino una operación material, de indudable importancia, pues sólo a partir de este momento es cuando la Ley produce efectos vinculantes para todos.

3.8.1.2. Procedimientos legislativos especiales

Existen otros procedimientos con algunas modificaciones, cuyo resultado es una Ley ordinaria.

- *Leyes aprobadas en Comisión*: las Cámaras podrán delegar en las *Comisiones Legislativas Permanentes* la aprobación de proyectos o proposiciones de Ley. El Pleno podrá, no obstante, recabar en cualquier momento el debate y votación de cualquier proyecto o proposición de Ley que haya sido objeto de esta delegación (art. 75.2. de la CE), quedando exceptuados de la posible delegación: la reforma constitucional, las cuestiones internacionales, las Leyes orgánicas y de bases y los Presupuestos Generales del Estado (art. 75.3. de la CE).

  El rasgo más característico de la aprobación del proyecto en Comisión, es que lo que normalmente es el dictamen, se convierte en la aprobación definitiva del proyecto por Cámara, sin que vaya al Pleno.

- *Procedimiento en lectura única*: cuando la naturaleza del proyecto o proposición de ley lo aconsejen o cuando así lo permita la simplicidad de su formulación. El debate se rige por las normas establecidas para los debates de totalidad, y posteriormente el texto en su conjunto es sometido a votación, que y si es favorable, quedará aprobado.
- *Procedimiento de urgencia*: la Mesa, a petición del Gobierno, de dos grupos parlamentarios o de una quinta parte de los Diputados, puede acordar que cualquier asunto se tramite por el procedimiento de urgencia. Los plazos se reducen a la mitad, aunque la Mesa puede prorrogar o reducir dichos plazos.

3.8.2. Leyes orgánicas

Existen determinadas materias que deben ser reguladas por una Ley orgánica, y es lo que se denomina *"reserva de ley orgánica"*.

El art. 81.1. de la CE dispone que "son Leyes orgánicas las relativas al desarrollo de los derechos fundamentales y de las libertades públicas (Sección Primera, Capítulo Segundo, Título I de la CE), las que aprueben los Estatutos de Autonomía y el régimen electoral general y las demás previstas en la CE" (puesto que, a lo largo del articulado de la CE se prevé una pluralidad de materias que deben ser aprobadas como Leyes orgánicas).

En este sentido, el art. 92.3. de la CE dispone que una Ley orgánica regulará las condiciones y el procedimiento de las distintas modalidades de referéndum previstas en la CE.

La aprobación, modificación o derogación de las Leyes orgánicas exigirá mayoría absoluta del Congreso, en una votación final sobre el conjunto del proyecto (art. 81.2. de la CE).

Además, la CE prohíbe que las materias con reserva de ley orgánica sean aprobadas como Leyes de Comisión, es decir, por Comisiones Legislativas Permanentes (art. 75.3. de la CE), ni por Decretos-leyes (art. 86.1. de la CE), ni por decretos-legislativos (art. 82.1. de la CE).

3.8.3. La potestad legislativa del Gobierno bajo el control del Parlamento

A) Los Decretos-Leyes (art. 86 de la CE). En caso de extraordinaria y urgente necesidad, el Gobierno podrá dictar disposiciones legislativas provisionales que tomarán la forma de Decretos-Leyes y que no podrán afectar al ordenamiento de las instituciones básicas del Estado, a los derechos, deberes y libertades de los ciudadanos regulados en el Título I de la CE, al régimen de las CC AA, ni al derecho electoral general (art. 86.1. de la CE).

Por tanto, por medio del Decreto-Ley, el Gobierno puede legislar cuando se trate de una situación de necesidad extraordinaria y urgente, teniendo esta norma carácter provisional, pues sólo puede valer para el tiempo que se necesite para reunir el Parlamento, que debe regularizar esta legislación.

Por ello, los Decretos-Leyes deberán ser inmediatamente sometidos a debate y votación de totalidad al Congreso de los Diputados, convocado al efecto si no estuviere reunido, en el plazo de los treinta días siguientes a su promulgación. El Congreso habrá de

pronunciarse expresamente dentro de dicho plazo sobre su convalidación o derogación, para lo cual el Reglamento establecerá un procedimiento especial y sumario (art. 86.2. de la CE). En este sentido, el Congreso podrá:

- Convalidarlo, por lo que el Decreto-Ley se seguirá llamando así, pero tendrá el rango de ley.
- Derogarlo, por lo que deja de existir, aunque el Decreto-Ley habrá sido plenamente válido durante el tiempo anterior.
- Tramitarlo como proyecto de ley –por el procedimiento de urgencia–, si quiere introducir enmiendas, por lo que, el decreto-ley quedará sustituido por una ley del Parlamento (art. 86.3 de la CE).

En todo caso, el Senado queda totalmente al margen de la regularización de los Decretos-Leyes.

B) Los Decretos Legislativos (arts. 82 a 85 de la CE). Se trata también de normas dictadas por el Gobierno, que tienen rango de ley, pero no por existir una "extraordinaria y urgente necesidad", sino por existir una Ley de delegación aprobada por las Cortes (delegación legislativa), que establece las bases y condiciones, en virtud de las cuales se autoriza al Gobierno a regular alguna materia. En este sentido, el art. 85 de la CE dispone que: las disposiciones del Gobierno que contengan legislación delegada recibirán el título de Decretos Legislativos. Los tipos de Leyes de delegación son: las leyes de Bases y las leyes de autorización para refundir textos legales.

- Las *leyes de bases* son normas que fijan los principios, criterios y bases de regulación de una determinada materia, que luego será desarrollada por el Gobierno en forma de Decreto legislativo. En este sentido, el art. 82.4. de la CE dispone que: las Leyes de bases delimitarán con precisión el objeto y alcance de la delegación legislativa y los principios y criterios que han de seguirse en su ejercicio.

  Asimismo, según el art. 83 de la CE, las Leyes de bases no podrán en ningún caso:

  a) Autorizar la modificación de la propia Ley de bases.

  b) Facultar para dictar normas con carácter retroactivo.

- Las *leyes que autorizan la refundición de textos legales* permiten a las Cortes Generales confiar al Gobierno la tarea de reunir en un solo texto la regulación de una materia que se halle dispersa en diferentes textos. Asimismo, el art. 82.5. de la CE dispone que: la autorización para refundir textos legales determinará el ámbito normativo a que se refiere el contenido de la delegación, especificando si se circunscribe a la *mera formulación de un texto único* (texto articulado) o si se incluye la de *regularizar, aclarar y armonizar* (texto refundido) los textos legales que han de ser refundidos.

  En todo caso, y según dispone el art. 82.2. de la CE, la delegación legislativa deberá otorgarse mediante una Ley de bases, cuando su objeto sea la formación de *textos articulados* o por una Ley ordinaria, cuando se trate de *refundir* varios textos legales en uno solo.

Condiciones de la Ley de delegación:

- Las Cortes no pueden habilitar al Gobierno para que dicte Decretos legislativos en materias reservadas a la Ley orgánicas (es decir, según el art. 82.1. de la CE, no podrán afectar al desarrollo de los derechos fundamentales y de las libertades públicas, no podrán servir para aprobar los Estatutos de Autonomía, ni para regular el Régimen Electoral General, ni otras materias que según la CE deben ser reguladas por Ley orgánica).
- La Ley de delegación ha de tener por objeto una materia concreta. En este sentido, el art. 86.3. de la CE establece que: la delegación legislativa habrá de otorgarse al Gobierno de forma expresa para materia concreta y con fijación del plazo para su ejercicio. La delegación se agota por el uso que de ella haga al Gobierno mediante la publicación de la norma correspondiente. No podrá entenderse concedida de modo implícito o por tiempo indeterminado.
- La Ley de delegación no puede permitir la subdelegación a autoridades distintas del propio Gobierno.
- La Ley de delegación puede contener fórmulas de control, que se adicionan al control que puede ejercer los Tribunales ordinarios y el Tribunal Constitucional (art. 82.6. de la CE).
- La Ley de delegación tiene que ser una ley de Pleno (puesto que el art. 75.3. de la CE, prohíbe que las leyes de bases puedan ser aprobadas por Comisiones Legislativas Permanentes).
- Aprobada la Ley de delegación, el Parlamento no puede legislar sobre esa materia, si no es derogada previa y expresamente la Ley de delegación.
- Cuando una proposición de Ley o una enmienda fuere contraria a una delegación legislativa en vigor, el Gobierno está facultado para oponerse a su tramitación. En tal supuesto, podrá presentarse una proposición de Ley para la derogación total o parcial de la Ley de delegación (art. 84 de la CE).

3.9. Los Tratados Internacionales (arts. 93 a 96)

Mediante ley orgánica se podrá autorizar la celebración de tratados por los que se atribuya a una organización o institución internacional el ejercicio de competencias derivadas de la Constitución. Corresponde a las Cortes Generales o al Gobierno, según los casos, la garantía del cumplimiento de estos tratados y de las resoluciones emanadas de los organismos internacionales o supranacionales titulares de la cesión (art. 93).

Según el artículo 94:

La prestación del consentimiento del Estado para obligarse por medio de tratados o convenios requerirá la previa autorización de las Cortes Generales, en los siguientes casos:

a) Tratados de carácter político.

b) Tratados o convenios de carácter militar.

c) Tratados o convenios que afecten a la integridad territorial del Estado o a los derechos y deberes fundamentales establecidos en el Título I.

d) Tratados o convenios que impliquen obligaciones financieras para la Hacienda Pública.

e) Tratados o convenios que supongan modificación o derogación de alguna ley o exijan medidas legislativas para su ejecución.

El Congreso y el Senado serán inmediatamente informados de la conclusión de los restantes tratados o convenios.

Por su parte, el artículo 95 señala que:

- La celebración de un tratado internacional que contenga estipulaciones contrarias a la Constitución exigirá la previa revisión constitucional.
- El Gobierno o cualquiera de las Cámaras puede requerir al Tribunal Constitucional para que declare si existe o no esa contradicción.

Y por último, según el artículo 96:

- Los tratados internacionales válidamente celebrados, una vez publicados oficialmente en España, formarán parte del ordenamiento interno. Sus disposiciones sólo podrán ser derogadas, modificadas o suspendidas en la forma prevista en los propios tratados o de acuerdo con las normas generales del Derecho internacional.
- Para la denuncia de los tratados y convenios internacionales se utilizará el mismo procedimiento previsto para su aprobación en el artículo 94.

3.10. El Defensor del Pueblo

3.10.1. Introducción

Dada su estrecha vinculación con las Cortes Generales, ha de hacerse una referencia a la figura del Defensor del Pueblo y del Tribunal de Cuentas, también íntimamente relacionado con aquellas.

En cuanto al primero, conforme a los arts. 54 CE y 1 de la Ley Orgánica 3/1981, de 6 de abril, del Defensor del Pueblo (LODP, en lo sucesivo), es un Alto Comisionado de las Cortes Generales, designado por estas para la defensa de los derechos comprendidos en el Título Primero, a cuyo efecto podrá supervisar la actividad de la Administración, dando cuenta a las Cortes Generales, ejerciendo las funciones que le encomienda la CE y la propia LODP.

3.10.2. Nombramiento

A tenor de los arts. 2 a 4 LODP, será elegido por las Cortes Generales por un período de cinco años, correspondiendo la elección a los Plenos de ambas Cámaras, a propuesta de la Comisión Mixta Congreso-Senado para las relaciones con el Defensor del Pueblo, creada por la Ley Orgánica 2/1992, de 5 de marzo, de modificación de la LODP.

Podrá ser elegido cualquier español mayor de edad, que se encuentre en el pleno disfrute de sus derechos civiles y políticos, correspondiendo su acreditación como tal a los Presidentes del Congreso y del Senado y publicándose el nombramiento en el Boletín Oficial del Estado.

Una vez nombrado, deberá tomar posesión de su cargo ante las Mesas de ambas Cámaras, reunidas conjuntamente, prestando juramento o promesa de fiel desempeño de su función.

3.10.3. Cese y sustitución

Conforme al art. 5 LODP, cesará por alguna de las siguientes causas:

a) Por renuncia.

b) Por expiración del plazo de su nombramiento.

c) Por muerte o por incapacidad sobrevenida.

d) Por actuar con notoria negligencia en el cumplimiento de las obligaciones y deberes del cargo.

e) Por haber sido condenado, mediante sentencia firme, por delito doloso.

La vacante en el cargo se declarará por el Presidente del Congreso en los casos de muerte, renuncia y expiración del plazo del mandato. En los demás casos se decidirá, por mayoría de las tres quintas partes de los componentes de cada Cámara, mediante debate y audiencia del interesado.

Vacante el cargo, se iniciará el procedimiento para el nombramiento de un nuevo Defensor del Pueblo en plazo no superior a un mes, desempeñando sus funciones, interinamente, en los tres primeros casos, en su propio orden, los Adjuntos al Defensor del Pueblo.

3.10.4. Prerrogativas e incompatibilidades

Conforme a los arts. 6 y 7 LODP, este (y sus Adjuntos) no está sujeto a mandato imperativo alguno, sin que pueda recibir instrucciones de Autoridad alguna, desempeñando sus funciones con autonomía y según su criterio.

Goza, asimismo, de inviolabilidad, sin que pueda ser detenido, expedientado, multado, perseguido o juzgado en razón de las opiniones que formule o a los actos que realice en el ejercicio de sus competencias como tal.

En los demás casos, y mientras sea Defensor del Pueblo, no podrá ser detenido ni retenido sino en caso de flagrante delito, correspondiendo la decisión sobre su inculpación, prisión, procesamiento y juicio exclusivamente a la Sala de lo Penal del Tribunal Supremo.

Por lo demás, su condición es incompatible con todo mandato representativo, con todo cargo político o actividad de propaganda política, con la permanencia en el servicio activo de cualquier Administración Pública, con la afiliación a un partido político o el desempeño de funciones directivas en un partido político o en un sindicato, asociación o fundación, y con el empleo al servicio de los mismos; con el ejercicio de las carreras judicial y fiscal, y con cualquier actividad profesional, liberal, mercantil o laboral.

3.10.5. Actuación

Conforme a los arts. 9 y siguientes LODP, le corresponde:

a) Iniciar y proseguir de oficio o a instancia de parte (es decir, de toda persona natural o jurídica que invoque un interés legítimo, sin restricción alguna, de los Diputados y Senadores individualmente, y las Comisiones de Investigación y, principalmente, las de relación con el Defensor del Pueblo) cualquier investigación conducente al esclarecimiento de los actos y resoluciones de la Administración Pública y sus agentes, en relación con los ciudadanos, a la luz de lo dispuesto en el art. 103,1.º CE (que consagra los principios de actuación de la Administración Pública: eficacia, jerarquía, descentralización, desconcentración y coordinación, con sometimiento pleno a la Ley y al Derecho) y el respeto debido a los derechos proclamados en el Título Primero.

   A estos efectos, sus atribuciones se extienden a la actividad de los Ministros, Autoridades administrativas, Funcionarios y cualquier persona que actúe al servicio de las Administraciones Públicas.

   Por otro lado, no podrá presentar quejas ante el Defensor del Pueblo una Autoridad administrativa en asuntos de su competencia.

b) Supervisar por sí mismo, de oficio o a instancia de parte, la actividad de las Comunidades Autónomas en el ámbito de su competencia, coordinando sus funciones con los órganos similares de las mismas, a los que podrá solicitar su cooperación. A este respecto, la Ley 36/1985, de 6 de noviembre, ha regulado las relaciones entre la Institución del Defensor del Pueblo y las figuras similares en las distintas Comunidades Autónomas.

c) Tramitar quejas referidas al funcionamiento de la Administración de Justicia, debiendo dirigirlas al Ministerio Fiscal para que este investigue su realidad o bien dé traslado de las mismas al Consejo General del Poder Judicial, sin perjuicio, en cualquier caso, de la referencia que haga el Defensor del Pueblo en su informe general a las Cortes Generales.

d) Velar por el respeto de los derechos proclamados en el Título Primero de la Constitución en el ámbito de la Administración Militar.

e) Interponer los recursos de inconstitucionalidad y de amparo, de acuerdo con lo dispuesto en la CE y en la Ley Orgánica 2/1979, de 3 de abril, del Tribunal Constitucional.

f) Formular, con ocasión de sus investigaciones, a las Autoridades y Funcionarios de las Administraciones Públicas advertencias, recomendaciones, recordatorios de sus deberes legales y sugerencias para la adopción de nuevas medidas.

g) Dar cuenta anualmente a las Cortes Generales de la gestión realizada en un informe que presentará ante las mismas cuando se hallen reunidas en período ordinario de sesiones (o en informe extraordinario), en el que señalará el número y tipo de quejas presentadas, las rechazadas y sus causas, las que fueron objeto de investigación y el resultado de la misma, con especificación de las sugerencias o recomendaciones admitidas por las Administraciones Públicas. Al informe se acompañará un anexo en que se hará constar la liquidación del Presupuesto de la Institución en el período que corresponda.

En cuanto a las quejas, deberán presentarse firmadas por el interesado, con indicación de su nombre, apellidos y domicilio, en escrito razonado, en papel común y en el plazo máximo de un año, contado a partir del momento en que tuviera conocimiento de los hechos objeto de las mismas. Cuando una queja se remita desde un Centro de detención, internamiento o custodia de las personas, no podrá ser objeto de censura de ningún tipo, así como tampoco las conversaciones que mantenga el Defensor del Pueblo o sus Delegados con alguna de estas personas.

Por lo demás, las actuaciones del Defensor del Pueblo son gratuitas para el interesado y no será preceptiva la asistencia de Letrado ni de Procurador.

Y en el ejercicio de sus funciones, el Defensor del Pueblo estará asistido por un Adjunto Primero y un Adjunto Segundo, en los que podrá delegar sus funciones, y que le sustituirán por su orden en los supuestos de imposibilidad temporal y en los de cese.

Asimismo, podrá designar libremente los asesores necesarios para el ejercicio de sus funciones, que, como los Adjuntos, cesarán automáticamente en el momento de la toma de posesión de un nuevo Defensor del Pueblo designado por las Cortes Generales.

Al margen de estas previsiones, debe tenerse en cuenta que la citada Ley Orgánica 1/2009, de 3 de noviembre, ha añadido una nueva Disposición Final Única a la LODP, a cuyo tenor:

> "Primero: El Defensor del Pueblo ejercerá las funciones del Mecanismo Nacional de Prevención de la Tortura de conformidad con la Constitución, la presente Ley y el Protocolo facultativo de la Convención contra la tortura u otros tratos o penas crueles, inhumanos o degradantes.
>
> Segundo: Se crea un Consejo Asesor como órgano de cooperación técnica y jurídica en el ejercicio de las funciones propias del Mecanismo Nacional de Prevención, que será presidido por el Adjunto en el que el Defensor del Pueblo delegue las funciones previstas en esta disposición. El Reglamento determinará su estructura, composición y funcionamiento".

3.10.6. Obligación de colaboración de los Organismos requeridos

Hemos de señalar que todos los poderes públicos y personas al servicio de la Administración Pública están obligados a auxiliar, con carácter preferente y urgente, al Defensor del Pueblo en sus investigaciones e inspecciones, sin que se le pueda negar el acceso a expediente o documentación administrativa o que se encuentre relacionada con la actividad o servicio objeto de la investigación, incluso de los documentos reservados en la forma que establece el art. 22 LODP La actitud hostil, obstaculizadora o entorpecedora de la investigación hará incurrir en responsabilidad, incluso penal, al que la adoptare.

3.11. El Tribunal de Cuentas

Al Tribunal de Cuentas se refiere al art. 136 CE, disponiendo que:

1. El Tribunal de Cuentas es el supremo órgano fiscalizador de las cuentas y de la gestión económica del Estado, así como del sector público.

   Dependerá directamente de las Cortes Generales y ejercerá sus funciones por delegación de ellas en el examen y comprobación de la Cuenta General del Estado.

2. Las cuentas del Estado y del sector público estatal se rendirán al Tribunal de Cuentas y serán censuradas por este.

   El Tribunal de Cuentas, sin perjuicio de su propia jurisdicción, remitirá a las Cortes Generales un informe anual en el que, cuando proceda, comunicará las infracciones o responsabilidades en que, a su juicio, se hubiere incurrido.

3. Los miembros del Tribunal de Cuentas gozarán de la misma independencia e inamovilidad y estarán sometidos a las mismas incompatibilidades de los Jueces.

4. Una ley orgánica regulará la composición, organización y funciones del Tribunal de Cuentas.

4. El Gobierno y la Administración

El Gobierno y la Administración constituyen el Poder Ejecutivo. La Constitución lo regula en su Título IV (artículos 97 a 107).

4.1. Funciones del Gobierno

El Gobierno **dirige la política interior y exterior**, la **Administración civil y militar** y la **defensa del Estado**. Ejerce la **función ejecutiva** y la **potestad reglamentaria** de acuerdo con la Constitución y las Leyes (art. 97 de la CE).

El Presidente **dirige la acción del Gobierno** y **coordina las funciones** de los demás miembros del mismo, sin perjuicio de la competencia y responsabilidad directa de éstos en su gestión (art. 98.2. de la CE). Además, el **Presidente del Gobierno**:

- Refrenda los actos del Rey (art. 64.1. de la CE).
- Puede plantear ante el Congreso de los Diputados la cuestión de confianza sobre su programa o sobre una declaración de política general, previa deliberación del Consejo de Ministros (art. 112 de la CE).
- Puede proponer –bajo su exclusiva responsabilidad– la disolución el Congreso, del Senado o de las Cortes Generales, previa deliberación del Consejo de Ministros, siendo decretada por el Rey (art. 115.1. de la CE).
- Puede interponer el recurso de inconstitucionalidad (art. 162.1.a) de la CE).

Los miembros del Gobierno (Presidente, Vicepresidentes y Ministros) **no podrán ejercer otras funciones** representativas que las propias del mandato parlamentario, ni cualquier otra función pública que no derive de su cargo, ni actividad profesional o mercantil alguna (art. 98.3. de la CE).

La **Ley** regulará el **Estatuto e incompatibilidades** de los miembros del Gobierno (art. 98.4. de la CE).

4.2. Estructura del Gobierno

El Gobierno se compone del Presidente, de los Vicepresidentes, en su caso, de los Ministros y de los demás miembros que establezca la ley (art. 98.1. de la CE). Por tanto, el Gobierno Español es un órgano colegiado.

También la CE se refiere al Consejo de Ministros (cuando hace referencia a la cuestión de confianza o la disolución de las Cortes Generales, el Congreso y el Senado, o en la declaración de los estados de alarma y excepción), que con carácter general, se pueden considerar términos sinónimos al de Gobierno, con ciertas matizaciones.

4.2.1. La investidura del Presidente del Gobierno: la confianza parlamentaria

La investidura es el debate que se produce en el Congreso de los Diputados para la elección del Presidente del Gobierno.

El art. 99 de la CE establece el procedimiento ordinario de nombramiento del Presidente del Gobierno a través de la confianza parlamentaria del Congreso de los Diputados.

Después de cada renovación del Congreso de los Diputados, y en los demás supuestos constitucionales en que así proceda, el **Rey**, previa consulta con los representantes designados por los Grupos políticos con representación parlamentaria, y **a través del Presidente del Congreso**, **propondrá un candidato** a la Presidencia del Gobierno (art. 99.1. de la CE). El candidato propuesto conforme a lo expuesto **expondrá** ante el Congreso de los Diputados el **programa político** del Gobierno que pretenda formar y solicitará la confianza de la Cámara (art. 99.2. de la CE).

Si el Congreso de los Diputados, por el voto de la **mayoría absoluta de sus miembros**, otorgare su confianza a dicho candidato, el Rey le nombrará Presidente. De no alcanzarse dicha mayoría, se someterá la misma propuesta a nueva votación cuarenta y ocho horas después de la anterior, y la confianza se entenderá otorgada si obtuviese la **mayoría simple** en el Congreso (art. 99.3. de la CE).

Si efectuadas las citadas votaciones no se otorgase la confianza para la investidura, se tramitarán sucesivas propuestas en la forma prevista en los apartados anteriores (art. 99.4. de la CE). Si transcurrido el plazo de dos meses, a partir de la primera votación de investidura, **ningún candidato hubiere obtenido la confianza** del Congreso, el Rey **disolverá** ambas Cámaras y convocará nuevas elecciones con el refrendo del Presidente del Congreso (art. 99.5. de la CE).

En definitiva, el Presidente del Gobierno es elegido por el Congreso de los Diputados. Asimismo, el art. 100 de la CE establece que **los demás miembros del Gobierno** (Vicepresidentes y Ministros) serán nombrados y separados por el **Rey, a propuesta del Presidente del Gobierno**. Todos los Ministros tienen idéntico rango político y administrativo.

Respecto al **cese del Gobierno**, el art. 101.1. de la CE estable que: el Gobierno cesa tras la celebración de elecciones generales, en los casos de pérdida de la confianza parlamentaria previstos en la Constitución, o por dimisión o fallecimiento de su Presidente. En todo caso, el Gobierno cesante continuará en funciones hasta la toma de posesión del nuevo Gobierno (art. 101.2. de la CE).

4.2.2. La responsabilidad criminal de los miembros del Gobierno

El art. 102.1. de la CE establece una **prerrogativa de aforamiento** a favor del Presidente y de los demás miembros del Gobierno. Señala en este sentido que la **responsabilidad criminal** de los miembros del Gobierno será exigible ante la **Sala de lo Penal del Tribunal Supremo** (Sala Segunda del Tribunal Supremo). Esta prerrogativa constitucional, similar a la prevista en la CE para los Diputados y Senadores (art. 71.3. de la CE), tiene como finalidad proteger de forma cualificada la libertad, autonomía e independencia de los órganos constitucionales. El aforamiento actúa como instrumento para la salvaguarda de la independencia institucional del Gobierno, evitando las presiones de las que en otro caso podrían ser objeto sus miembros.

Por su parte, el art. 102.2 de la CE establece un régimen peculiar para el caso de que la responsabilidad criminal exigida al Presidente o a los demás miembros del Gobierno lo fuera en virtud de una **acusación por traición** o por cualquier **delito contra la seguridad del Estado** en el ejercicio de sus funciones. En tales casos, sólo podrá ser ***planteada por iniciativa*** de **la cuarta parte de los miembros del Congreso de los Diputados**, y con la ***aprobación*** de la **mayoría absoluta** del mismo.

El art. 102.3 de la CE afirma que **no se aplicará la prerrogativa real de gracia "a ninguno de los supuestos del presente artículo"**, lo que podría plantear la duda de si se está refiriendo a cualquier supuesto de responsabilidad criminal o si ha pretendido conectarse dicha prohibición con la condena por los delitos de traición o cualquier delito contra la seguridad del Estado en el ejercicio de sus funciones.

Parece acertado sostener que en ningún caso podría hacerse uso de la prerrogativa de gracia a favor de un miembro del Gobierno (Ministro) en tanto en cuanto mantenga su condición de tal. Pero tras el cese, algunos autores sostienen que, podrían beneficiarse de la prerrogativa de gracia, salvo cuando se trata de delitos de traición o contra la seguridad del Estado, en cuyo caso, debe seguir operativa la prohibición.

4.3. El Gobierno y la Administración civil y militar

4.3.1. Consideraciones generales

Según el art. 97 de la CE, el Gobierno **dirige la Administración civil y militar**, por lo que la CE coloca a todo el aparato administrativo bajo la dirección del Gobierno, que se constituye en el **órgano responsable de la Administración ante el Parlamento**.

Los órganos de la Administración del Estado son creados, regidos y coordinados de acuerdo con la Ley (art. 103.2. de la CE). Aunque explícitamente la CE se refiere sólo a la Administración del Estado, la realidad es que existe una regulación mínima común aplicable a todas las Administraciones Públicas, que se encuentra recogida en la Ley 40/2015, de 1 de octubre, de Régimen Jurídico del Sector Público (en adelante, LRJSP).

La Administración cuenta con el **asesoramiento del Consejo de Estado**, que "es **el supremo órgano consultivo del Gobierno**, siendo una **Ley orgánica** la que regulará su *composición* y **competencia** (art. 107. de la CE).

Determinados aspectos importantes de la Administración pública requieren ser regulados por el Parlamento, sin que sea suficiente una regulación realizada por el Gobierno mediante la potestad reglamentaria, realizándose una "reserva de ley". En este sentido, el art. 103.3. de la CE establece que una **Ley** regulará el **estatuto de los funcionarios públicos**, el acceso a la función pública de acuerdo con los principios de mérito y capacidad, las peculiaridades del ejercicio de su derecho a sindicación, el sistema de incompatibilidades y las garantías para la imparcialidad en el ejercicio de sus funciones.

El art. 97 de la CE coloca bajo la dirección del Gobierno no sólo a la Administración civil, sino también a la Administración militar. En este sentido, el art. 104.1. de la CE dispone que las **Fuerzas y Cuerpos de seguridad,** bajo la dependencia del Gobierno, tendrán como misión proteger el libre ejercicio de los derechos y libertades y garantizar la seguridad ciudadana.

Asimismo, el art. 104.2. de la CE, dispone que una **Ley orgánica** determinará las funciones, principios básicos de actuación y estatutos de las Fuerzas y Cuerpos de seguridad.

4.3.2. Principios constitucionales conformadores de la Administración Pública

Según el art. 103.1. de la CE, la Administración Pública **sirve con objetividad los intereses generales** y **actúa** de acuerdo con los **principios de eficacia, jerarquía, descentralización, desconcentración y coordinación**, con **sometimiento pleno a la Ley y al Derecho (principio de legalidad).**

El art. 105 de la CE establece el **principio de transparencia administrativa**, cuando dispone que la Ley regulará:

a) La audiencia de los ciudadanos, directamente o a través de las organizaciones y asociaciones reconocidas por la Ley, en el procedimiento de elaboración de las disposiciones administrativas que les afecten.

b) El acceso de los ciudadanos a los archivos y registros administrativos, salvo en lo que afecte a la seguridad y defensa del Estado, la averiguación de los delitos y la intimidad de las personas.

c) El procedimiento a través del cual deben producirse los actos administrativos, garantizando, cuando proceda, la audiencia del interesado.

El art. 106.1. de la CE establece el **principio del sometimiento de la Administración a los Tribunales de Justicia**, cuando dispone que "los Tribunales controlan la potestad reglamentaria y la legalidad de la actuación administrativa, así como el sometimiento de ésta a los fines que la justifican".

La **potestad reglamentaria** es la facultad que tiene el Gobierno para dictar normas generales con sujeción a la CE y a las leyes, es decir, el Poder ejecutivo no se limita a ejecutar el derecho, sino que realiza una labor de creación del derecho, **salvo** respecto de las **materias** que la CE **reserva a la Ley.** En todo caso, los Tribunales deben controlar que los reglamentos que dicta el Gobierno, se someten a la Ley y la CE.

El art. 106.2. de la CE establece el **principio de responsabilidad objetiva de la Administración**, al disponer que: los particulares, en los términos establecidos por la Ley, tendrán derecho a ser **indemnizados** por toda lesión que sufran en cualquiera de sus bienes y derechos, salvo en los casos de fuerza mayor, siempre que la **lesión** sea **consecuencia del funcionamiento de los servicios públicos**.

4.4. Las relaciones entre el Gobierno y las Cortes Generales (arts. 108 al 116 de la CE)

El Gobierno **responde solidariamente en su gestión política** ante el Congreso de los Diputados (art. 108 de la CE).

Las Cámaras y sus Comisiones podrán recabar, a través de los Presidentes de aquellas, la **información y ayuda** que precisen del Gobierno y de sus Departamentos y de cualesquiera autoridades del Estado y de las Comunidades Autónomas (art. 109 de la CE).

Las Cámaras y sus Comisiones pueden **reclamar la presencia de los miembros** del Gobierno (art. 110.1. de la CE). Los miembros del Gobierno tienen acceso a las sesiones de las Cámaras y a sus Comisiones y la facultad de hacerse oír en ellas (siempre que lo deseen), y podrán solicitar que informen ante las mismas funcionarios de sus Departamentos (art. 110.2. de la CE).

El Gobierno y cada uno de sus miembros están sometidos a las **interpelaciones y preguntas** que se le formulen en las Cámaras. Para esta clase de debate los Reglamentos establecerán un tiempo mínimo semanal (art. 111.1. de la CE). Toda interpelación podrá **dar lugar a una moción** en la que la Cámara manifieste su posición (art. 111.2. de la CE).

4.4.1. La cuestión de confianza y la moción de censura: cauces específicos para exigir responsabilidad política al Ejecutivo

Según lo dispuesto en el art. 112 de la CE, el Presidente del Gobierno, previa deliberación del Consejo de Ministros, puede plantear ante el Congreso de los Diputados la ***cuestión de confianza*** sobre su programa o sobre una declaración de política general. La confianza se entenderá otorgada cuando vote a favor de la misma la **mayoría simple de los Diputados**.

Por tanto, la potestad, para plantearla, se reconoce al **Presidente del Gobierno**, y no al Gobierno como órgano colegiado, aunque tiene que hacerse "**previa deliberación del Consejo de Ministros**" (que tiene una intervención preceptiva, pero no vinculante).

La cuestión de confianza se somete y resuelve por el Congreso, sin participación del Senado y los supuestos que habilitan para presentar esta iniciativa son dos:

- Sobre el programa (parece referirse a la rectificación del programa inicial, cuya aprobación ya fue conferida en la investidura del art. 99.3 de la CE o, en la moción de censura del art. 113 de la CE).
- Sobre una declaración de política general (declaraciones que, sin afectar al programa originario, tienen una importancia política considerable).

En todo caso, si el Congreso **niega su confianza** al Gobierno, éste presentará su **dimisión** al Rey, procediéndose a continuación a la designación de Presidente del Gobierno, según el procedimiento de investidura del art. 99 de la CE (art. 114.1. de la CE).

Según lo dispuesto en el art. 113 de la CE, el Congreso de los Diputados puede exigir la responsabilidad política del Gobierno mediante la adopción por **mayoría absoluta** de la **moción de censura** (art. 113.1 de la CE).

La moción de censura deberá ser propuesta al menos por la **décima parte de los Diputados** (es decir, en la actualidad, por **35 diputados**, puesto que el número de Diputados del Congreso según la LOREG es de 350 diputados) y **habrá de incluir un candidato a la Presidencia del Gobierno** (art. 113.2. de la CE). La moción de censura no podrá ser votada hasta que transcurran cinco días desde su presentación. En los dos primeros días de dicho plazo podrán presentarse mociones alternativas (art. 113.3. de la CE). Si la moción de censura no fuere aprobada por el Congreso, sus signatarios no podrán presentar otra durante el mismo período de sesiones (art. 113.4. de la CE).

La moción de censura tendrá que dirigirse **contra la totalidad del Gobierno** (aunque el motivo sea la actuación de un concreto ministro). El Senado tampoco puede participar en la moción de censura.

Si el Congreso adopta una moción de censura, el Gobierno presentará su **dimisión** al Rey y el **candidato incluido** en aquella se entenderá **investido de la confianza** de la Cámara, a los efectos previstos en el procedimiento de investidura del art. 99 de la CE. El Rey le nombrará Presidente del Gobierno (art. 114.2. de la CE).

4.4.2. La disolución del Congreso, del Senado o de las Cortes Generales

Según dispone el art. 115.1. de la CE, el **Presidente del Gobierno**, previa deliberación del Consejo de Ministros, y bajo su exclusiva responsabilidad, podrá **proponer la disolución del Congreso, del Senado o de las Cortes Generales**, que será decretada por el Rey. El decreto de disolución fijará la fecha de las elecciones.

La propuesta de disolución **no** podrá **presentarse** cuando esté **en trámite una moción de censura** (art. 115.2. de la CE). Asimismo, según dispone el art. 115.3. de la CE, **no** procederá nueva disolución **antes** de que transcurra **un año desde la anterior**, salvo lo dispuesto en el art. 99.5. de la CE (es decir, cuando ninguno de los candidatos a la presidencia del Gobierno obtenga la confianza del Congreso, transcurrido el plazo de dos meses, a partir de la primera votación de investidura).

La disolución del Parlamento no es otra cosa que la decisión por la que se pone fin anticipado a este órgano representativo, sin esperar a que expire el período por el que ha sido elegido, decayendo todos sus procedimientos, facultades y prerrogativas. Pero este fin adelantado va aparejado a la elección de un nuevo Parlamento. La CE contempla varios **supuestos de disolución**:

- Unos de carácter ***imperativo***, pues la concurrencia de cierta situación obliga a disolver las Cámaras y a convocar nuevas elecciones en los siguientes casos:
    * La disolución automática para el caso de que **ninguno de los candidatos** a la presidencia del Gobierno **obtenga la confianza** del Congreso, transcurrido el plazo de dos meses, a partir de la primera votación de investidura. En este supuesto, el Rey tiene que decretar la disolución del Congreso y del Senado (art. 99.5. de la CE).

* La disolución inmediata cuando se producen **reformas totales o parciales fundamentales de la propia CE** (por el procedimiento rígido de reforma constitucional), tras la aprobación de la reforma por las Cortes Generales (art. 168.1 de la CE).

- Otros de carácter ***voluntario***, en los que la disolución se produce porque el Presidente del Gobierno así lo decide, libremente. Estas disoluciones voluntarias son el objeto del art. 115 de la CE.

Cuando el Gobierno necesita imprimir una corrección a su programa político y, por tanto, el respaldo popular para llevarlo a cabo, la disolución ofrece una oportunidad para apelar a la ciudadanía en las nuevas elecciones. También se puede utilizar cuando se presenta una situación imprevista que demanda consultar al pueblo para que decida el tipo de política que desea al efecto. En estos y en otros casos, la disolución ofrece al Gobierno una ocasión para revalidar su mayoría y poder continuar gobernado.

En todos los casos, es el **Rey** quien **decreta** formalmente la **disolución**, en conformidad con lo previsto en el art. 62.b) de la CE.

Según el art. 116.5 de la CE, **no** podrá **procederse a la disolución** del Congreso mientras estén **declarados** algunos de los **estados de alarma, de excepción y de sitio**, quedando automáticamente convocadas las Cámaras si no estuvieren en período de sesiones. Su funcionamiento, así como el de los demás poderes constitucionales del Estado, no podrán interrumpirse durante la vigencia de estos estados. Disuelto el Congreso o expirado su mandato, si se produjere alguna de las situaciones que dan lugar a cualquiera de dichos estados, las competencias del Congreso serán asumidas por su Diputación Permanente *(Ver lo dispuesto sobre situaciones excepcionales en los comentarios al art. 55 de la CE).*

TEMA 2

Ley del Procedimiento Administrativo Común de las Administraciones Públicas. Disposiciones generales. Los interesados en el procedimiento. La actividad de las Administraciones Públicas. Los actos administrativos

Índice

1. La Ley 39/2015, de 1 de octubre, del Procedimiento Administrativo Común de las Administraciones Públicas: Disposiciones generales

1.1. Introducción

Como viene a señalar el Preámbulo de la **Ley 39/2015, de 1 de octubre, del Procedimiento Administrativo Común de las Administraciones Públicas** (LPACAP, en adelante), el procedimiento administrativo puede considerarse como un instrumento preventivo en la protección de los derechos ciudadanos, al tratarse de la expresión clara de que la Administración Pública actúa con sometimiento pleno a la Ley y al Derecho, como prescribe el art. 103 de nuestra vigente Constitución, de 27 de diciembre de 1978 (CE, en lo sucesivo), según el cual "la Administración Pública sirve con objetividad los intereses generales y actúa de acuerdo con los principios de eficacia, jerarquía, descentralización, desconcentración y coordinación, con sometimiento pleno a la ley y al Derecho".

En este contexto, ante la inseguridad jurídica generada en ocasiones por la existencia de procedimientos administrativos demasiados complejos, se ha abordado la reforma de la legislación existente, con el fin de "ordenar y clarificar cómo se organizan y relacionan las Administraciones tanto externamente, con los ciudadanos y empresas, como internamente con el resto de Administraciones e instituciones del Estado", articulándose "en dos ejes fundamentales: las relaciones *ad extra* y *ad intra* de las Administraciones Públicas", a través, respectivamente, de la LPACAP y de la Ley 40/2015, de 1 de octubre, de Régimen Jurídico del Sector Público (LRJSP, en otras citas).

La LPACAP, en este sentido, establece "una regulación completa y sistemática de las relaciones «ad extra» entre las Administraciones y los administrados, tanto en lo referente al ejercicio de la potestad de autotutela y en cuya virtud se dictan actos administrativos que inciden directamente en la esfera jurídica de los interesados, como en lo relativo al ejercicio de la potestad reglamentaria y la iniciativa legislativa" , quedando reunido en "un cuerpo legislativo único la regulación de las relaciones *ad extra* de las Administraciones con los ciudadanos como ley administrativa de referencia que se ha de complementar con todo lo previsto en la normativa presupuestaria respecto de las actuaciones de las Administraciones Públicas, destacando especialmente lo previsto en la Ley Orgánica 2/2012, de 27 de abril, de Estabilidad Presupuestaria y Sostenibilidad Financiera; la Ley 47/2003, de 26 de noviembre, General Presupuestaria, y la Ley de Presupuestos Generales del Estado".

La LPACAP parte de las previsiones del mencionado art. 103 CE, así como del art. 105 CE, cuyos apartados a) y b) señalan que la ley regulará "la audiencia de los ciudadanos, directamente o a través de las organizaciones y asociaciones reconocidas por la ley, en el procedimiento de elaboración de las disposiciones administrativas que le afecten" y "el procedimiento a través del cual deben producirse los actos administrativos, garantizando, cuando proceda, la audiencia del interesado", y regula (la LPACAP) "los derechos y garantías mínimas que corresponden a todos los ciudadanos respecto de la actividad administrativa, tanto en su vertiente del ejercicio de la potestad de autotutela, como de la potestad reglamentaria e iniciativa legislativa".

El procedimiento administrativo viene a conceptuarlo la LPACAP como "el conjunto ordenado de trámites y actuaciones formalmente realizadas, según el cauce legalmente previsto, para dictar un acto administrativo o expresar la voluntad de la Administración", y es común como consecuencia "de su aplicación a todas las Administraciones Públicas y respecto a todas sus actuaciones", sin agotar "las competencias estatales y autonómicas para establecer especialidades *ratione materiae* o para concretar ciertos extremos (por ejemplo, el órgano competente para resolver), de donde ser deriva que, como ha reconocido el Tribunal Constitucional, las Comunidades Autónomas puedan dictar "las normas de procedimiento necesarias para la aplicación de su Derecho sustantivo, siempre que se respeten las reglas que, por ser competencia exclusiva del Estado, integran el concepto de Procedimiento Administrativo Común con carácter básico".

Tras hacer la LPACAP una referencia a las principales normas que sobre procedimiento administrativo se han venido promulgando (Ley de Procedimiento Administrativo de 17 de julio de 1958; Ley 30/1992, de 26 de noviembre, de Régimen Jurídico de las Administraciones Públicas y del Procedimiento Administrativo Común –LRJAP y PAC, en otras llamadas–, y Ley 4/1999, de 13 de enero, de modificación de la anterior), sin olvidar la Ley 11/2007, de 22 de junio, de acceso electrónico de los ciudadanos a los Servicios Públicos, señala que "en el entorno actual, la tramitación electrónica no puede ser todavía una forma especial de gestión de los procedimientos sino que debe constituir la actuación habitual de las Administraciones".

Por ello, la LPACAP clarifica e integra el contenido de la LRJAP y PAC y de la citada Ley 11/2007, de 22 de junio, y profundiza en la agilización de los procedimientos con un pleno funcionamiento electrónico, lo "revertirá en un mejor cumplimiento de los principios constitucionales de eficacia y seguridad jurídica que deben regir la actuación de las Administraciones Públicas".

Enfatiza este Preámbulo la necesidad de contar "con una nueva regulación que, terminando con la dispersión normativa existente, refuerce la participación ciudadana, la seguridad jurídica y la revisión del ordenamiento. Con estos objetivos, se establecen por primera vez en una ley las bases con arreglo a las cuales se ha de desenvolver la iniciativa legislativa y la potestad reglamentaria de las Administraciones Públicas con el objeto de asegurar su ejercicio de acuerdo con los principios de buena regulación, garantizar de modo adecuado la audiencia y participación de los ciudadanos en la elaboración de las normas y lograr la predictibilidad y evaluación pública del ordenamiento, como corolario imprescindible del derecho constitucional a la seguridad jurídica", lo que es crucial "en un Estado territorialmente descentralizado en el que coexisten tres niveles de Administración territorial que proyectan su actividad normativa sobre espacios subjetivos y geográficos en muchas ocasiones coincidentes".

El Preámbulo de la LPACAP, acto seguido, incide en las principales novedades que contiene, siguiendo el contenido de sus 133 artículos, distribuidos en siete títulos, uno Preliminar y seis numerados, en la forma que analizamos en los apartados que siguen.

1.2. Estructura

La LPACAP consta de 133 artículos, distribuidos en siete Títulos, ocho Disposiciones Adicionales, cinco Disposiciones Transitorias, una Disposición Derogatoria y siete Disposiciones Finales.

En concreto, los Títulos tratan de:

a) Título Preliminar: Disposiciones generales.

b) Título I: De los interesados en el procedimiento.

c) Título II: De la actividad de las Administraciones Públicas.

d) Título III: De los actos administrativos.

e) Título IV: De las disposiciones sobre el procedimiento administrativo común.

f) Título V: De la revisión de los actos en vía administrativa.

g) Título VI: De la iniciativa legislativa y de la potestad para dictar reglamentos y otras disposiciones.

1.3. Objeto y ámbito de aplicación

1.3.1. Objeto

Según su art. 1, la LPACAP, "tiene por objeto regular los requisitos de validez y eficacia de los actos administrativos, el procedimiento administrativo común a todas las Administraciones Públicas, incluyendo el sancionador y el de reclamación de responsabilidad de las Administraciones Públicas, así como los principios a los que se ha de ajustar el ejercicio de la iniciativa legislativa y la potestad reglamentaria.

Solo mediante ley, cuando resulte eficaz, proporcionado y necesario para la consecución de los fines propios del procedimiento, y de manera motivada, podrán incluirse trámites adicionales o distintos a los contemplados en esta Ley. Reglamentariamente podrán establecerse especialidades del procedimiento referidas a los órganos competentes, plazos propios del concreto procedimiento por razón de la materia, formas de iniciación y terminación, publicación e informes a recabar".

1.3.2. Ámbito de aplicación

El art. 2 LPACAP se refiere al ámbito subjetivo de aplicación, prescribiendo que:

1. La presente Ley se aplica al sector público, que comprende:

    a) La Administración General del Estado (sobre la que incide especialmente la Ley 40/2015, de 1 de octubre, de Régimen Jurídico del Sector Público –LRJSP–).

    b) Las Administraciones de las Comunidades Autónomas (debiendo estarse a lo dispuesto en sus respectivos Estatutos de Autonomía y su legislación de desarrollo).

c) Las Entidades que integran la Administración Local (respecto de la cual ha de tenerse en cuenta, con carácter básico la Ley 7/1985, de 2 de abril, reguladora de las Bases del Régimen Local –LRL, en lo sucesivo–).

d) El sector público institucional (del que trata la citada LRJSP).

2. El sector público institucional se integra por:

a) Cualesquiera organismos públicos y entidades de derecho público vinculados o dependientes de las Administraciones Públicas.

b) Las entidades de derecho privado vinculadas o dependientes de las Administraciones Públicas, que quedarán sujetas a lo dispuesto en las normas de esta Ley que específicamente se refieran a las mismas, y en todo caso, cuando ejerzan potestades administrativas.

c) Las Universidades públicas, que se regirán por su normativa específica y supletoriamente por las previsiones de esta Ley (sobre lo que habrá que estar, con carácter general, a lo dispuesto por la Ley Orgánica 6/2001, de 21 de diciembre, de Universidades).

3. Tienen la consideración de Administraciones Públicas la Administración General del Estado, las Administraciones de las Comunidades Autónomas, las Entidades que integran la Administración Local, así como los organismos públicos y entidades de derecho público previstos en la letra a) del apartado 2 anterior.

4. Las Corporaciones de Derecho Público se regirán por su normativa específica en el ejercicio de las funciones públicas que les hayan sido atribuidas por Ley o delegadas por una Administración Pública, y supletoriamente por la presente Ley.

2. Los interesados en el procedimiento administrativo

2.1. La relación jurídico-administrativa. Concepto. Sujetos: la Administración y el administrado

2.1.1. Introducción

Para estudiar la figura del interesado, en la terminología de la Ley 39/2015, de 1 de octubre, del Procedimiento Administrativo Común de las Administraciones Públicas, inexcusablemente, antes debe hacerse mención a la relación jurídico-administrativa.

Para CASTÁN, la relación jurídica no es otra cosa que una relación de la vida práctica a la que el Derecho objetivo da significado jurídico, atribuyéndole determinados efectos, o, en otros términos, una relación de la vida real protegida y regulada, en todo o en parte, por el Derecho.

Por ejemplo, el matrimonio es una relación real entre dos personas que adquiere la condición de jurídica cuando se celebra con arreglo a la legislación vigente, civil o eclesiástica.

Para DE CASTRO, es la situación jurídica en la que se encuentran las personas, organizada unitariamente dentro del orden jurídico total por un especial principio jurídico.

Si trasladamos este esquema al ámbito administrativo, nos encontraremos con la relación jurídico-administrativa, en la que, de una parte, está la Administración, y, de otra, el Administrado, como regla general.

Sobre los interesados en el procedimiento trata el Título I de la LPACAP, arts. 3 a 12, así como otros artículos de la misma (por ejemplo, el art. 53 y los arts. 82 y 83). Esta LPACAC, a diferencia del art. 35 de la derogada, con efectos de 2 de octubre de 2016, Ley 30/1992, de 26 de noviembre, de Régimen Jurídico de las Administraciones Públicas y del Procedimiento Administrativo Común (LRJAP y PAC, en lo sucesivo), ha diferenciado, con buen criterio a nuestro juicio, los derechos de las personas en sus relaciones con las Administraciones Públicas (art. 13) y los derechos del interesado en el procedimiento (art. 53).

2.1.2. Concepto

ENTRENA CUESTA la define como «una relación social concreta regulada por el Derecho Administrativo».

2.1.3. Caracteres

Esta relación jurídico-administrativa, para que sea tal, ha de reunir los siguientes caracteres:

a) Presencia en ella de la Administración, como sujeto de la relación, normalmente en el lado activo de la misma, junto al Administrado, que suele situarse en el lado pasivo.

b) La Administración ha de intervenir en tal relación como tal, y no como persona de Derecho Privado.

Esto es tanto como decir que ha de actuar –la Administración– al servicio de los intereses generales a que le obliga el art. 103,1.º de la Constitución, de 27 de diciembre de 1978 (CE, en adelante).

c) Como se expuso, la Administración actúa normalmente como parte activa de la relación, es decir, ejercita en ella las potestades y prerrogativas que el ordenamiento jurídico le reconoce para el cumplimiento de sus fines.

Esto no obsta a que, en determinadas relaciones, sea el sujeto pasivo, por ejercer el particular un derecho subjetivo frente a ella, por ser objeto, por ejemplo, de una reclamación de responsabilidad por daños ocasionados como consecuencia del funcionamiento de los servicios públicos.

d) Finalmente, esta relación está regulada por el Derecho Administrativo.

2.1.4. Elementos

Con ENTRENA CUESTA, podemos distinguir:

1. El **elemento subjetivo**, que es doble: un sujeto activo y un sujeto pasivo. Por lo general, como se ha dicho, el lado activo es desempeñado por la Administración Pública, y el pasivo por el Administrado, lo que no impide en ocasiones que se entable una relación jurídico-administrativa entre dos sujetos con carácter público, dando lugar a las denominadas relaciones interadministrativas; e, igualmente, que en una relación jurídico-administrativa resulte sujeto activo el administrado y pasivo la Administración (pensemos en la acción de responsabilidad interpuesta por aquel contra esta a que aludíamos).
2. El **objeto**, constituido por los actos humanos (desempeño de su cargo por el funcionario, por ejemplo) o las cosas (el dominio público), en cuanto integrantes del bien jurídico tutelado por la norma.
3. El **contenido**, que se descompone en una serie de derechos y obligaciones que recaen sobre el objeto de la relación (derecho al uso privativo del dominio público, etc.) y corresponden a los sujetos que en ella intervienen.
4. Respecto a la **causa**, la relación social que sirve de soporte a la relación jurídico-administrativa adquiere esta naturaleza en cuanto es regulada por el Derecho Administrativo. Pero el ordenamiento jurídico vincula el nacimiento de la relación a la concurrencia de ciertos hechos que, por ello, son calificados de jurídicos y que pueden considerarse su causa (la relación de servicios nace por el hecho jurídico del acto de nombramiento y posterior toma de posesión por el funcionario).

2.1.5. Nacimiento, modificación y extinción

En cuanto a su nacimiento, toda relación jurídico-administrativa tiene su punto de arranque en una disposición legal –en sentido amplio–, un negocio jurídico (por ejemplo, un contrato administrativo), un hecho o un acto (esencialmente, administrativo).

Su modificación puede afectar a los sujetos (por ejemplo, el cambio de un particular en la titularidad de una Licencia de Apertura de un Establecimiento), al objeto (por

ejemplo, redimir a metálico la prestación personal a que se refiere el art. 129,3.º del Texto Refundido de la Ley Reguladora, de las Haciendas Locales, aprobado por el Real Decreto Legislativo 2/2004, de 5 de marzo) o al contenido de la relación, es decir, a los derechos y deberes de los sujetos en la misma.

Finalmente, respecto a la extinción, puede deberse a la propia Ley, que determine cuándo se extingue la relación. Asimismo, las relaciones personalísimas, por ejemplo la que mantiene un funcionario con la Administración, se extinguen por la muerte del primero, aunque se generen otras relaciones a resultas de la misma, como el devengo de pensión en favor del cónyuge e hijos.

2.1.6. El administrado o interesado

2.1.6.1. Introducción

De todo lo ya expuesto, se deduce que el Administrado es uno de los sujetos de la relación jurídico-administrativa, normalmente el pasivo, al ser el destinatario de las prerrogativas o potestades del otro sujeto (la Administración) en el seno de dicha relación.

En definitiva, el hombre cuando entra en relación con la Administración, adquiere la condición de Administrado.

2.1.6.2. Clases de administrados

Administrado puede ser toda persona física o jurídica que entre en relación con la Administración, por lo que puede hacerse una tipología del mismo en función de lo que realmente sea (individuo, persona jurídica, etc.).

En la Doctrina científica ha sido tradicional la distinción entre:

a) **Administrado simple**: es aquel que se encuentra respecto de la Administración en un estado de sujeción general y que es tratado por la norma de una forma impersonal, siendo esta la posición normal.

   Así, Administrado simple es cualquier ciudadano que deambule por una vía pública, cuyo uso no tiene limitado sino por directrices de carácter general. El que hace un uso común general del dominio público.

b) **Administrado cualificado**: es aquel que se encuentra respecto de la Administración en un estado de sujeción especial, es decir, especialmente vinculado a ella, lo que puede derivar, por ejemplo, de la relación funcionarial, del uso común especial o del uso privativo del dominio público, de la realización de una prestación personal (como el antiguo servicio militar), etc.

2.1.6.3. El administrado o interesado en el procedimiento administrativo

El art. 4 LPACAP, en cuanto a la actuación dentro de los procedimientos administrativos, conceptúa al interesado señalando que:

1. Se consideran interesados en el procedimiento administrativo:
   a) Quienes lo promuevan como titulares de derechos o intereses legítimos individuales o colectivos.
   b) Los que, sin haber iniciado el procedimiento, tengan derechos que puedan resultar afectados por la decisión que en el mismo se adopte.
   c) Aquellos cuyos intereses legítimos, individuales o colectivos, puedan resultar afectados por la resolución y se personen en el procedimiento en tanto no haya recaído resolución definitiva.
2. Las asociaciones y organizaciones representativas de intereses económicos y sociales serán titulares de intereses legítimos colectivos en los términos que la Ley reconozca.
3. Cuando la condición de interesado derivase de alguna relación jurídica transmisible, el derecho-habiente sucederá en tal condición cualquiera que sea el estado del procedimiento.

A tenor de los arts. 62.5 y 83.2 LPACAP, la presentación de una denuncia y la comparecencia en el trámite de información pública, respectivamente, no confieren u otorgan, por sí solas, la condición de interesado en el procedimiento.

2.1.6.4. Pluralidad de interesados

Según el art. 7 LPACAP, cuando en una solicitud, escrito o comunicación figuren varios interesados, las actuaciones a que den lugar se efectuarán con el representante o el interesado que expresamente hayan señalado, y, en su defecto, con el que figure en primer término.

2.1.6.5. Nuevos interesados en el procedimiento

Si durante la instrucción de un procedimiento que no haya tenido publicidad, se advierte la existencia de personas que sean titulares de derechos o intereses legítimos y directos cuya identificación resulte del expediente y que puedan resultar afectados por la resolución que se dicte, se comunicará a dichas personas la tramitación del procedimiento (art. 8 LPACAP).

Los interesados en el procedimiento	
Titulares de derechos subjetivos	Son siempre interesados, tanto si inician como si no inician el procedimiento, y sin necesidad de personación
Titulares de intereses legítimos	Cuando inicien el procedimiento. Cuando sin iniciar el procedimiento se personen en el mismo.
Asociaciones representativas de intereses sociales y económicos	En la medida y términos que la Ley lo reconozca.

2.2. Capacidad y representación

2.2.1. Capacidad

Así como en el Derecho Privado existe una teoría general de la capacidad de las personas, en virtud de la cual quien ostente la capacidad jurídica (desde el nacimiento, prácticamente) y de obrar (desde que, como regla general, se alcanza la mayoría de edad) puede entablar todo tipo de relaciones jurídicas con otros (por ejemplo, adquirir o vender bienes), en el Derecho Administrativo no se ha elaborado esta teoría respecto del Administrado, dado que la relación jurídico-administrativa suele establecerse *intuitu personae* (en consideración a la persona); en consecuencia, el ordenamiento jurídico exige diversos requisitos de capacidad según el tipo de relación de que se trate (así, por ejemplo, para el acceso a la Función Pública, se suelen especificar todos los requisitos que ha de reunir la persona que pretenda servir a la Administración: mayoría de edad, titulación específica para la plaza a que se opta, etc.).

Por eso, habrá que estar a la norma en concreto que regule la relación de que se trate para saber qué capacidad es exigible al Administrado, sin perjuicio de que, el propio Derecho Administrativo se base en las reglas de la capacidad de Derecho Privado, o de que, en ocasiones (por ejemplo, para plantear un recurso económico-administrativo) permita a los menores de edad (incapaces de obrar en el Derecho Privado) actuar en defensa de sus intereses.

En cuanto a las circunstancias modificativas de la capacidad, igual remisión debe hacerse a la doctrina civilista, sin perjuicio de algunas especialidades propias del Derecho Administrativo, como la mencionada en el párrafo anterior respecto a los menores de edad.

En esta línea hay que insertar la dicción del art. 3 LPACAP, según el cual, a los efectos previstos en esta Ley, tendrán capacidad de obrar ante las Administraciones Públicas:

a) Las personas físicas o jurídicas que ostenten capacidad de obrar con arreglo a las normas civiles.

b) Los menores de edad para el ejercicio y defensa de aquellos de sus derechos e intereses cuya actuación esté permitida por el ordenamiento jurídico sin la asistencia de la persona que ejerza la patria potestad, tutela o curatela. Se exceptúa el supuesto de los menores incapacitados, cuando la extensión de la incapacitación afecte al ejercicio y defensa de los derechos o intereses de que se trate.

c) Cuando la Ley así lo declare expresamente, los grupos de afectados, las uniones y entidades sin personalidad jurídica y los patrimonios independientes o autónomos.

En concreto, entre las causas modificativas de la capacidad, podemos citar las siguientes:

a) La nacionalidad, dado que el hecho de ser extranjero puede modificar la capacidad jurídico-administrativa para el ejercicio, por ejemplo, de la Función Pública, respecto de la cual exige, con carácter general, el art. 56 del Texto Refundido de la Ley del Estatuto Básico del Empleado Público, aprobado por el Real Decreto Legislativo 5/2015, de 30 de octubre (TR-LEBEP, en adelante) "tener nacionalidad española, sin perjuicio de lo dispuesto en el artículo siguiente" (que prevé, por ejemplo, que "los nacionales de los Estados miembros de la Unión Europea podrán acceder, como personal funcionario, en igualdad de condiciones que los españoles a los empleos públicos, con excepción de aquellos que directa o indirectamente impliquen una participación en el ejercicio del poder público o en las funciones que tienen por objeto la salvaguardia de los intereses del Estado o de las Administraciones Públicas").

b) La edad, aunque no se pueda hablar como se ha expuesto antes de una mayoría de edad en Derecho Administrativo, sino que habrá que estar a lo exigido para cada caso concreto, pudiendo influir la edad, por ejemplo, para el acceso a la función pública (que exige la mayoría de edad, como se indicó) y para la extinción de la relación funcionarial por jubilación.

c) La enfermedad, que puede tener relevancia, sin ir más lejos, en aquellos supuestos en que para el desempeño de funciones públicas se deba acreditar una aptitud física determinada (como en el supuesto de los miembros de los Cuerpos y Fuerzas de Seguridad y los de los Servicios de Extinción de Incendios y Salvamento), sin olvidar que puede ser causas de extinción de la relación funcionarial por imposibilidad física.

d) La condena penal, que, en determinados casos, puede llevar aparejada la inhabilitación absoluta o especial para el ejercicio de determinados derechos, incluso de la propia función pública, constituyéndose asimismo en una prohibición de contratar con la Administración, a tenor del artículo 85 de la Ley 9/2017, de 8 de noviembre, de Contratos del Sector Público.

e) El domicilio, que modifica la capacidad jurídico-administrativa por ejemplo en materia tributaria, al ser determinante como lugar donde han de aplicarse los impuestos municipales (el de Vehículos de Tracción Mecánica, entre otros), o en el supuesto de aprovechamiento de los bienes comunales, reservado por el art. 79 de la Ley 7/1985, de 2 de abril, Reguladora de las Bases del Régimen Local (LRL, en lo sucesivo) al común de los vecinos.

f) La declaración en concurso de un concesionario o contratista, que puede modificar la relación jurídico-administrativa que mantiene con la Administración o impedir su nacimiento al constituir una causa de prohibición de contratar con la Administración con las matizaciones que recoge el citado artículo 85 de la Ley 9/2017, de 8 de noviembre, de Contratos del Sector Público.

g) La suspensión derivada de un proceso penal o disciplinario de un empleado público.

2.2.2. Representación

2.2.2.1. Introducción

A tenor del art. 5 LPACAP:

1. Los interesados con capacidad de obrar podrán actuar por medio de representante, entendiéndose con este las actuaciones administrativas, salvo manifestación expresa en contra del interesado.

2. Las personas físicas con capacidad de obrar y las personas jurídicas, siempre que ello esté previsto en sus Estatutos, podrán actuar en representación de otras ante las Administraciones Públicas.
3. Para formular solicitudes, presentar declaraciones responsables o comunicaciones, interponer recursos, desistir de acciones y renunciar a derechos en nombre de otra persona, deberá acreditarse la representación. Para los actos y gestiones de mero trámite se presumirá aquella representación.
4. La representación podrá acreditarse mediante cualquier medio válido en Derecho que deje constancia fidedigna de su existencia.

   A estos efectos, se entenderá acreditada la representación realizada mediante apoderamiento *apud acta* efectuado por comparecencia personal o comparecencia electrónica en la correspondiente sede electrónica, o a través de la acreditación de su inscripción en el registro electrónico de apoderamientos de la Administración Pública competente.
5. El órgano competente para la tramitación del procedimiento deberá incorporar al expediente administrativo acreditación de la condición de representante y de los poderes que tiene reconocidos en dicho momento. El documento electrónico que acredite el resultado de la consulta al registro electrónico de apoderamientos correspondiente tendrá la condición de acreditación a estos efectos.
6. La falta o insuficiente acreditación de la representación no impedirá que se tenga por realizado el acto de que se trate, siempre que se aporte aquella o se subsane el defecto dentro del plazo de diez días que deberá conceder al efecto el órgano administrativo, o de un plazo superior cuando las circunstancias del caso así lo requieran.
7. Las Administraciones Públicas podrán habilitar con carácter general o específico a personas físicas o jurídicas autorizadas para la realización de determinadas transacciones electrónicas en representación de los interesados. Dicha habilitación deberá especificar las condiciones y obligaciones a las que se comprometen los que así adquieran la condición de representantes, y determinará la presunción de validez de la representación salvo que la normativa de aplicación prevea otra cosa. Las Administraciones Públicas podrán requerir, en cualquier momento, la acreditación de dicha representación. No obstante, siempre podrá comparecer el interesado por sí mismo en el procedimiento.

2.2.2.2. Registros electrónicos de apoderamientos

A tenor del art. 6 LPACAP:

1. La Administración General del Estado, las Comunidades Autónomas y las Entidades Locales dispondrán de un registro electrónico general de apoderamientos, en el que deberán inscribirse, al menos, los de carácter general otorgados *apud acta*, presencial o electrónicamente, por quien ostente la condición de interesado en un procedimiento administrativo a favor de representante, para actuar en su nombre ante las Administraciones Públicas. También deberá constar el bastanteo realizado del poder.

En el ámbito estatal, este registro será el Registro Electrónico de Apoderamientos de la Administración General del Estado.

Los registros generales de apoderamientos no impedirán la existencia de registros particulares en cada Organismo donde se inscriban los poderes otorgados para la realización de trámites específicos en el mismo. Cada Organismo podrá disponer de su propio registro electrónico de apoderamientos.

2. Los registros electrónicos generales y particulares de apoderamientos pertenecientes a todas y cada una de las Administraciones, deberán ser plenamente interoperables entre sí, de modo que se garantice su interconexión, compatibilidad informática, así como la transmisión telemática de las solicitudes, escritos y comunicaciones que se incorporen a los mismos.

   Los registros electrónicos generales y particulares de apoderamientos permitirán comprobar válidamente la representación de quienes actúen ante las Administraciones Públicas en nombre de un tercero, mediante la consulta a otros registros administrativos similares, al registro mercantil, de la propiedad, y a los protocolos notariales.

   Los registros mercantiles, de la propiedad, y de los protocolos notariales serán interoperables con los registros electrónicos generales y particulares de apoderamientos.

3. Los asientos que se realicen en los registros electrónicos generales y particulares de apoderamientos deberán contener, al menos, la siguiente información:

   a) Nombre y apellidos o la denominación o razón social, documento nacional de identidad, número de identificación fiscal o documento equivalente del poderdante.

   b) Nombre y apellidos o la denominación o razón social, documento nacional de identidad, número de identificación fiscal o documento equivalente del apoderado.

   c) Fecha de inscripción.

   d) Período de tiempo por el cual se otorga el poder.

   e) Tipo de poder según las facultades que otorgue.

4. Los poderes que se inscriban en los registros electrónicos generales y particulares de apoderamientos deberán corresponder a alguna de las siguientes tipologías:

   a) Un poder general para que el apoderado pueda actuar en nombre del poderdante en cualquier actuación administrativa y ante cualquier Administración.

   b) Un poder para que el apoderado pueda actuar en nombre del poderdante en cualquier actuación administrativa ante una Administración u Organismo concreto.

   c) Un poder para que el apoderado pueda actuar en nombre del poderdante únicamente para la realización de determinados trámites especificados en el poder.

   A tales efectos, por Orden del Ministro de Política Territorial y Función Pública se aprobarán, con carácter básico, los modelos de poderes inscribibles en el registro distinguiendo si permiten la actuación ante todas las Administraciones de acuer-

do con lo previsto en la letra a) anterior, ante la Administración General del Estado o ante las Entidades Locales.

Cada Comunidad Autónoma aprobará los modelos de poderes inscribibles en el registro cuando se circunscriba a actuaciones ante su respectiva Administración.

5. El apoderamiento *apud acta* se otorgará mediante comparecencia electrónica en la correspondiente sede electrónica haciendo uso de los sistemas de firma electrónica previstos en esta Ley, o bien mediante comparecencia personal en las oficinas de asistencia en materia de registros.

6. Los poderes inscritos en el registro tendrán una validez determinada máxima de cinco años a contar desde la fecha de inscripción. En todo caso, en cualquier momento antes de la finalización de dicho plazo el poderdante podrá revocar o prorrogar el poder. Las prórrogas otorgadas por el poderdante al registro tendrán una validez determinada máxima de cinco años a contar desde la fecha de inscripción.

7. Las solicitudes de inscripción del poder, de revocación, de prórroga o de denuncia del mismo podrán dirigirse a cualquier registro, debiendo quedar inscrita esta circunstancia en el registro de la Administración u Organismo ante la que tenga efectos el poder y surtiendo efectos desde la fecha en la que se produzca dicha inscripción.

(Se declara inconstitucional y nulo el segundo párrafo del apartado 4 por Sentencia del TC 55/2018, de 24 de mayo.)

Sobre esta materia, la Disposición Adicional Segunda de la LPACAP trata de la adhesión de las Comunidades Autónomas y Entidades Locales a las plataformas y registros de la Administración General del Estado, suponiendo que, para cumplir con lo previsto en materia de registro electrónico de apoderamientos, registro electrónico, archivo electrónico único, plataforma de intermediación de datos y punto de acceso general electrónico de la Administración, las Comunidades Autónomas y las Entidades Locales podrán adherirse voluntariamente y a través de medios electrónicos a las plataformas y registros establecidos al efecto por la Administración General del Estado. Su no adhesión, deberá justificarse en términos de eficiencia conforme al artículo 7 de la Ley Orgánica 2/2012, de 27 de abril, de Estabilidad Presupuestaria y Sostenibilidad Financiera (según el cual: "1. Las políticas de gasto público deberán encuadrarse en un marco de planificación plurianual y de programación y presupuestación, atendiendo a la situación económica, a los objetivos de política económica y al cumplimiento de los principios de estabilidad presupuestaria y sostenibilidad financiera. 2. La gestión de los recursos públicos estará orientada por la eficacia, la eficiencia, la economía y la calidad, a cuyo fin se aplicarán políticas de racionalización del gasto y de mejora de la gestión del sector público. 3. Las disposiciones legales y reglamentarias, en su fase de elaboración y aprobación, los actos administrativos, los contratos y los convenios de colaboración, así como cualquier otra actuación de los sujetos incluidos en el ámbito de aplicación de esta Ley que afecten a los gastos o ingresos públicos presentes o futuros, deberán valorar sus repercusiones y efectos, y supeditarse de forma estricta al cumplimiento de las exigencias de los principios de estabilidad presupuestaria y sostenibilidad financiera").

En el caso que una Comunidad Autónoma o una Entidad Local justifique ante el Ministerio de Hacienda y Administraciones Públicas (actualmente Ministerio de Política Territorial y Función Pública) que puede prestar el servicio de un modo más eficiente, de acuerdo con los criterios previstos en el párrafo anterior, y opte por mantener su propio registro o plataforma, las citadas Administraciones deberán garantizar que este cumple con los requisitos del Esquema Nacional de Interoperabilidad, el Esquema Nacional de Seguridad, y sus normas técnicas de desarrollo, de modo que se garantice su compatibilidad informática e interconexión, así como la transmisión telemática de las solicitudes, escritos y comunicaciones que se realicen en sus correspondientes registros y plataformas.

Por su parte. la Disposición Transitoria Cuarta de la LPACAP prescribe que, mientras no entren en vigor las previsiones relativas al registro electrónico de apoderamientos, registro electrónico, punto de acceso general electrónico de la Administración y archivo único electrónico, las Administraciones Públicas mantendrán los mismos canales, medios o sistemas electrónicos vigentes relativos a dichas materias, que permitan garantizar el derecho de las personas a relacionarse electrónicamente con las Administraciones.

Por último, debe tenerse en cuenta que, a tenor de la Disposición Final Séptima, modificada por la disposición final 6 del Real Decreto-Ley 27/2020 de 4 de agosto dispone que "la presente Ley entrará en vigor al año de su publicación en el "Boletín Oficial del Estado".

No obstante, las previsiones relativas al registro electrónico de apoderamientos, registro electrónico, registro de empleados públicos habilitados, punto de acceso general electrónico de la Administración y archivo único electrónico producirán efectos a partir del día 2 de abril de 2021."

2.2.3. Identificación y firma de los interesados en el procedimiento administrativo

2.2.3.1. Sistemas de identificación de los interesados en el procedimiento

El art. 9 de la LPACAP, sobre los sistemas de identificación de los interesados en el procedimiento, dispone que:

1. Las Administraciones Públicas están obligadas a verificar la identidad de los interesados en el procedimiento administrativo, mediante la comprobación de su nombre y apellidos o denominación o razón social, según corresponda, que consten en el Documento Nacional de Identidad o documento identificativo equivalente.
2. Los interesados podrán identificarse electrónicamente ante las Administraciones Públicas a través de los sistemas siguientes:
    a) Sistemas basados en certificados electrónicos cualificados de firma electrónica expedidos por prestadores incluidos en la "Lista de confianza de prestadores de servicios de certificación".
    b) Sistemas basados en certificados electrónicos cualificados de sello electrónico expedidos por prestadores incluidos en la "Lista de confianza de prestadores de servicios de certificación".

c) Cualquier otro sistema que las Administraciones públicas consideren válido en los términos y condiciones que se establezca, siempre que cuenten con un registro previo como usuario que permita garantizar su identidad y previa comunicación a la Secretaría General de Administración Digital del Ministerio de Asuntos Económicos y Transformación Digital. Esta comunicación vendrá acompañada de una declaración responsable de que se cumple con todos los requisitos establecidos en la normativa vigente. De forma previa a la eficacia jurídica del sistema, habrán de transcurrir dos meses desde dicha comunicación, durante los cuales el órgano estatal competente por motivos de seguridad pública podrá acudir a la vía jurisdiccional, previo informe vinculante de la Secretaría de Estado de Seguridad, que deberá emitir en el plazo de diez días desde su solicitud.

Las Administraciones Públicas deberán garantizar que la utilización de uno de los sistemas previstos en las letras a) y b) sea posible para todo procedimiento, aun cuando se admita para ese mismo procedimiento alguno de los previstos en la letra c).

3. En relación con los sistemas de identificación previstos en la letra c) del apartado anterior, se establece la obligatoriedad de que los recursos técnicos necesarios para la recogida, almacenamiento, tratamiento y gestión de dichos sistemas se encuentren situados en territorio de la Unión Europea, y en caso de tratarse de categorías especiales de datos a los que se refiere el artículo 9 del Reglamento (UE) 2016/679, del Parlamento Europeo y del Consejo, de 27 de abril de 2016, relativo a la protección de las personas físicas en lo que respecta al tratamiento de datos personales y a la libre circulación de estos datos y por el que se deroga la Directiva 95/46/CE, en territorio español. En cualquier caso, los datos se encontrarán disponibles para su acceso por parte de las autoridades judiciales y administrativas competentes.

   Los datos a que se refiere el párrafo anterior no podrán ser objeto de transferencia a un tercer país u organización internacional, con excepción de los que hayan sido objeto de una decisión de adecuación de la Comisión Europea o cuando así lo exija el cumplimiento de las obligaciones internacionales asumidas por el Reino de España.

4. En todo caso, la aceptación de alguno de estos sistemas por la Administración General del Estado servirá para acreditar frente a todas las Administraciones Públicas, salvo prueba en contrario, la identificación electrónica de los interesados en el procedimiento administrativo.

2.2.3.2. Sistemas de firma admitidos por las Administraciones Públicas

A tenor del art. 10 LPACAP:

1. Los interesados podrán firmar a través de cualquier medio que permita acreditar la autenticidad de la expresión de su voluntad y consentimiento, así como la integridad e inalterabilidad del documento.

2. En el caso de que los interesados optaran por relacionarse con las Administraciones Públicas a través de medios electrónicos, se considerarán válidos a efectos de firma:

   a) Sistemas de firma electrónica cualificada y avanzada basados en certificados electrónicos cualificados de firma electrónica expedidos por prestadores incluidos en la "Lista de confianza de prestadores de servicios de certificación".

   b) Sistemas de sello electrónico cualificado y de sello electrónico avanzado basados en certificados electrónicos cualificados de sello electrónico expedidos por prestador incluido en la "Lista de confianza de prestadores de servicios de certificación".

   c) Cualquier otro sistema que las Administraciones públicas consideren válido en los términos y condiciones que se establezca, siempre que cuenten con un registro previo como usuario que permita garantizar su identidad y previa comunicación a la Secretaría General de Administración Digital del Ministerio de Asuntos Económicos y Transformación Digital. Esta comunicación vendrá acompañada de una declaración responsable de que se cumple con todos los requisitos establecidos en la normativa vigente. De forma previa a la eficacia jurídica del sistema, habrán de transcurrir dos meses desde dicha comunicación, durante los cuales el órgano estatal competente por motivos de seguridad pública podrá acudir a la vía jurisdiccional, previo informe vinculante de la Secretaría de Estado de Seguridad, que deberá emitir en el plazo de diez días desde su solicitud.

   Las Administraciones Públicas deberán garantizar que la utilización de uno de los sistemas previstos en las letras a) y b) sea posible para todos los procedimientos en todos sus trámites, aun cuando adicionalmente se permita alguno de los previstos al amparo de lo dispuesto en la letra c).

3. En relación con los sistemas de firma previstos en la letra c) del apartado anterior, se establece la obligatoriedad de que los recursos técnicos necesarios para la recogida, almacenamiento, tratamiento y gestión de dichos sistemas se encuentren situados en territorio de la Unión Europea, y en caso de tratarse de categorías especiales de datos a los que se refiere el artículo 9 del Reglamento (UE) 2016/679, del Parlamento Europeo y del Consejo, de 27 de abril de 2016, en territorio español. En cualquier caso, los datos se encontrarán disponibles para su acceso por parte de las autoridades judiciales y administrativas competentes.

   Los datos a que se refiere el párrafo anterior no podrán ser objeto de transferencia a un tercer país u organización internacional, con excepción de los que hayan sido objeto de una decisión de adecuación de la Comisión Europea o cuando así lo exija el cumplimiento de las obligaciones internacionales asumidas por el Reino de España.

4. Cuando así lo disponga expresamente la normativa reguladora aplicable, las Administraciones Públicas podrán admitir los sistemas de identificación contemplados en esta Ley como sistema de firma cuando permitan acreditar la autenticidad de la expresión de la voluntad y consentimiento de los interesados.

5. Cuando los interesados utilicen un sistema de firma de los previstos en este artículo, su identidad se entenderá ya acreditada mediante el propio acto de la firma.

2.2.3.3. Uso de medios de identificación y firma en el procedimiento administrativo

El art. 11 LPACAP se refiere al uso de los medios de identificación y firma en el procedimiento administrativo, señalando que:

1. Con carácter general, para realizar cualquier actuación prevista en el procedimiento administrativo, será suficiente con que los interesados acrediten previamente su identidad a través de cualquiera de los medios de identificación previstos en esta Ley.
2. Las Administraciones Públicas solo requerirán a los interesados el uso obligatorio de firma para:
   a) Formular solicitudes.
   b) Presentar declaraciones responsables o comunicaciones.
   c) Interponer recursos.
   d) Desistir de acciones.
   e) Renunciar a derechos.

2.2.3.4. Asistencia en el uso de medios electrónicos a los interesados

Por su parte, el art. 12 LPACAP, sobre la asistencia en el uso de medios electrónicos a los interesados, prescribe que:

1. Las Administraciones Públicas deberán garantizar que los interesados pueden relacionarse con la Administración a través de medios electrónicos, para lo que pondrán a su disposición los canales de acceso que sean necesarios así como los sistemas y aplicaciones que en cada caso se determinen.
2. Las Administraciones Públicas asistirán en el uso de medios electrónicos a los interesados no incluidos en los apartados 2 y 3 del artículo 14 que así lo soliciten, especialmente en lo referente a la identificación y firma electrónica, presentación de solicitudes a través del registro electrónico general y obtención de copias auténticas.

   Asimismo, si alguno de estos interesados no dispone de los medios electrónicos necesarios, su identificación o firma electrónica en el procedimiento administrativo podrá ser válidamente realizada por un funcionario público mediante el uso del sistema de firma electrónica del que esté dotado para ello. En este caso, será necesario que el interesado que carezca de los medios electrónicos necesarios se identifique ante el funcionario y preste su consentimiento expreso para esta actuación, de lo que deberá quedar constancia para los casos de discrepancia o litigio.

3. La Administración General del Estado, las Comunidades Autónomas y las Entidades Locales mantendrán actualizado un registro, u otro sistema equivalente, donde constarán los funcionarios habilitados para la identificación o firma regulada en este artículo. Estos registros o sistemas deberán ser plenamente interoperables y estar interconectados con los de las restantes Administraciones Públicas, a los efectos de comprobar la validez de las citadas habilitaciones.

   En este registro o sistema equivalente, al menos, constarán los funcionarios que presten servicios en las oficinas de asistencia en materia de registros.

3. La actividad de las Administraciones Públicas

La Ley 39/2015, de 1 de octubre, del Procedimiento Administrativo Común de las Administraciones Públicas trata de la actividad de las Administraciones Públicas en su Título II, arts. 13 a 33, estableciendo una serie de normas generales de actuación, en las que incluye la obligación de resolver y el silencio administrativo, la emisión de documentos por las Administraciones Públicas, la validez y eficacia de las copias realizadas por las mismas y los documentos aportados por los interesados al procedimiento administrativo, tras lo que trata de los términos y plazos.

3.1. Normas generales

3.1.1. Derechos de las personas en sus relaciones con las Administraciones Públicas

El art. 13 LPACAP se refiere a los derechos de las personas en sus relaciones con las Administraciones Públicas, disociándose de esta forma, con buen criterio, de los derechos de los interesados en el procedimiento administrativo (a los que se refiere el art. 53 LPACAP), y señala que quienes, de conformidad con el artículo 3, tienen capacidad de obrar ante las Administraciones Públicas, son titulares, en sus relaciones con ellas, de los siguientes derechos:

a) A comunicarse con las Administraciones Públicas a través de un Punto de Acceso General electrónico de la Administración (sobre lo que el art. 53.1,a, de esta LPACAP dispone que quienes se relacionen con las Administraciones Públicas a través de medios electrónicos, tendrán derecho a consultar la información a la que se refiere el párrafo anterior –respecto a conocer en, cualquier momento, el estado de tramitación de los procedimientos en los que sea interesado–, en el Punto de Acceso General electrónico de la Administración que funcionará como un portal de acceso.

Se entenderá cumplida la obligación de la Administración de facilitar copias de los documentos contenidos en los procedimientos mediante la puesta a disposición de las mismas en el Punto de Acceso General electrónico de la Administración competente o en las sedes electrónicas que correspondan. En cuanto a este Punto de Acceso, debe estarse a lo dispuesto en la Orden HAP/1949/2014, de 13 de octubre, por la que se regula el Punto de Acceso General de la Administración General del Estado y se crea su sede electrónica, debiendo tenerse en cuenta las previsiones de la Disposición Transitoria Cuarta y la Disposición Final Séptima de esta LPACAP).

b) A ser asistidos en el uso de medios electrónicos en sus relaciones con las Administraciones Públicas.

c) A utilizar las lenguas oficiales en el territorio de su Comunidad Autónoma, de acuerdo con lo previsto en esta Ley y en el resto del ordenamiento jurídico (sobre lo que trata el art. 15, que luego se estudiará, debiendo tenerse en cuenta la Carta Europea de las Lenguas Regionales o Minoritarias, aprobada por el Consejo de Europa en Estrasburgo el 5 de noviembre de 1992, ratificada por España a través de Instrumento de ratificación de 2 de febrero de 2001, así como el Real Decreto 905/2007, de 6 de julio, por el que se crean el Consejo de las Lenguas Oficiales en la Administración General del Estado y la Oficina para las Lenguas Oficiales).

d) Al acceso a la información pública, archivos y registros, de acuerdo con lo previsto en la Ley 19/2013, de 9 de diciembre, de transparencia, acceso a la información pública y buen gobierno y el resto del Ordenamiento Jurídico (a la que dedicaremos un apartado específico de este epígrafe. Este Derecho se ha consagrado en el art. 105,b, de nuestra vigente Constitución, de 27 de diciembre de 1978 –CE, en otras citas–, que señala que la ley regulará «*el acceso de los ciudadanos a los archivos y registros administrativos, salvo en lo que afecte a la seguridad y defensa del Estado, la averiguación de los delitos y la intimidad de las personas*»).

e) A ser tratados con respeto y deferencia por las autoridades y empleados públicos, que habrán de facilitarles el ejercicio de sus derechos y el cumplimiento de sus obligaciones (al efecto, el art. 54.1 del Texto Refundido de la Ley del Estatuto Básico del Empleado Público, aprobado por el Real Decreto Legislativo 5/2015, de 30 de octubre, prescribe que los empleados públicos «*tratarán con atención y respeto a los ciudadanos, a sus superiores y a los restantes empleados públicos*». A su vez, el art. 95.2,b) de este Estatuto recoge entre las faltas muy graves «*toda actuación que suponga discriminación por razón de origen racial o étnico, religión o convicciones, discapacidad, edad u orientación sexual, lengua, opinión, lugar de nacimiento o vecindad, sexo o cualquier otra condición o circunstancia personal o social, así como el acoso por razón de origen racial o étnico, religión o convicciones, discapacidad, edad u orientación sexual y el acoso moral, sexual y por razón de sexo*»).

f) A exigir las responsabilidades de las Administraciones Públicas y autoridades, cuando así corresponda legalmente (la responsabilidad patrimonial de las Administraciones Públicas se regula por los arts. 32 a 35 de la Ley 40/2015, de 1 de octubre, de Régimen Jurídico del Sector Público –LRJSP–, así como por los arts. 1.1., 24.1., 35.1,h), 61.4, 62.3, 65, 67, 81, 82.5, 86.5, 91, 92, 96.4 y 114.1,e), y las Disposiciones Transitoria Quinta y Derogatoria Única.2,d) de esta LPACAP. Por su parte, la responsabilidad de las autoridades y personal al servicio de las Administraciones Públicas se regula por los arts. 36 y 37 de la citada LRJSP).

g) A la obtención y utilización de los medios de identificación y firma electrónica contemplados en esta Ley.

h) A la protección de datos de carácter personal, y en particular a la seguridad y confidencialidad de los datos que figuren en los ficheros, sistemas y aplicaciones de las Administraciones Públicas (sobre lo que debe estarse a lo dispuesto en la Ley Orgánica 3/2018, de 5 de diciembre, de Protección de Datos Personales y garantía de los derechos digitales.

i) Cualesquiera otros que les reconozcan la Constitución (por ejemplo, en los arts. 14 a 52) y las leyes (entre otros, el art. 19 de esta LPACAP, sobre el derecho a no comparecer ante la Administración Pública, salvo que se exija por Ley formal, o el art. 75.3 de la misma, sobre la compatibilidad con sus obligaciones laborales o profesionales cuando se requiera la intervención de un interesado en los actos de instrucción de un procedimiento).

Estos derechos se entienden sin perjuicio de los reconocidos en el artículo 53 referidos a los interesados en el procedimiento administrativo.

3.1.2. Derecho y obligación de relacionarse electrónicamente con las Administraciones Públicas

A tenor del art. 14:

1. Las personas físicas podrán elegir en todo momento si se comunican con las Administraciones Públicas para el ejercicio de sus derechos y obligaciones a través de medios electrónicos o no, salvo que estén obligadas a relacionarse a través de

medios electrónicos con las Administraciones Públicas. El medio elegido por la persona para comunicarse con las Administraciones Públicas podrá ser modificado por aquella en cualquier momento.

2. En todo caso, estarán obligados a relacionarse a través de medios electrónicos con las Administraciones Públicas para la realización de cualquier trámite de un procedimiento administrativo, al menos, los siguientes sujetos:

   a) Las personas jurídicas.

   b) Las entidades sin personalidad jurídica.

   c) Quienes ejerzan una actividad profesional para la que se requiera colegiación obligatoria, para los trámites y actuaciones que realicen con las Administraciones Públicas en ejercicio de dicha actividad profesional. En todo caso, dentro de este colectivo se entenderán incluidos los notarios y registradores de la propiedad y mercantiles.

   d) Quienes representen a un interesado que esté obligado a relacionarse electrónicamente con la Administración.

   e) Los empleados de las Administraciones Públicas para los trámites y actuaciones que realicen con ellas por razón de su condición de empleado público, en la forma en que se determine reglamentariamente por cada Administración.

3. Reglamentariamente, las Administraciones podrán establecer la obligación de relacionarse con ellas a través de medios electrónicos para determinados procedimientos y para ciertos colectivos de personas físicas que por razón de su capacidad económica, técnica, dedicación profesional u otros motivos quede acreditado que tienen acceso y disponibilidad de los medios electrónicos necesarios.

3.1.3. Lengua de los procedimientos

Sobre la lengua de los procedimientos, prescribe el art. 15 que:

1. La lengua de los procedimientos tramitados por la Administración General del Estado será el castellano. No obstante lo anterior, los interesados que se dirijan a los órganos de la Administración General del Estado con sede en el territorio de una Comunidad Autónoma podrán utilizar también la lengua que sea cooficial en ella.

   En este caso, el procedimiento se tramitará en la lengua elegida por el interesado. Si concurrieran varios interesados en el procedimiento, y existiera discrepancia en cuanto a la lengua, el procedimiento se tramitará en castellano, si bien los documentos o testimonios que requieran los interesados se expedirán en la lengua elegida por los mismos.

2. En los procedimientos tramitados por las Administraciones de las Comunidades Autónomas y de las Entidades Locales, el uso de la lengua se ajustará a lo previsto en la legislación autonómica correspondiente.

3. La Administración Pública instructora deberá traducir al castellano los documentos, expedientes o partes de los mismos que deban surtir efecto fuera del territorio de la Comunidad Autónoma y los documentos dirigidos a los interesados que así lo soliciten expresamente. Si debieran surtir efectos en el territorio de una Comunidad Autónoma donde sea cooficial esa misma lengua distinta del castellano, no será precisa su traducción.

3.1.4. Registros

Sobre los Registros (respecto de los cuales han de tenerse en cuenta la Disposición Transitoria Cuarta y la Disposición Final Séptima de esta LPACAP), dispone el art. 16 que:

1. Cada Administración dispondrá de un Registro Electrónico General, en el que se hará el correspondiente asiento de todo documento que sea presentado o que se reciba en cualquier órgano administrativo, Organismo público o Entidad vinculado o dependiente a estos. También se podrán anotar en el mismo, la salida de los documentos oficiales dirigidos a otros órganos o particulares.

   Los Organismos públicos vinculados o dependientes de cada Administración podrán disponer de su propio registro electrónico plenamente interoperable e interconectado con el Registro Electrónico General de la Administración de la que depende.

   El Registro Electrónico General de cada Administración funcionará como un portal que facilitará el acceso a los registros electrónicos de cada Organismo. Tanto el Registro Electrónico General de cada Administración como los registros electrónicos de cada Organismo cumplirán con las garantías y medidas de seguridad previstas en la legislación en materia de protección de datos de carácter personal.

   Las disposiciones de creación de los registros electrónicos se publicarán en el diario oficial correspondiente y su texto íntegro deberá estar disponible para consulta en la sede electrónica de acceso al registro. En todo caso, las disposiciones de creación de registros electrónicos especificarán el órgano o unidad responsable de su gestión, así como la fecha y hora oficial y los días declarados como inhábiles.

   En la sede electrónica de acceso a cada registro figurará la relación actualizada de trámites que pueden iniciarse en el mismo.

2. Los asientos se anotarán respetando el orden temporal de recepción o salida de los documentos, e indicarán la fecha del día en que se produzcan. Concluido el trámite de registro, los documentos serán cursados sin dilación a sus destinatarios y a las unidades administrativas correspondientes desde el registro en que hubieran sido recibidas.
3. El registro electrónico de cada Administración u Organismo garantizará la constancia, en cada asiento que se practique, de un número, epígrafe expresivo de su naturaleza, fecha y hora de su presentación, identificación del interesado, órgano administrativo remitente, si procede, y persona u órgano administrativo al que se envía, y, en su caso, referencia al contenido del documento que se registra. Para ello, se emitirá automáticamente un recibo consistente en una copia autenticada del documento de que se trate, incluyendo la fecha y hora de presentación y el número de entrada de registro, así como un recibo acreditativo de otros documentos que, en su caso, lo acompañen, que garantice la integridad y el no repudio de los mismos.
4. Los documentos que los interesados dirijan a los órganos de las Administraciones Públicas podrán presentarse:
   a) En el registro electrónico de la Administración u Organismo al que se dirijan, así como en los restantes registros electrónicos de cualquiera de los sujetos a los que se refiere el artículo 2.1.
   b) En las oficinas de Correos, en la forma que reglamentariamente se establezca.
   c) En las representaciones diplomáticas u oficinas consulares de España en el extranjero.
   d) En las oficinas de asistencia en materia de registros (sobre las que la Disposición Adicional Cuarta de esta LPACAP, prescribe que «*las Administraciones Públicas deberán mantener permanentemente actualizado en la correspondiente sede electrónica un directorio geográfico que permita al interesado identificar la oficina de asistencia en materia de registros más próxima a su domicilio*»).

   e) En cualquier otro que establezcan las disposiciones vigentes.

Los registros electrónicos de todas y cada una de las Administraciones, deberán ser plenamente interoperables, de modo que se garantice su compatibilidad informática e interconexión, así como la transmisión telemática de los asientos registrales y de los documentos que se presenten en cualquiera de los registros.

5. Los documentos presentados de manera presencial ante las Administraciones Públicas, deberán ser digitalizados, de acuerdo con lo previsto en el artículo 27 y demás normativa aplicable, por la oficina de asistencia en materia de registros en la que hayan sido presentados para su incorporación al expediente administrativo electrónico, devolviéndose los originales al interesado, sin perjuicio de aquellos supuestos en que la norma determine la custodia por la Administración de los documentos presentados o resulte obligatoria la presentación de objetos o de documentos en un soporte específico no susceptibles de digitalización.

   Reglamentariamente, las Administraciones podrán establecer la obligación de presentar determinados documentos por medios electrónicos para ciertos procedimientos y colectivos de personas físicas que, por razón de su capacidad económica, técnica, dedicación profesional u otros motivos quede acreditado que tienen acceso y disponibilidad de los medios electrónicos necesarios.

6. Podrán hacerse efectivos mediante transferencia dirigida a la oficina pública correspondiente cualesquiera cantidades que haya que satisfacer en el momento de la presentación de documentos a las Administraciones Públicas, sin perjuicio de la posibilidad de su abono por otros medios.
7. Las Administraciones Públicas deberán hacer pública y mantener actualizada una relación de las oficinas en las que se prestará asistencia para la presentación electrónica de documentos.
8. No se tendrán por presentados en el registro aquellos documentos e información cuyo régimen especial establezca otra forma de presentación.

3.1.5. Archivo de documentos

El art. 17 (respecto del cual han de tenerse en cuenta, también, la Disposición Transitoria Cuarta y la Disposición Final Séptima de esta LPACAP), establece que:

1. Cada Administración deberá mantener un archivo electrónico único de los documentos electrónicos que correspondan a procedimientos finalizados, en los términos establecidos en la normativa reguladora aplicable.
2. Los documentos electrónicos deberán conservarse en un formato que permita garantizar la autenticidad, integridad y conservación del documento, así como su consulta con independencia del tiempo transcurrido desde su emisión. Se asegurará en todo caso la posibilidad de trasladar los datos a otros formatos y soportes que garanticen el acceso desde diferentes aplicaciones. La eliminación de dichos documentos deberá ser autorizada de acuerdo a lo dispuesto en la normativa aplicable.
3. Los medios o soportes en que se almacenen documentos, deberán contar con medidas de seguridad, de acuerdo con lo previsto en el Esquema Nacional de Seguridad, que garanticen la integridad, autenticidad, confidencialidad, calidad, protección y conservación de los documentos almacenados. En particular, asegurarán la identificación de los usuarios y el control de accesos, así como el cumplimiento de las garantías previstas en la legislación de protección de datos.

3.1.6. Colaboración de las personas

El art. 18 se refiere a la colaboración de las personas, señalando que:

1. Las personas colaborarán con la Administración en los términos previstos en la Ley que en cada caso resulte aplicable, y a falta de previsión expresa, facilitarán a la Administración los informes, inspecciones y otros actos de investigación que requieran para el ejercicio de sus competencias, salvo que la revelación de la información solicitada por la Administración atentara contra el honor, la intimidad personal o familiar o supusieran la comunicación de datos confidenciales de terceros de los que tengan conocimiento por la prestación de servicios profesionales de diagnóstico, asesoramiento o defensa, sin perjuicio de lo dispuesto en la legislación en materia de blanqueo de capitales y financiación de actividades terroristas.
2. Los interesados en un procedimiento que conozcan datos que permitan identificar a otros interesados que no hayan comparecido en él tienen el deber de proporcionárselos a la Administración actuante.
3. Cuando las inspecciones requieran la entrada en el domicilio del afectado o en los restantes lugares que requieran autorización del titular, se estará a lo dispuesto en el artículo 100.

3.1.7. Comparecencia de las personas

El art. 19, por su parte, prescribe, en relación con la comparecencia de las personas ante las oficinas públicas, que:

1. La comparecencia de las personas ante las oficinas públicas, ya sea presencialmente o por medios electrónicos, solo será obligatoria cuando así esté previsto en una norma con rango de ley (es decir, no basta con que una norma reglamentaria la exija por sí misma).
2. En los casos en que proceda la comparecencia, la correspondiente citación hará constar expresamente el lugar, fecha, hora, los medios disponibles y objeto de la comparecencia, así como los efectos de no atenderla.
3. Las Administraciones Públicas entregarán al interesado certificación acreditativa de la comparecencia cuando así lo solicite.

3.1.8. Responsabilidad de la tramitación

Sobre la responsabilidad de la tramitación, dispone el art. 20 que:

1. Los titulares de las unidades administrativas y el personal al servicio de las Administraciones Públicas que tuviesen a su cargo la resolución o el despacho de los asuntos, serán responsables directos de su tramitación y adoptarán las medidas oportunas para remover los obstáculos que impidan, dificulten o retrasen el ejercicio pleno de los derechos de los interesados o el respeto a sus intereses legítimos, disponiendo lo necesario para evitar y eliminar toda anormalidad en la tramitación de procedimientos.
2. Los interesados podrán solicitar la exigencia de esa responsabilidad a la Administración Pública de que dependa el personal afectado.

3.1.9. Emisión de documentos por las Administraciones Públicas

A tenor del art. 26 LPACAP:

1. Se entiende por documentos públicos administrativos los válidamente emitidos por los órganos de las Administraciones Públicas. Las Administraciones Públicas emitirán los documentos administrativos por escrito, a través de medios electrónicos, a menos que su naturaleza exija otra forma más adecuada de expresión y constancia.
2. Para ser considerados válidos, los documentos electrónicos administrativos deberán:
    a) Contener información de cualquier naturaleza archivada en un soporte electrónico según un formato determinado susceptible de identificación y tratamiento diferenciado.
    b) Disponer de los datos de identificación que permitan su individualización, sin perjuicio de su posible incorporación a un expediente electrónico.
    c) Incorporar una referencia temporal del momento en que han sido emitidos.
    d) Incorporar los metadatos mínimos exigidos.
    e) Incorporar las firmas electrónicas que correspondan de acuerdo con lo previsto en la normativa aplicable.

    Se considerarán válidos los documentos electrónicos, que cumpliendo estos requisitos, sean trasladados a un tercero a través de medios electrónicos.
3. No requerirán de firma electrónica, los documentos electrónicos emitidos por las Administraciones Públicas que se publiquen con carácter meramente informativo, así como aquellos que no formen parte de un expediente administrativo. En todo caso, será necesario identificar el origen de estos documentos.

3.1.10. Validez y eficacia de las copias realizadas por las Administraciones Públicas

Según el art. 27 LPACAP:

1. Cada Administración Pública determinará los órganos que tengan atribuidas las competencias de expedición de copias auténticas de los documentos públicos administrativos o privados.

   Las copias auténticas de documentos privados surten únicamente efectos administrativos. Las copias auténticas realizadas por una Administración Pública tendrán validez en las restantes Administraciones.

   A estos efectos, la Administración General del Estado, las Comunidades Autónomas y las Entidades Locales podrán realizar copias auténticas mediante funcionario habilitado o mediante actuación administrativa automatizada.

   Se deberá mantener actualizado un registro, u otro sistema equivalente, donde constarán los funcionarios habilitados para la expedición de copias auténticas que deberán ser plenamente interoperables y estar interconectados con los de las restantes Administraciones Públicas, a los efectos de comprobar la validez de la citada habilitación. En este registro o sistema equivalente constarán, al menos, los funcionarios que presten servicios en las oficinas de asistencia en materia de registros.

2. Tendrán la consideración de copia auténtica de un documento público administrativo o privado las realizadas, cualquiera que sea su soporte, por los órganos competentes de las Administraciones Públicas en las que quede garantizada la identidad del órgano que ha realizado la copia y su contenido.

   Las copias auténticas tendrán la misma validez y eficacia que los documentos originales.

3. Para garantizar la identidad y contenido de las copias electrónicas o en papel, y por tanto su carácter de copias auténticas, las Administraciones Públicas deberán ajustarse a lo previsto en el Esquema Nacional de Interoperabilidad (sobre el que debe tenerse en cuenta el Real Decreto 4/2010, de 8 de enero, por el que se regula el Esquema Nacional de Interoperabilidad en el ámbito de la Administración Electrónica, modificado por el Real Decreto 1495/2011, de 24 de octubre, por el que se desarrolla la Ley 37/2007, de 16 de noviembre, sobre reutilización de la información del sector público, para el ámbito del sector público estatal; téngase en cuenta, asimismo, la Resolución de 19 de febrero de 2013, de la Secretaría de Estado de Administraciones Públicas, por la que se aprueba la Norma Técnica de Interoperabilidad de Reutilización de recursos de la información), el Esquema Nacional de Seguridad (al que se refiere el Real Decreto 3/2010, de 8 de enero, por el

que se regula el Esquema Nacional de Seguridad en el ámbito de la Administración Electrónica, modificado por el mencionado Real Decreto 951/2015, de 23 de octubre) y sus normas técnicas de desarrollo, así como a las siguientes reglas:

a) Las copias electrónicas de un documento electrónico original o de una copia electrónica auténtica, con o sin cambio de formato, deberán incluir los metadatos que acrediten su condición de copia y que se visualicen al consultar el documento.

b) Las copias electrónicas de documentos en soporte papel o en otro soporte no electrónico susceptible de digitalización, requerirán que el documento haya sido digitalizado y deberán incluir los metadatos que acrediten su condición de copia y que se visualicen al consultar el documento.

   Se entiende por digitalización, el proceso tecnológico que permite convertir un documento en soporte papel o en otro soporte no electrónico en un fichero electrónico que contiene la imagen codificada, fiel e íntegra del documento.

c) Las copias en soporte papel de documentos electrónicos requerirán que en las mismas figure la condición de copia y contendrán un código generado electrónicamente u otro sistema de verificación, que permitirá contrastar la autenticidad de la copia mediante el acceso a los archivos electrónicos del órgano u Organismo público emisor.

d) Las copias en soporte papel de documentos originales emitidos en dicho soporte se proporcionarán mediante una copia auténtica en papel del documento electrónico que se encuentre en poder de la Administración o bien mediante una puesta de manifiesto electrónica conteniendo copia auténtica del documento original.

   A estos efectos, las Administraciones harán públicos, a través de la sede electrónica correspondiente, los códigos seguros de verificación u otro sistema de verificación utilizado.

4. Los interesados podrán solicitar, en cualquier momento, la expedición de copias auténticas de los documentos públicos administrativos que hayan sido válidamente emitidos por las Administraciones Públicas. La solicitud se dirigirá al órgano que emitió el documento original, debiendo expedirse, salvo las excepciones derivadas de la aplicación de la Ley 19/2013, de 9 de diciembre, en el plazo de quince días a contar desde la recepción de la solicitud en el registro electrónico de la Administración u Organismo competente.

   Asimismo, las Administraciones Públicas estarán obligadas a expedir copias auténticas electrónicas de cualquier documento en papel que presenten los interesados y que se vaya a incorporar a un expediente administrativo.

5. Cuando las Administraciones Públicas expidan copias auténticas electrónicas, deberá quedar expresamente así indicado en el documento de la copia.

6. La expedición de copias auténticas de documentos públicos notariales, registrales y judiciales, así como de los diarios oficiales, se regirá por su legislación específica.

3.1.11. Documentos aportados por los interesados al procedimiento administrativo

Por último, el art. 28, respecto a los documentos aportados por los interesados al procedimiento administrativo, prescribe que:

1. Los interesados deberán aportar al procedimiento administrativo los datos y documentos exigidos por las Administraciones Públicas de acuerdo con lo dispuesto en la normativa aplicable. Asimismo, los interesados podrán aportar cualquier otro documento que estimen conveniente.

2. Los interesados tienen derecho a no aportar documentos que ya se encuentren en poder de la Administración actuante o hayan sido elaborados por cualquier otra Administración. La administración actuante podrá consultar o recabar dichos documentos salvo que el interesado se opusiera a ello. No cabrá la oposición cuando la aportación del documento se exigiera en el marco del ejercicio de potestades sancionadoras o de inspección.

   Las Administraciones Públicas deberán recabar los documentos electrónicamente a través de sus redes corporativas o mediante consulta a las plataformas de intermediación de datos u otros sistemas electrónicos habilitados al efecto.

   Cuando se trate de informes preceptivos ya elaborados por un órgano administrativo distinto al que tramita el procedimiento, estos deberán ser remitidos en el plazo de diez días a contar desde su solicitud. Cumplido este plazo, se informará al interesado de que puede aportar este informe o esperar a su remisión por el órgano competente.

3. Las Administraciones no exigirán a los interesados la presentación de documentos originales, salvo que, con carácter excepcional, la normativa reguladora aplicable establezca lo contrario.

   Asimismo, las Administraciones Públicas no requerirán a los interesados datos o documentos no exigidos por la normativa reguladora aplicable o que hayan sido aportados anteriormente por el interesado a cualquier Administración. A estos efectos, el interesado deberá indicar en qué momento y ante qué órgano administrativo presentó los citados documentos, debiendo las Administraciones Públicas recabarlos electrónicamente a través de sus redes corporativas o de una consulta a las plataformas de intermediación de datos u otros sistemas electrónicos habilitados al efecto, salvo que conste en el procedimiento la oposición expresa del interesado o la ley especial aplicable requiera su consentimiento expreso. Excepcionalmente, si las Administraciones Públicas no pudieran recabar los citados documentos, podrán solicitar nuevamente al interesado su aportación.

4. Cuando con carácter excepcional, y de acuerdo con lo previsto en esta Ley, la Administración solicitara al interesado la presentación de un documento original y éste estuviera en formato papel, el interesado deberá obtener una copia auténtica, según los requisitos establecidos en el artículo 27, con carácter previo a su presentación electrónica. La copia electrónica resultante reflejará expresamente esta circunstancia.

5. Excepcionalmente, cuando la relevancia del documento en el procedimiento lo exija o existan dudas derivadas de la calidad de la copia, las Administraciones podrán solicitar de manera motivada el cotejo de las copias aportadas por el interesado, para lo que podrán requerir la exhibición del documento o de la información original.
6. Las copias que aporten los interesados al procedimiento administrativo tendrán eficacia, exclusivamente en el ámbito de la actividad de las Administraciones Públicas.
7. Los interesados se responsabilizarán de la veracidad de los documentos que presenten.

3.2. La obligación de resolver y el silencio administrativo

Los arts. 21 a 25 LPACAP tratan de esta materia en la forma que se expone en los siguientes apartados.

3.2.1. Obligación de resolver

Con arreglo al art. 21:

1. La Administración está obligada a dictar resolución expresa y a notificarla en todos los procedimientos cualquiera que sea su forma de iniciación (respecto de lo cual debe tenerse en cuenta lo señalado por el apartado 3 del art. 24 de esta LPACAP).

   En los casos de prescripción, renuncia del derecho, caducidad del procedimiento o desistimiento de la solicitud, así como de desaparición sobrevenida del objeto del procedimiento, la resolución consistirá en la declaración de la circunstancia que concurra en cada caso, con indicación de los hechos producidos y las normas aplicables (debiendo motivarse la misma, a tenor del art. 35.1,e, de esta LPACAP).

   Se exceptúan de la obligación a que se refiere el párrafo primero, los supuestos de terminación del procedimiento por pacto o convenio, así como los procedimientos relativos al ejercicio de derechos sometidos únicamente al deber de declaración responsable o comunicación a la Administración.
2. El plazo máximo en el que debe notificarse la resolución expresa será el fijado por la norma reguladora del correspondiente procedimiento.

   Este plazo no podrá exceder de seis meses salvo que una norma con rango de Ley establezca uno mayor o así venga previsto en el Derecho de la Unión Europea.
3. Cuando las normas reguladoras de los procedimientos no fijen el plazo máximo, éste será de tres meses. Este plazo y los previstos en el apartado anterior se contarán:

   a) En los procedimientos iniciados de oficio, desde la fecha del acuerdo de iniciación.

   b) En los iniciados a solicitud del interesado, desde la fecha en que la solicitud haya tenido entrada en el registro electrónico de la Administración u Organismo competente para su tramitación.

4. Las Administraciones Públicas deben publicar y mantener actualizadas en el portal web, a efectos informativos, las relaciones de procedimientos de su competencia, con indicación de los plazos máximos de duración de los mismos, así como de los efectos que produzca el silencio administrativo.

   En todo caso, las Administraciones Públicas informarán a los interesados del plazo máximo establecido para la resolución de los procedimientos y para la notificación de los actos que les pongan término, así como de los efectos que pueda producir el silencio administrativo. Dicha mención se incluirá en la notificación o publicación del acuerdo de iniciación de oficio, o en la comunicación que se dirigirá al efecto al interesado dentro de los diez días siguientes a la recepción de la solicitud iniciadora del procedimiento en el registro electrónico de la Administración u Organismo competente para su tramitación. En este último caso, la comunicación indicará además la fecha en que la solicitud ha sido recibida por el órgano competente (sobre lo que debe, mientras no se dicte otra norma al efecto, debe tenerse en cuenta el Real Decreto 137/2010, de 12 de febrero, por el que se establecen criterios para la emisión de la comunicación a los interesados prevista en el art. 42.4 de la derogada Ley 30/1992, de 26 de noviembre).

5. Cuando el número de las solicitudes formuladas o las personas afectadas pudieran suponer un incumplimiento del plazo máximo de resolución, el órgano competente para resolver, a propuesta razonada del órgano instructor, o el superior jerárquico del órgano competente para resolver, a propuesta de éste, podrán habilitar los medios personales y materiales para cumplir con el despacho adecuado y en plazo.

6. El personal al servicio de las Administraciones Públicas que tenga a su cargo el despacho de los asuntos, así como los titulares de los órganos administrativos competentes para instruir y resolver son directamente responsables, en el ámbito de sus competencias del cumplimiento de la obligación legal de dictar resolución expresa en plazo.

   El incumplimiento de dicha obligación dará lugar a la exigencia de responsabilidad disciplinaria, sin perjuicio de la que hubiere lugar de acuerdo con la normativa aplicable (al efecto, el art. 95,2.º,g) del citado Texto Refundido de la Ley del Estatuto Básico del Empleado Público, considera falta muy grave «*el notorio incumplimiento de las funciones esenciales inherentes al puesto de trabajo o funciones encomendadas*»; por su parte, los arts. 7 y 8 del Reglamento de Régimen Disciplinario de los Funcionarios de la Administración del Estado, aprobado por el Real Decreto 33/1986, de 10 de enero, derogado parcialmente por el también derogado (por el Real Decreto 349/2001, de 4 de abril, por el que se regula la composición y funciones de la Comisión Superior de Personal) Real Decreto 1085/1990, de 31 de agosto, sobre composición y funciones de la Comisión Superior de Personal, y por la Ley 31/1991, de 30 de diciembre, de

Presupuestos Generales del Estado para 1992, prevén, como falta grave, la «*falta de rendimiento que afecte al normal funcionamiento de los servicios y no constituya falta muy grave*», y, como falta leve, «*el incumplimiento de los deberes y obligaciones del funcionario, siempre que no deban ser calificados como falta muy grave o grave*»).

3.2.2. Suspensión del plazo máximo para resolver

Según el art. 22:

1. El transcurso del plazo máximo legal para resolver un procedimiento y notificar la resolución se podrá suspender en los siguientes casos:
   a) Cuando deba requerirse a cualquier interesado para la subsanación de deficiencias o la aportación de documentos y otros elementos de juicio necesarios, por el tiempo que medie entre la notificación del requerimiento y su efectivo cumplimiento por el destinatario, o, en su defecto, por el del plazo concedido, todo ello sin perjuicio de lo previsto en el artículo 68 de la presente Ley.

   b) Cuando deba obtenerse un pronunciamiento previo y preceptivo de un órgano de la Unión Europea, por el tiempo que medie entre la petición, que habrá de comunicarse a los interesados, y la notificación del pronunciamiento a la Administración instructora, que también deberá serles comunicada.

   c) Cuando exista un procedimiento no finalizado en el ámbito de la Unión Europea que condicione directamente el contenido de la resolución de que se trate, desde que se tenga constancia de su existencia, lo que deberá ser comunicado a los interesados, hasta que se resuelva, lo que también habrá de ser notificado.

   d) Cuando se soliciten informes preceptivos a un órgano de la misma o distinta Administración, por el tiempo que medie entre la petición, que deberá comunicarse a los interesados, y la recepción del informe, que igualmente deberá ser comunicada a los mismos. Este plazo de suspensión no podrá exceder en ningún caso de tres meses. En caso de no recibirse el informe en el plazo indicado, proseguirá el procedimiento.

   e) Cuando deban realizarse pruebas técnicas o análisis contradictorios o dirimentes propuestos por los interesados, durante el tiempo necesario para la incorporación de los resultados al expediente.

   f) Cuando se inicien negociaciones con vistas a la conclusión de un pacto o convenio en los términos previstos en el artículo 86 de esta Ley, desde la declaración formal al respecto y hasta la conclusión sin efecto, en su caso, de las referidas negociaciones, que se constatará mediante declaración formulada por la Administración o los interesados.

   g) Cuando para la resolución del procedimiento sea indispensable la obtención de un previo pronunciamiento por parte de un órgano jurisdiccional, desde el momento en que se solicita, lo que habrá de comunicarse a los interesados, hasta que la Administración tenga constancia del mismo, lo que también deberá serles comunicado.

2. El transcurso del plazo máximo legal para resolver un procedimiento y notificar la resolución se suspenderá en los siguientes casos:

   a) Cuando una Administración Pública requiera a otra para que anule o revise un acto que entienda que es ilegal y que constituya la base para el que la primera haya de dictar en el ámbito de sus competencias, en el supuesto al que se refiere el apartado 5 del artículo 39 de esta Ley, desde que se realiza el requerimiento hasta que se atienda o, en su caso, se resuelva el recurso interpuesto ante la jurisdicción contencioso administrativa. Deberá ser comunicado a los interesados tanto la realización del requerimiento, como su cumplimiento o, en su caso, la resolución del correspondiente recurso contencioso-administrativo.

   b) Cuando el órgano competente para resolver decida realizar alguna actuación complementaria de las previstas en el artículo 87, desde el momento en que se notifique a los interesados el acuerdo motivado del inicio de las actuaciones hasta que se produzca su terminación.

   c) Cuando los interesados promuevan la recusación en cualquier momento de la tramitación de un procedimiento, desde que esta se plantee hasta que sea resuelta por el superior jerárquico del recusado (sobre la recusación, trata el art. 24 de la LRJSP.

3.2.3. Ampliación del plazo máximo para resolver y notificar

Sobre la ampliación del plazo dispone el art. 23 que:

1. Excepcionalmente, cuando se hayan agotado los medios personales y materiales disponibles a los que se refiere el apartado 5 del artículo 21, el órgano competente para resolver, a propuesta, en su caso, del órgano instructor o el superior jerárquico del órgano competente para resolver, podrá acordar de manera motivada (en la forma prevista en el art. 35 de esta LPACAP) la ampliación del plazo máximo de resolución y notificación, no pudiendo ser éste superior al establecido para la tramitación del procedimiento.
2. Contra el acuerdo que resuelva sobre la ampliación de plazos, que deberá ser notificado a los interesados, no cabrá recurso alguno.

3.2.4. Silencio administrativo en procedimientos iniciados a solicitud del interesado

A tenor del art. 24:

1. En los procedimientos iniciados a solicitud del interesado, sin perjuicio de la resolución que la Administración debe dictar en la forma prevista en el apartado 3 de este artículo, el vencimiento del plazo máximo sin haberse notificado resolución expresa, legitima al interesado o interesados para entenderla estimada por silencio administrativo, excepto en los supuestos en los que una norma con rango de ley o una norma de Derecho de la Unión Europea o de Derecho internacional aplicable en España establezcan lo contrario. Cuando el procedimiento tenga por

objeto el acceso a actividades o su ejercicio, la ley que disponga el carácter desestimatorio del silencio deberá fundarse en la concurrencia de razones imperiosas de interés general.

El silencio tendrá efecto desestimatorio en los procedimientos relativos al ejercicio del derecho de petición, a que se refiere el artículo 29 de la Constitución (según el cual «*Todos los españoles tendrán el derecho de petición individual y colectiva, por escrito, en la forma y con los efectos que determine la Ley. Los miembros de las Fuerzas o Institutos armados o de los Cuerpos sometidos a disciplina militar podrán ejercer este derecho solo individualmente y con arreglo a lo dispuesto en la legislación específica*». El derecho de petición se ha regulado por la Ley Orgánica 4/2001, de 12 de noviembre, reguladora del Derecho de Petición, modificada por la Ley Orgánica 9/2011, de 27 de julio, de derechos y deberes de los miembros de las Fuerzas Armadas), aquellos cuya estimación tuviera como consecuencia que se transfirieran al solicitante o a terceros facultades relativas al dominio público o al servicio público, impliquen el ejercicio de actividades que puedan dañar el medio ambiente y en los procedimientos de responsabilidad patrimonial de las Administraciones Públicas (como reconoce el art. 91.3 de esta LPACAP).

El sentido del silencio también será desestimatorio en los procedimientos de impugnación de actos y disposiciones y en los de revisión de oficio iniciados a solicitud de los interesados (y a los que se refieren los arts. 122.2, 123.2, 126.3 y 106.5 de esta LPACAP). No obstante, cuando el recurso de alzada se haya interpuesto contra la desestimación por silencio administrativo de una solicitud por el transcurso del plazo, se entenderá estimado el mismo si, llegado el plazo de resolución, el órgano administrativo competente no dictase y notificase resolución expresa, siempre que no se refiera a las materias enumeradas en el párrafo anterior de este apartado.

2. La estimación por silencio administrativo tiene a todos los efectos la consideración de acto administrativo finalizador del procedimiento. La desestimación por silencio administrativo tiene los solos efectos de permitir a los interesados la interposición del recurso administrativo o contencioso-administrativo que resulte procedente.

3. La obligación de dictar resolución expresa a que se refiere el apartado primero del artículo 21 se sujetará al siguiente régimen:

    a) En los casos de estimación por silencio administrativo, la resolución expresa posterior a la producción del acto solo podrá dictarse de ser confirmatoria del mismo.

    b) En los casos de desestimación por silencio administrativo, la resolución expresa posterior al vencimiento del plazo se adoptará por la Administración sin vinculación alguna al sentido del silencio.

4. Los actos administrativos producidos por silencio administrativo se podrán hacer valer tanto ante la Administración como ante cualquier persona física o jurídica, pública o privada. Los mismos producen efectos desde el vencimiento del plazo máximo en el que debe dictarse y notificarse la resolución expresa sin que la mis-

ma se haya expedido, y su existencia puede ser acreditada por cualquier medio de prueba admitido en Derecho, incluido el certificado acreditativo del silencio producido. Este certificado se expedirá de oficio por el órgano competente para resolver en el plazo de quince días desde que expire el plazo máximo para resolver el procedimiento. Sin perjuicio de lo anterior, el interesado podrá pedirlo en cualquier momento, computándose el plazo indicado anteriormente desde el día siguiente a aquel en que la petición tuviese entrada en el registro electrónico de la Administración u Organismo competente para resolver.

3.2.5. Falta de resolución expresa en procedimientos iniciados de oficio

Por último, el art. 25 trata de la falta de resolución en los procedimientos iniciados de oficio, disponiendo que:

1. En los procedimientos iniciados de oficio, el vencimiento del plazo máximo establecido sin que se haya dictado y notificado resolución expresa no exime a la Administración del cumplimiento de la obligación legal de resolver, produciendo los siguientes efectos:
    a) En el caso de procedimientos de los que pudiera derivarse el reconocimiento o, en su caso, la constitución de derechos u otras situaciones jurídicas favorables, los interesados que hubieren comparecido podrán entender desestimadas sus pretensiones por silencio administrativo.
    b) En los procedimientos en que la Administración ejercite potestades sancionadoras o, en general, de intervención, susceptibles de producir efectos desfavorables o de gravamen, se producirá la caducidad. En estos casos, la resolución que declare la caducidad ordenará el archivo de las actuaciones, con los efectos previstos en el artículo 95.
2. En los supuestos en los que el procedimiento se hubiera paralizado por causa imputable al interesado, se interrumpirá el cómputo del plazo para resolver y notificar la resolución.

3.3. Términos y plazos

Los arts. 29 a 33 tratan de los términos y plazos, pudiéndose destacar, como novedades respecto a la Ley 30/1992, de 26 de noviembre, el cómputo por horas y la declaración de inhábiles de los sábados como regla general.

3.3.1. Obligatoriedad de términos y plazos

Los términos y plazos establecidos en esta u otras leyes obligan a las autoridades y personal al servicio de las Administraciones Públicas competentes para la tramitación de los asuntos, así como a los interesados en los mismos (art. 29).

3.3.2. Cómputo de plazos

Con arreglo al art. 30:

1. Salvo que por Ley o en el Derecho de la Unión Europea se disponga otro cómputo, cuando los plazos se señalen por horas, se entiende que éstas son hábiles. Son hábiles todas las horas del día que formen parte de un día hábil.

   Los plazos expresados por horas se contarán de hora en hora y de minuto en minuto desde la hora y minuto en que tenga lugar la notificación o publicación del acto de que se trate y no podrán tener una duración superior a veinticuatro horas, en cuyo caso se expresarán en días.

2. Siempre que por Ley o en el Derecho de la Unión Europea no se exprese otro cómputo, cuando los plazos se señalen por días, se entiende que éstos son hábiles, excluyéndose del cómputo los sábados, los domingos y los declarados festivos.

   Cuando los plazos se hayan señalado por días naturales por declararlo así una ley o por el Derecho de la Unión Europea, se hará constar esta circunstancia en las correspondientes notificaciones.

3. Los plazos expresados en días se contarán a partir del día siguiente a aquel en que tenga lugar la notificación o publicación del acto de que se trate, o desde el siguiente a aquel en que se produzca la estimación o la desestimación por silencio administrativo.

4. Si el plazo se fija en meses o años, éstos se computarán a partir del día siguiente a aquel en que tenga lugar la notificación o publicación del acto de que se trate, o desde el siguiente a aquel en que se produzca la estimación o desestimación por silencio administrativo.

   El plazo concluirá el mismo día en que se produjo la notificación, publicación o silencio administrativo en el mes o el año de vencimiento. Si en el mes de vencimiento no hubiera día equivalente a aquel en que comienza el cómputo, se entenderá que el plazo expira el último día del mes.

5. Cuando el último día del plazo sea inhábil, se entenderá prorrogado al primer día hábil siguiente.

6. Cuando un día fuese hábil en el municipio o Comunidad Autónoma en que residiese el interesado, e inhábil en la sede del órgano administrativo, o a la inversa, se considerará inhábil en todo caso.

7. La Administración General del Estado y las Administraciones de las Comunidades Autónomas, con sujeción al calendario laboral oficial, fijarán, en su respectivo ámbito, el calendario de días inhábiles a efectos de cómputos de plazos. El calendario aprobado por las Comunidades Autónomas comprenderá los días inhábiles de las Entidades Locales correspondientes a su ámbito territorial, a las que será de aplicación.

Dicho calendario deberá publicarse antes del comienzo de cada año en el diario oficial que corresponda, así como en otros medios de difusión que garanticen su conocimiento generalizado.

8. La declaración de un día como hábil o inhábil a efectos de cómputo de plazos no determina por sí sola el funcionamiento de los centros de trabajo de las Administraciones Públicas, la organización del tiempo de trabajo o el régimen de jornada y horarios de las mismas.

3.3.3. Cómputo de plazos en los registros

A tenor del art. 31:

1. Cada Administración Pública publicará los días y el horario en el que deban permanecer abiertas las oficinas que prestarán asistencia para la presentación electrónica de documentos, garantizando el derecho de los interesados a ser asistidos en el uso de medios electrónicos.

2. El registro electrónico de cada Administración u Organismo se regirá a efectos de cómputo de los plazos, por la fecha y hora oficial de la sede electrónica de acceso, que deberá contar con las medidas de seguridad necesarias para garantizar su integridad y figurar de modo accesible y visible.

   El funcionamiento del registro electrónico se regirá por las siguientes reglas:

   a) Permitirá la presentación de documentos todos los días del año durante las veinticuatro horas.

   b) A los efectos del cómputo de plazo fijado en días hábiles, y en lo que se refiere al cumplimiento de plazos por los interesados, la presentación en un día inhábil se entenderá realizada en la primera hora del primer día hábil siguiente salvo que una norma permita expresamente la recepción en día inhábil.

      Los documentos se considerarán presentados por el orden de hora efectiva en el que lo fueron en el día inhábil. Los documentos presentados en el día inhábil se reputarán anteriores, según el mismo orden, a los que lo fueran el primer día hábil posterior.

   c) El inicio del cómputo de los plazos que hayan de cumplir las Administraciones Públicas vendrá determinado por la fecha y hora de presentación en el registro electrónico de cada Administración u Organismo. En todo caso, la fecha y hora efectiva de inicio del cómputo de plazos deberá ser comunicada a quien presentó el documento.

3. La sede electrónica del registro de cada Administración Pública u Organismo, determinará, atendiendo al ámbito territorial en el que ejerce sus competencias el titular de aquella y al calendario previsto en el artículo 30.7, los días que se considerarán inhábiles a los efectos previstos en este artículo. Este será el único calendario de días inhábiles que se aplicará a efectos del cómputo de plazos en los registros electrónicos, sin que resulte de aplicación a los mismos lo dispuesto en el artículo 30.6.

3.3.4. Ampliación

Sobre la ampliación de los plazos, que deberá ser motivada (art. 35.1,e, LPACAP), prescribe el art. 32 que:

1. La Administración, salvo precepto en contrario, podrá conceder de oficio o a petición de los interesados, una ampliación de los plazos establecidos, que no exceda de la mitad de los mismos, si las circunstancias lo aconsejan y con ello no se perjudican derechos de tercero. El acuerdo de ampliación deberá ser notificado a los interesados.
2. La ampliación de los plazos por el tiempo máximo permitido se aplicará en todo caso a los procedimientos tramitados por las misiones diplomáticas y oficinas consulares, así como a aquellos que, sustanciándose en el interior, exijan cumplimentar algún trámite en el extranjero o en los que intervengan interesados residentes fuera de España.
3. Tanto la petición de los interesados como la decisión sobre la ampliación deberán producirse, en todo caso, antes del vencimiento del plazo de que se trate. En ningún caso podrá ser objeto de ampliación un plazo ya vencido. Los acuerdos sobre ampliación de plazos o sobre su denegación no serán susceptibles de recurso, sin perjuicio del procedente contra la resolución que ponga fin al procedimiento.
4. Cuando una incidencia técnica haya imposibilitado el funcionamiento ordinario del sistema o aplicación que corresponda, y hasta que se solucione el problema, la Administración podrá determinar una ampliación de los plazos no vencidos, debiendo publicar en la sede electrónica tanto la incidencia técnica acontecida como la ampliación concreta del plazo no vencido.
5. Cuando como consecuencia de un ciberincidente se hayan visto gravemente afectados los servicios y sistemas utilizados para la tramitación de los procedimientos y el ejercicio de los derechos de los interesados que prevé la normativa vigente, la Administración podrá acordar la ampliación general de plazos de los procedimientos administrativos.

3.3.5. Tramitación de urgencia

Por último, sobre la tramitación de urgencia, que también deberá ser motivada (art. 35.1,e, LPACAP), y que no debe confundirse con la tramitación simplificada del procedimiento administrativo común regulada en el art. 96 LPACAP, dispone el art. 33 que:

1. Cuando razones de interés público lo aconsejen, se podrá acordar, de oficio o a petición del interesado, la aplicación al procedimiento de la tramitación de urgencia, por la cual se reducirán a la mitad los plazos establecidos para el procedimiento ordinario, salvo los relativos a la presentación de solicitudes y recursos.
2. No cabrá recurso alguno contra el acuerdo que declare la aplicación de la tramitación de urgencia al procedimiento, sin perjuicio del procedente contra la resolución que ponga fin al procedimiento.

4. Los actos administrativos

4.1. Concepto de acto administrativo

Al tratar del concepto del acto administrativo, la Doctrina científica (por ejemplo, en su día, GARRIDO FALLA), ha distinguido entre una delimitación negativa y una delimitación positiva:

A) Delimitación negativa

Del concepto del acto administrativo han de excluirse:

a) Los actos materiales o de pura ejecución: Cuando un Ayuntamiento, a través de sus obreros, efectúa una demolición de una finca en estado ruinoso, eso no es un acto administrativo, pero viene respaldado por un acto administrativo: el acuerdo corporativo sobre dicha finca declarándola en estado ruinoso.

b) Los actos de la Administración cuando actúa como persona jurídica de Derecho Privado, sin olvidar la doctrina de los actos separables.

c) Los contratos celebrados por la Administración, porque el concepto de acto administrativo implica una unilateralidad: es la voluntad de la Administración la única, a diferencia de los contratos civiles y administrativos, que requieren un acuerdo de voluntades.

   En relación con esto, ha existido confusión con los actos administrativos que necesitan otra voluntad (por ejemplo, el nombramiento de un funcionario: tiene que tomar posesión del puesto de trabajo en el plazo de un mes). Aquí, realmente, nos encontramos ante actos administrativos unilaterales, pero que, para que produzcan efecto (no para su validez), requieren que la parte nombrada (el funcionario) manifieste su voluntad o adhesión.

d) Los actos políticos o de gobierno, es decir, aquellos que emanan del Gobierno u otro Poder constituido, en el ejercicio de sus cometidos propiamente políticos, que no administrativos, por lo que, frente a los mismos, no cabe recurso o fiscalización (nota esta típica del acto administrativo).

e) Los Reglamentos, que son normas jurídicas, creando Derecho positivo con carácter permanente, mientras que los actos administrativos se agotan con su pura ejecución y no crean Derecho. Al respecto, hay algunos Autores que señalan que son actos administrativos de carácter general y ordinamental, es decir, una especial clase de acto administrativo.

B) Delimitación positiva

La generalidad de la Doctrina recoge la clásica definición de ZANOBINI, según la cual el acto administrativo es «cualquier declaración de voluntad, de deseo, de conocimiento o de juicio realizada por un sujeto de la Administración Pública en el ejercicio de una potestad administrativa» distinta de la potestad reglamentaria, como apostilla GARCÍA DE ENTERRÍA.

Desglosando esta definición, nos encontramos con que:

a) Es una declaración de voluntad (por lo que queda excluida la actividad de la Administración de carácter puramente material), de deseo, de conocimiento o de juicio.

b) Para que el acto sea administrativo, ha de proceder de un sujeto de la Administración, que debe tener, por otro lado, la necesaria competencia para dictarlo (art. 34.1 de la LPACAP), siendo la incompetencia un motivo de impugnación.

c) Ha de proceder del ejercicio de una potestad administrativa, con lo que quedan excluidos los actos que proceden de la Administración cuando actúa como persona jurídica de Derecho Privado o en virtud de facultades legislativas delegadas, así como, también, los actos de gobierno y las ejecuciones materiales.

   Al hablar de que la Administración obra en el ejercicio de una potestad administrativa, se quiere expresar que actúa dotada de las prerrogativas y privilegios que, en razón del interés público que debe perseguir en toda su actuación, le reconoce el ordenamiento jurídico.

4.1.1. Concepto legal

El art. 1 de la Ley 29/1998, de 13 de julio, reguladora de la Jurisdicción Contencioso-Administrativa (LJCA, en lo sucesivo), los define, al tratar del ámbito de esta jurisdicción, como «la actuación de las Administraciones Públicas sujeta al Derecho Administrativo».

4.1.2. Clases de actos administrativos

La Doctrina científica (y, dentro de ella, por ejemplo, ENTRENA CUESTA, GARRIDO FALLA, GARCÍA DE ENTERRÍA, PAREJO ALFONSO, entre otros), ha elaborado variadísimas clasificaciones del acto administrativo, dada la heterogeneidad de los mismos, lo que imposibilita la determinación de una clasificación general que los comprenda.

Por ello, dentro de este epígrafe, se puede hacer referencia a las clasificaciones más pacífica y generalmente aceptadas, pudiéndose distinguir entre:

a) Actos simples y complejos, según que provengan de un solo órgano administrativo o de dos o más órganos administrativos.

   Ejemplo de los primeros es la declaración de excedencia voluntaria realizada por el Alcalde respecto de un funcionario, mientras que acto complejo, dentro de esta órbita local, podría ser, por ejemplo, el acuerdo que adoptan varios Ayuntamientos para mancomunarse o para celebrar un concierto entre ellos, globalmente considerado.

   A este respecto, como ha señalado GARRIDO FALLA, dentro de este concepto de acto complejo no deben incluirse los actos de los órganos colegiados (el Pleno de una Corporación Local, por ejemplo, que, pese a estar integrado por una pluralidad de personas, cuyo voto forma el acto administrativo que se adopte, no manifiesta al exterior una pluralidad de voluntades, sino una sola: la del órgano

colegiado a través del pertinente acuerdo), los sujetos a la aprobación de un órgano superior (por ejemplo, la alteración de un término municipal, que requiere el previo acuerdo del Ayuntamiento afectado y, luego, la aprobación definitiva por el órgano competente de la Comunidad Autónoma a que pertenezca) y los actos que integran un expediente o procedimiento administrativo.

b) Actos singulares y generales, según se dirijan a una persona o un grupo determinado de personas o a una pluralidad indeterminada de las mismas.

   Ejemplo de los primeros es la referida declaración de excedencia voluntaria, mientras que de los segundos podría ser la convocatoria de unas oposiciones.

c) Actos expresos y presuntos, según se manifiesten formalmente, por escrito generalmente, o surjan al exterior en virtud del mecanismo del silencio administrativo, que, como se verá, puede ser positivo (entendiéndose concedido al particular lo que solicitaba a la Administración, por ejemplo en materia de licencias de obras, conforme al art. 9 del Reglamento de Servicios de las Corporaciones Locales, de 17 de junio de 1955 –RSCL, en las restantes referencias–) o negativo (por el cual, la inacción de la Administración se entiende en el sentido de que deniega lo que el particular había solicitado de la misma).

d) Actos reglados y discrecionales, según que la Administración, al dictarlos, se limite a aplicar una norma que le señala claramente la decisión a adoptar en el supuesto del hecho de que se trate (por ejemplo, una licencia de obras, en la que la Administración, si la solicitud de la misma se ajusta al ordenamiento y planeamiento urbanístico vigente, no puede denegarla), o tenga –la Administración– libertad en la emisión de dicho acto, pudiendo optar entre diversas alternativas que la Ley le ofrece, pero sin olvidar que el fin de toda su actuación es el interés general (como reconoce el art. 103,1.º de nuestra vigente Constitución, de 27 de diciembre de 1978 –CE en otras llamadas–, al disponer que «la Administración sirve con objetividad los intereses generales...»), por lo que, por amplia que sea la potestad discrecional de que goza, ésta puede ser fiscalizada si la Administración se aparta de dicho fin.

   A este respecto, como señaló una Sentencia de la Sala Tercera del Tribunal Supremo, de 11 de marzo de 1991 (Aranzadi n.º 3.095), «la Administración está obligada a servir con la máxima objetividad los intereses públicos o generales y a someterse en su actividad al Derecho, garantizando la Constitución en su art. 9,3.º la interdicción de la arbitrariedad por los poderes públicos. La admisión de la discrecionalidad administrativa para la realización de determinados actos, de ningún modo puede significar el reconocimiento de la arbitrariedad prohibida por la Constitución. Las facultades discrecionales de la Administración pueden ser objeto de control jurisdiccional a través del control de los hechos determinantes del acto administrativo (extendiéndose la revisión jurisdiccional, en este caso, en primer lugar, a la verificación de la realidad de los hechos y, en segundo término, a comprobar si la decisión discrecional guarda coherencia lógica con aquéllos), no menos que a la luz de los Principios Generales del Derecho, que, por informar la totalidad del ordenamiento jurídico, también lo hacen respecto de la norma habilitante de la potestad discrecional».

e) Actos definitivos y actos de trámite, según pongan fin al expediente administrativo o formen parte del mismo, como una fase del mismo, sin tener carácter resolutivo.

   Ejemplo de los primeros es la resolución que dicta la Administración al concluir el procedimiento (la concesión de la licencia de obras solicitada por un particular), mientras que de los segundos puede ser un informe que se emite en dicho procedimiento para ilustrar o asesorar a la Administración sobre la decisión que debe adoptar (el informe de un Técnico sobre la adecuación urbanística del proyecto presentado con la solicitud de licencia de obras).

f) Actos favorables y actos de gravamen, según reconozcan al administrado un derecho o supriman una limitación preexistente para el ejercicio del mismo (por ejemplo, una autorización), produciéndole un resultado ventajoso, o impongan al mismo un deber, gravamen o carga (por ejemplo, una orden de ejecución dictada por un Ayuntamiento para que un particular revoque la fachada de un edificio de su propiedad que se encuentra en mal estado, o la imposición de una sanción al ciudadano).

g) Actos constitutivos y actos declarativos, según crean, modifiquen o extingan relaciones o situaciones jurídicas (por ejemplo, el nombramiento de un funcionario, por el que se crea la relación jurídica funcionarial que le va a ligar a la Administración con un vínculo de sujeción especial), o se limiten a constatar o acreditar una situación jurídica, sin alterarla ni incidir sobre su contenido (por ejemplo la expedición de una certificación sobre el empadronamiento de un administrado).

Al margen de estas clasificaciones, por lo demás, también se ha distinguido entre actos que causan estado en la vía administrativa o que la agotan, abriendo la vía jurisdiccional y actos que no causan dicho estado, susceptibles, por ello, de ser revisados aun en el seno de la Administración; actos de tracto instantáneo (una licencia de obras, que se agota con la realización de las obras que ampara) y actos de tracto sucesivo (la licencia de apertura de un establecimiento hostelero, que no se agota mientras que dicho establecimiento esté funcionando, pudiendo la Administración incidir sobre la misma, adecuándola a las nuevas necesidades, normativas, etc., que surjan); actos unilaterales y actos plurilaterales o múltiples, etc.

4.2. Requisitos de los actos administrativos

Al tratar de los requisitos del acto administrativo, hay que remitirse a los elementos del mismos, que, de entre la también variedad de los mismos que la Doctrina científica distingue en el acto administrativo, por nuestra parte podemos clasificarlos en subjetivos, objetivos y formales.

4.2.1. Elementos subjetivos

a) El sujeto activo, que es un órgano de la Administración, que ha de actuar dotado de capacidad y competencia (entendida ésta, como indica GARCÍA DE ENTERRÍA, como «la medida de la potestad que corresponde a cada órgano», es decir, por la

actividad que puede realizar legítimamente cada órgano, para lo que el ordenamiento le reconoce las prerrogativas y potestades que procedan). La capacidad pertenece a la persona jurídico-pública, mientras la competencia está atribuida al órgano de esa persona, distinguiendo la Doctrina tres clases de competencia:

1. Territorial, en virtud de la cual cada órgano administrativo tiene competencia preferentemente respecto de sus iguales, en la circunscripción que se le asigna, en la que, por otra parte, solamente puede ejercerla.

   A estos efectos, en función del ámbito territorial, sobre el que se le asigna la competencia, se puede distinguir entre órganos con competencia nacional (que abarca a todo el territorio de la Nación, como por ejemplo, el Consejo de Ministros), órganos con competencia autonómica (circunscrita territorialmente a una Comunidad Autónoma, como la atribuida al Consejo de Gobierno de la misma o a un Consejero), órganos con competencia local (bien provincial, como el Pleno de una Diputación Provincial, bien municipal, como la del Alcalde o el Pleno de un Ayuntamiento) y órganos con competencia de localización inferior a la municipal (como la que puede ostentar un Representante Personal del Alcalde en un Poblado o una Barriada o en un Distrito de una ciudad, conforme al art. 122 del Reglamento de Organización, Funcionamiento y Régimen Jurídico de las Entidades Locales, aprobado por el Real Decreto 2568/1986, de 28 de noviembre –ROFRJEL, en adelante–).

   Por lo demás, la violación de esta competencia territorial, es decir, la intervención de un órgano administrativo en el ámbito territorial reservado a otro, comporta la nulidad absoluta o de pleno derecho del acto que, en su caso, dicte, conforme al art. 47.1,b) LPACAP.

2. Funcional, por la que se atribuye a cada órgano de la Administración una materia sobre la que solo él será competente.

   Es el criterio que se sigue para atribuir, dentro de la Administración estatal o autonómica, por ejemplo, la competencia a las distintas Direcciones Generales de un Ministerio o Consejería, respectivamente.

   Su violación, esto es, la incursión de un órgano administrativo en la esfera de competencia material de otro órgano, supone, también, en base al citado art. 47.1,b) LPACAP una nulidad de pleno derecho.

3. Jerárquica, en virtud de la cual se atribuye la competencia, dentro de la estructuración de los órganos de la Administración, a unos u otros órganos preferentemente respecto a sus superiores o inferiores.

   La violación de este tipo de competencia, es decir, que un órgano inferior, por ejemplo, invada la esfera de atribuciones de su superior jerárquico, se sanciona con la nulidad relativa o anulabilidad, como se deduce del art. 52.3 LPACAP, al permitir la convalidación de los actos administrativos en que se haya incurrido en incompetencia jerárquica (lo que hará el órgano competente cuando sea superior jerárquico del que dictó el acto viciado).

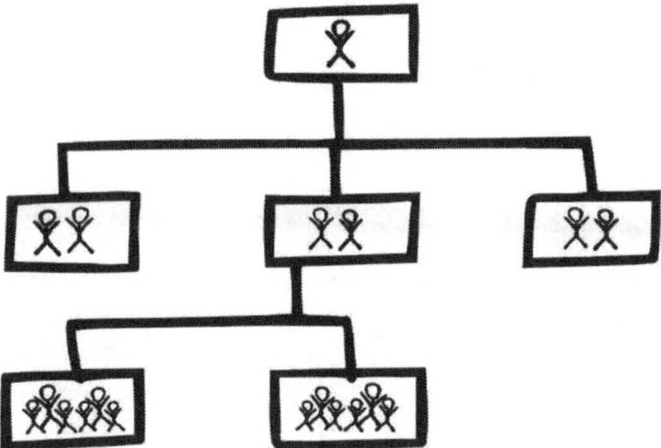

GARCÍA DE ENTERRÍA habla, también, de otro tipo de competencia *ratione temporis*, afirmando que la competencia de los órganos administrativos puede limitarse por razón del tiempo, bien en términos absolutos (por ejemplo, la disponibilidad sobre los créditos presupuestarios, que sólo es posible durante el ejercicio a que el Presupuesto se refiere), bien en términos relativos (citando, a este efecto, la posibilidad de suspensión de licencias recogida en la antigua legislación urbanística estatal, que se limitaba a un máximo de dos años, sin que pudiera acordarse una nueva suspensión hasta que transcurrieran cinco años de la anterior).

En definitiva, como indica este mismo Autor, en un órgano deben confluir todos los criterios de competencia (material, territorial, etc.) para que, en ejercicio de la misma, pueda dictar válidamente el acto administrativo que dicha competencia autorice.

Además, por otra parte, se requiere que la persona o personas físicas que actúen como titulares de dicho órgano ostenten la investidura legítima de tales (nombramiento legal, toma de posesión, situación de actividad o ejercicio, suplencia legal en su caso, como señala este Autor), no estén incursos en alguna de las causas de abstención que enumera el art. 23 de la Ley 40/2015, de 1 de octubre, de Régimen Jurídico del Sector Público (LRJSP), y procedan en las condiciones legales prescritas para poder actuar como tales titulares del órgano, especialmente cuando se trate de órganos colegiados (en cuyo caso debe estarse, a falta de normativa específica, a lo dispuesto en los arts. 15 a 18 LRJSP y, en concreto, sobre los órganos colegiados de la Administración General del Estado, en los arts. 19 a 22 LRJSP, comportando la infracción de estas normas una nulidad de pleno derecho del acto que se dicte, a tenor de lo dispuesto en el art. 47.1,e) LPACAP, que califica como actos nulos de pleno derecho «los dictados prescindiendo total y absolutamente del procedimiento legalmente establecido o de las normas que contienen las reglas esenciales para la formación de la voluntad de los órganos colegiados».

b) El sujeto pasivo, es decir, el destinatario del acto, que puede ser la colectividad o una parte de ella (actos de carácter general), o una o varias personas concretas o individualizadas (actos de carácter individual).

Realmente, no es un elemento del acto, toda vez que no tiene otra relación con el mismo que el irle dirigido.

4.2.2. Elementos objetivos

La Doctrina suele considerar como tales al contenido y la causa.

a) El contenido, que es el objeto del acto, o sea, el efecto práctico perseguido con el mismo. Ha de ser determinado o determinable, posible y lícito, disponiendo el art. 34.2 LPACAP que «el contenido de los actos se ajustará a lo dispuesto por el ordenamiento jurídico y será determinado y adecuado a los fines de aquéllos». En sentido estricto, el contenido puede definirse como la declaración de voluntad, de deseo, conocimiento o juicio en que el acto consiste, distinguiendo GARRIDO FALLA tres partes en el mismo:

   1. Contenido natural, que es el que necesariamente forma parte del acto administrativo y sirve para individualizarlo respecto de los demás (por ejemplo, la transferencia coactiva de la propiedad de un particular a un Ente Público en la expropiación forzosa).

   2. Contenido implícito, que se refiere a aquellas cláusulas no expresas, pero que deben entenderse incluidas en el acto, porque el ordenamiento jurídico las supone en todos los actos de la misma especie, citando este Autor, como ejemplo, la temporalidad del nombramiento de un alto cargo político, que hay que presumirla en el acto de nombramiento (como en el supuesto del Personal Eventual o de confianza en las distintas Administraciones Públicas, a que se refiere el art. 12 del Texto Refundido de la Ley del Estatuto Básico del Empleado Público, aprobado por el Real Decreto Legislativo 5/2015, de 30 de octubre –TR-LEBEP, en otras citas–, que califica su nombramiento «con carácter no permanente»).

   3. Contenido eventual, que son aquellas cláusulas que el órgano administrativo puede introducir en el acto. Entre éstas, deben consignarse las llamadas «cláusulas accesorias», esto es, la condición, el término y el modo.

      Respecto de estas cláusulas accesorias, como señala la generalidad de la Doctrina científica, hay que entender válida su inclusión en el acto administrativo cuando se esté ejerciendo una potestad discrecional (siempre, por otra parte, que no se incurra en arbitrariedad), así como cuando la propia Ley habilite expresamente a la Administración para ello, debiendo, por el contrario, estimarse nula su inclusión fuera de estos casos, sin que esta nulidad provoque la del acto en que se contienen si por sí mismo, como señaló una Sentencia del Tribunal Supremo de 25 de noviembre de 1985 (Aranzadi n.º 484), puede producir los efectos propios de su naturaleza y contenido con independencia de la citada cláusula accesoria, y como se deriva del art. 49.2 LPACAP, a cuyo tenor «la nulidad o anulabilidad en parte del acto administrativo no implicará la de las partes del mismo independientes de aquélla, salvo que la parte viciada sea de tal importancia que sin ella el acto administrativo no hubiera sido dictado».

   Por último, en relación con el contenido, ha de hacerse notar que el art. 47.1,c) y d) LPACAP sanciona con nulidad absoluta o de pleno derecho los actos «que tengan un contenido imposible» y «que sean constitutivos de infracción penal o se dicten

como consecuencia de ésta», siendo anulables aquellos cuyo contenido incurra en «cualquier infracción del ordenamiento jurídico, incluso la desviación de poder» (art. 48.1 LPACAP).

Y que, como se expuso, conforme al art. 34.2 LPACAP, «el contenido de los actos se ajustará a lo dispuesto por el ordenamiento jurídico y será determinado y adecuado a los fines de aquéllos».

b) La causa, que es el por qué se dicta un acto administrativo; hace referencia a la razón justificadora de cada acto, o sea, la circunstancia que justifica en cada caso que un acto administrativo se dicte (GARRIDO FALLA).

   De aquí que, como señala ENTRENA CUESTA, los presupuestos de hecho del acto se incorporen como elementos del mismo, de donde, si fallan dichos presupuestos (este Autor citaba, a título de ejemplo, la convocatoria de una cátedra que no está vacante), el acto resultante estará viciado, lo que ocurrirá, también, según GARRIDO FALLA, cuando al dictar el acto se aprecien erróneamente estos presupuestos de hecho.

   Por lo demás, íntimamente relacionado con la causa está el fin perseguido con el acto, el llamado elemento teleológico del mismo, que, como indica el último de los Autores citados, es la respuesta a la pregunta de «para qué» se dicta éste.

   Al respecto, en todo acto administrativo cabe distinguir entre un fin inmediato (el efecto práctico que realmente se pretende con el mismo) y un fin remoto (que es siempre el interés público al que está avocada toda la actuación de la Administración, que, si resulta transgredido, puede provocar un recurso por desviación de poder, definida ésta por el art. 70,2.º LJCA como «el ejercicio de potestades administrativas para fines distintos de los fijados por el ordenamiento jurídico»).

4.2.3. Elementos formales

La forma se manifiesta en dos aspectos concretos:

a) El procedimiento, que es la vía a través de la cual se elabora la declaración de voluntad, deseo, conocimiento o juicio de la Administración, en que consiste el acto. En este sentido, se le ha definido como el cauce formal de la serie de actuaciones en que se concreta la actividad administrativa de los órganos de la Administración para que sus resoluciones tengan validez jurídica.

   Respecto del mismo, el art. 34.1 LPACAP, establece que «los actos administrativos que dicten las Administraciones Públicas, bien de oficio o a instancia del interesado, se producirán por el órgano competente ajustándose a los requisitos y al procedimiento establecido».

b) La forma de la declaración o exteriorización del acto, respecto de la cual se puede afirmar que, frente al principio de libertad de forma que rige en el ámbito del Derecho Privado, en el Derecho Administrativo ésta está tasada generalmente, debiendo producirse los actos administrativos «por escrito a través de medios electrónicos, a menos que su naturaleza exijan o permita otra forma más adecuada de expresión y constancia», como establece el art. 36.1 LPACAP.

Al respecto, este mismo art. 36, en sus apartados 2 y 3, dispone que «en los casos en que los órganos administrativos ejerzan su competencia de forma verbal, la constancia escrita del acto, cuando sea necesaria, se efectuará y firmará por el titular del órgano inferior o funcionario que la reciba oralmente, expresando en la comunicación del mismo la autoridad de la que procede. Si se tratara de resoluciones, el titular de la competencia deberá autorizar una relación de las que haya dictado de forma verbal, con expresión de su contenido», y que «cuando deba dictarse una serie de actos administrativos de la misma naturaleza, tales como nombramientos, concesiones o licencias, podrán refundirse en un único acto, acordado por el órgano competente, que especificará las personas u otras circunstancias que individualicen los efectos del acto para cada interesado».

Por lo demás, según tenga el acto un destinatario concreto o individualizado o vaya destinado a una pluralidad de personas, habrá de notificarse o publicarse, respectivamente, debiendo, además, motivarse en los supuestos que estudiamos, específicamente, en los siguientes apartados.

4.2.4. Motivación

Según el art. 35 LPACAP:

1. Serán motivados, con sucinta referencia de hechos y fundamentos de derecho:
   a) Los actos que limiten derechos subjetivos o intereses legítimos.
   b) Los actos que resuelvan procedimientos de revisión de oficio de disposiciones o actos administrativos, recursos administrativos y procedimientos de arbitraje y los que declaren su inadmisión.
   c) Los actos que se separen del criterio seguido en actuaciones precedentes o del dictamen de órganos consultivos.
   d) Los acuerdos de suspensión de actos, cualquiera que sea el motivo de ésta, así como la adopción de medidas provisionales previstas en el artículo 56.
   e) Los acuerdos de aplicación de la tramitación de urgencia, de ampliación de plazos y de realización de actuaciones complementarias (a que se refieren los arts. 32 y 33 de esta LPACAP).
   f) Los actos que rechacen pruebas propuestas por los interesados (sobre lo que trata el art. 77.3 de esta LPACAP).
   g) Los actos que acuerden la terminación del procedimiento por la imposibilidad material de continuarlo por causas sobrevenidas, así como los que acuerden el desistimiento por la Administración en procedimientos iniciados de oficio (debiendo estarse a lo dispuesto en los arts. 21.1, 84.2 y 93 de esta LPACAP).
   h) Las propuestas de resolución en los procedimientos de carácter sancionador, así como los actos que resuelvan procedimientos de carácter sancionador o de responsabilidad patrimonial (sobre lo que tratan los arts. 89.3 y 91.2 de esta LPACAP).

i) Los actos que se dicten en el ejercicio de potestades discrecionales, así como los que deban serlo en virtud de disposición legal (por ejemplo la obligación de motivar la decisión de alterar la tramitación cronológica del expediente a que se refiere el art. 71.2 de esta LPACAP) o reglamentaria expresa.

2. La motivación de los actos que pongan fin a los procedimientos selectivos y de concurrencia competitiva se realizará de conformidad con lo que dispongan las normas que regulen sus convocatorias, debiendo, en todo caso, quedar acreditados en el procedimiento los fundamentos de la resolución que se adopte.

La motivación, como se desprende de lo anterior, Consiste en la exteriorización de las razones que han llevado a la Administración a dictar un acto determinado, según ENTRENA CUESTA, quien hace referencia a una Sentencia del Tribunal Supremo, de 21 de marzo de 1968, para la que la motivación «no solo tiene por finalidad conocer con mayor certeza y exactitud la voluntad manifestada, sino que debe considerarse encaminada, primordialmente, a hacer posible el control o fiscalización jurisdiccional de los actos de la Administración, estableciendo la necesaria relación de causalidad entre los antecedentes de hecho, el Derecho aplicable y la decisión adoptada».

Respecto de la misma, la Sala Tercera del Tribunal Supremo, en Sentencia de 15 de febrero de 1991 (Aranzadi n.º 1.186), ha señalado que «el art. 43 LPA (actualmente, con la nueva LPACAP, esta referencia hay que entenderla hecha al art. 35 de la misma) impone la motivación de los actos administrativos que expresan un juicio, pues la motivación –STS, 4 de abril 1987– «es la expresión racional del juicio emitido y de las resoluciones que implican un gravamen para el destinatario», pues «si la Administración Pública ha de servir con objetividad los intereses generales, como le impone el art. 103 de la Constitución Española, es a través de la motivación del acto como se puede conocer si la actuación merece la conceptuación de objetiva por adecuarse al cumplimiento de sus fines, sin que tal motivación se pueda cumplir mediante fórmulas convencionales (como el socorrido, en el ámbito funcionarial, «por necesidades de servicio», apostillaríamos nosotros), sino dando razón plena del proceso lógico y jurídico que determina la decisión»..., debiendo «realizarse con la amplitud necesaria para el debido conocimiento de los interesados y su posterior defensa de derechos» –STS, 9 de febrero 1987–, aspirando «a que el administrado pueda conocer claramente el fundamento de la decisión administrativa, para poder impugnarla criticando sus Bases, y a que el órgano que decide los recursos pueda desarrollar el control que le corresponde con plenitud, examinando con todos los datos si el acto se ajusta o no a Derecho».

En cuanto al tratamiento legal de la motivación, debe partirse del inciso primero del art. 88.3 LPACAP, según el cual «las resoluciones contendrán la decisión, que será motivada en los casos a que se refiere el artículo 35».

Como puede observarse, la regla general es la no motivación, salvo en los supuestos del art. 35 o que venga exigidos por disposición legal (en concreto, en el ámbito tributario, el art. 103.3 de la Ley 58/2003, de 17 de diciembre, General Tributaria (LGT, en otras referencias), prescribe que «Los actos de liquidación, los de comprobación de valor, los que impongan una obligación, los que denieguen un beneficio fiscal o la suspensión de la ejecución de actos de aplicación de los tributos, así como cuantos otros se dispongan en la normativa vigente, serán motivados con referencia sucinta a los hechos y fundamentos de derecho) o reglamentaria».

4.2.5. Notificación

4.2.5.1. Introducción

Como se expuso, el apartado 2 del art. 39 LPACAP señala que la eficacia quedará demorada cuando así lo exija el contenido del acto o esté supeditada a su notificación, publicación o aprobación superior.

La notificación se regula en los arts. 40 a 44, inclusive, LPACAP, disponiendo el primero de ellos que:

1. El órgano que dicte las resoluciones y actos administrativos los notificará a los interesados cuyos derechos e intereses sean afectados por aquéllos, en los términos previstos en los artículos siguientes.
2. Toda notificación deberá ser cursada dentro del plazo de diez días a partir de la fecha en que el acto haya sido dictado, y deberá contener el texto íntegro de la resolución, con indicación de si pone fin o no a la vía administrativa, la expresión de los recursos que procedan, en su caso, en vía administrativa y judicial, el órgano ante el que hubieran de presentarse y el plazo para interponerlos, sin perjuicio de que los interesados puedan ejercitar, en su caso, cualquier otro que estimen procedente.
3. Las notificaciones que, conteniendo el texto íntegro del acto, omitiesen alguno de los demás requisitos previstos en el apartado anterior, surtirán efecto a partir de la fecha en que el interesado realice actuaciones que supongan el conocimiento del contenido y alcance de la resolución o acto objeto de la notificación, o interponga cualquier recurso que proceda.
4. Sin perjuicio de lo establecido en el apartado anterior, y a los solos efectos de entender cumplida la obligación de notificar dentro del plazo máximo de duración de los procedimientos, será suficiente la notificación que contenga, cuando menos, el texto íntegro de la resolución, así como el intento de notificación debidamente acreditado.

   (En relación con lo expuesto en este apartado, similar al contenido en el art. 58.4 de la derogada Ley 30/1992, de 26 de noviembre, de Régimen Jurídico de las Administraciones Públicas y del Procedimiento Administrativo Común –LRJAP y PAC–, la Sala Tercera del Tribunal Supremo, a través de Sentencia de 17 de noviembre de 2003, fijó la siguiente doctrina legal: «Que el inciso intento de notificación debidamente acreditado que emplea el artículo 58.4 de la Ley 30/1992, de 26 de noviembre, de Régimen Jurídico de las Administraciones Públicas y del Procedimiento Administrativo Común, se refiere al intento de notificación personal por cualquier procedimiento que cumpla con las exigencias legales contempladas en el artículo 59.1 de la Ley 30/1992, pero que resulte infructuoso por cualquier circunstancia y que quede debidamente acreditado. De esta manera, bastará para entender concluso un procedimiento administrativo dentro del plazo máximo que la ley le asigne, en aplicación del referido artículo 58.4 de la Ley 30/1992, el intento de notificación por cualquier medio legalmente admisible según los términos del artículo 59 de la Ley 30/1992, y que se practique con todas las garantías legales aunque resulte frustrado finalmente, y siempre que quede debida constancia del mismo en el expediente.

En relación con la práctica de la notificación por medio de correo certificado con acuse de recibo, el intento de notificación queda culminado, a los efectos del artículo 58.4 de la Ley 30/1992, en el momento en que la Administración reciba la devolución del envío, por no haberse logrado practicar la notificación, siempre que quede constancia de ello en el expediente»).

5. Las Administraciones Públicas podrán adoptar las medidas que consideren necesarias para la protección de los datos personales que consten en las resoluciones y actos administrativos, cuando éstos tengan por destinatarios a más de un interesado.

4.2.5.2. Condiciones generales para la práctica de las notificaciones

A tenor del art. 41 LPACAP:

1. Las notificaciones se practicarán preferentemente por medios electrónicos y, en todo caso, cuando el interesado resulte obligado a recibirlas por esta vía.

   No obstante lo anterior, las Administraciones podrán practicar las notificaciones por medios no electrónicos en los siguientes supuestos:

   a) Cuando la notificación se realice con ocasión de la comparecencia espontánea del interesado o su representante en las oficinas de asistencia en materia de registro y solicite la comunicación o notificación personal en ese momento.

   b) Cuando para asegurar la eficacia de la actuación administrativa resulte necesario practicar la notificación por entrega directa de un empleado público de la Administración notificante.

   Con independencia del medio utilizado, las notificaciones serán válidas siempre que permitan tener constancia de su envío o puesta a disposición, de la recepción o acceso por el interesado o su representante, de sus fechas y horas, del contenido íntegro, y de la identidad fidedigna del remitente y destinatario de la misma. La acreditación de la notificación efectuada se incorporará al expediente.

   Los interesados que no estén obligados a recibir notificaciones electrónicas, podrán decidir y comunicar en cualquier momento a la Administración Pública, mediante los modelos normalizados que se establezcan al efecto, que las notificaciones sucesivas se practiquen o dejen de practicarse por medios electrónicos.

   Reglamentariamente, las Administraciones podrán establecer la obligación de practicar electrónicamente las notificaciones para determinados procedimientos y para ciertos colectivos de personas físicas que por razón de su capacidad económica, técnica, dedicación profesional u otros motivos quede acreditado que tienen acceso y disponibilidad de los medios electrónicos necesarios.

   Adicionalmente, el interesado podrá identificar un dispositivo electrónico y/o una dirección de correo electrónico que servirán para el envío de los avisos regulados en este artículo, pero no para la práctica de notificaciones.

2. En ningún caso se efectuarán por medios electrónicos las siguientes notificaciones:
   a) Aquellas en las que el acto a notificar vaya acompañado de elementos que no sean susceptibles de conversión en formato electrónico.
   b) Las que contengan medios de pago a favor de los obligados, tales como cheques.
3. En los procedimientos iniciados a solicitud del interesado, la notificación se practicará por el medio señalado al efecto por aquel. Esta notificación será electrónica en los casos en los que exista obligación de relacionarse de esta forma con la Administración.

   Cuando no fuera posible realizar la notificación de acuerdo con lo señalado en la solicitud, se practicará en cualquier lugar adecuado a tal fin, y por cualquier medio que permita tener constancia de la recepción por el interesado o su representante, así como de la fecha, la identidad y el contenido del acto notificado.
4. En los procedimientos iniciados de oficio, a los solos efectos de su iniciación, las Administraciones Públicas podrán recabar, mediante consulta a las bases de datos del Instituto Nacional de Estadística, los datos sobre el domicilio del interesado recogidos en el Padrón Municipal, remitidos por las Entidades Locales en aplicación de lo previsto en la Ley 7/1985, de 2 de abril, reguladora de las Bases del Régimen Local.
5. Cuando el interesado o su representante rechace la notificación de una actuación administrativa, se hará constar en el expediente, especificándose las circunstancias del intento de notificación y el medio, dando por efectuado el trámite y siguiéndose el procedimiento.
6. Con independencia de que la notificación se realice en papel o por medios electrónicos, las Administraciones Públicas enviarán un aviso al dispositivo electrónico y/o a la dirección de correo electrónico del interesado que éste haya comunicado, informándole de la puesta a disposición de una notificación en la sede electrónica de la Administración u Organismo correspondiente o en la dirección electrónica habilitada única. La falta de práctica de este aviso no impedirá que la notificación sea considerada plenamente válida.
7. Cuando el interesado fuera notificado por distintos cauces, se tomará como fecha de notificación la de aquélla que se hubiera producido en primer lugar.

4.2.5.3. Práctica de las notificaciones en papel

Sobre las notificaciones en papel, prescribe el art. 42 LPACAP que:

1. Todas las notificaciones que se practiquen en papel deberán ser puestas a disposición del interesado en la sede electrónica de la Administración u Organismo actuante para que pueda acceder al contenido de las mismas de forma voluntaria.
2. Cuando la notificación se practique en el domicilio del interesado, de no hallarse presente éste en el momento de entregarse la notificación, podrá hacerse cargo de la misma cualquier persona mayor de catorce años que se encuentre en el domicilio y haga constar su identidad. Si nadie se hiciera cargo de la notificación, se hará constar esta circunstancia en el expediente, junto con el día y la hora en que se intentó la

notificación, intento que se repetirá por una sola vez y en una hora distinta dentro de los tres días siguientes. En caso de que el primer intento de notificación se haya realizado antes de las quince horas, el segundo intento deberá realizarse después de las quince horas y viceversa, dejando en todo caso al menos un margen de diferencia de tres horas entre ambos intentos de notificación. Si el segundo intento también resultara infructuoso, se procederá en la forma prevista en el artículo 44.

(Este apartado, que difiere favorablemente del antiguo párrafo segundo del apartado 2 del art. 59 de la LRJAP y PAC, además de incorporar lo relativo a la edad de mayor de 14 años, señala cómo ha de efectuarse el segundo intento de notificación y el margen de diferencia entre una y otra notificación. De esta forma, salva la desafortunada interpretación dada por la Sala Tercera del Tribunal Supremo, en Sentencia de 28 de octubre de 2004, que fijó como doctrina legal «que, a efecto de dar cumplimiento al artículo 59.2 de la Ley 30/1992, de 26 de noviembre, reformada por la Ley 4/1999, de 13 de enero, la expresión en una hora distinta determina la validez de cualquier notificación que guarde una diferencia de al menos sesenta minutos a la hora en que se practicó el primer intento de notificación»).

3. Cuando el interesado accediera al contenido de la notificación en sede electrónica, se le ofrecerá la posibilidad de que el resto de notificaciones se puedan realizar a través de medios electrónicos.

4.2.5.4. Práctica de las notificaciones a través de medios electrónicos

Según el art. 43 LPACAP:

1. Las notificaciones por medios electrónicos se practicarán mediante comparecencia en la sede electrónica de la Administración u Organismo actuante, a través de la dirección electrónica habilitada única o mediante ambos sistemas, según disponga cada Administración u Organismo.

   A los efectos previstos en este artículo, se entiende por comparecencia en la sede electrónica, el acceso por el interesado o su representante debidamente identificado al contenido de la notificación.

2. Las notificaciones por medios electrónicos se entenderán practicadas en el momento en que se produzca el acceso a su contenido.

   Cuando la notificación por medios electrónicos sea de carácter obligatorio, o haya sido expresamente elegida por el interesado, se entenderá rechazada cuando hayan transcurrido diez días naturales desde la puesta a disposición de la notificación sin que se acceda a su contenido.

3. Se entenderá cumplida la obligación a la que se refiere el artículo 40.4 con la puesta a disposición de la notificación en la sede electrónica de la Administración u Organismo actuante o en la dirección electrónica habilitada única.

4. Los interesados podrán acceder a las notificaciones desde el Punto de Acceso General electrónico de la Administración, que funcionará como un portal de acceso.

4.2.5.5. Notificación infructuosa

El art. 44 LPACAP, sobre la notificación defectuosa, prescribe que, cuando los interesados en un procedimiento sean desconocidos, se ignore el lugar de la notificación o bien, intentada ésta, no se hubiese podido practicar, la notificación se hará por medio de un anuncio publicado en el «Boletín Oficial del Estado».

Asimismo, previamente y con carácter facultativo, las Administraciones podrán publicar un anuncio en el boletín oficial de la Comunidad Autónoma o de la Provincia, en el tablón de edictos del Ayuntamiento del último domicilio del interesado o del Consulado o Sección Consular de la Embajada correspondiente.

Las Administraciones Públicas podrán establecer otras formas de notificación complementarias a través de los restantes medios de difusión, que no excluirán la obligación de publicar el correspondiente anuncio en el «Boletín Oficial del Estado».

La Disposición Adicional Tercera de esta LPACAP, sobre esta materia señala que:

1. El «Boletín Oficial del Estado» pondrá a disposición de las diversas Administraciones Públicas, un sistema automatizado de remisión y gestión telemática para la publicación de los anuncios de notificación en el mismo previstos en el artículo 44 de esta Ley y en esta disposición adicional. Dicho sistema, que cumplirá con lo establecido en esta Ley, y su normativa de desarrollo, garantizará la celeridad de la publicación, su correcta y fiel inserción, así como la identificación del órgano remitente.
2. En aquellos procedimientos administrativos que cuenten con normativa específica, de concurrir los supuestos previstos en el artículo 44 de esta Ley, la práctica de la notificación se hará, en todo caso, mediante un anuncio publicado en el «Boletín Oficial del Estado», sin perjuicio de que previamente y con carácter facultativo pueda realizarse en la forma prevista por dicha normativa específica.
3. La publicación en el «Boletín Oficial del Estado» de los anuncios a que se refieren los dos párrafos anteriores se efectuará sin contraprestación económica alguna por parte de quienes la hayan solicitado.

4.2.6. Publicación

El art. 45 LPACAP se refiere a la publicación, a cuyos efectos dispone que:

1. Los actos administrativos serán objeto de publicación cuando así lo establezcan las normas reguladoras de cada procedimiento o cuando lo aconsejen razones de interés público apreciadas por el órgano competente.

   En todo caso, los actos administrativos serán objeto de publicación, surtiendo ésta los efectos de la notificación, en los siguientes casos:

   a) Cuando el acto tenga por destinatario a una pluralidad indeterminada de personas o cuando la Administración estime que la notificación efectuada a un solo interesado es insuficiente para garantizar la notificación a todos, siendo, en este último caso, adicional a la individualmente realizada.

b) Cuando se trate de actos integrantes de un procedimiento selectivo o de concurrencia competitiva de cualquier tipo. En este caso, la convocatoria del procedimiento deberá indicar el medio donde se efectuarán las sucesivas publicaciones, careciendo de validez las que se lleven a cabo en lugares distintos.

2. La publicación de un acto deberá contener los mismos elementos que el artículo 40.2 exige respecto de las notificaciones. Será también aplicable a la publicación lo establecido en el apartado 3 del mismo artículo.

   En los supuestos de publicaciones de actos que contengan elementos comunes, podrán publicarse de forma conjunta los aspectos coincidentes, especificándose solamente los aspectos individuales de cada acto.

3. La publicación de los actos se realizará en el diario oficial que corresponda, según cual sea la Administración de la que proceda el acto a notificar.

4. Sin perjuicio de lo dispuesto en el artículo 44, la publicación de actos y comunicaciones que, por disposición legal o reglamentaria deba practicarse en tablón de anuncios o edictos, se entenderá cumplida por su publicación en el Diario oficial correspondiente.

4.2.7. Indicación de notificaciones y publicaciones

Por último, según el art. 46 LPACAP, si el órgano competente apreciase que la notificación por medio de anuncios o la publicación de un acto lesiona derechos o intereses legítimos, se limitará a publicar en el Diario oficial que corresponda una somera indicación del contenido del acto y del lugar donde los interesados podrán comparecer, en el plazo que se establezca, para conocimiento del contenido íntegro del mencionado acto y constancia de tal conocimiento.

Adicionalmente y de manera facultativa, las Administraciones podrán establecer otras formas de notificación complementarias a través de los restantes medios de difusión que no excluirán la obligación de publicar en el correspondiente Diario oficial.

4.3. Eficacia de los actos

4.3.1. Introducción

Los arts. 37 a 46 LPACAP tratan de la eficacia de los actos administrativos, abordando el principio de inderogabilidad de los reglamentos, la ejecutividad de los actos, su eficacia propiamente dicha y lo concerniente al régimen de notificaciones y publicaciones, en la forma que estudiamos en los siguientes apartados, remitiéndonos respecto a las notificaciones y publicaciones a lo ya estudiado en el apartado anterior.

4.3.2. Inderogabilidad singular

Según el art. 37:

1. Las resoluciones administrativas de carácter particular no podrán vulnerar lo establecido en una disposición de carácter general, aunque aquéllas procedan de un órgano de igual o superior jerarquía al que dictó la disposición general.
2. Son nulas las resoluciones administrativas que vulneren lo establecido en una disposición reglamentaria, así como aquellas que incurran en alguna de las causas recogidas en el artículo 47.

4.3.3. Ejecutividad

Los actos de las Administraciones Públicas sujetos al Derecho Administrativo serán ejecutivos con arreglo a lo dispuesto en esta Ley (art. 38).

4.3.4. Efectos

Partiendo de que un acto administrativo se perfecciona una vez que está constituido por el conjunto de elementos que funcionan como requisito de validez, no es, por la simple circunstancia de reunir dichos requisitos, jurídicamente eficaz, debiendo estarse a lo dispuesto por el art. 39, con arreglo al cual:

1. Los actos de las Administraciones Públicas sujetos al Derecho Administrativo se presumirán válidos y producirán efectos desde la fecha en que se dicten, salvo que en ellos se disponga otra cosa.
2. La eficacia quedará demorada cuando así lo exija el contenido del acto o esté supeditada a su notificación, publicación o aprobación superior.
3. Excepcionalmente, podrá otorgarse eficacia retroactiva a los actos cuando se dicten en sustitución de actos anulados, así como cuando produzcan efectos favorables al interesado, siempre que los supuestos de hecho necesarios existieran ya en la fecha a que se retrotraiga la eficacia del acto y ésta no lesione derechos o intereses legítimos de otras personas.
4. Las normas y actos dictados por los órganos de las Administraciones Públicas en el ejercicio de su propia competencia deberán ser observadas por el resto de los órganos administrativos, aunque no dependan jerárquicamente entre sí o pertenezcan a otra Administración.
5. Cuando una Administración Pública tenga que dictar, en el ámbito de sus competencias, un acto que necesariamente tenga por base otro dictado por una Administración Pública distinta y aquélla entienda que es ilegal, podrá requerir a ésta previamente para que anule o revise el acto de acuerdo con lo dispuesto en el artículo 44 de la Ley 29/1998, de 13 de julio, reguladora de la Jurisdicción Contencioso- Administrativa, y, de rechazar el requerimiento, podrá interponer recurso contencioso-administrativo. En estos casos, quedará suspendido el procedimiento para dictar resolución.

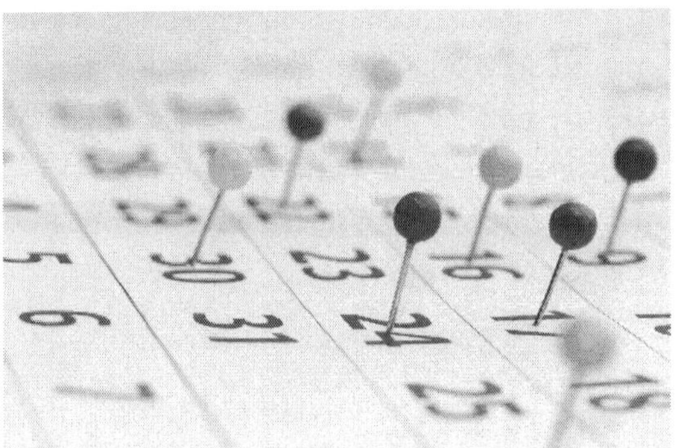

El art. 44 de esta LJCA, parcialmente modificado por la Ley 34/2015, de 21 de septiembre, de modificación parcial de la Ley 58/2003, de 17 de diciembre, General Tributaria, y sobre cuyo apartado 4 habrá que estar a lo dispuesto en los arts. 65 a 67 de la Ley 7/1985, de 2 de abril, Reguladora de las Bases del Régimen Local, prescribe que:

1. En los litigios entre Administraciones públicas no cabrá interponer recurso en vía administrativa. No obstante, cuando una Administración interponga recurso contencioso-administrativo contra otra, podrá requerirla previamente para que derogue la disposición, anule o revoque el acto, haga cesar o modifique la actuación material, o inicie la actividad a que esté obligada.

   Cuando la Administración contratante, el contratista o terceros pretendan recurrir las decisiones adoptadas por los órganos administrativos a los que corresponde resolver los recursos especiales y las reclamaciones en materia de contratación a que se refiere la legislación de Contratos del Sector Público interpondrán el recurso directamente y sin necesidad de previo requerimiento o recurso administrativo.
2. El requerimiento deberá dirigirse al órgano competente mediante escrito razonado que concretará la disposición, acto, actuación o inactividad, y deberá producirse en el plazo de dos meses contados desde la publicación de la norma o desde que la Administración requirente hubiera conocido o podido conocer el acto, actuación o inactividad.
3. El requerimiento se entenderá rechazado si, dentro del mes siguiente a su recepción, el requerido no lo contestara.
4. Queda a salvo lo dispuesto sobre esta materia en la legislación de régimen local.

4.3.5. Cesación de la eficacia

La eficacia del acto puede cesar temporal o definitivamente.

La cesación temporal tiene lugar con motivo de la suspensión del acto, a lo que se refieren los arts. 108 y 117 LPACAP, en materia de revisión de oficio de los actos administrativos y de recursos administrativos, respectivamente.

En cuanto a la cesación definitiva, se puede producir por cualquiera de las siguientes causas:

a) El total cumplimiento del propio acto.
b) El transcurso del plazo en él mismo señalado, si estaba limitado en el tiempo.
c) El cumplimiento de la condición resolutoria a que pudiera estar sujeto.
d) La desaparición de los presupuestos de hecho que motivaron que se dictase.
e) La anulación o revocación del propio acto.

4.4. Nulidad y anulabilidad

4.4.1. Introducción

El art. 39.1 LPACAP establece, como se expuso, que «los actos de las Administraciones Públicas sujetos al Derecho Administrativo se presumirán válidos y producirán efectos desde la fecha en que se dicten, salvo que en ellos se disponga otra cosa», es decir, se parte de una presunción de validez de los actos administrativos, de donde se deriva su ejecutividad y, en su caso, ejecución forzosa.

Esta presunción de legitimidad y validez del acto administrativo es iuris tantum, es decir, que admite prueba en contrario a través de la interposición del correspondiente recurso administrativo y, en su caso, contencioso-administrativo por el particular afectado por el acto que entiende ilegal, pudiéndose producir, en los supuestos previstos en los arts. 108 y 117 LPACAP, en materia de revisión de oficio de los actos administrativos y de recursos administrativos, respectivamente, la suspensión de los efectos del acto.

En este contexto, no es infrecuente que el acto administrativo adolezca de vicios o no se ajuste exactamente a lo que el ordenamiento jurídico determina en cada caso, pudiéndonos encontrar ante los siguientes supuestos:

a) La nulidad absoluta o de pleno derecho del acto administrativo.
b) La nulidad relativa o anulabilidad del mismo.
c) La irregularidad del acto.

Junto a ellos, por lo demás, hay Autores que hablan de la inexistencia del acto, cuando carece de los requisitos necesarios para ser considerado como un acto propiamente dicho (GARCÍA DE ENTERRÍA, que cita, a título de ejemplo, un Decreto dictado por un particular o una pena de muerte impuesta por un Alcalde), en cuyo caso carece absolutamente de efectos, pudiendo desconocer el administrado dicho acto, sin que de su pasividad, como indica este Autor, pueda derivársele perjuicio alguno material o jurídico.

4.4.2. Nulidad absoluta o de pleno derecho

Los supuestos de nulidad absoluta, en nuestro Derecho Administrativo, son la excepción (lo que no significa que sean infrecuentes), por cuanto la regla general cuando un acto infringe el ordenamiento jurídico es su nulidad relativa o anulabilidad.

En concreto, los actos nulos de pleno derecho que establece la Ley en este ámbito vienen señalados en el art. 47.1 LPACAP, a cuyo tenor los actos de las Administraciones Públicas son nulos de pleno derecho en los casos siguientes:

a) Los que lesionen los derechos y libertades susceptibles de amparo constitucional (es decir, los recogidos en los arts. 14 a 29 CE, a los que se añade el derecho a la objeción de conciencia, recogido en el art. 30 de la misma, conforme al art. 53,2.º CE).

b) Los dictados por órgano manifiestamente incompetente por razón de la materia o del territorio (es decir, cuando se incurra en incompetencia funcional o territorial, ya que la incompetencia jerárquica se castiga con la anulabilidad, permitiendo la propia LPACAP, como se verá sobre la base de su art. 52, la posibilidad de convalidar el acto, al reputarlo como simplemente anulable).

c) Los que tengan un contenido imposible.

d) Los que sean constitutivos de infracción penal o se dicten como consecuencia de ésta.

e) Los dictados prescindiendo total y absolutamente del procedimiento legalmente establecido o de las normas que contienen las reglas esenciales para la formación de la voluntad de los órganos colegiados.

f) Los actos expresos o presuntos contrarios al ordenamiento jurídico por los que se adquieren facultades o derechos cuando se carezca de los requisitos esenciales para su adquisición.

g) Cualquiera otro que se establezca expresamente en una disposición de rango de Ley.

También serán nulas de pleno derecho –continúa este artículo, en su apartado 2– las disposiciones administrativas que vulneren la Constitución, las leyes u otras disposiciones administrativas de rango superior, las que regulen materias reservadas a la Ley, y las que establezcan la retroactividad de disposiciones sancionadoras no favorables o restrictivas de derechos individuales (el art. 9.3 de la CE, como es conocido, prescribe que «La Constitución garantiza el principio de legalidad, la jerarquía normativa, la publicidad de las normas, la irretroactividad de las disposiciones sancionadoras no favorables o restrictivas de derechos individuales, la seguridad jurídica, la responsabilidad y la interdicción de la arbitrariedad de los poderes públicos»).

Finalmente, hay que hacer notar que el art. 47 LPACAP recoge los supuestos típicos de nulidad absoluta, sin que tenga el carácter de exclusivo o único, ya que en otras Leyes o disposiciones administrativas nos encontramos con otros supuestos de nulidad absoluta, por ejemplo en materia de contratación administrativa, cuando la Administración celebra un contrato con una persona que no reúne los requisitos establecidos por el propio TR-LCSP.

4.4.3. Nulidad relativa o anulabilidad

Como se expuso, es la regla general en nuestro Derecho respecto de los actos administrativos que incurren en algún vicio (que no sea motivo de simple irregularidad).

Al respecto, el art. 48.1 LPACAP dispone que «son anulables los actos de la Administración que incurran en cualquier infracción del ordenamiento jurídico, incluso la desviación de poder».

Ahora bien, como señala el apartado 2 de este artículo, «no obstante, el defecto de forma solo determinará la anulabilidad cuando el acto carezca de los requisitos formales indispensables para alcanzar su fin o dé lugar a la indefensión de los interesados».

El apartado 3 de este art. 48, acto seguido, dispone que «la realización de actuaciones administrativas fuera del tiempo establecido para ellas solo implicará la anulabilidad del acto cuando así lo imponga la naturaleza del término o plazo».

En cuanto a la desviación de poder, es definida por el art. 70,2.º LJCA como «el ejercicio de potestades administrativas para fines distintos de los fijados por el Ordenamiento Jurídico», es decir, utilizar una vía legal de actuación, pero para una finalidad distinta a aquella para lo que está concebida.

4.4.4. Diferencias entre la nulidad absoluta o de pleno derecho y la nulidad relativa o anulabilidad

La generalidad de la Doctrina y la Jurisprudencia, basándose en la derogada LRJAP y PAC (lo que es trasladable a la LPACAP), han señalado las siguientes:

a) En la nulidad absoluta el vicio que la provoca tiene una trascendencia *erga omnes*, por lo que cualquier persona puede impugnar el acto y los propios Tribunales, aunque no se alegue este vicio, si lo detectan deben declararlo.

   En la anulabilidad, por el contrario, el vicio solo puede ser alegado por los interesados, los que tengan un derecho o interés legítimo y directo en relación con el acto, y, por otra parte, si no se alega por el recurrente, los Tribunales no pueden declararla de oficio.

b) En la nulidad de pleno derecho, la acción para combatir el acto no prescribe, como reconoce una Sentencia de 21 de diciembre de 1990 (Aranzadi de 1991, n.º 1.700), pudiendo, incluso, la Administración en cualquier momento, de oficio o a instancia de parte y previo dictamen favorable del Consejo de Estado, declararla (art. 102 LRJAP y PAC, actual art. 106 LPACAP), sin que pueda convalidar el acto administrativo (art. 67 LRJAP y PAC, actual art. 52 LPACAP).

   En los supuestos de anulabilidad, el interesado ha de presentar contra el acto que entiende ilegal los recursos procedentes en los plazos, realmente cortos, previstos en la Ley, de forma que, si no lo hace, el acto queda firme e inatacable (salvo en los supuestos del recurso de revisión). Por su parte, la Administración, en base al art. 67.1 LRJAP y PAC, actual art. 52.1 LPACAP, puede convalidar el acto, a través de la subsanación de los vicios de que adolezca.

c) Finalmente, en la nulidad absoluta, los efectos de la declaración –por la propia Administración o por la Jurisdicción Contencioso–Administrativa, se retrotraen al momento en que se dictó el acto, es decir, tiene dicha declaración efectos *ex tunc*, mientras que en la anulabilidad, los efectos de la declaración de nulidad del acto se producen *ex nunc*, desde el momento en que se lleva a efecto, manteniéndose, por lo tanto, todos los efectos o consecuencias del acto surgidos desde que se dictó hasta que es objeto de anulación.

4.4.5. Irregularidad

Se produce cuando el acto presenta un vicio que no le hace incurrir en nulidad absoluta ni en anulabilidad.

Ha de tratarse, por lo tanto, de un vicio de carácter secundario que no invalida el acto.

La LPACAP contempla como supuestos de la misma los simples defectos de forma que se produzcan en la emisión del acto, siempre que éste, como consecuencia de los mismos no carezca de los requisitos formales indispensables para alcanzar su fin o no dé lugar a la indefensión de los interesados (art. 48.2), así como las actuaciones administrativas realizadas fuera del tiempo establecido para ellas, respecto de las que el art. 48.3 dispone que «sólo implicará la anulabilidad del acto cuando así lo imponga la naturaleza del término o plazo».

4.4.6. Conversión de actos viciados

Al igual que respecto a la convalidación y la conservación de actos y trámites, la conversión se aplica a los actos anulables y no a los nulos de pleno derecho, recogiendo estas figuras la LPACAP por el principio favorable que subyace en la misma respecto a la conservación de los actos administrativos, sobre la base de la propia presunción de validez de que parte en el art. 39.1, evitando así una generalizada invalidación de dichos actos.

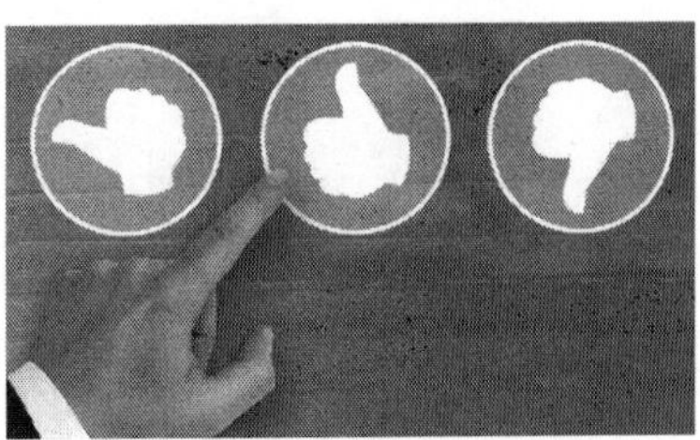

En concreto, sobre la conversión de actos viciados, dispone el art. 50 LPACAP que los actos nulos o anulables que, sin embargo, contengan los elementos constitutivos de otro distinto producirán los efectos de éste.

4.4.7. Conservación de actos y trámites

El órgano que declare la nulidad o anule las actuaciones dispondrá siempre la conservación de aquellos actos y trámites cuyo contenido se hubiera mantenido igual de no haberse cometido la infracción (art. 51 LPACAP).

4.4.8. Convalidación

A tenor del art. 52:

1. La Administración podrá convalidar los actos anulables, subsanando los vicios de que adolezcan.
2. El acto de convalidación producirá efecto desde su fecha, salvo lo dispuesto en el artículo 39.3 para la retroactividad de los actos administrativos.
3. Si el vicio consistiera en incompetencia no determinante de nulidad, la convalidación podrá realizarse por el órgano competente cuando sea superior jerárquico del que dictó el acto viciado.
4. Si el vicio consistiese en la falta de alguna autorización, podrá ser convalidado el acto mediante el otorgamiento de la misma por el órgano competente.

TEMA 3

Ley de Régimen Jurídico del Sector Público: Disposiciones generales. Los órganos de las Administraciones Públicas. Funcionamiento electrónico del sector público

Índice

1. La Ley de Régimen Jurídico del Sector Público: disposiciones generales

1.1. Ley 40/2015, de 1 de octubre, de Régimen Jurídico del Sector Público: introducción

1.1.1. Consideraciones generales

Como señala el Preámbulo de la **Ley 40/2015, de 1 de octubre, de Régimen Jurídico del Sector Público** (LRJSP, en adelante), a resultas del informe de la Comisión para la Reforma de las Administraciones Públicas (creada el 26 de octubre de 2012 por el Consejo de Ministros), elevado al Consejo de Ministros el 21 de junio de 2013, buscando la modernización del sector público español, se ha hecho necesario un cambio radical en nuestro sistema administrativo y, por ende, en la actuación de las distintas Administraciones Públicas, que deben ser "eficientes, transparentes, ágiles y centradas en el servicios a los ciudadanos y a las empresas".

Partiendo de estos postulados, que ensamblan con las previsiones de nuestra vigente Constitución, de 27 de diciembre de 1978 (CE, en lo sucesivo), singularmente con el mandato de su art. 31.2, según el cual «*El gasto público realizará una asignación equitativa de los recursos públicos y su programación y ejecución responderán a los criterios de eficiencia y economía*», se ha abordado esta reforma, cuyo primer paso ha sido, en aplicación del principio constitucional de seguridad jurídica, simplificar nuestro ordenamiento jurídico administrativo, derogando algunas de las muchas Leyes que a lo largo de los tiempos lo han regulado, modificando sustancialmente otras y disociando legislativamente las regulación *ad intra* del funcionamiento interno de cada Administración y de las relaciones entre ellas y *ad extra* sobre las relaciones de las Administraciones Públicas con los ciudadanos y empresas.

A este fin obedece, respectivamente, la promulgación de esta LRJSP y de la Ley 39/2015, de 1 de octubre, del Procedimiento Administrativo Común de las Administraciones Públicas (LPACAP, en otras citas).

La LRJSP, como indica su Preámbulo, "abarca, por un lado, la legislación básica sobre régimen jurídico administrativo, aplicable a todas las Administraciones Públicas; y por otro, el régimen jurídico específico de la Administración General del Estado, donde se incluye tanto la llamada Administración institucional, como la Administración periférica del Estado". Asimismo, "contiene también la regulación sistemática de las relaciones internas entre las Administraciones, estableciendo los principios generales de actuación y las técnicas de relación entre los distintos sujetos públicos". De esta forma, "queda así sistematizado el ordenamiento de las relaciones ad intra e inter Administraciones, que se complementa con su normativa presupuestaria, destacando especialmente la Ley Orgánica 2/2012, de 27 de abril, de Estabilidad Presupuestaria y Sostenibilidad Financiera, la Ley 47/2003, de 26 de noviembre, General Presupuestaria y las leyes anuales de Presupuestos Generales del Estado".

La LRJSP, entre otras, modifica sustancialmente a la Ley 50/1997, de 27 de noviembre, del Gobierno (LG, en otras llamadas), que sigue vigente como norma reguladora de "la cabeza del poder ejecutivo de la nación, de naturaleza y funciones eminentemente políticas", que "debe mantenerse separada de la norma reguladora de la Administración Pública, dirigida por aquel", e incorpora a su articulado las "materias que, por ser más pro pias de la organización y funciones de los miembros del gobierno en cuanto que órganos administrativos, deben regularse en este texto legal" (la LRJSP).

Se desglosan en los siguientes apartados las líneas generales de los distintos Títulos de la LRJSP.

1.1.1.1. Título Preliminar. Disposiciones generales, principios de actuación y funcionamiento del sector público

La LRJSP, en su Título Preliminar, arts. 1 a 53, inclusive, recoge los principios generales de actuación y de funcionamiento del sector Público, partiendo de los establecidos en el art. 103.1 CE y regula el régimen de los órganos administrativos, los principios de la potestad sancionadora y de la responsabilidad patrimonial de las Administraciones Públicas, que se separan de sus especialidades puramente procedimentales residenciadas en distintos artículos de la LPACAP, con una desafortunada dispersión a nuestro juicio, ya que podían haberse recogidos dentro de dicha norma en forma más diferenciada y ordenada, al margen de los preceptos dedicados al procedimiento administrativo común.

Continua este Título Preliminar con la regulación del funcionamiento electrónico del Sector Público, asumiendo con las reformas necesarias, la regulación contenida en la Ley 11/2007, de 22 de junio, de acceso electrónico de los ciudadanos a los Servicios Públicos (que ha sido derogada por la LPACAP) y del Real Decreto 1671/2009, de 6 de noviembre, por el que se desarrolla parcialmente la anterior (sustancialmente derogado por la LPACAP también).

Concluye este Título con una minuciosa regulación de los Convenios que celebren las Administraciones Públicas.

El estudio de este Título Preliminar es el objeto del presente tema.

1.1.1.2. Administración General del Estado

El Título I se dedica a la regulación de la Administración General del Estado y de sus órganos superiores y directivos, dentro de la Administración Central de la mismas, representada por los Ministerios; de los órganos territoriales integrantes de la llamada Administración Periférica (las Delegaciones y Subdelegaciones del Gobierno, los Directores Insulares y los servicios territoriales), y de la Administración en el exterior (esto es, el Servicio Exterior del Estado, específicamente regulado por la Ley 2/2014, de 25 de marzo, de la Acción y del Servicio Exterior del Estado).

1.1.1.3. Sector Público Institucional

El Título II LRJSP aúna la dispersa y sucesiva regulación de la llamada Administración Institucional, a la que reforma y, en algún supuesto (por ejemplo, la Ley 6/1997, de 14 de abril, de Organización y Funcionamiento de la Administración General del Estado, o la Ley 28/2006, de 18 de julio, de Agencias estatales para la mejora de los servicios públicos), deroga expresamente.

La LRJSP, sobre este Sector Público Institucional, contiene dos normas básicas para todas las Administraciones Públicas: la "obligatoriedad de inscribir la creación, transformación o extinción de cualquier entidad integrante del sector público institucional en el nuevo Inventario de Entidades del Sector Público Estatal, Autonómico y Local" ("inscripción que será requisito necesario para obtener el número de identificación fiscal definitivo de la Agencia Estatal de Administración Tributaria", lo que "permitirá contar con información completa, fiable y pública del número y los tipos de organismos públicos y entidades existentes en cada momento"), y "obliga a todas las Administraciones a disponer de un sistema de supervisión continua de sus entidades dependientes, que conlleve la formulación periódica de propuestas de transformación, mantenimiento o extinción".

Por otra parte, establece en la Administración General del Estado una nueva clasificación del sector público institucional, integrada por los organismos públicos (que incluyen los organismos autónomos y las entidades públicas empresariales); las autoridades administrativas independientes; las sociedades mercantiles estatales; los consorcios; las fundaciones del sector público, y los fondos sin personalidad jurídica.

1.1.1.4. Relaciones interadministrativas

El Título III LRJSP se dedica a las relaciones interadministrativas, distinguiendo entre las que son obligatorias, como la coordinación, y las voluntarias: la cooperación, dentro de cuyo esquema instaura la Conferencia de Presidentes y mantiene las Conferencias Sectoriales y las Comisione Bilaterales de Cooperación, sin olvidar las Comisiones Territoriales de Coordinación, de posible creación.

Concluye este Título con la regulación de las relaciones electrónicas entre las Administraciones Públicas.

1.1.2. Estructura de la Ley

La LRJSP consta de 158 artículos, distribuidos en cuatro Títulos, treinta Disposiciones Adicionales, cuatro Disposiciones Transitorias, una Disposición Derogatoria y dieciocho Disposiciones Finales.

En concreto, los Títulos tratan de:

a) Título Preliminar: Disposiciones generales, principios de actuación y funcionamiento del sector público.
b) Título I: Administración General del Estado.
c) Título II: Organización y funcionamiento del sector público institucional.
d) Título III: Relaciones interadministrativas.

1.2. Título Preliminar. Disposiciones generales: objeto, ámbito de aplicación y principios generales y de intervención de la Administración

1.2.1. Objeto

Según el art. 1 de la LRJSP, esta Ley establece y regula las bases del régimen jurídico de las Administraciones Públicas, los principios del sistema de responsabilidad de las Administraciones Públicas y de la potestad sancionadora, así como la organización y funcionamiento de la Administración General del Estado y de su sector público institucional para el desarrollo de sus actividades.

1.2.2. Ámbito de aplicación

A tenor del art. 2 LRJSP, que trata sobre el ámbito subjetivo:

1. La presente Ley se aplica al sector público que comprende:
    a) La Administración General del Estado.
    b) Las Administraciones de las Comunidades Autónomas.
    c) Las Entidades que integran la Administración Local (sobre lo que habrá que estar, básicamente, a lo dispuesto en Ley 7/1985, de 2 de abril, reguladora de las Bases del Régimen Local –LRL, en otras citas–).
    d) El sector público institucional.
2. El sector público institucional se integra por:
    a) Cualesquiera organismos públicos y entidades de derecho público vinculados o dependientes de las Administraciones Públicas.
    b) Las entidades de derecho privado vinculadas o dependientes de las Administraciones Públicas que quedarán sujetas a lo dispuesto en las normas de esta Ley que específicamente se refieran a las mismas, en particular a los principios previstos en el artículo 3, y en todo caso, cuando ejerzan potestades administrativas.
    c) Las Universidades públicas que se regirán por su normativa específica (en concreto, por la Ley Orgánica 6/2001, de 21 de diciembre, de Universidades, muy modificada con posterioridad) y supletoriamente por las previsiones de la presente Ley.
3. Tienen la consideración de Administraciones Públicas la Administración General del Estado, las Administraciones de las Comunidades Autónomas, las Entidades que integran la Administración Local, así como los organismos públicos y entidades de derecho público previstos en la letra a) del apartado 2.

1.2.3. Principios generales

Los principios generales se especifican en el art. 3, según el cual:

1. Las Administraciones Públicas sirven con objetividad los intereses generales y actúan de acuerdo con los principios de eficacia, jerarquía, descentralización, desconcentración y coordinación, con sometimiento pleno a la Constitución, a la Ley y al Derecho (este apartado transcribe lo dispuesto en el art. 103.1 CE, añadiéndole exclusivamente lo relativo al sometimiento a la Constitución).

   Deberán respetar en su actuación y relaciones los siguientes principios (respecto a lo que deben tenerse en cuenta las normas generales de actuación de las Administraciones Públicas recogidas en los arts. 13 a 28 de la LPACAP):

   a) Servicio efectivo a los ciudadanos.

   b) Simplicidad, claridad y proximidad a los ciudadanos.

   c) Participación, objetividad y transparencia de la actuación administrativa (sobre lo que ha de estarse a lo dispuesto por la 19/2013, de 9 de diciembre, de transparencia, acceso a la información pública y buen gobierno, y su normativa de desarrollo).

   d) Racionalización y agilidad de los procedimientos administrativos y de las actividades materiales de gestión.

   e) Buena fe, confianza legítima y lealtad institucional.

   f) Responsabilidad por la gestión pública.

   g) Planificación y dirección por objetivos y control de la gestión y evaluación de los resultados de las políticas públicas.

   h) Eficacia en el cumplimiento de los objetivos fijados.

   i) Economía, suficiencia y adecuación estricta de los medios a los fines institucionales.

   j) Eficiencia en la asignación y utilización de los recursos públicos.

   k) Cooperación, colaboración y coordinación entre las Administraciones Públicas (respecto a lo que debe tenerse en cuenta lo previsto en los arts. 140 a 158, inclusive, de esta Ley).

2. Las Administraciones Públicas se relacionarán entre sí y con sus órganos, organismos públicos y entidades vinculados o dependientes a través de medios electrónicos, que aseguren la

interoperabilidad y seguridad de los sistemas y soluciones adoptadas por cada una de ellas, garantizarán la protección de los datos de carácter personal, y facilitarán preferentemente la prestación conjunta de servicios a los interesados (al efecto, deben tenerse en cuenta, específicamente, los arts. 155 a 158 de esta Ley).

3. Bajo la dirección del Gobierno de la Nación, de los órganos de gobierno de las Comunidades Autónomas y de los correspondientes de las Entidades Locales, la actuación de la Administración Pública respectiva se desarrolla para alcanzar los objetivos que establecen las leyes y el resto del ordenamiento jurídico (es decir, la Administración Pública, que forma parte del Poder Ejecutivo, actúa al dictado de los órganos de gobierno del mismo, estatales, autonómicos y locales).

4. Cada una de las Administraciones Públicas del artículo 2 actúa para el cumplimiento de sus fines con personalidad jurídica única.

En cuanto a los principios de buena fe y confianza legítima, como señalaba la exposición de motivos de la ya derogada Ley 4/1999, de 13 de enero, de modificación de la también derogada Ley 30/1992, de 26 de noviembre, de Régimen Jurídico de las Administraciones Públicas y del Procedimiento Administrativo Común (LRJAP y PAC en otras referencias), derivan del principio de seguridad jurídica. Al efecto, como señalaba explícitamente, "en el Título preliminar se introducen dos principios de actuación de las Administraciones públicas, derivados del de seguridad jurídica. Por una parte, el principio de buena fe, aplicado por la jurisprudencia contencioso-administrativa incluso antes de su recepción por el título preliminar del Código Civil. Por otra, el principio, bien conocido en el derecho procedimental administrativo europeo y también recogido por la jurisprudencia contencioso-administrativa, de la confianza legítima de los ciudadanos en que la actuación de las Administraciones públicas no puede ser alterada arbitrariamente."

En concreto, en sentencia de 17 de febrero de 1999, el Tribunal Supremo indicó que la jurisprudencia ha venido manteniendo la necesidad de respetar el principio de seguridad jurídica, amparado por la buena fe del administrado y la confianza legítima, o fundada esperanza, creada en el ciudadano por la Administración con actos externos y concretos de los que pueda desprenderse una manifestación de voluntad de la misma, con la consecuencia de inducirle a realizar una determinada conducta.

El principio de buena fe, en este contexto, es un trasunto del Principio General del Derecho recogido en el art. 7,1.º del Código Civil, según el cual «*los derechos deberán ejercitarse conforme a las exigencias de la buena fe*». Este principio exige un comportamiento leal en el ejercicio de los derechos y el cumplimiento de las obligaciones por los sujetos de la relación jurídico-administrativa, como ha señalado SÁNCHEZ MORÓN, informando toda la actuación administrativa y prohibiendo ir contra los propios actos; asimismo, se vincula, como indica este Autor, a la prohibición del abuso de derecho.

Sobre el mismo, nuestro Tribunal Supremo, en sentencias de 17 de diciembre de 1998 y de 23 de septiembre de 2003, entre otras, se ha hecho eco de la doctrina del Tribunal Constitucional en sentencias de 21 de abril y 24 de octubre de 1998, y señala que el prin-

cipio de buena fe protege la confianza que fundadamente se puede haber depositado en el comportamiento ajeno e impone el deber de coherencia en el comportamiento, es decir, implica la exigencia de un deber de comportamiento que consiste en la necesidad de observar de cara al futuro la conducta que los actos anteriores hacían prever y aceptar las consecuencias vinculantes que se desprenden de los propios actos, constituyendo un supuesto de lesión a la confianza legítima de las partes *venire contra factum proprium* (actuar en contra de sus propios actos). De ahí que el acto administrativo que infrinja este principio incurra en clara ilegalidad. En términos similares y haciéndose eco de la modificación de la Ley 4/1999, se pronunció otra sentencia del Tribunal Supremo de 15 de enero de 1999.

El principio de confianza legítima, por su parte, íntimamente relacionado con el anterior y derivado también del de seguridad jurídica, proviene de la doctrina del Tribunal de Justicia de las Comunidades Europeas, habiendo sido aceptado tempranamente por nuestra Jurisprudencia, por ejemplo con motivo del ejercicio por la Administración de su potestad sancionadora, jugando en beneficio del infractor, en el sentido de provocar una minoración de la sanción a imponer cuando es la propia Administración con su desidia a la hora de velar por la legalidad infringida (pensemos en el fenómeno de las parcelaciones ilegales, en las que en escasas ocasiones la Administración competente, esencialmente los Ayuntamientos, han utilizado los medios que la legislación urbanística les ha dado para erradicar este tipo de edificaciones «la demolición de lo ilegalmente construido y ulterior reposición de la realidad física alterada, a costa todo del infractor», en su mayor parte ilegalizables) la que ha llevado al ciudadano al convencimiento de que su conducta infractora carece de la gravedad que luego se le indica en la calificación de los hechos en el expediente sancionador que se le sigue o que no incurre en ilícito administrativo. No se le exonera de culpa, pero no se le puede hacer cargar con todo el peso de la Ley cuando es la Administración la que ha venido permitiendo con su conducta omisiva la situación que luego pretende castigar con el máximo rigor.

En este sentido, como señaló nuestro Tribunal Supremo en Sentencia de 9 de febrero de 2004, este principio está relacionado con los principios de seguridad jurídica y de buena fe y supone que la autoridad administrativa no puede adoptar medidas que resulten contrarias a la esperanza inducida por la razonable estabilidad en las decisiones de aquella, y en función de las cuales los particulares han adoptado determinadas decisiones. Se trata, por lo tanto, como ya se apuntó antes, de un deber de coherencia en el ejercicio de las potestades administrativas que impida al ciudadano sufrir cualquier tipo de perjuicio al actuar en el convencimiento de que lo que hace o pide se ajusta a lo que la Administración ha venido realizando o consintiendo.

La confianza legítima, como señala SÁNCHEZ MORÓN, protege a los individuos y las empresas contra cambios bruscos e imprevisibles de criterio de la Administración que produzcan resultados lesivos (por ejemplo, arruinando las expectativas ligadas a inversiones cuantiosas), cuando ha sido la propia Administración la que ha avalado o impulsado su conducta mediante su propio comportamiento. De ahí que la infracción de este principio, aparte de comportar en su caso la anulación de acto administrativo pueda llevar aparejada la indemnización de los daños y perjuicios causados al ciudadano que ha visto frustradas aquellas expectativas.

Este principio, empero, al igual que el de igualdad de todos los ciudadanos ante la Ley, no puede invocarse para amparar conductas ilegales y, por otra parte, puede invocarse para atacar los actos administrativos que lo contradigan, incluso cuando la Administración ejerza potestades discrecionales a través no ya del control de la actividad discrecional por los Principios Generales del Derecho, sino, fundamentalmente, por la contravención del art. 3.1,e) de esta LRJSP.

1.2.4. Principios de intervención de las Administraciones Públicas para el desarrollo de una actividad

Con arreglo al art. 4 LRJSP (que proviene del art. 39 bis de la derogada LRJAP y PAC, añadido a la misma por la Ley 25/2009, de 22 de diciembre, de modificación de diversas leyes para su adaptación a la Ley sobre el libre acceso a las actividades de servicios y su ejercicio):

1. Las Administraciones Públicas que, en el ejercicio de sus respectivas competencias, establezcan medidas que limiten el ejercicio de derechos individuales o colectivos o exijan el cumplimiento de requisitos para el desarrollo de una actividad, deberán aplicar el principio de proporcionalidad y elegir la medida menos restrictiva, motivar su necesidad para la protección del interés público así como justificar su adecuación para lograr los fines que se persiguen, sin que en ningún caso se produzcan diferencias de trato discriminatorias. Asimismo deberán evaluar periódicamente los efectos y resultados obtenidos.

2. Las Administraciones Públicas velarán por el cumplimiento de los requisitos previstos en la legislación que resulte aplicable, para lo cual podrán, en el ámbito de sus respectivas competencias y con los límites establecidos en la legislación de protección de datos de carácter personal, comprobar, verificar, investigar e inspeccionar los hechos, actos, elementos, actividades, estimaciones y demás circunstancias que fueran necesarias.

2. Los órganos de las Administraciones Públicas: competencia, abstención y recusación

2.1. Introducción

Como señaló BOQUERA OLIVER, las personas jurídicas carecen de los medios psíquicos y físicos imprescindibles para alcanzar sus fines. Los individuos o personas físicas deben, pues, prestarles sus facultades intelectuales y manuales. También necesitan bienes para emplearlos en conseguir sus objetivos.

Tanto unos como otros están en las personas jurídicas ordenados de conformidad con determinados principios o criterios, recibiendo, en este sentido, el nombre de organización administrativa la ordenación, según criterios previamente establecidos, de los individuos humanos y de los medios reales puestos al servicio de las Administraciones Públicas, para el cumplimiento de sus fines.

En este sentido, se pueden definir los órganos administrativos, con ENTRENA CUESTA, como "unidades administrativas integradas por una esfera de atribuciones –competencias– y un conjunto de medios materiales, pertenecientes a un ente público, que son ejercidas y utilizados, respectivamente, por una o varias personas que se encuentran adscritas a la unidad de que se trate". Cada una de estas unidades constituye un órgano administrativo.

2.2. Clases

Siguiendo a este último Autor, podemos distinguir:

1. En consideración a su elemento subjetivo, es decir, a la persona o personas titulares del órgano, se distingue entre órganos unipersonales o individuales y colectivos o colegiados.
2. Sobre la base del elemento objetivo del órgano, la competencia, se puede distinguir entre:
    a) Por la extensión material de la competencia, entre órganos de competencia general (por ejemplo, el Consejo de Ministros) y órganos de competencia especial (un Ministro).
    b) Por el ámbito territorial de la competencia, entre órganos centrales, con competencia en todo el territorio (el Consejo de Ministros) y órganos periféricos, con competencia solo en parte del mismo (un Subdelegado Provincial del Gobierno).
    c) Por la índole de las funciones ejercidas, entre órganos activos (un Ministro), consultivos (el Consejo de Estado o el Consejo Económico y Social) y de control (la Intervención General de la Administración del Estado).
3. Por el Ente del que forman parte, entre órganos de la Administración General del Estado, de las Administraciones Autonómicas y de la Administración Local.

4. Por su estructura, entre órganos simples (una Unidad administrativa) y complejos (un Ministerio).
5. Por la obligatoriedad de sus existencia, entre órganos obligatorios (un Ministro) y facultativos (un Secretario de Estado).

2.3. Régimen legal

A los órganos de las Administraciones públicas se dedica el Capítulo II del Título Preliminar de la Ley 40/2015, de 1 de octubre, de Régimen Jurídico del Sector Público (LRJSP, en adelante), arts. 5 a 24, que estudiamos en los siguientes apartados y epígrafes.

2.4. Órganos administrativos

2.4.1. Concepto y creación

El art. 5 LRJSP conceptúa a los órganos administrativos y establece los requisitos de su creación. A estos efectos, dispone que:

1. Tendrán la consideración de órganos administrativos las unidades administrativas a las que se les atribuyan funciones que tengan efectos jurídicos frente a terceros, o cuya actuación tenga carácter preceptivo.
2. Corresponde a cada Administración Pública delimitar, en su respectivo ámbito competencial, las unidades administrativas que configuran los órganos administrativos propios de las especialidades derivadas de su organización.
3. La creación de cualquier órgano administrativo exigirá, al menos, el cumplimiento de los siguientes requisitos:
    a) Determinación de su forma de integración en la Administración Pública de que se trate y su dependencia jerárquica.
    b) Delimitación de sus funciones y competencias.
    c) Dotación de los créditos necesarios para su puesta en marcha y funcionamiento.
4. No podrán crearse nuevos órganos que supongan duplicación de otros ya existentes si al mismo tiempo no se suprime o restringe debidamente la competencia de estos. A este objeto, la creación de un nuevo órgano solo tendrá lugar previa comprobación de que no existe otro en la misma Administración Pública que desarrolle igual función sobre el mismo territorio y población.

Como puede observarse, este artículo reconoce también la **potestad autoorganizatoria** de las distintas Administraciones Públicas, si bien limitada a estas prescripciones o requisitos, para evitar una inflación de órganos inútiles y cumplir, en suma, con los principios de estabilidad presupuestaria.

2.4.2. Instrucciones y órdenes de servicio

A las instrucciones y órdenes de servicio se refiere el art. 6 LRJSP, según el cual:

1. Los órganos administrativos podrán dirigir las actividades de sus órganos jerárquicamente dependientes mediante instrucciones y órdenes de servicio.

   Cuando una disposición específica así lo establezca, o se estime conveniente por razón de los destinatarios o de los efectos que puedan producirse, las instrucciones y órdenes de servicio se publicarán en el boletín oficial que corresponda, sin perjuicio de su difusión de acuerdo con lo previsto en la Ley 19/2013, de 9 de diciembre, de transparencia, acceso a la información pública y buen gobierno (que, en su art. 7, sobre información de relevancia jurídica, obliga a las Administraciones Públicas, en el ámbito de sus competencias, a publicar «*Las directrices, instrucciones, acuerdos, circulares o respuestas a consultas planteadas por los particulares u otros órganos en la medida en que supongan una interpretación del Derecho o tengan efectos jurídicos*»).

2. El incumplimiento de las instrucciones u órdenes de servicio no afecta por sí solo a la validez de los actos dictados por los órganos administrativos, sin perjuicio de la responsabilidad disciplinaria en que se pueda incurrir (en concreto, el art. 95.2,i) del Texto Refundido de la Ley del Estatuto Básico del Empleado Público, aprobado por el Real Decreto Legislativo 5/2015, de 30 de octubre –TR-LEBEP, en otras citas–, califica como falta muy grave «*la desobediencia abierta a las órdenes e instrucciones de un superior, salvo que constituyan infracción manifiesta del Ordenamiento jurídico*». Sobre esta materia, habrá que estar a lo dispuesto en el Reglamento de Régimen Disciplinario de los funcionarios de la Administración del Estado, aprobado por el Real Decreto 33/1986, de 10 de enero, o a la normativa sobre función pública emanada de las distintas Comunidades Autónomas).

En definitiva, como ha sido una constante en esta materia, las Instrucciones y Órdenes de Servicio (antes, sobre la base del art. 7 de la antigua Ley del Procedimiento Administrativo, de 17 de julio de 1958 –LPA, en otras llamadas– se denominaban Instrucciones y Circulares), son normas de carácter interno, que no han de afectar a los administrados, que no requieren un especial procedimiento de elaboración y cuyo cumplimiento se subordina al conocimiento de las mismas por sus destinatarios, comportando su incumplimiento la exigencia de responsabilidad disciplinaria en los términos antes expuesto sobre la base del TR-LEBEP.

En cuanto a la contraposición entre Instrucciones y Órdenes de Servicio, como señala PARADA VÁZQUEZ, las primeras son normas de carácter general que se dirigen a todos los órganos subordinados, mientras que las Órdenes de Servicio se producen en relación con un órgano o grupo de órganos y sobre asuntos concretos y singulares.

2.4.3. Órganos consultivos

El art. 7 LRJSP trata de los órganos consultivos, señalando que "la Administración consultiva podrá articularse mediante órganos específicos dotados de autonomía orgánica y funcional con respecto a la Administración activa, o a través de los servicios de esta última que prestan asistencia jurídica.

En tal caso, dichos servicios no podrán estar sujetos a dependencia jerárquica, ya sea orgánica o funcional, ni recibir instrucciones, directrices o cualquier clase de indicación de los órganos que hayan elaborado las disposiciones o producido los actos objeto de consulta, actuando para cumplir con tales garantías de forma colegiada".

Como puede observarse, se distingue entre órganos consultivos externos (con autonomía orgánica y funcional) y órganos consultivos internos (que no pueden estar sujetos a dependencia jerárquica ni recibir instrucciones, directrices e indicaciones en el ejercicio de sus cometidos).

2.5. Competencia

2.5.1. Introducción

Los arts. 8 a 14 LRJSP tratan sobre la competencia, disponiendo el primero de ellos que:

1. La competencia es irrenunciable y se ejercerá por los órganos administrativos que la tengan atribuida como propia, salvo los casos de delegación o avocación, cuando se efectúen en los términos previstos en ésta u otras leyes.

   La delegación de competencias, las encomiendas de gestión, la delegación de firma y la suplencia no suponen alteración de la titularidad de la competencia, aunque sí de los elementos determinantes de su ejercicio que en cada caso se prevén.
2. La titularidad y el ejercicio de las competencias atribuidas a los órganos administrativos podrán ser desconcentradas en otros jerárquicamente dependientes de aquellos en los términos y con los requisitos que prevean las propias normas de atribución de competencias.
3. Si alguna disposición atribuye la competencia a una Administración, sin especificar el órgano que debe ejercerla, se entenderá que la facultad de instruir y resolver los expedientes corresponde a los órganos inferiores competentes por razón de la materia y del territorio. Si existiera más de un órgano inferior competente por razón de materia y territorio, la facultad para instruir y resolver los expedientes corresponderá al superior jerárquico común de estos (una plasmación de previsión legal de atribución general de competencia se encuentra en el art. 54.2 de esta LRJSP, a cuyo tenor *«las competencias en materia de organización administrativa, régimen de personal, procedimientos e inspección de servicios, no atribuidas específicamente conforme a una Ley a ningún otro órgano de la Administración General del Estado, ni al Gobierno,corresponderán al Ministerio de Hacienda y Administraciones Públicas (actual Ministerio de Hacienda y Función Pública)»*.

2.5.2. Delegación de competencias

Con arreglo al art. 9 LRJSP:

1. Los órganos de las diferentes Administraciones Públicas podrán delegar el ejercicio de las competencias que tengan atribuidas en otros órganos de la misma Administración, aun cuando no sean jerárquicamente dependientes, o en los Organismos públicos o Entidades de Derecho Público vinculados o dependientes de aquellas.

En el ámbito de la Administración General del Estado, la delegación de competencias deberá ser aprobada previamente por el órgano ministerial de quien dependa el órgano delegante y en el caso de los Organismos públicos o Entidades vinculados o dependientes, por el órgano máximo de dirección, de acuerdo con sus normas de creación. Cuando se trate de órganos no relacionados jerárquicamente será necesaria la aprobación previa del superior común si ambos pertenecen al mismo Ministerio, o del órgano superior de quien dependa el órgano delegado, si el delegante y el delegado pertenecen a diferentes Ministerios.

Asimismo, los órganos de la Administración General del Estado podrán delegar el ejercicio de sus competencias propias en sus Organismos públicos y Entidades vinculados o dependientes, cuando resulte conveniente para alcanzar los fines que tengan asignados y mejorar la eficacia de su gestión. La delegación deberá ser previamente aprobada por los órganos de los que dependan el órgano delegante y el órgano delegado, o aceptada por este último cuando sea el órgano máximo de dirección del Organismo público o Entidad vinculado o dependiente.

2. En ningún caso podrán ser objeto de delegación las competencias relativas a:

   a) Los asuntos que se refieran a relaciones con la Jefatura del Estado, la Presidencia del Gobierno de la Nación, las Cortes Generales, las Presidencias de los Consejos de Gobierno de las Comunidades Autónomas y las Asambleas Legislativas de las Comunidades Autónomas.

   b) La adopción de disposiciones de carácter general.

   c) La resolución de recursos en los órganos administrativos que hayan dictado los actos objeto de recurso.

   d) Las materias en que así se determine por norma con rango de Ley.

3. Las delegaciones de competencias y su revocación deberán publicarse en el «Boletín Oficial del Estado», en el de la Comunidad Autónoma o en el de la Provincia, según la Administración a que pertenezca el órgano delegante, y el ámbito territorial de competencia de éste.

4. Las resoluciones administrativas que se adopten por delegación indicarán expresamente esta circunstancia y se considerarán dictadas por el órgano delegante.

5. Salvo autorización expresa de una Ley, no podrán delegarse las competencias que se ejerzan por delegación.

   No constituye impedimento para que pueda delegarse la competencia para resolver un procedimiento la circunstancia de que la norma reguladora del mismo prevea, como trámite preceptivo, la emisión de un dictamen o informe; no obstante, no podrá delegarse la competencia para resolver un procedimiento una vez que en el correspondiente procedimiento se haya emitido un dictamen o informe preceptivo acerca del mismo.

6. La delegación será revocable en cualquier momento por el órgano que la haya conferido.

7. El acuerdo de delegación de aquellas competencias atribuidas a órganos colegiados, para cuyo ejercicio se requiera un quórum o mayoría especial, deberá adoptarse observando, en todo caso, dicho quórum o mayoría.

En la **delegación de competencias**, se transfiere al órgano delegado el ejercicio de una competencia, no la titularidad de la misma (que sería la descentralización o, tratándose de un órgano de la misma Administración subordinado jerárquicamente, la desconcentración).

En concreto, la **descentralización** supone el traslado de la titularidad de competencias por parte de una Administración a otra o a Entes pertenecientes a la misma pero dotados de personalidad jurídica.

En ella, a diferencia de la delegación, lo que se transfiere al Ente descentralizado es la titularidad de la competencia, que, desde ese momento, puede ejercer como propia, sin posibilidad de fiscalización en vía de recurso ante el Ente que descentralizó. En la delegación, como se expuso, se transfiere solo el ejercicio de la competencia, manteniendo el Ente delegante la titularidad de la misma.

La Doctrina científica ha distinguido entre:

a) Descentralización territorial, cuando se efectúa a favor de Entes territoriales, como las Comunidades Autónomas o los Entes Locales, pudiéndose realizar por el Estado a unas y otros o por las Comunidades Autónomas a los segundos.

   A estos efectos, el art. 150.2 de nuestra vigente Constitución, de 27 de diciembre de 1978 (CE, en las restantes citas) permite al Estado «*transferir o delegar en las Comunidades Autónomas, mediante Ley orgánica, facultades correspondientes a materia de titularidad estatal que por su propia naturaleza sean susceptibles de transferencia o delegación*».

b) Descentralización funcional o institucional, cuando se efectúa en favor de Entes de este tipo: institucionales, dotados de personalidad jurídica y creados por la misma Administración que descentraliza las competencias.

   Es la que se produce, en el ámbito local, por una Entidad Local respecto de un Organismo Autónomo creado por la misma, persiguiéndose, en definitiva, la agilización o mayor eficacia en el desarrollo de la competencia de que se trate.

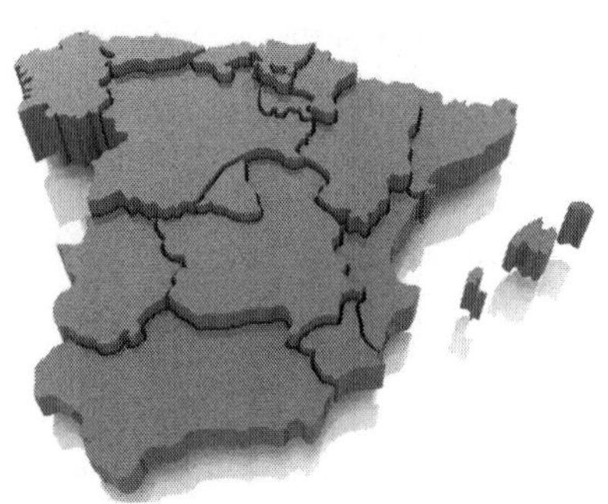

En virtud de la **desconcentración de competencias**, se produce idéntico traspaso de competencias que en la descentralización, si bien se efectúa por un órgano de una Administración en favor de otro órgano de la misma Administración, que no está dotado de personalidad jurídica.

Ejemplos de ella sería el traspaso de competencias de un Ministro o Consejero de Comunidad Autónoma a un Director General o a un Director o Delegado Provincial del Ministerio o de la Consejería.

2.5.3. Avocación

Según el art. 10 LRJSP:

1. Los órganos superiores podrán avocar para sí el conocimiento de uno o varios asuntos cuya resolución corresponda ordinariamente o por delegación a sus órganos administrativos dependientes, cuando circunstancias de índole técnica, económica, social, jurídica o territorial lo hagan conveniente.

   (Este párrafo del apartado 1 de este artículo viene a reproducir, con la sola variante de añadir la expresión «*o varios asuntos*», lo que desafortunadamente a nuestro juicio disponía el art. 14.1 de la derogada Ley 30/1992, de 26 de noviembre, de Régimen Jurídico de las Administraciones Públicas y del Procedimiento Administrativo Común –LRJAP y PAC, en lo sucesivo–, manteniendo por ello la posibilidad de que por etéreas razones técnicas, económicas, sociales, jurídicas o territoriales se desapodere lisa y llanamente a un órgano administrativo dependiente de atribuciones que le corresponden originariamente).

   En los supuestos de delegación de competencias en órganos no dependientes jerárquicamente, el conocimiento de un asunto podrá ser avocado únicamente por el órgano delegante.

2. En todo caso, la avocación se realizará mediante acuerdo motivado que deberá ser notificado a los interesados en el procedimiento, si los hubiere, con anterioridad o simultáneamente a la resolución final que se dicte.

   Contra el acuerdo de avocación no cabrá recurso, aunque podrá impugnarse en el que, en su caso, se interponga contra la resolución del procedimiento.

2.5.4. Encomiendas de gestión

A las encomiendas de gestión se refiere el art. 11 LRJSP, que contiene alguna novedad respecto al régimen establecido sobre esta materia por el derogado art. 15 LRJAP y PAC, comenzando por el uso del plural en su enunciado. Dispone este artículo que:

1. La realización de actividades de carácter material o técnico de la competencia de los órganos administrativos o de las Entidades de Derecho Público podrá ser encomendada a otros órganos o Entidades de Derecho Público de la misma o de distinta Administración, siempre que entre sus competencias estén esas actividades, por razones de eficacia o cuando no se posean los medios técnicos idóneos para su desempeño.

   Las encomiendas de gestión no podrán tener por objeto prestaciones propias de los contratos regulados en la legislación de contratos del sector público. En tal caso, su naturaleza y régimen jurídico se ajustará a lo previsto en ésta (es decir, en la Ley 9/2017, de 8 de noviembre, de Contratos del Sector Público, por la que se transponen al ordenamiento jurídico español las Directivas del Parlamento Europeo y del Consejo 2014/23/UE y 2014/24/UE, de 26 de febrero de 2014).

2. La encomienda de gestión no supone cesión de la titularidad de la competencia ni de los elementos sustantivos de su ejercicio, siendo responsabilidad del órgano o Entidad encomendante dictar cuantos actos o resoluciones de carácter jurídico den soporte o en los que se integre la concreta actividad material objeto de encomienda.

   En todo caso, la Entidad u órgano encomendado tendrá la condición de encargado del tratamiento de los datos de carácter personal a los que pudiera tener acceso en ejecución de la encomienda de gestión, siéndole de aplicación lo dispuesto en la normativa de protección de datos de carácter personal.

3. La formalización de las encomiendas de gestión se ajustará a las siguientes reglas:

   a) Cuando la encomienda de gestión se realice entre órganos administrativos o Entidades de Derecho Público pertenecientes a la misma Administración deberá formalizarse en los términos que establezca su normativa propia y, en su defecto, por acuerdo expreso de los órganos o Entidades de Derecho Público intervinientes. En todo caso, el instrumento de formalización de la encomienda de gestión y su resolución deberá ser publicada, para su eficacia, en el Boletín Oficial del Estado, en el Boletín oficial de la Comunidad Autónoma o en el de la Provincia, según la Administración a que pertenezca el órgano encomendante.

      Cada Administración podrá regular los requisitos necesarios para la validez de tales acuerdos que incluirán, al menos, expresa mención de la actividad o actividades a las que afecten, el plazo de vigencia y la naturaleza y alcance de la gestión encomendada.

   b) Cuando la encomienda de gestión se realice entre órganos y Entidades de Derecho Público de distintas Administraciones se formalizará mediante firma del correspondiente convenio entre ellas, que deberá ser publicado en el «Boletín Oficial del Estado», en el Boletín oficial de la Comunidad Autónoma o en el de la Provincia, según la Administración a que pertenezca el órgano encomendante, salvo en el supuesto de la gestión ordinaria de los servicios de las Comunidades Autónomas por las Diputaciones Provinciales o en su caso Cabildos o Consejos insulares, que se regirá por la legislación de Régimen Local.

2.5.5. Delegación de firma

El art. 12 LRJSP (que, a diferencia del art. 16.4 de la LRJAP y PAC, no prohíbe explícitamente la delegación de firma en las resoluciones de carácter sancionador) prescribe que:

1. Los titulares de los órganos administrativos podrán, en materias de su competencia, que ostenten, bien por atribución, bien por delegación de competencias, delegar la firma de sus resoluciones y actos administrativos en los titulares de los órganos o unidades administrativas que de ellos dependan, dentro de los límites señalados en el artículo 9.
2. La delegación de firma no alterará la competencia del órgano delegante y para su validez no será necesaria su publicación.
3. En las resoluciones y actos que se firmen por delegación se hará constar esta circunstancia y la autoridad de procedencia.

2.5.6. Suplencia

Sobre la suplencia trata el art. 13 LRJSP, según el cual:

1. En la forma que disponga cada Administración Pública, los titulares de los órganos administrativos podrán ser suplidos temporalmente en los supuestos de vacante, ausencia o enfermedad, así como en los casos en que haya sido declarada su abstención o recusación.

   Si no se designa suplente, la competencia del órgano administrativo se ejercerá por quien designe el órgano administrativo inmediato superior de quien dependa.

2. La suplencia no implicará alteración de la competencia y para su validez no será necesaria su publicación.

3. En el ámbito de la Administración General del Estado, la designación de suplente podrá efectuarse:

   a) En los reales decretos de estructura orgánica básica de los Departamentos Ministeriales o en los estatutos de sus Organismos públicos y Entidades vinculados o dependientes según corresponda.

   b) Por el órgano competente para el nombramiento del titular, bien en el propio acto de nombramiento bien en otro posterior cuando se produzca el supuesto que dé lugar a la suplencia.

4. En las resoluciones y actos que se dicten mediante suplencia, se hará constar esta circunstancia y se especificará el titular del órgano en cuya suplencia se adoptan y quien efectivamente está ejerciendo esta suplencia.

2.5.7. Decisiones sobre competencia

Por último, a tenor del art. 14 LRJSP:

1. El órgano administrativo que se estime incompetente para la resolución de un asunto remitirá directamente las actuaciones al órgano que considere competente, debiendo notificar esta circunstancia a los interesados.

2. Los interesados que sean parte en el procedimiento podrán dirigirse al órgano que se encuentre conociendo de un asunto para que decline su competencia y remita las actuaciones al órgano competente.

   Asimismo, podrán dirigirse al órgano que estimen competente para que requiera de inhibición al que esté conociendo del asunto.

3. Los conflictos de atribuciones solo podrán suscitarse entre órganos de una misma Administración no relacionados jerárquicamente, y respecto a asuntos sobre los que no haya finalizado el procedimiento administrativo.

2.6. Los órganos colegiados

2.6.1. Introducción

Los arts. 15 a 22 LRJSP regulan el régimen de los órganos colegiados, con separación de unas normas básicas para los órganos de todas las Administraciones Públicas y unas normas específicas para los órganos colegiados de la Administración General del Estado.

De esta forma, se atienen a las consecuencias de la Sentencia 50/1999, de 6 de abril, del Tribunal Constitucional, que, respecto a la regulación de los órganos colegiados contenida en la LRJAP y PAC, declaró la inconstitucionalidad de diversos de sus preceptos, o de parte de los mismos, al no tener carácter básico, por lo que eran contrarios al orden constitucional de competencias, debiendo entenderse, por ello, derogados por la Constitución.

2.6.2. Funcionamiento de los órganos colegiados de las distintas Administraciones Públicas

2.6.2.1. Introducción

Al régimen de funcionamiento de los órganos colegiados se dedica el art. 15 LRJSP.

Sobre dicho régimen debe tenerse en cuenta lo dispuesto en la Disposición Adicional Vigesimoprimera de la propia LRJSP, según la cual las disposiciones previstas en esta Ley relativas a los órganos colegiados no serán de aplicación a los órganos Colegiados del Gobierno de la Nación, los órganos colegiados de Gobierno de las Comunidades Autónomas y los órganos colegiados de gobierno de las Entidades Locales.

Prescribe este art 15 LRJSP que:

1. El régimen jurídico de los órganos colegiados se ajustará a las normas contenidas en la presente sección, sin perjuicio de las peculiaridades organizativas de las Administraciones Públicas en que se integran.
2. Los órganos colegiados de las distintas Administraciones Públicas en que participen organizaciones representativas de intereses sociales, así como aquellos compuestos por representaciones de distintas Administraciones Públicas, cuenten o no con participación de organizaciones representativas de intereses sociales, podrán establecer o completar sus propias normas de funcionamiento.

   Los órganos colegiados a que se refiere este apartado quedarán integrados en la Administración Pública que corresponda, aunque sin participar en la estructura jerárquica de ésta, salvo que así lo establezcan sus normas de creación, se desprenda de sus funciones o de la propia naturaleza del órgano colegiado.
3. El acuerdo de creación y las normas de funcionamiento de los órganos colegiados que dicten resoluciones que tengan efectos jurídicos frente a terceros deberán ser publicados en el Boletín o Diario Oficial de la Administración Pública en que se integran. Adicionalmente, las Administraciones podrán publicarlos en otros medios de difusión que garanticen su conocimiento.

Cuando se trate de un órgano colegiado a los que se refiere el apartado 2 de este artículo la citada publicidad se realizará por la Administración a quien corresponda la Presidencia.

2.6.2.2. Secretario

A tenor del art. 16 LRJSP:

1. Los órganos colegiados tendrán un Secretario que podrá ser un miembro del propio órgano o una persona al servicio de la Administración Pública correspondiente.
2. Corresponderá al Secretario velar por la legalidad formal y material de las actuaciones del órgano colegiado, certificar las actuaciones del mismo y garantizar que los procedimientos y reglas de constitución y adopción de acuerdos son respetadas.

   (Este precepto tiene carácter básico, a tenor de lo previsto en la Disposición Final Decimocuarta de esta Ley, aplicándose por ello a todas las Administraciones Públicas).
3. En caso de que el Secretario no miembro sea suplido por un miembro del órgano colegiado, éste conservará todos sus derechos como tal.

2.6.2.3. Convocatorias y sesiones

Según el art. 17 LRJSP, que contempla importantes novedades en relación la regulación de la derogada LRJAP y PAC:

1. Todos los órganos colegiados se podrán constituir, convocar, celebrar sus sesiones, adoptar acuerdos y remitir actas tanto de forma presencial como a distancia, salvo que su reglamento interno recoja expresa y excepcionalmente lo contrario.

   En las sesiones que celebren los órganos colegiados a distancia, sus miembros podrán encontrarse en distintos lugares siempre y cuando se asegure por medios electrónicos, considerándose también tales los telefónicos, y audiovisuales, la identidad de los miembros o personas que los suplan, el contenido de sus manifestaciones, el momento en que éstas se producen, así como la interactividad e intercomunicación entre ellos en tiempo real y la disponibilidad de los medios durante la sesión. Entre otros, se considerarán incluidos entre los medios electrónicos válidos, el correo electrónico, las audioconferencias y las videoconferencias.
2. Para la válida constitución del órgano, a efectos de la celebración de sesiones, deliberaciones y toma de acuerdos, se requerirá la asistencia, presencial o a distancia, del Presidente y Secretario o en su caso, de quienes les suplan, y la de la mitad, al menos, de sus miembros.

   Cuando se trate de los órganos colegiados a que se refiere el artículo 15.2, el Presidente podrá considerar válidamente constituido el órgano, a efectos de celebración de sesión, si asisten los representantes de las Administraciones Públicas y de las organizaciones representativas de intereses sociales miembros del órgano a los que se haya atribuido la condición de portavoces.

Cuando estuvieran reunidos, de manera presencial o a distancia, el Secretario y todos los miembros del órgano colegiado, o en su caso las personas que les suplan, éstos podrán constituirse válidamente como órgano colegiado para la celebración de sesiones, deliberaciones y adopción de acuerdos sin necesidad de convocatoria previa cuando así lo decidan todos sus miembros.

3. Los órganos colegiados podrán establecer el régimen propio de convocatorias, si éste no está previsto por sus normas de funcionamiento. Tal régimen podrá prever una segunda convocatoria y especificar para ésta el número de miembros necesarios para constituir válidamente el órgano.

   Salvo que no resulte posible, las convocatorias serán remitidas a los miembros del órgano colegiado a través de medios electrónicos, haciendo constar en la misma el orden del día junto con la documentación necesaria para su deliberación cuando sea posible, las condiciones en las que se va a celebrar la sesión, el sistema de conexión y, en su caso, los lugares en que estén disponibles los medios técnicos necesarios para asistir y participar en la reunión.

4. No podrá ser objeto de deliberación o acuerdo ningún asunto que no figure incluido en el orden del día, salvo que asistan todos los miembros del órgano colegiado y sea declarada la urgencia del asunto por el voto favorable de la mayoría.

5. Los acuerdos serán adoptados por mayoría de votos. Cuando se asista a distancia, los acuerdos se entenderán adoptados en el lugar donde tenga la sede el órgano colegiado y, en su defecto, donde esté ubicada la presidencia.

6. Cuando los miembros del órgano voten en contra o se abstengan, quedarán exentos de la responsabilidad que, en su caso, pueda derivarse de los acuerdos.

7. Quienes acrediten la titularidad de un interés legítimo podrán dirigirse al Secretario de un órgano colegiado para que les sea expedida certificación de sus acuerdos. La certificación será expedida por medios electrónicos, salvo que el interesado manifieste expresamente lo contrario y no tenga obligación de relacionarse con las Administraciones por esta vía.

2.6.2.4. Actas

Por último, con arreglo al art. 18, que también introduce novedades sobre esta materia:

1. De cada sesión que celebre el órgano colegiado se levantará acta por el Secretario, que especificará necesariamente los asistentes, el orden del día de la reunión, las circunstancias del lugar y tiempo en que se ha celebrado, los puntos principales de las deliberaciones, así como el contenido de los acuerdos adoptados.

   Podrán grabarse las sesiones que celebre el órgano colegiado. El fichero resultante de la grabación, junto con la certificación expedida por el Secretario de la autenticidad e integridad del mismo, y cuantos documentos en soporte electrónico se utilizasen como documentos de la sesión, podrán acompañar al acta de las sesiones, sin necesidad de hacer constar en ella los puntos principales de las deliberaciones.

2. El acta de cada sesión podrá aprobarse en la misma reunión o en la inmediata siguiente. El Secretario elaborará el acta con el visto bueno del Presidente y lo remitirá a través de medios electrónicos, a los miembros del órgano colegiado, quienes podrán manifestar por los mismos medios su conformidad o reparos al texto, a efectos de su aprobación, considerándose, en caso afirmativo, aprobada en la misma reunión.

   Cuando se hubiese optado por la grabación de las sesiones celebradas o por la utilización de documentos en soporte electrónico, deberán conservarse de forma que se garantice la integridad y autenticidad de los ficheros electrónicos correspondientes y el acceso a los mismos por parte de los miembros del órgano colegiado.

2.7. Órganos colegiados en la Administración General del Estado

2.7.1. Introducción

La regulación específica de los órganos colegiados de la Administración General del Estado se contiene en los arts. 19 a 22 LRJSP, que, a tenor de lo dispuesto en la Disposición Final Cuarta de esta LRJSP, no tienen carácter básico.

Régimen de los órganos colegiados de la Administración General del Estado y de las Entidades de Derecho Público vinculadas o dependientes de ella

Según el art. 19:

1. Los órganos colegiados de la Administración General del Estado y de las Entidades de Derecho Público vinculadas o dependientes de ella, se regirán por las normas establecidas en este artículo, y por las previsiones que sobre ellos se establecen en la Ley de Procedimiento Administrativo Común de las Administraciones Públicas (la Ley 39/2015, de 1 de octubre, del Procedimiento Administrativo Común de las Administraciones Públicas).
2. Corresponderá a su Presidente:
   a) Ostentar la representación del órgano.
   b) Acordar la convocatoria de las sesiones ordinarias y extraordinarias y la fijación del orden del día, teniendo en cuenta, en su caso, las peticiones de los demás miembros, siempre que hayan sido formuladas con la suficiente antelación.
   c) Presidir las sesiones, moderar el desarrollo de los debates y suspenderlos por causas justificadas.
   d) Dirimir con su voto los empates, a efectos de adoptar acuerdos, excepto si se trata de los órganos colegiados a que se refiere el artículo 15.2, en los que el voto será dirimente si así lo establecen sus propias normas.
   e) Asegurar el cumplimiento de las leyes.

f) Visar las actas y certificaciones de los acuerdos del órgano.

g) Ejercer cuantas otras funciones sean inherentes a su condición de Presidente del órgano.

En casos de vacante, ausencia, enfermedad, u otra causa legal, el Presidente será sustituido por el Vicepresidente que corresponda, y en su defecto, por el miembro del órgano colegiado de mayor jerarquía, antigüedad y edad, por este orden.

Esta norma no será de aplicación a los órganos colegiados previstos en el artículo 15.2 en los que el régimen de sustitución del Presidente debe estar específicamente regulado en cada caso, o establecido expresamente por acuerdo del Pleno del órgano colegiado.

3. Los miembros del órgano colegiado deberán:

a) Recibir, con una antelación mínima de dos días, la convocatoria conteniendo el orden del día de las reuniones. La información sobre los temas que figuren en el orden del día estará a disposición de los miembros en igual plazo.

b) Participar en los debates de las sesiones.

c) Ejercer su derecho al voto y formular su voto particular, así como expresar el sentido de su voto y los motivos que lo justifican. No podrán abstenerse en las votaciones quienes por su cualidad de autoridades o personal al servicio de las Administraciones Públicas, tengan la condición de miembros natos de órganos colegiados, en virtud del cargo que desempeñan.

d) Formular ruegos y preguntas.

e) Obtener la información precisa para cumplir las funciones asignadas.

f) Cuantas otras funciones sean inherentes a su condición.

Los miembros de un órgano colegiado no podrán atribuirse las funciones de representación reconocidas a éste, salvo que expresamente se les hayan otorgado por una norma o por acuerdo válidamente adoptado, para cada caso concreto, por el propio órgano.

En casos de ausencia o de enfermedad y, en general, cuando concurra alguna causa justificada, los miembros titulares del órgano colegiado serán sustituidos por sus suplentes, si los hubiera.

Cuando se trate de órganos colegiados a los que se refiere el artículo 15 las organizaciones representativas de intereses sociales podrán sustituir a sus miembros titulares por otros, acreditándolo ante la Secretaría del órgano colegiado, con respeto a las reservas y limitaciones que establezcan sus normas de organización.

Los miembros del órgano colegiado no podrán ejercer estas funciones cuando concurra conflicto de interés.

4. La designación y el cese, así como la sustitución temporal del Secretario en supuestos de vacante, ausencia o enfermedad se realizarán según lo dispuesto en las normas específicas de cada órgano y, en su defecto, por acuerdo del mismo.

   Corresponde al Secretario del órgano colegiado:

   a) Asistir a las reuniones con voz pero sin voto, y con voz y voto si la Secretaría del órgano la ostenta un miembro del mismo.
   b) Efectuar la convocatoria de las sesiones del órgano por orden del Presidente, así como las citaciones a los miembros del mismo.
   c) Recibir los actos de comunicación de los miembros con el órgano, sean notificaciones, peticiones de datos, rectificaciones o cualquiera otra clase de escritos de los que deba tener conocimiento.
   d) Preparar el despacho de los asuntos, redactar y autorizar las actas de las sesiones.
   e) Expedir certificaciones de las consultas, dictámenes y acuerdos aprobados.
   f) Cuantas otras funciones sean inherentes a su condición de Secretario.

5. En el acta figurará, a solicitud de los respectivos miembros del órgano, el voto contrario al acuerdo adoptado, su abstención y los motivos que la justifiquen o el sentido de su voto favorable.

   Asimismo, cualquier miembro tiene derecho a solicitar la transcripción íntegra de su intervención o propuesta, siempre que, en ausencia de grabación de la reunión aneja al acta, aporte en el acto, o en el plazo que señale el Presidente, el texto que se corresponda fielmente con su intervención, haciéndose así constar en el acta o uniéndose copia a la misma.

   Los miembros que discrepen del acuerdo mayoritario podrán formular voto particular por escrito en el plazo de dos días, que se incorporará al texto aprobado.

   Las actas se aprobarán en la misma o en la siguiente sesión, pudiendo no obstante emitir el Secretario certificación sobre los acuerdos que se hayan adoptado, sin perjuicio de la ulterior aprobación del acta. Se considerará aprobada en la misma sesión el acta que, con posterioridad a la reunión, sea distribuida entre los miembros y reciba la conformidad de éstos por cualquier medio del que el Secretario deje expresión y constancia.

   En las certificaciones de acuerdos adoptados emitidas con anterioridad a la aprobación del acta se hará constar expresamente tal circunstancia.

2.7.2. Requisitos para constituir órganos colegiados

Con arreglo al art. 20 LRSJP, cuyo apartado 1 define a los órganos colegiados incorporando la clásica regla de *tria faciunt collegium* ("tres hacen colegio", requisito *sine qua non* de asistencia para que pueda constituirse un órgano colegiado):

1. Son órganos colegiados aquellos que se creen formalmente y estén integrados por tres o más personas, a los que se atribuyan funciones administrativas de de-

cisión, propuesta, asesoramiento, seguimiento o control, y que actúen integrados en la Administración General del Estado o alguno de sus Organismos públicos.

2. La constitución de un órgano colegiado en la Administración General del Estado y en sus Organismos públicos tiene como presupuesto indispensable la determinación en su norma de creación o en el convenio con otras Administraciones Públicas por el que dicho órgano se cree, de los siguientes extremos:

   a) Sus fines u objetivos.

   b) Su integración administrativa o dependencia jerárquica.

   c) La composición y los criterios para la designación de su Presidente y de los restantes miembros.

   d) Las funciones de decisión, propuesta, informe, seguimiento o control, así como cualquier otra que se le atribuya.

   e) La dotación de los créditos necesarios, en su caso, para su funcionamiento.

3. El régimen jurídico de los órganos colegiados a que se refiere el apartado 1 de este artículo se ajustará a las normas contenidas en el artículo 19, sin perjuicio de las peculiaridades organizativas contenidas en la presente Ley o en su norma o convenio de creación.

2.7.3. Clasificación y composición de los órganos colegiados

La clasificación y composición de los órganos colegiados estatales se regula en el art. 21, a cuyo tenor:

1. Los órganos colegiados de la Administración General del Estado y de sus Organismos públicos, por su composición, se clasifican en:

   a) Órganos colegiados interministeriales, si sus miembros proceden de diferentes Ministerios.

   b) Órganos colegiados ministeriales, si sus componentes proceden de los órganos de un solo Ministerio.

2. En los órganos colegiados a los que se refiere el apartado anterior, podrá haber representantes de otras Administraciones Públicas, cuando éstas lo acepten voluntariamente, cuando un convenio así lo establezca o cuando una norma aplicable a las Administraciones afectadas lo determine.

3. En la composición de los órganos colegiados podrán participar, cuando así se determine, organizaciones representativas de intereses sociales, así como otros miembros que se designen por las especiales condiciones de experiencia o conocimientos que concurran en ellos, en atención a la naturaleza de las funciones asignadas a tales órganos.

2.7.4. Creación, modificación y supresión de órganos colegiados

El art. 22, por último, de carácter novedoso en nuestro ordenamiento, dispone que:

1. La creación de órganos colegiados de la Administración General del Estado y de sus Organismos públicos solo requerirá de norma específica, con publicación en el «Boletín Oficial del Estado», en los casos en que se les atribuyan cualquiera de las siguientes competencias:
    a) Competencias decisorias.
    b) Competencias de propuesta o emisión de informes preceptivos que deban servir de base a decisiones de otros órganos administrativos.
    c) Competencias de seguimiento o control de las actuaciones de otros órganos de la Administración General del Estado.
2. En los supuestos enunciados en el apartado anterior, la norma de creación deberá revestir la forma de Real Decreto en el caso de los órganos colegiados interministeriales cuyo Presidente tenga rango superior al de Director general; Orden ministerial conjunta para los restantes órganos colegiados interministeriales, y Orden ministerial para los de este carácter.
3. En todos los supuestos no comprendidos en el apartado 1 de este artículo, los órganos colegiados tendrán el carácter de grupos o comisiones de trabajo y podrán ser creados por Acuerdo del Consejo de Ministros o por los Ministerios interesados. Sus acuerdos no podrán tener efectos directos frente a terceros.
4. La modificación y supresión de los órganos colegiados y de los grupos o comisiones de trabajo de la Administración General del Estado y de los Organismos públicos se llevará a cabo en la misma forma dispuesta para su creación, salvo que ésta hubiera fijado plazo previsto para su extinción, en cuyo caso ésta se producirá automáticamente en la fecha señalada al efecto.

2.8. Abstención y recusación

2.8.1. Introducción

Uno de los principios clásicos del procedimiento administrativo ha sido el de imparcialidad por parte de quienes, desde el lado de la Administración, intervienen en el mismo.

A estos efectos, se han regulado las figuras de la abstención y de, en su caso, si no se lleva a efecto ésta existiendo motivos para ello, la recusación.

La LRJSP ha recogido estas previsiones en sus arts. 23 y 24, en la forma que sigue, sin perjuicio de la regulación de los diversos delitos contemplados en el vigente Código Penal, aprobado por la Ley Orgánica 10/1995, de 23 de noviembre, muy modificada precisamente en ésta y otras materias (entre otras, por la Ley Orgánica 1/2015, de 30 de marzo), por ejemplo, el cohecho, el tráfico de influencias, la malversación, los fraudes y exacciones ilegales, las negociaciones y actividades prohibidas a los funcionarios públicos y de los abusos en el ejercicio de su función y la corrupción en las transacciones comerciales internacionales.

2.8.2. Abstención

Según el art. 23:

1. Las autoridades y el personal al servicio de las Administraciones en quienes se den algunas de las circunstancias señaladas en el apartado siguiente se abstendrán de intervenir en el procedimiento y lo comunicarán a su superior inmediato, quien resolverá lo procedente.
2. Son motivos de abstención los siguientes:
   a) Tener interés personal en el asunto de que se trate o en otro en cuya resolución pudiera influir la de aquel; ser administrador de sociedad o entidad interesada, o tener cuestión litigiosa pendiente con algún interesado.
   b) Tener un vínculo matrimonial o situación de hecho asimilable y el parentesco de consanguinidad dentro del cuarto grado o de afinidad dentro del segundo, con cualquiera de los interesados, con los administradores de entidades o sociedades interesadas y también con los asesores, representantes legales o mandatarios que intervengan en el procedimiento, así como compartir despacho profesional o estar asociado con éstos para el asesoramiento, la representación o el mandato.
   c) Tener amistad íntima o enemistad manifiesta con alguna de las personas mencionadas en el apartado anterior.
   d) Haber intervenido como perito o como testigo en el procedimiento de que se trate.
   e) Tener relación de servicio con persona natural o jurídica interesada directamente en el asunto, o haberle prestado en los dos últimos años servicios profesionales de cualquier tipo y en cualquier circunstancia o lugar.
3. Los órganos jerárquicamente superiores a quien se encuentre en alguna de las circunstancias señaladas en el punto anterior podrán ordenarle que se abstengan de toda intervención en el expediente.
4. La actuación de autoridades y personal al servicio de las Administraciones Públicas en los que concurran motivos de abstención no implicará, necesariamente, y en todo caso, la invalidez de los actos en que hayan intervenido.
5. La no abstención en los casos en que concurra alguna de esas circunstancias dará lugar a la responsabilidad que proceda (en concreto, el art. 7.1,g, del Reglamento de Régimen Disciplinario de los Funcionarios de la Administración del Estado, aprobado por el ya citado Real Decreto 33/1986, de 10 de enero, tipifica como falta grave «*intervenir en un procedimiento administrativo cuando se dé alguna de las causas de abstención legalmente señaladas*»).

2.8.3. Recusación

El art. 24, por su parte, prescribe que:

1. En los casos previstos en el artículo anterior, podrá promoverse recusación por los interesados en cualquier momento de la tramitación del procedimiento.
2. La recusación se planteará por escrito en el que se expresará la causa o causas en que se funda.
3. En el día siguiente el recusado manifestará a su inmediato superior si se da o no en él la causa alegada. En el primer caso, si el superior aprecia la concurrencia de la causa de recusación, acordará su sustitución acto seguido.
4. Si el recusado niega la causa de recusación, el superior resolverá en el plazo de tres días, previos los informes y comprobaciones que considere oportunos.
5. Contra las resoluciones adoptadas en esta materia no cabrá recurso, sin perjuicio de la posibilidad de alegar la recusación al interponer el recurso que proceda contra el acto que ponga fin al procedimiento.

Sobre esta materia, debe hacerse notar que el art. 74 de la citada Ley 39/2015, del Procedimiento Administrativo Común de las Administraciones Públicas, al tratar de las cuestiones incidentales en los procedimientos, señala que «*Las cuestiones incidentales que se susciten en el procedimiento, incluso las que se refieran a la nulidad de actuaciones, no suspenderán la tramitación del mismo, salvo la recusación*».

3. Funcionamiento electrónico del sector público

3.1. Introducción

Al funcionamiento electrónico del sector público se dedican los arts. 36 a 46, inclusive, de la Ley 40/2015, de 1 de octubre, de Régimen Jurídico del Sector Público, junto a los cuales debe ser tenida en cuenta la Disposición Adicional Novena de esta LRJSP, según la cual:

1. La Comisión Sectorial de administración electrónica, dependiente de la Conferencia Sectorial de Administración Pública, es el órgano técnico de cooperación de la Administración General del Estado, de las Administraciones de las Comunidades Autónomas y de las Entidades Locales en materia de administración electrónica.
2. El Comisión Sectorial de la administración electrónica desarrollará, al menos, las siguientes funciones:
    a) Asegurar la compatibilidad e interoperabilidad de los sistemas y aplicaciones empleados por las Administraciones Públicas.
    b) Impulsar el desarrollo de la administración electrónica en España.
    c) Asegurar la cooperación entre las Administraciones Públicas para proporcionar información administrativa clara, actualizada e inequívoca.

3. Cuando por razón de las materias tratadas resulte de interés, podrá invitarse a las organizaciones, corporaciones o agentes sociales que se estime conveniente en cada caso a participar en las deliberaciones de la Comisión Sectorial.

Por otra parte, en los aspectos estrictamente procedimentales, debe estarse a lo previsto en la Ley 39/2015, de 1 de octubre, del Procedimiento Administrativo Común de las Administraciones Públicas.

3.2. La sede electrónica

El art. 38 LRJSP, sobre la sede electrónica, dispone que:

1. La sede electrónica es aquella dirección electrónica, disponible para los ciudadanos a través de redes de telecomunicaciones, cuya titularidad corresponde a una Administración Pública, o bien a una o varios organismos públicos o entidades de Derecho Público en el ejercicio de sus competencias.
2. El establecimiento de una sede electrónica conlleva la responsabilidad del titular respecto de la integridad, veracidad y actualización de la información y los servicios a los que pueda accederse a través de la misma.
3. Cada Administración Pública determinará las condiciones e instrumentos de creación de las sedes electrónicas, con sujeción a los principios de transparencia, publicidad, responsabilidad, calidad, seguridad, disponibilidad, accesibilidad, neutralidad e interoperabilidad. En todo caso deberá garantizarse la identificación del órgano titular de la sede, así como los medios disponibles para la formulación de sugerencias y quejas.
4. Las sedes electrónicas dispondrán de sistemas que permitan el establecimiento de comunicaciones seguras siempre que sean necesarias.
5. La publicación en las sedes electrónicas de informaciones, servicios y transacciones respetará los principios de accesibilidad y uso de acuerdo con las normas establecidas al respecto, estándares abiertos y, en su caso, aquellos otros que sean de uso generalizado por los ciudadanos.
6. Las sedes electrónicas utilizarán, para identificarse y garantizar una comunicación segura con las mismas, certificados reconocidos o cualificados de autenticación de sitio web o medio equivalente.

3.3. Portal de Internet

A tenor del art. 39 LRJSP, se entiende por portal de internet el punto de acceso electrónico cuya titularidad corresponda a una Administración Pública, organismo público o entidad de Derecho Público que permite el acceso a través de internet a la información publicada y, en su caso, a la sede electrónica correspondiente.

3.4. Sistemas de identificación de las Administraciones Públicas

El art. 40 LRJSP se refiere a los sistemas de identificación de las Administraciones Públicas, disponiendo que:

1. Las Administraciones Públicas podrán identificarse mediante el uso de un sello electrónico basado en un certificado electrónico reconocido o cualificado que reúna los requisitos exigidos por la legislación de firma electrónica. Estos certificados electrónicos incluirán el número de identificación fiscal y la denominación correspondiente, así como, en su caso, la identidad de la persona titular en el caso de los sellos electrónicos de órganos administrativos. La relación de sellos electrónicos utilizados por cada Administración Pública, incluyendo las características de los certificados electrónicos y los prestadores que los expiden, deberá ser pública y accesible por medios electrónicos. Además, cada Administración Pública adoptará las medidas adecuadas para facilitar la verificación de sus sellos electrónicos.
2. Se entenderá identificada la Administración Pública respecto de la información que se publique como propia en su portal de internet.

En relación con esta materia, debe tenerse en cuenta la Ley 59/2003, de 19 de diciembre, de firma electrónica (Ley 59/2003, de 19 de diciembre, en otras citas), modificada por la Ley 56/2007, de 28 de diciembre, de Medidas de Impulso de la Sociedad de la Información; por la Ley 9/2014, de 9 de mayo, General de Telecomunicaciones; por la Ley 25/2015, de 28 de julio, de mecanismo de segunda oportunidad, reducción de la carga financiera y otras medidas de orden social, y por la Ley 39/2015, de 1 de octubre.

3.5. Actuación administrativa automatizada

El art. 41 LRJSP regula la actuación administrativa automatizada, prescribiendo que:

1. Se entiende por actuación administrativa automatizada, cualquier acto o actuación realizada íntegramente a través de medios electrónicos por una Administración Pública en el marco de un procedimiento administrativo y en la que no haya intervenido de forma directa un empleado público.
2. En caso de actuación administrativa automatizada deberá establecerse previamente el órgano u órganos competentes, según los casos, para la definición de las especificaciones, programación, mantenimiento, supervisión y control de calidad y, en su caso, auditoría del sistema de información y de su código fuente. Asimismo, se indicará el órgano que debe ser considerado responsable a efectos de impugnación.

3.6. Sistemas de firma para la actuación administrativa automatizada

En el ejercicio de la competencia en la actuación administrativa automatizada, cada Administración Pública podrá determinar los supuestos de utilización de los siguientes sistemas de firma electrónica (art. 42 LRJSP):

a) Sello electrónico de Administración Pública, órgano, organismo público o entidad de derecho público, basado en certificado electrónico reconocido o cualificado que reúna los requisitos exigidos por la legislación de firma electrónica.

b) Código seguro de verificación vinculado a la Administración Pública, órgano, organismo público o entidad de Derecho Público, en los términos y condiciones establecidos, permitiéndose en todo caso la comprobación de la integridad del documento mediante el acceso a la sede electrónica correspondiente.

3.7. Firma electrónica del personal al servicio de las Administraciones Públicas

Según el art. 43 LRJSP:

1. Sin perjuicio de lo previsto en los artículos 38, 41 y 42, la actuación de una Administración Pública, órgano, organismo público o entidad de derecho público, cuando utilice medios electrónicos, se realizará mediante firma electrónica del titular del órgano o empleado público.

2. Cada Administración Pública determinará los sistemas de firma electrónica que debe utilizar su personal, los cuales podrán identificar de forma conjunta al titular del puesto de trabajo o cargo y a la Administración u órgano en la que presta sus servicios. Por razones de seguridad pública los sistemas de firma electrónica podrán referirse solo el número de identificación profesional del empleado público.

3.8. Intercambio electrónico de datos en entornos cerrados de comunicación

El art. 44 LRJSP prescribe que:

1. Los documentos electrónicos transmitidos en entornos cerrados de comunicaciones establecidos entre Administraciones Públicas, órganos, organismos públicos y entidades de derecho público, serán considerados válidos a efectos de autenticación e identificación de los emisores y receptores en las condiciones establecidas en este artículo.

2. Cuando los participantes en las comunicaciones pertenezcan a una misma Administración Pública, ésta determinará las condiciones y garantías por las que se regirá que, al menos, comprenderá la relación de emisores y receptores autorizados y la naturaleza de los datos a intercambiar.

3. Cuando los participantes pertenezcan a distintas Administraciones, las condiciones y garantías citadas en el apartado anterior se establecerán mediante convenio suscrito entre aquellas.
4. En todo caso deberá garantizarse la seguridad del entorno cerrado de comunicaciones y la protección de los datos que se transmitan.

3.9. Aseguramiento e interoperabilidad de la firma electrónica

Sobre el aseguramiento e interoperabilidad de la firma electrónica, dispone el art. 45 que:

1. Las Administraciones Públicas podrán determinar los trámites e informes que incluyan firma electrónica reconocida o cualificada y avanzada basada en certificados electrónicos reconocidos o cualificados de firma electrónica.
2. Con el fin de favorecer la interoperabilidad y posibilitar la verificación automática de la firma electrónica de los documentos electrónicos, cuando una Administración utilice sistemas de firma electrónica distintos de aquellos basados en certificado electrónico reconocido o cualificado, para remitir o poner a disposición de otros órganos, organismos públicos, entidades de Derecho Público o Administraciones la documentación firmada electrónicamente, podrá superponer un sello electrónico basado en un certificado electrónico reconocido o cualificado.

3.10. Archivo electrónico de documentos

El art. 46, regula el archivo electrónico de documentos, señalando que:

1. Todos los documentos utilizados en las actuaciones administrativas se almacenarán por medios electrónicos, salvo cuando no sea posible.
2. Los documentos electrónicos que contengan actos administrativos que afecten a derechos o intereses de los particulares deberán conservarse en soportes de esta naturaleza, ya sea en el mismo formato a partir del que se originó el documento o en otro cualquiera que asegure la identidad e integridad de la información necesaria para reproducirlo. Se asegurará en todo caso la posibilidad de trasladar los datos a otros formatos y soportes que garanticen el acceso desde diferentes aplicaciones.

3. Los medios o soportes en que se almacenen documentos, deberán contar con medidas de seguridad, de acuerdo con lo previsto en el Esquema Nacional de Seguridad (regulado por el Real Decreto 3/2010, de 8 de enero, por el que se regula el Esquema Nacional de Seguridad en el ámbito de la Administración Electrónica, modificado por el Real Decreto Real Decreto 951/2015, de 23 de octubre, de modificación del anterior), que garanticen la integridad, autenticidad, confidencialidad, calidad, protección y conservación de los documentos almacenados. En particular, asegurarán la identificación de los usuarios y el control de accesos, el cumplimiento de las garantías previstas en la legislación de protección de datos, así como la recuperación y conservación a largo plazo de los documentos electrónicos producidos por las Administraciones Públicas que así lo requieran, de acuerdo con las especificaciones sobre el ciclo de vida de los servicios y sistemas utilizados.

3.11. Ubicación de los sistemas de información y comunicaciones para el registro de datos

Por último, el artículo 46 bis señala que:

Los sistemas de información y comunicaciones para la recogida, almacenamiento, procesamiento y gestión del censo electoral, los padrones municipales de habitantes y otros registros de población, datos fiscales relacionados con tributos propios o cedidos y datos de los usuarios del sistema nacional de salud, así como los correspondientes tratamientos de datos personales, deberán ubicarse y prestarse dentro del territorio de la Unión Europea.

Los datos a que se refiere el apartado anterior no podrán ser objeto de transferencia a un tercer país u organización internacional, con excepción de los que hayan sido objeto de una decisión de adecuación de la Comisión Europea o cuando así lo exija el cumplimiento de las obligaciones internacionales asumidas por el Reino de España.

No obstante, para su aplicación se ha de tener en cuenta la disposición transitoria 2 del citado Real Decreto-Ley 14/2019, que especifica:

1. Las entidades pertenecientes al Sector Público deberán adoptar las medidas necesarias para cumplir la obligación prevista en el artículo 46 bis de la Ley 40/2015, de 1 de octubre, de Régimen Jurídico del Sector Público, en el plazo máximo de seis meses a partir de la entrada en vigor de este real decreto-ley cuando gestionen directamente o a través de medios propios los sistemas de información y comunicaciones a que dicho precepto se refiere.
2. En el caso de que la gestión de los sistemas citados en el apartado anterior se lleve a cabo mediante la licitación de contratos del Sector Público, directamente por los sujetos a los que es de aplicación la Ley 9/2017, de 8 de noviembre, de Contratos del Sector Público o por sus medios propios, la obligación de adaptarse a lo preceptuado en el artículo 46 bis de la Ley 40/2015, de 1 de octubre, no se aplicará a los expedientes de contratación iniciados antes de la entrada en vigor de este real decreto-ley, que se regirán por la normativa anterior.

Los contratos adjudicados en virtud de dichos expedientes, aun cuando mantendrán su plena validez y eficacia, no podrán ser objeto de modificación que vulnere lo establecido en los citados preceptos. Tampoco podrán ser objeto de prórroga salvo que previamente sean objeto de modificación para adaptarse a las disposiciones que en ellos se contienen.

3. A los efectos de lo dispuesto en esta disposición se entenderá que los expedientes de contratación han sido iniciados si se hubiera publicado la correspondiente convocatoria del procedimiento de adjudicación del contrato. En el caso de procedimientos negociados sin publicidad, para determinar el momento de iniciación se tomará en cuenta la fecha de aprobación de los pliegos.

TEMA 4

Estatuto Básico del Empleado Público. Objeto y ámbito de aplicación. Clases de personal al servicio de las Administraciones Públicas

Índice

1. El Estatuto Básico del Empleado Público

El Estatuto Básico del Empleado Público es la norma que establece los principios generales aplicables al conjunto de las relaciones de empleo público. Contiene aquello que es común al conjunto de los funcionarios de todas las Administraciones Públicas, más las normas legales específicas aplicables al personal laboral a su servicio.

Con este objeto, se aprobó la Ley 7/2007, de 12 de abril, del Estatuto Básico del Empleado Público.

Con el paso de los años, esta ley ha sufrido diferentes modificaciones a través de diversas leyes que bien han dado una nueva redacción a determinados preceptos, bien han introducido nuevas disposiciones.

Asimismo, se han aprobado en los últimos años disposiciones en materia de régimen jurídico del empleo público contenidas en normas con rango de ley que han modificado la Ley 7/2007; nos referimos únicamente a aquellas normas con rango de ley, y carácter de legislación básica, que de manera indiscutible afectan al ámbito material de la Ley 7/2007, de 12 de abril, y que no tengan un mero carácter coyuntural o temporal, sino que han sido aprobadas con vocación de permanencia.

Todo esto ha producido una elevada dispersión de la normativa básica que afecta al régimen de los empleados públicos, que ha conducido, dada su relevancia en un área de actividad específica tan importante como el funcionamiento de la Administración Pública, a la necesidad de refundir todas esas normas en un nuevo texto completo y sistemático.

Así, en virtud de lo establecido en el artículo 82 y siguientes de la Constitución Española, se autorizó al Gobierno a través de la Ley 20/2014, de 29 de octubre, a aprobar un texto refundido en el que se integren, debidamente regularizadas, aclaradas y armonizadas, la Ley 7/2007, de 12 de abril, del Estatuto Básico del Empleado Público, y las disposiciones en materia de régimen jurídico del empleo público contenidas en normas con rango de ley que la hayan modificado, y las que, afectando a su ámbito material, puedan, en su caso, promulgarse antes de la aprobación por Consejo de Ministros del texto refundido que proceda y así se haya previsto en las mismas.

Fruto de este mandato se aprobó el **Real Decreto Legislativo 5/2015, de 30 de octubre, por el que se aprueba el texto refundido de la Ley del Estatuto Básico del Empleado Público (EBEP)**; el cual deroga expresamente la citada Ley 7/2007, de 12 de abril.

Conforme a su disposición final 1.ª, las disposiciones de este Estatuto se dictan:

- Al amparo del artículo 149.1.18.ª de la Constitución (*el Estado tiene competencia exclusiva sobre:....18. Las bases [....] del régimen estatutario de los funcionarios ....)*, constituyendo aquellas bases del régimen estatutario de los funcionarios.
- Al amparo del artículo 149.1.7.ª de la Constitución, por lo que se refiere a la legislación laboral.
- Al amparo del artículo 149.1.13.ª de la Constitución, bases y coordinación de la planificación general de la actividad económica.

El Texto Refundido de la Ley del Estatuto Básico del Empleado Público contiene 100 artículos y se estructura del siguiente modo:

- TÍTULO I. Objeto y ámbito de aplicación (arts. 1 al 7).
- TÍTULO II. Personal al servicio de las Administraciones Públicas (arts. 8 al 13).
    * CAPÍTULO I. Clases de personal.
    * CAPÍTULO II. Personal directivo.
- TÍTULO III. Derechos y deberes. Código de conducta de los empleados públicos (arts. 14 al 54).
    * CAPÍTULO I. Derechos de los empleados públicos.
    * CAPÍTULO II. Derecho a la carrera profesional y a la promoción interna. La evaluación del desempeño.
    * CAPÍTULO III. Derechos retributivos.
    * CAPÍTULO IV. Derecho a la negociación colectiva, representación y participación institucional. Derecho de reunión.
    * CAPÍTULO V. Derecho a la jornada de trabajo, permisos y vacaciones.
    * CAPÍTULO VI. Deberes de los empleados públicos. Código de Conducta.
- TÍTULO IV. Adquisición y pérdida de la relación de servicio (arts. 55 al 68).
    * CAPÍTULO I. Acceso al empleo público y adquisición de la relación de servicio.
    * CAPÍTULO II. Pérdida de la relación de servicio.
- TÍTULO V. Ordenación de la actividad profesional (arts. 69 al 84).
    * CAPÍTULO I. Planificación de recursos humanos.
    * CAPÍTULO II. Estructuración del empleo público.
    * CAPÍTULO III. Provisión de puestos de trabajo y movilidad.
- TÍTULO VI. Situaciones administrativas (arts. 85 al 92).
- TÍTULO VII. Régimen disciplinario (arts. 93 al 98).
- TÍTULO VIII. Cooperación entre las Administraciones Públicas (arts. 99 y 100).
- 17 Disposiciones adicionales.
- 9 Disposiciones transitorias.
- 1 Disposición derogatoria.
- 4 Disposiciones finales.

2. Título I. Objeto y ámbito de aplicación

2.1. Objeto y fundamentos de actuación

Tal como señala el artículo 1 del EBEP (puntos 1 y 2), el **objeto** de este Estatuto es doble:

- Establecer las bases del régimen estatutario de los funcionarios públicos incluidos en su ámbito de aplicación.
- Determinar las normas aplicables al personal laboral al servicio de las Administraciones Públicas.

El EBEP, tal como dispone su artículo 1.3, refleja los siguientes **fundamentos de actuación**:

a) Servicio a los ciudadanos y a los intereses generales.

b) Igualdad, mérito y capacidad en el acceso y en la promoción profesional.

c) Sometimiento pleno a la ley y al Derecho.

d) Igualdad de trato entre mujeres y hombres.

e) Objetividad, profesionalidad e imparcialidad en el servicio garantizadas con la inamovilidad en la condición de funcionario de carrera.

f) Eficacia en la planificación y gestión de los recursos humanos.

g) Desarrollo y cualificación profesional permanente de los empleados públicos.

h) Transparencia.

i) Evaluación y responsabilidad en la gestión.

j) Jerarquía en la atribución, ordenación y desempeño de las funciones y tareas.

k) Negociación colectiva y participación, a través de los representantes, en la determinación de las condiciones de empleo.

l) Cooperación entre las Administraciones Públicas en la regulación y gestión del empleo público.

2.2. Ámbito de aplicación

Conforme a su artículo 2, el EBEP ***se aplica al personal funcionario y en lo que proceda al personal laboral*** al servicio de las siguientes Administraciones Públicas:

a) La Administración General del Estado.

b) Las Administraciones de las Comunidades Autónomas *(las previsiones del EBEP son de aplicación a todas las comunidades autónomas respetando en todo caso las posiciones singulares en materia de sistema institucional y las competencias exclusivas y compartidas en materia de función pública y de autoorganización que les atribuyen los respectivos Estatutos de Autonomía, en el marco de la Constitución)* y de las ciudades de Ceuta y Melilla.

c) Las Administraciones de las entidades locales.

d) Los organismos públicos, agencias y demás entidades de derecho público con personalidad jurídica propia, vinculadas o dependientes de cualquiera de las Administraciones Públicas.

e) Las Universidades Públicas.

El ***personal docente*** y el ***personal estatutario de los Servicios de Salud*** se regirán por la legislación específica dictada por el Estado y por las Comunidades Autónomas en el ámbito de sus respectivas competencias y por lo previsto en el EBEP, con las siguientes **excepciones**:

- El Capítulo II [sobre Derecho a la carrera profesional y a la promoción interna] del Título III (salvo el artículo 20, referido a la evaluación del desempeño).
- El artículo 22.3 [sobre las retribuciones complementarias].
- El artículo 24 [también referido a las retribuciones complementarias].
- El artículo 84 [sobre la movilidad voluntaria entre Administraciones Públicas].

Es importante tener en cuenta que cada vez que el EBEP hace mención al personal funcionario de carrera se entenderá comprendido el personal estatutario de los Servicios de Salud.

En la aplicación del EBEP al ***personal de investigación*** se podrán dictar normas singulares para adecuarlo a sus peculiaridades.

Para todo el ***personal de las Administraciones Públicas no incluido en su ámbito de aplicación***, el EBEP tendrá carácter supletorio.

En los artículos 3, 4, 5 y 7, así como en las disposiciones adicionales 1.ª, 2.ª, 3.ª, 4.ª y 11.ª, el EBEP indica cuál será su nivel de aplicación para determinado personal:

A) Personal funcionario de las Entidades Locales (art. 3)

El personal funcionario de las entidades locales se rige por la legislación estatal que resulte de aplicación, de la que forma parte este Estatuto y por la legislación de las comunidades autónomas, con respeto a la autonomía local.

Los Cuerpos de Policía Local se rigen también por este Estatuto y por la legislación de las comunidades autónomas, excepto en lo establecido para ellos en la Ley Orgánica 2/1986, de 13 de marzo, de Fuerzas y Cuerpos de Seguridad.

(Conforme al artículo 40 de la LO 2/1986, el régimen estatutario de los Cuerpos de Policía de las Comunidades Autónomas vendrá determinado, de conformidad con lo establecido en el artículo 149.1.18 de la Constitución, por los principios generales del Título I de esta ley [LO 14/1986], por lo establecido en este capítulo [se refiere al Capítulo III del Título III de la LO 14/1986] y por lo que dispongan al efecto los Estatutos de Autonomía y la legislación de las Comunidades Autónomas, así como por los Reglamentos específicos de cada Cuerpo).

B) Personal con legislación específica propia (art. 4)

Las disposiciones del EBEP solo se aplicarán directamente cuando así lo disponga su legislación específica al siguiente personal:

a) Personal funcionario de las Cortes Generales y de las asambleas legislativas de las comunidades autónomas.

b) Personal funcionario de los demás Órganos Constitucionales del Estado y de los órganos estatutarios de las comunidades autónomas.

c) Jueces, Magistrados, Fiscales y demás personal funcionario al servicio de la Administración de Justicia.

d) Personal militar de las Fuerzas Armadas.

e) Personal de las Fuerzas y Cuerpos de Seguridad.

f) Personal retribuido por arancel.

g) Personal del Centro Nacional de Inteligencia.

h) Personal del Banco de España y del Fondo de Garantía de Depósitos de Entidades de Crédito.

C) Personal de la Sociedad Estatal Correos y Telégrafos (art. 5)

El personal funcionario de la Sociedad Estatal Correos y Telégrafos se regirá por sus normas específicas y ***supletoriamente*** por lo dispuesto en el EBEP.

Su personal laboral se regirá por la legislación laboral y demás normas convencionalmente aplicables.

D) Personal laboral de las Administraciones Públicas (art. 7)

El personal laboral al servicio de las Administraciones Públicas se rige, además de por la legislación laboral y por las demás normas convencionalmente aplicables, por los preceptos del EBEP que así lo dispongan.

No obstante, el personal laboral al servicio de las Administraciones públicas se regirá por lo previsto en el EBEP, en materia de:

- Permiso de nacimiento.
- Permiso de adopción.
- Permiso del progenitor diferente de la madre biológica.
- Permiso de lactancia.

No siendo de aplicación a este personal, por tanto, las previsiones del texto refundido de la Ley del Estatuto de los Trabajadores sobre las suspensiones de los contratos de trabajo que, en su caso, corresponderían por los mismos supuestos de hecho.

E) Entidades del sector público estatal, autonómico y local, no incluidas en el artículo 2 del EBEP (D.A. 1.ª)

Según la disposición adicional 1.ª del EBEP, serán de aplicación en las entidades del sector público estatal, autonómico y local, que no estén incluidas en el artículo 2 del EBEP y que estén definidas así en su normativa específica, los principios contenidos en los siguientes artículos del EBEP:

- Art. 52 (deberes de los funcionarios; código de conducta).
- Art. 53 (principios éticos).
- Art. 54 (principios de conducta).
- Art. 55 (principios rectores).
- Art. 59 (Personas con discapacidad).

F) Instituciones Forales (DA 2.ª)

- El EBEP se aplicará a la ***Comunidad Foral de Navarra*** en los términos establecidos en:
  * El artículo 149.1.18.ª de la Constitución:

    El Estado tiene competencia exclusiva sobre: (...) 18. Las bases [...] del régimen estatutario de los funcionarios (...).
  * La disposición adicional primera de la Constitución:

    La Constitución ampara y respeta los derechos históricos de los territorios forales. La actualización general de dicho régimen foral se llevará a cabo, en su caso, en el marco de la Constitución y de los Estatutos de Autonomía.
  * La Ley Orgánica 13/1982, de 10 de agosto, de Reintegración y Amejoramiento del Régimen Foral de Navarra:

    Conforme a su art.49.1: *en virtud de su Régimen Foral, corresponde a Navarra la competencia exclusiva sobre [...] el Régimen estatutario de los funcionarios públicos de la Comunidad Foral, respetando los derechos y obligaciones esenciales que la legislación básica del Estado reconozca a los funcionarios públicos.*
- En el ámbito de la ***Comunidad Autónoma del País Vasco*** el EBEP se aplicará de conformidad con la disposición adicional primera de la Constitución, con el artículo 149.1.18.ª de la Constitución y con la Ley Orgánica 3/1979, de 18 de diciembre, por la que se aprueba el Estatuto de Autonomía para el País Vasco.

  Conforme al art. 10.4 del Estatuto de Autonomía para el País Vasco, La Comunidad Autónoma del País Vasco tiene competencia exclusiva en ... Régimen Local y Estatuto de los Funcionarios del País Vasco y de su Administración Local, sin perjuicio de lo establecido en el artículo 149.1.18.ª de la Constitución.

Las facultades previstas en el artículo 92 bis de la Ley 7/1985, de 7 de abril, respecto a los funcionarios con habilitación de carácter nacional serán ostentadas por las Instituciones Forales de sus territorios históricos o por las Instituciones Comunes de la Comunidad Autónoma, en los términos que establezca la normativa autonómica.

G) Funcionarios públicos propios de las ciudades de Ceuta y Melilla (DA 3.ª)

Los funcionarios públicos propios de las administraciones de las ciudades de Ceuta y Melilla se rigen:

- por lo dispuesto en el EBEP,
- por las normas de carácter reglamentario que en su desarrollo puedan aprobar sus Asambleas en el marco de sus estatutos respectivos,
- por las normas que en su desarrollo pueda dictar el Estado, y
- por la Ley de Función Pública de la Administración General del Estado.

En ese marco, las Asambleas de Ceuta y Melilla tendrán, además, las siguientes funciones:

a) El establecimiento, modificación y supresión de Escalas, Subescalas y clases de funcionarios, y la clasificación de los mismos.

b) La aprobación de las plantillas y relaciones de puestos de trabajo.

c) La regulación del procedimiento de provisión de puestos directivos, así como su régimen de permanencia y cese.

d) La determinación de las faltas y sanciones disciplinarias leves.

Los funcionarios transferidos se regirán por la Ley de Función Pública de la Administración General del Estado y sus normas de desarrollo. No obstante, podrán integrarse como funcionarios propios de la ciudad a la que hayan sido transferidos quedando en la situación administrativa de *servicio en otras Administraciones Públicas*.

H) Autoridades administrativas independientes de ámbito estatal (DA 4.ª)

Lo establecido en el EBEP se aplicará a las autoridades administrativas independientes del ámbito estatal, Entidades de Derecho Público reguladas en los artículos 109 y 110 de la Ley 40/2015, de 1 de octubre, de Régimen Jurídico del Sector Público, en la forma prevista en sus leyes de creación.

I) Personal militar que preste servicios en la Administración civil (DA 11.ª)

El personal militar de carrera podrá prestar servicios en la Administración civil en los términos que establezca cada Administración Pública en aquellos puestos de trabajo en los que se especifique esta posibilidad, y de los que resulten adjudicatarios, de acuerdo con los principios de mérito y capacidad, previa participación en la correspondiente convocatoria pública para la provisión de dichos puestos, y previo cumplimiento de los requisitos que, en su caso, se puedan establecer para este fin por el Ministerio de Defensa.

Al personal militar que preste servicios en la Administración civil le será de aplicación la normativa propia de la misma en materia de:

- Jornada y horario de trabajo.
- Vacaciones, permisos y licencias.
- Régimen disciplinario, si bien la sanción de separación del servicio solo podrá imponerse por el Ministro de Defensa.

No les será de aplicación lo previsto en el EBEP para:

- Promoción interna.
- Carrera administrativa.
- Situaciones administrativas.
- Movilidad, sin perjuicio de que puedan participar en los procedimientos de provisión de otros puestos abiertos a este personal en la Administración civil.

Las retribuciones a percibir serán las retribuciones básicas que les correspondan en su condición de militares de carrera, y las complementarias correspondientes al puesto de trabajo desempeñado.

Los posibles ascensos que puedan producirse en su carrera militar no conllevarán variación alguna en las condiciones retributivas del puesto desempeñado.

Su régimen de Seguridad Social será el que les corresponda como militares de carrera.

Cuando se produzca el cese, remoción o supresión del puesto de trabajo de la Administración civil que vinieran desempeñando, deberán reincorporarse a la Administración militar en la situación que les corresponda, sin que les sean de aplicación los criterios existentes en estos supuestos para el personal funcionario civil.

2.3. Leyes de función pública

El artículo 6 del EBEP encarga la aprobación de las leyes de función pública que desarrollen el EBEP:

- A las Cortes Generales, la ley reguladora de la Función Pública de la Administración General del Estado.
- A las asambleas legislativas de las comunidades autónomas, en el ámbito de sus competencias, las leyes reguladoras de la Función Pública de las comunidades autónomas.

El EBEP alude repetidamente a dichas leyes de función pública indicando diferentes asuntos que deben desarrollar:

- **Art. 9.2**. En todo caso, el ejercicio de las funciones que impliquen la participación directa o indirecta en el ejercicio de las potestades públicas o en la salvaguardia de los intereses generales del Estado y de las Administraciones Públicas corresponden exclusivamente a los funcionarios públicos, en los términos que en la **ley de desarrollo de cada Administración Pública** se establezca.

- **Art. 10.1.** Son funcionarios interinos los que, por razones expresamente justificadas de necesidad y urgencia, son nombrados como tales con carácter temporal para el desempeño de funciones propias de funcionarios de carrera, cuando se dé alguna de las siguientes circunstancias:
  - a) La existencia de plazas vacantes, cuando no sea posible su cobertura por funcionarios de carrera, por un máximo de tres años, en los términos previstos en el apartado 4.
  - b) La sustitución transitoria de los titulares, durante el tiempo estrictamente necesario.
  - c) La ejecución de programas de carácter temporal, que no podrán tener una duración superior a tres años, ampliable hasta doce meses más por **las leyes de Función Pública** que se dicten en desarrollo de este Estatuto.
  - d) El exceso o acumulación de tareas por plazo máximo de nueve meses, dentro de un periodo de dieciocho meses.
- **Art. 11.2. Las leyes de Función Pública** que se dicten en desarrollo de este Estatuto establecerán los criterios para la determinación de los puestos de trabajo que pueden ser desempeñados por personal laboral, respetando en todo caso lo establecido en el artículo 9.2.
- **Art. 12.2. Las leyes de Función Pública** que se dicten en desarrollo de este Estatuto determinarán los órganos de gobierno de las Administraciones Públicas que podrán disponer de este tipo de personal. El número máximo se establecerá por los respectivos órganos de gobierno. Este número y las condiciones retributivas serán públicas.
- **Art. 16.3. Las leyes de Función Pública** que se dicten en desarrollo de este Estatuto regularán la carrera profesional aplicable en cada ámbito que podrán consistir, entre otras, en la aplicación aislada o simultánea de alguna o algunas de las siguientes modalidades: (...)
- **Art. 17. Las leyes de Función Pública** que se dicten en desarrollo del presente Estatuto podrán regular la carrera horizontal de los funcionarios de carrera, pudiendo aplicar, entre otras, las siguientes reglas: (...)
- **Art. 18.3. 3. Las leyes de Función Pública** que se dicten en desarrollo de este Estatuto articularán los sistemas para realizar la promoción interna, así como también podrán determinar los cuerpos y escalas a los que podrán acceder los funcionarios de carrera pertenecientes a otros de su mismo Subgrupo.

  Asimismo, **las leyes de Función Pública** que se dicten en desarrollo del presente Estatuto podrán determinar los cuerpos y escalas a los que podrán acceder los funcionarios de carrera pertenecientes a otros de su mismo Subgrupo.
- **Art. 24**. La cuantía y estructura de las retribuciones complementarias de los funcionarios se establecerán por ***las correspondientes leyes de cada Administración Pública*** atendiendo, entre otros, a los siguientes factores: (...)

- **Art. 47 bis.2.** La prestación del servicio mediante teletrabajo habrá de ser expresamente autorizada y será compatible con la modalidad presencial. En todo caso, tendrá carácter voluntario y reversible salvo en supuestos excepcionales debidamente justificados. Se realizará en los términos de **las normas que se dicten** en desarrollo de este Estatuto, que serán objeto de negociación colectiva en el ámbito correspondiente y contemplarán criterios objetivos en el acceso a esta modalidad de prestación de servicio.

  El teletrabajo deberá contribuir a una mejor organización del trabajo a través de la identificación de objetivos y la evaluación de su cumplimiento.

- **Art. 67.3**. La jubilación forzosa se declarará de oficio al cumplir el funcionario los sesenta y cinco años de edad.

  No obstante, en los términos de **las leyes de Función Pública** que se dicten en desarrollo de este Estatuto, se podrá solicitar la prolongación de la permanencia en el servicio activo como máximo hasta que se cumpla setenta años de edad. La Administración Pública competente deberá resolver de forma motivada la aceptación o denegación de la prolongación.

- **Art. 73.1**. Los empleados públicos tienen derecho al desempeño de un puesto de trabajo de acuerdo con el sistema de estructuración del empleo público que establezcan **las leyes de desarrollo** del presente Estatuto.

- **Art. 78.3. Las leyes de Función Pública** que se dicten en desarrollo del presente Estatuto podrán establecer otros procedimientos de provisión en los supuestos de movilidad a que se refiere el artículo 81.2, permutas entre puestos de trabajo, movilidad por motivos de salud o rehabilitación del funcionario, reingreso al servicio activo, cese o remoción en los puestos de trabajo y supresión de los mismos.

- **Art. 79.2. Las leyes de Función Pública** que se dicten en desarrollo del presente Estatuto establecerán el plazo mínimo de ocupación de los puestos obtenidos por concurso para poder participar en otros concursos de provisión de puestos de trabajo.

- **Art. 80.2. Las leyes de Función Pública** que se dicten en desarrollo del presente Estatuto establecerán los criterios para determinar los puestos que por su especial responsabilidad y confianza puedan cubrirse por el procedimiento de libre designación con convocatoria pública.

- **Art. 85.2. Las leyes de Función Pública** que se dicten en desarrollo de este Estatuto podrán regular otras situaciones administrativas de los funcionarios de carrera, en los supuestos, en las condiciones y con los efectos que en las mismas se determinen, cuando concurra, entre otras, alguna de las circunstancias siguientes: (...)

  Dicha regulación, según la situación administrativa de que se trate, podrá conllevar garantías de índole retributiva o imponer derechos u obligaciones en relación con el reingreso al servicio activo.

- **Art. 86.1**. Se hallarán en situación de servicio activo quienes, conforme a **la normativa de función pública** dictada en desarrollo del presente Estatuto, presten servicios en su condición de funcionarios públicos cualquiera que sea la Administración u organismo público o entidad en el que se encuentren destinados y no les corresponda quedar en otra situación.

  Los funcionarios de carrera en situación de servicio activo gozan de todos los derechos inherentes a su condición de funcionarios y quedan sujetos a los deberes y responsabilidades derivados de la misma. Se regirán por las normas de este Estatuto y por **la normativa de función pública de la Administración Pública en que presten servicios.**
- **Art. 87.4**. La declaración de esta situación *[servicios especiales]* procederá en todo caso, en los supuestos que se determinen en el presente Estatuto y en **las leyes de Función Pública** que se dicten en desarrollo del mismo.
- **Art. 89.2**. Los funcionarios de carrera podrán obtener la excedencia voluntaria por interés particular cuando hayan prestado servicios efectivos en cualquiera de las Administraciones Públicas durante un periodo mínimo de cinco años inmediatamente anteriores.

  No obstante, **las leyes de Función Pública** que se dicten en desarrollo del presente Estatuto podrán establecer una duración menor del periodo de prestación de servicios exigido para que el funcionario de carrera pueda solicitar la excedencia y se determinarán los períodos mínimos de permanencia en la misma. (...)
- **Art. 93.1**. Los funcionarios públicos y el personal laboral quedan sujetos al régimen disciplinario establecido en el presente título y en las normas que **las leyes de Función Pública** dicten en desarrollo de este Estatuto.
- **Art. 95.4. Las leyes de Función Pública** que se dicten en desarrollo del presente Estatuto determinarán el régimen aplicable a las faltas leves, atendiendo a las anteriores circunstancias.
- **DA 3.º** 1. Los funcionarios públicos propios de las administraciones de las ciudades de Ceuta y Melilla se rigen por lo dispuesto en este Estatuto, por las normas de carácter reglamentario que en su desarrollo puedan aprobar sus Asambleas en el marco de sus estatutos respectivos, por las normas que en su desarrollo pueda dictar el Estado y por **la Ley de Función Pública de la Administración General del Estado.**

  2. (...)

  3. Los funcionarios transferidos se regirán por **la Ley de Función Pública de la Administración General del Estado** y sus normas de desarrollo. No obstante, podrán integrarse como funcionarios propios de la ciudad a la que hayan sido transferidos quedando en la situación administrativa de servicio en otras Administraciones Públicas.
- **DT1.ª 1.** El **desarrollo del presente Estatuto** no podrá comportar para el personal incluido en su ámbito de aplicación la disminución de la cuantía de los derechos económicos y otros complementos retributivos inherentes al sistema de carrera vigente para los mismos en el momento de su entrada en vigor, cualquiera que sea la situación administrativa en que se encuentren.

- **Disposición final segunda.**

  Las previsiones de esta ley son de aplicación a todas las comunidades autónomas respetando en todo caso las posiciones singulares en materia de sistema institucional y las competencias exclusivas y compartidas en materia de función pública y de autoorganización que les atribuyen los respectivos Estatutos de Autonomía, en el marco de la Constitución.

- **DF 4.ª** Lo establecido en los Capítulos II *[Derecho a la carrera profesional y a la promoción interna. La evaluación del desempeño]* y III *[Derechos retributivos]* del Título III, excepto el artículo 25.2, y en el Capítulo III *[Provisión de puestos de trabajo y movilidad]* del Título V producirá efectos a partir de la entrada en vigor de **las leyes de Función Pública** que se dicten en desarrollo de este Estatuto.

  La disposición final tercera *[modificación de la Ley 53/1984, de 26 de diciembre, de incompatibilidades del personal]* del presente Estatuto producirá efectos en cada Administración Pública a partir de la entrada en vigor del Capítulo III del Título III con la aprobación de **las leyes de Función Pública de las Administraciones Públicas** que se dicten en desarrollo de este Estatuto. Hasta que se hagan efectivos esos supuestos la autorización o denegación de compatibilidades continuará rigiéndose por la actual normativa.

  Hasta que se dicten **las leyes de Función Pública** y las normas reglamentarias de desarrollo se mantendrán en vigor en cada Administración Pública las normas vigentes sobre ordenación, planificación y gestión de recursos humanos en tanto no se opongan a lo establecido en este Estatuto.

3. Título II. Personal al servicio de las Administraciones Públicas

El empleo en el sector público se caracteriza por estar configurado por un modelo dual de regímenes jurídicos, personal funcionario y personal laboral, dos grupos diferentes de empleados al servicio de las Administraciones Públicas. Los funcionarios públicos están regulados a través del Derecho Administrativo mientras que el personal laboral se rige por el Derecho del Trabajo.

La relación laboral de empleo en la Administración Pública ha tenido una gran relevancia en el ámbito laboral, ya que ha proporcionado dosis de flexibilidad al tradicionalmente cerrado sistema de empleo público, permitiendo relaciones de servicio de carácter no estatutario, como la contratación administrativa o la laboral.

Este modelo dual de funcionarios y personal laboral al servicio de la Administración Pública se remonta a la Ley de Funcionarios Civiles del Estado de 1964, situación que siguió con la Constitución Española de 1978, y con la Ley 30/1984 de medidas para la reforma de la Función Pública y permanece aún vigente en la actual legislación, tanto en el Estatuto de los Trabajadores, aprobado por Real Decreto Legislativo 2/2015, de 23 de octubre (en adelante, ET) que a tenor de su artículo 1.2 se puede considerar a los organismos públicos empleadores, como en el EBEP, donde se recogen dos tipos diferentes de relaciones jurídicas: la estatutaria y la laboral.

Ya el anterior texto del Estatuto Básico del Empleado Público, aprobado por Ley 7/2007, de 12 de abril, reforzaba el modelo dual al declarar en su Exposición de Motivos que el EBEP: "contiene aquello que es común al conjunto de los funcionarios de todas las Administraciones Públicas, más las normas legales específicas aplicables al personal laboral a su servicio. Partiendo del principio constitucional de que el régimen general del empleo público en nuestro país es el funcionarial, reconoce e integra la evidencia del papel creciente que en el conjunto de Administraciones Públicas viene desempeñando la contratación de personal conforme a la legislación laboral para el desempeño de determinadas tareas. En ese sentido, el Estatuto sintetiza aquello que diferencia a quienes trabajan en el sector público administrativo, sea cual sea su relación contractual, de quienes lo hacen en el sector privado".

No obstante, podemos considerar una novedosa aportación que introduce el EBEP, el cual, aun conservando el modelo dual de regímenes jurídicos, sienta las bases de un nuevo modelo de función pública más homogéneo, al introducir por primera vez el término genérico de "empleado público" sin la clásica distinción entre personal funcionario y laboral, equiparando en la medida de lo posible ambos regímenes jurídicos.

Así, el nuevo concepto de "empleado público", abarca a todos los sujetos que de forma voluntaria prestan servicios remunerados por cuenta y bajo la dependencia de la Administración Pública como empleadora, sean estos funcionarios o personal laboral.

A pesar de este intento de homogeneización, cuando determina el régimen jurídico del personal al servicio de la Administración, incluye una triple regulación normativa: una propia para los funcionarios públicos; una específica para el personal laboral; y otra más, que sería común para ambos tipos de empleados públicos.

En cuanto a las fuentes de ambos regímenes, hay que resaltar que mientras la regulación en el EBEP del régimen jurídico de los funcionarios arranca del art. 149.1.18 de la Constitución y, por ello, tiene naturaleza de legislación básica, permitiendo su desarrollo por la legislación autonómica complementaria, la regulación en el EBEP del régimen jurídico del personal laboral tiene su atribución competencial en el art. 149.1.7 de la Constitución, que establece el monopolio normativo del Estado en materia laboral excluyendo por tanto cualquier intervención normativa de las Comunidades Autónomas.

Así, mientras que para los funcionarios públicos el EBEP es tan solo el «principio» de su regulación normativa, pudiendo existir normativa autonómica para los funcionarios de las respectivas comunidades autónomas, para el personal laboral el EBEP es el «principio» y el «fin», no pudiendo producirse normativa autonómica alguna que, de existir, sería inconstitucional; todo lo más, cabría su desarrollo reglamentario por parte del Estado.

El Estatuto Básico del Empleado Público es la norma que establece los principios generales aplicables al conjunto de las relaciones de empleo público. Contiene aquello que es común al conjunto de los funcionarios de todas las Administraciones Públicas, más las normas legales específicas aplicables al personal laboral a su servicio.

3.1. Clases de personal

Según el artículo 8 del Texto Refundido de la Ley del Estatuto Básico del Empleado Público, aprobado por el Real Decreto Legislativo 5/2015, de 30 de octubre (a partir de ahora TR-LEBEP), son **empleados públicos** quienes desempeñan funciones retribuidas en las Administraciones Públicas al servicio de los intereses generales.

Los empleados públicos se clasifican en:

a) Funcionarios de carrera.

b) Funcionarios interinos.

c) Personal laboral, ya sea fijo, por tiempo indefinido o temporal.

d) Personal eventual.

Además de este personal, el TR-LEBEP contempla en su artículo 13 la figura del Personal Directivo, definido como aquel que desarrolla funciones directivas profesionales en las Administraciones Públicas.

Hay pues, dos tipos de **funcionarios**: de carrera e interinos.

Corresponden en exclusiva a los funcionarios públicos, en los términos que en la ley de desarrollo de cada Administración Pública se establezca, el ejercicio de las funciones que impliquen la participación directa o indirecta:

- En el ejercicio de las potestades públicas.
- En la salvaguardia de los intereses generales del Estado y de las Administraciones Públicas.

Es importante tener en cuenta que, dentro del concepto de Administraciones Públicas al que nos estamos refiriendo, incluimos a:

a) La Administración General del Estado.

b) Las Administraciones de las comunidades autónomas y de las ciudades de Ceuta y Melilla.

c) Las Administraciones de las entidades locales.

d) Los organismos públicos, agencias y demás entidades de derecho público con personalidad jurídica propia, vinculadas o dependientes de cualquiera de las Administraciones Públicas.

e) Las Universidades Públicas.

3.1.1. Funcionarios de carrera

Los **funcionarios de carrera** son aquellos quienes, en virtud de nombramiento legal, están vinculados a una Administración Pública por una relación estatutaria regulada por el Derecho Administrativo para el desempeño de servicios profesionales retribuidos de carácter permanente.

Así pues, de la figura del funcionario de carrera destacaremos las siguientes características:

- Nombramiento legal.
- Relación estatutaria, regulada por el Derecho Administrativo.
- Desempeño de servicios profesionales retribuidos de carácter permanente.

3.1.2. Funcionarios interinos

Por su parte, son **funcionarios interinos** los que, por razones expresamente justificadas de necesidad y urgencia, son nombrados como tales con carácter temporal para el desempeño de funciones propias de funcionarios de carrera, cuando se dé alguna de las siguientes circunstancias:

a) La existencia de plazas vacantes cuando no sea posible su cobertura por funcionarios de carrera, por un máximo de tres años.

b) La sustitución transitoria de los titulares, durante el tiempo estrictamente necesario.

c) La ejecución de programas de carácter temporal, que no podrán tener una duración superior a tres años, ampliable hasta doce meses más por las leyes de Función Pública que se dicten en desarrollo del TR-LEBEP.

d) El exceso o acumulación de tareas por plazo máximo de nueve meses, dentro de un período de dieciocho meses.

Los procedimientos de selección del personal funcionario interino serán públicos, rigiéndose en todo caso por los principios de igualdad, mérito, capacidad, publicidad y celeridad, y tendrán por finalidad la cobertura inmediata del puesto.

El nombramiento derivado de estos procedimientos de selección en ningún caso dará lugar al reconocimiento de la condición de funcionario de carrera.

En todo caso, la Administración formalizará de oficio la finalización de la relación de interinidad por cualquiera de las siguientes causas, además de por las previstas para la pérdida de la condición de funcionario, sin derecho a compensación alguna:

- Por la cobertura reglada del puesto por personal funcionario de carrera a través de cualquiera de los procedimientos legalmente establecidos.
- Por razones organizativas que den lugar a la supresión o a la amortización de los puestos asignados.
- Por la finalización del plazo autorizado expresamente recogido en su nombramiento.
- Por la finalización de la causa que dio lugar a su nombramiento.

En el supuesto previsto en la letra a) anterior, las plazas vacantes desempeñadas por personal funcionario interino deberán ser objeto de cobertura mediante cualquiera de los mecanismos de provisión o movilidad previstos en la normativa de cada Administración Pública.

No obstante, transcurridos tres años desde el nombramiento del personal funcionario interino se producirá el fin de la relación de interinidad, y la vacante solo podrá ser ocupada por personal funcionario de carrera, salvo que el correspondiente proceso selectivo quede desierto, en cuyo caso se podrá efectuar otro nombramiento de personal funcionario interino.

Excepcionalmente, el personal funcionario interino podrá permanecer en la plaza que ocupe temporalmente, siempre que se haya publicado la correspondiente convocatoria dentro del plazo de los tres años, a contar desde la fecha del nombramiento del funcionario interino. En este supuesto podrá permanecer hasta la resolución de la convocatoria, sin que su cese dé lugar a compensación económica.

Al personal funcionario interino le será aplicable el régimen general del personal funcionario de carrera en cuanto sea adecuado a la naturaleza de su condición temporal y al carácter extraordinario y urgente de su nombramiento, salvo aquellos derechos inherentes a la condición de funcionario de carrera.

El incumplimiento del plazo máximo de permanencia dará lugar a una compensación económica para el personal funcionario interino afectado, que será equivalente a veinte días de sus retribuciones fijas por año de servicio, prorrateándose por meses los períodos de tiempo inferiores a un año, hasta un máximo de doce mensualidades. El derecho a esta compensación nacerá a partir de la fecha del cese efectivo y la cuantía estará referida exclusivamente al nombramiento del que traiga causa el incumplimiento. No habrá derecho a compensación en caso de que la finalización de la relación de servicio sea por causas disciplinarias ni por renuncia voluntaria.

3.1.3. Personal laboral

Es personal laboral el que, en virtud de **contrato de trabajo** formalizado por escrito, en cualquiera de las modalidades de contratación de personal previstas en la legislación laboral, presta servicios retribuidos por las Administraciones Públicas.

En función de la duración del contrato este podrá ser:

- Fijo.
- Por tiempo indefinido.
- Temporal.

La diferencia esencial entre el personal funcionario y el laboral radica en la distinta naturaleza de las relaciones jurídicas que se establecen; en este sentido hay que destacar que el personal laboral tiene una mayor capacidad y autonomía de negociación colectiva que el personal funcionario. Esto es porque la regulación de las relaciones con la Administración Pública, que en este caso actúa como empresario, se hace mediante convenios colectivos.

Estos convenios tienen fuerza vinculante garantizada por la Constitución Española y constituyen norma de obligado cumplimiento tanto para los empleados públicos laborales como para los órganos administrativos.

Podrán desempeñarse por personal laboral:

- Los puestos de naturaleza no permanente y aquellos cuyas actividades se dirijan a satisfacer necesidades de carácter periódico y discontinuo.
- Los puestos cuyas actividades sean propias de oficios, así como los de vigilancia, custodia, porteo y otros análogos.
- Los puestos de carácter instrumental correspondientes a las áreas de mantenimiento y conservación de edificios, equipos e instalaciones, artes gráficas, encuestas, protección civil y comunicación social, así como los puestos de las áreas de expresión artística y los vinculados directamente a su desarrollo, servicios sociales y protección de menores.
- Los puestos correspondientes a áreas de actividades que requieran conocimientos técnicos especializados cuando no existan Cuerpos o Escalas de funcionarios cuyos miembros tengan la preparación específica necesaria para su desempeño.
- Los puestos de trabajo en el extranjero con funciones administrativas de trámite y colaboración y auxiliares que comporten manejo de máquinas, archivo y similares.
- Los puestos con funciones auxiliares de carácter instrumental y apoyo administrativo.

Los procedimientos de selección del personal laboral serán públicos, rigiéndose en todo caso por los principios de igualdad, mérito y capacidad.

En el caso del personal laboral temporal se regirá igualmente por el principio de celeridad, teniendo por finalidad atender razones expresamente justificadas de necesidad y urgencia.

En el caso del personal laboral temporal, el incumplimiento de los plazos máximos de permanencia dará derecho a percibir compensación económica, sin perjuicio de la indemnización que pudiera corresponder por vulneración de la normativa laboral específica. Dicha compensación consistirá, en su caso, en la diferencia entre el máximo de veinte días de su salario fijo por año de servicio, con un máximo de doce mensualidades, y la indemnización que le correspondiera percibir por la extinción de su contrato, prorrateándose por meses los períodos de tiempo inferiores a un año. El derecho a esta compensación nacerá a partir de la fecha del cese efectivo, y la cuantía estará referida exclusivamente al contrato del que traiga causa el incumplimiento. En caso de que la citada indemnización fuere reconocida en vía judicial, se procederá a la compensación de cantidades. No habrá derecho a la compensación descrita en caso de que la finalización de la relación de servicio sea por despido disciplinario declarado procedente o por renuncia voluntaria.

3.1.4. Personal eventual

Es personal eventual el que, en virtud de nombramiento y con carácter no permanente, solo realiza funciones expresamente calificadas como de confianza o asesoramiento especial, siendo retribuido con cargo a los créditos presupuestarios consignados para este fin.

El número máximo de este tipo de personal se establecerá por los respectivos órganos de gobierno. Este número y las condiciones retributivas serán públicas.

El nombramiento y cese serán libres. El cese tendrá lugar, en todo caso, cuando se produzca el de la autoridad a la que se preste la función de confianza o asesoramiento.

La condición de personal eventual no podrá constituir mérito para el acceso a la Función Pública o para la promoción interna.

Al personal eventual le será aplicable, en lo que sea adecuado a la naturaleza de su condición, el régimen general de los funcionarios de carrera.

3.2. Personal directivo

El Título II del EBEP tiene un capítulo aparte para el personal directivo, que consta de un único artículo, el artículo 13.

Según este artículo, es personal directivo el que desarrolla funciones directivas profesionales en las Administraciones Públicas, definidas como tales en las normas específicas de cada Administración.

Su designación atenderá a principios de mérito y capacidad y a criterios de idoneidad, y se llevará a cabo mediante procedimientos que garanticen la publicidad y concurrencia.

El personal directivo estará sujeto a evaluación con arreglo a los criterios de eficacia y eficiencia, responsabilidad por su gestión y control de resultados en relación con los objetivos que les hayan sido fijados.

La determinación de las condiciones de empleo del personal directivo no tendrá la consideración de materia objeto de negociación colectiva a los efectos del EBEP.

Cuando el personal directivo reúna la condición de personal laboral estará sometido a la relación laboral de carácter especial de alta dirección.

TEMA 5

Estatuto Básico del Empleado Público. Derechos y deberes. Código de conducta de los empleados públicos. Adquisición y pérdida de la relación de servicio

Índice

1. Título III. Derechos y deberes de los empleados públicos. Código de conducta

1.1. Derechos de los empleados públicos (Cap. I)

El Título III del Texto Refundido de la Ley del Estatuto Básico del Empleado Público (TR-LEBEP, en adelante), aprobado por el Real Decreto Legislativo 5/2015, de 30 de octubre, dedica el Título III a los derechos y los deberes de los empleados públicos.

En el primer capítulo de dicho Título III, se establece la siguiente clasificación de los derechos de los empleados públicos:

1.1.1. Derechos individuales

Los empleados públicos tienen derecho a:

a) A la inamovilidad en la condición de funcionario de carrera.

(El derecho a la inamovilidad en la condición de funcionario de carrera supone que ningún funcionario de carrera podrá ser privado de su condición, salvo mediante la imposición de la sanción de separación del servicio por la comisión de una falta muy grave.

Este derecho es propio únicamente de los funcionarios de carrera. No es, por tanto, atribuible al personal laboral, ni a los funcionarios interinos, ni al personal eventual.

La razón de este derecho se encuentra en la necesidad de garantizar la imparcialidad del funcionario en el desarrollo de la labor pública que le corresponde.

La inamovilidad en la condición de funcionario no tiene que ver con que el funcionario pueda ser trasladado a otro puesto de trabajo).

b) Al desempeño efectivo de las funciones o tareas propias de su condición profesional y de acuerdo con la progresión alcanzada en su carrera profesional.

c) A la progresión en la carrera profesional y promoción interna según principios constitucionales de igualdad, mérito y capacidad mediante la implantación de sistemas objetivos y transparentes de evaluación.

d) A percibir las retribuciones y las indemnizaciones por razón del servicio.

e) A participar en la consecución de los objetivos atribuidos a la unidad donde preste sus servicios y a ser informado por sus superiores de las tareas a desarrollar.

f) A la defensa jurídica y protección de la Administración Pública en los procedimientos que se sigan ante cualquier orden jurisdiccional como consecuencia del ejercicio legítimo de sus funciones o cargos públicos.

g) A la formación continua y a la actualización permanente de sus conocimientos y capacidades profesionales, preferentemente en horario laboral.

h) Al respeto de su intimidad, orientación e identidad sexual, expresión de género, características sexuales, propia imagen y dignidad en el trabajo, especialmente frente al acoso sexual y por razón de sexo, de orientación e identidad sexual, expresión de género o características sexuales, moral y laboral.

i) A la no discriminación por razón de nacimiento, origen racial o étnico, género, sexo u orientación e identidad sexual, expresión de género, características sexuales, religión o convicciones, opinión, discapacidad, edad o cualquier otra condición o circunstancia personal o social.

j) A la adopción de medidas que favorezcan la conciliación de la vida personal, familiar y laboral.

j bis) A la intimidad en el uso de dispositivos digitales puestos a su disposición y frente al uso de dispositivos de videovigilancia y geolocalización, así como a la desconexión digital en los términos establecidos en la legislación vigente en materia de protección de datos personales y garantía de los derechos digitales *(derecho incluido por la DF 14.ª de la Ley Orgánica 3/2018, de 5 de diciembre, de Protección de Datos Personales y garantía de los derechos digitales).*

k) A la libertad de expresión dentro de los límites del ordenamiento jurídico.

l) A recibir protección eficaz en materia de seguridad y salud en el trabajo.

m) A las vacaciones, descansos, permisos y licencias.

n) A la jubilación según los términos y condiciones establecidas en las normas aplicables.

o) A las prestaciones de la Seguridad Social correspondientes al régimen que les sea de aplicación.

p) A la libre asociación profesional.

q) A los demás derechos reconocidos por el ordenamiento jurídico.

1.1.2. Derechos individuales ejercidos colectivamente

Según el artículo 15 del TR-LEBEP, los empleados públicos tienen los siguientes derechos individuales que se ejercen colectivamente:

a) A la libertad sindical.

b) A la negociación colectiva y a la participación en la determinación de las condiciones de trabajo.

c) Al ejercicio de la huelga, con la garantía del mantenimiento de los servicios esenciales de la comunidad.

d) Al planteamiento de conflictos colectivos de trabajo, de acuerdo con la legislación aplicable en cada caso.

e) Al de reunión, en los términos que señala el artículo 46 del TR-LEBEP.

1.2. Derecho a la carrera profesional y a la promoción interna. La evaluación del desempeño (Cap. II)

La **carrera profesional** es el conjunto ordenado de oportunidades de ascenso y expectativas de progreso profesional conforme a los principios de igualdad, mérito y capacidad.

El artículo 16.1 del TR-LEBEP reconoce el derecho a la promoción profesional de los funcionarios de carrera.

A tal objeto las Administraciones Públicas deben promover la actualización y perfeccionamiento de la cualificación profesional de sus funcionarios de carrera.

La carrera profesional aplicable en cada ámbito podrá consistir, entre otras, en la aplicación aislada o simultánea de alguna o algunas de las siguientes **modalidades**:

a) **Carrera horizontal**, que consiste en la progresión de grado, categoría, escalón u otros conceptos análogos, sin necesidad de cambiar de puesto de trabajo (la carrera horizontal supone el reconocimiento de una maestría o *seniority* en el mismo puesto de trabajo, asentada en la experiencia y en el conocimiento del mismo).

b) **Carrera vertical**, que consiste en el ascenso en la estructura de puestos de trabajo por los procedimientos de provisión establecidos en el TR-LEBEP. La carrera vertical consiste, por tanto, en el ascenso de puestos de menor a mayor nivel, lo que supone la asunción de mayores responsabilidades y conllevaría cambio de puesto.

c) **Promoción interna vertical**, que consiste en el ascenso desde un cuerpo o escala de un Subgrupo, o Grupo de clasificación profesional en el supuesto de que este no tenga Subgrupo, a otro superior.

d) **Promoción interna horizontal**, que consiste en el acceso a cuerpos o escalas del mismo Subgrupo profesional.

Los funcionarios de carrera pueden progresar simultáneamente en las modalidades de carrera horizontal y vertical cuando la Administración correspondiente las haya implantado en un mismo ámbito.

La carrera profesional de los funcionarios de carrera se iniciará en el grado, nivel, categoría, escalón y otros conceptos análogos correspondientes a la plaza inicialmente asignada al funcionario tras la superación del correspondiente proceso selectivo, que tendrán la consideración de mínimos. A partir de aquellos, se producirán los ascensos que procedan según la modalidad de carrera aplicable en cada ámbito.

El **personal laboral** tiene derecho también a la promoción profesional. La carrera profesional y la promoción del personal laboral se harán efectivas a través de los procedimientos previstos en el Estatuto de los Trabajadores o en los convenios colectivos.

1.2.1. Carrera horizontal de los funcionarios de carrera

Las leyes de Función Pública que se dicten en desarrollo del TR-LEBEP podrán regular la carrera horizontal de los funcionarios de carrera, pudiendo aplicar, entre otras, las siguientes reglas:

a) Se articulará un sistema de grados, categorías o escalones de ascenso fijándose la remuneración a cada uno de ellos. Los ascensos serán consecutivos con carácter general, salvo en aquellos supuestos excepcionales en los que se prevea otra posibilidad.

b) Se deberá valorar la trayectoria y actuación profesional, la calidad de los trabajos realizados, los conocimientos adquiridos y el resultado de la evaluación del desempeño. Podrán incluirse asimismo otros méritos y aptitudes por razón de la especificidad de la función desarrollada y la experiencia adquirida.

A) El grado personal

Entre tanto se dictan las correspondientes leyes de desarrollo del TR-LEBEP, hay que tener en cuenta la Disposición Final 4.ª del TR-LEBEP, que señala que: *hasta que se dicten las leyes de Función Pública y las normas reglamentarias de desarrollo se mantendrán en vigor en cada Administración Pública las normas vigentes sobre ordenación, planificación y gestión de recursos humanos en tanto no se opongan a lo establecido en este Estatuto.*

Por lo tanto, vamos a tomar aquí en consideración lo regulado al respecto por el Real Decreto 364/1995, de 10 de marzo, por el que se aprueba el Reglamento General de Ingreso del Personal al servicio de la Administración General del Estado y de Provisión de Puestos de Trabajo y Promoción Profesional de los Funcionarios Civiles de la Administración general del Estado.

Concretamente, en su artículo 70, este Reglamento señala lo siguiente:

"1. Los puestos de trabajo se clasifican en 30 niveles.

2. Todos los funcionarios de carrera adquirirán un grado personal por el desempeño de uno o más puestos del nivel correspondiente durante dos años continuados o tres con interrupción, con excepción de lo dispuesto en el apartado 6 de este artículo, cualquiera que fuera el sistema de provisión.

   No obstante lo dispuesto en el párrafo anterior, los funcionarios que obtengan un puesto de trabajo superior en más de dos niveles al correspondiente a su grado personal, consolidarán cada dos años de servicios continuados el grado superior en dos niveles al que poseyesen, sin que en ningún caso puedan superar el correspondiente al del puesto desempeñado, ni el intervalo de niveles correspondiente a su Cuerpo o Escala.

3. Los funcionarios consolidarán necesariamente como grado personal inicial el correspondiente al nivel del puesto de trabajo adjudicado tras la superación del proceso selectivo, salvo que con carácter voluntario pasen a desempeñar un puesto de nivel inferior, en cuyo caso consolidarán el correspondiente a este último.

4. Si durante el tiempo en que el funcionario desempeña un puesto se modificase el nivel del mismo, el tiempo de desempeño se computará con el nivel más alto en que dicho puesto hubiera estado clasificado.

5. Cuando un funcionario obtenga destino de nivel superior al del grado en proceso de consolidación, el tiempo de servicios prestados en aquel será computado para la referida consolidación.

   Cuando un funcionario obtenga destino de nivel inferior al del grado en proceso de consolidación, el tiempo de servicios prestados en puestos de nivel superior podrá computarse, a su instancia, para la consolidación del grado correspondiente a aquel.

6. Una vez consolidado el grado inicial y sin perjuicio de lo dispuesto en el segundo párrafo del apartado 2 de este artículo, el tiempo prestado en comisión de servicios será computable para consolidar el grado correspondiente al puesto desempeñado siempre que se obtenga con carácter definitivo dicho puesto u otro de igual o superior nivel.

   Si el puesto obtenido con carácter definitivo fuera de nivel inferior al del desempeñado en comisión y superior al del grado consolidado, el tiempo de desempeño en esta situación se computará para la consolidación del grado correspondiente al nivel del puesto obtenido.

   No se computará el tiempo de desempeño en comisión de servicios cuando el puesto fuera de nivel inferior al correspondiente al grado en proceso de consolidación.

   Las previsiones contenidas en este apartado serán de aplicación asimismo cuando se desempeñe un puesto en adscripción provisional en los supuestos previstos en este reglamento.

7. A los funcionarios que se encuentren en las dos primeras fases de reasignación de efectivos y en la situación de expectativa de destino, a que se refiere el artículo 20.1.g) de la Ley de Medidas para la Reforma de la Función Pública, así como a los afectados por la supresión de puestos de trabajo o alteración de su contenido prevista en el artículo 72.3 del presente Reglamento, se les computará el tiempo transcurrido en dichas circunstancias a efectos de la adquisición del grado personal que tuviera en proceso de consolidación.

8. El tiempo de servicios prestado en adscripción provisional por los funcionarios removidos en puestos obtenidos por concurso o cesados en puestos de libre designación no se considerará como interrupción a efectos de consolidación del grado personal si su duración es inferior a seis meses.

9. El tiempo de permanencia en la situación de servicios especiales será computado, a efectos de adquisición del grado personal, como prestado en el último puesto desempeñado en la situación de servicio activo o en el que durante el tiempo de permanencia en dicha situación se hubiera obtenido por concurso.

10. El tiempo de permanencia en la excedencia por cuidado de hijos durante el primer año de la misma se computará como prestado en el puesto de trabajo del que se es titular.

11. El reconocimiento del grado personal se efectuará por el Subsecretario del Departamento donde preste servicios el funcionario, que dictará al efecto la oportuna resolución, comunicándose al Registro central de personal dentro de los tres días hábiles siguientes.

    El grado reconocido por los órganos competentes de otra Administración Pública será anotado en el Registro central de personal hasta el nivel máximo del intervalo correspondiente a su grupo de titulación, de acuerdo con lo dispuesto en el apartado 1 del artículo 71 de este reglamento, una vez que el funcionario reingrese o se reintegre a la Administración General del Estado en el mismo cuerpo o escala en que le haya sido reconocido el grado personal.

    Los servicios prestados en otra Administración Pública que no lleguen a completar el tiempo necesario para consolidar el grado personal serán tenidos en cuenta a efectos de consolidación del grado, cuando el funcionario reingrese o se reintegre a la Administración General del Estado, en el mismo cuerpo o escala en el que estuviera dicho grado en proceso de consolidación y siempre dentro de los intervalos de niveles previstos en el artículo 71 de este Reglamento.

    Lo dispuesto en el párrafo anterior se realizará de conformidad con las previsiones que, para la consolidación de grado personal, se establecen en este reglamento.

12. El grado personal comporta el derecho a la percepción como mínimo del complemento de destino de los puestos del nivel correspondiente al mismo."

1.2.2. Promoción interna de los funcionarios de carrera

El artículo 22 de la Ley 30/1984, señala que las Administraciones Públicas deben facilitar la promoción interna consistente en el ascenso desde cuerpos o escalas de un grupo de titulación a otros del inmediato superior.

La promoción interna se realizará mediante procesos selectivos que garanticen el cumplimiento de los principios constitucionales de igualdad, mérito y capacidad, así como los contemplados en el artículo 55.2 del TR-LEBEP, es decir:

a) Publicidad de las convocatorias y de sus bases.

b) Transparencia.

c) Imparcialidad y profesionalidad de los miembros de los órganos de selección.

d) Independencia y discrecionalidad técnica en la actuación de los órganos de selección.

e) Adecuación entre el contenido de los procesos selectivos y las funciones o tareas a desarrollar.

f) Agilidad, sin perjuicio de la objetividad, en los procesos de selección.

Para poder promocionar internamente, los funcionarios deberán cumplir lo siguiente:

- Poseer los requisitos exigidos para el ingreso.
- Tener una antigüedad de, al menos, 2 años de servicio activo en el inferior Subgrupo, o Grupo de clasificación profesional, en el supuesto de que este no tenga Subgrupo.
- Superar las correspondientes pruebas selectivas.

Según el citado artículo 22 de la Ley 30/1984, los funcionarios que accedan a otros Cuerpos y Escalas por el sistema de promoción interna tendrán, en todo caso, preferencia para cubrir los puestos de trabajo vacantes ofertados sobre los aspirantes que no procedan de este turno.

Asimismo, conservarán el grado personal que hubieran consolidado en el Cuerpo o Escala de procedencia, siempre que se encuentre incluido en el intervalo de niveles correspondientes al nuevo Cuerpo o Escala y el tiempo de servicios prestados en aquellos será de aplicación, en su caso, para la consolidación de grado personal en este.

A propuesta del Ministro de Hacienda y Función Pública, el Gobierno podrá determinar los cuerpos y escalas de la Administración del Estado a los que podrán acceder los funcionarios pertenecientes a otros de su mismo grupo siempre que desempeñen funciones sustancialmente coincidentes o análogas en su contenido profesional y en su nivel técnico, se deriven ventajas para la gestión de los servicios, se encuentren en posesión de la titulación requerida, hayan prestado servicios efectivos durante al menos dos años como funcionarios de carrera en cuerpos o escalas del mismo grupo de titulación al del cuerpo o escala al que pretendan acceder y superen las correspondientes pruebas.

En las convocatorias para el ingreso en los referidos Cuerpos y Escalas deberá establecerse la exención de las pruebas encaminadas a acreditar conocimientos ya exigidos para el ingreso en el Cuerpo o Escala de origen.

Las leyes de Función Pública que se dicten en desarrollo del TR-LEBEP articularán los sistemas para realizar la promoción interna, así como también podrán determinar los cuerpos y escalas a los que podrán acceder los funcionarios de carrera pertenecientes a otros de su mismo Subgrupo. Entre tanto, acudimos al citado **Reglamento General de Ingreso del Personal al servicio de la Administración General del Estado y de Provisión de Puestos de Trabajo y Promoción Profesional de los Funcionarios Civiles de la Administración general del Estado**, que señala en su artículo 74 que, la promoción interna se efectuará mediante el sistema de oposición o concurso-oposición.

Asimismo, las leyes de Función Pública que se dicten en desarrollo del TR-LEBEP podrán determinar los cuerpos y escalas a los que podrán acceder los funcionarios de carrera pertenecientes a otros de su mismo Subgrupo.

La Disposición transitoria tercera del EBEP establece que los funcionarios del Subgrupo C1 que reúnan la titulación exigida podrán promocionar al Grupo A sin necesidad de pasar por el nuevo Grupo B.

Las Administraciones Públicas adoptarán medidas que incentiven la participación de su personal en los procesos selectivos de promoción interna y para la progresión en la carrera profesional.

1.2.3. Evaluación del desempeño

Las Administraciones Públicas establecerán sistemas que permitan la evaluación del desempeño de sus empleados.

La **evaluación del desempeño** es el procedimiento mediante el cual se mide y valora la conducta profesional y el rendimiento o el logro de resultados.

Los sistemas de evaluación del desempeño se aplicarán sin menoscabo de los derechos de los empleados públicos y se adecuarán, en todo caso, a criterios de:

- Transparencia.
- Objetividad.
- Imparcialidad.
- No discriminación.

Las Administraciones Públicas determinarán los efectos que tendrá la evaluación del desempeño en la carrera profesional horizontal, la formación, la provisión de puestos de trabajo y en la percepción de las retribuciones complementarias.

La continuidad en un puesto de trabajo obtenido por concurso quedará vinculada a la evaluación del desempeño de acuerdo con los sistemas de evaluación que cada Administración Pública determine, dándose audiencia al interesado, y por la correspondiente resolución motivada.

La aplicación de la carrera profesional horizontal, de las retribuciones complementarias y el cese del puesto de trabajo obtenido por el procedimiento de concurso requerirán la aprobación previa, en cada caso, de sistemas objetivos que permitan evaluar el desempeño.

1.3. Derechos retributivos (Cap. III)

El Capítulo III del Título III del TR-LEBEP se refiere a los derechos retributivos de los empleados públicos.

Hay que tener en cuenta que, según la Disposición Final 4.ª del propio TR-LEBEP, lo establecido en el Capítulo III del Título III (referido a los derechos retributivos), excepto el artículo 25.2, producirá efectos a partir de la entrada en vigor de las Leyes de Función Pública que se dicten en desarrollo de este Estatuto.

Hasta que se dicten las leyes de Función Pública y las normas reglamentarias de desarrollo se mantendrán en vigor en cada Administración Pública las normas vigentes sobre ordenación, planificación y gestión de recursos humanos en tanto no se opongan a lo establecido en el TR-LEBEP.

1.3.1. Retribuciones de los funcionarios de carrera

En el artículo 22, se determina que las **retribuciones de los funcionarios de carrera** se clasifican en:

- **Retribuciones básicas**, las que retribuyen al funcionario según la adscripción de su cuerpo o escala a un determinado Subgrupo o Grupo de clasificación profesional, en el supuesto de que este no tenga Subgrupo, y por su antigüedad en el mismo. Se fijan en la Ley de Presupuestos Generales del Estado. Dentro de ellas están comprendidos los componentes de sueldo y trienios de las pagas extraordinarias.

  Estarán integradas única y exclusivamente por:

  a) El **sueldo** asignado a cada Subgrupo o Grupo de clasificación profesional, en el supuesto de que este no tenga Subgrupo.

  b) Los **trienios**, que consisten en una cantidad, que será igual para cada Subgrupo o Grupo de clasificación profesional, en el supuesto de que este no tenga Subgrupo, por cada tres años de servicio.

  (El artículo 24 de la Ley 30/1984, derogado por el TR-LEBEP, pero vigente hasta nueva regulación, señalaba que las cuantías de las retribuciones básicas serán iguales en todas las Administraciones públicas, para cada uno de los grupos en que se clasifican los cuerpos, escalas, categorías o clases de funcionarios; y, que el sueldo de los funcionarios del grupo A, grupo más alto, no podrá exceder en más de tres veces al sueldo de los funcionarios del grupo E, grupo más bajo).

- **Retribuciones complementarias**, las que retribuyen las características de los puestos de trabajo, la carrera profesional o el desempeño, rendimiento o resultados alcanzados por el funcionario. La cuantía y estructura de las retribuciones complementarias de los funcionarios se establecerán por las correspondientes leyes de cada Administración Pública atendiendo, entre otros, a los siguientes factores:

  a) La progresión alcanzada por el funcionario dentro del sistema de carrera administrativa.

  b) La especial dificultad técnica, responsabilidad, dedicación, incompatibilidad exigible para el desempeño de determinados puestos de trabajo o las condiciones en que se desarrolla el trabajo.

  c) El grado de interés, iniciativa o esfuerzo con que el funcionario desempeña su trabajo y el rendimiento o resultados obtenidos.

  d) Los servicios extraordinarios prestados fuera de la jornada normal de trabajo.

- **Pagas extraordinarias**, serán dos al año, cada una por el importe de una mensualidad de retribuciones básicas y de la totalidad de las retribuciones complementarias, salvo las referidas en los epígrafes c) y d).

(El mismo artículo 24 de la Ley 30/1984, antes citado, señala que las cuantías de las pagas extraordinarias serán iguales, en todas las Administraciones Públicas, para cada uno de los grupos de clasificación según el nivel del complemento de destino que se perciba).

- **Indemnizaciones**; según el artículo 28 del TR-LEBEP, los funcionarios percibirán las indemnizaciones correspondientes por razón del servicio.

Los funcionarios de carrera que, en situación de activo o de servicios especiales, ocupen puestos de trabajo reservados a **personal eventual** percibirán las retribuciones básicas correspondientes a su grupo o subgrupo de clasificación, incluidos trienios, en su caso, y las retribuciones complementarias que correspondan al puesto de trabajo que desempeñen.

1.3.2. Retribuciones de los funcionarios interinos

Los funcionarios interinos percibirán las retribuciones básicas y las pagas extraordinarias correspondientes al Subgrupo o Grupo de adscripción, en el supuesto de que este no tenga Subgrupo.

Percibirán asimismo las retribuciones complementarias a que se refieren los epígrafes b), c) y d) expuestos para los funcionarios de carrera y las correspondientes a la categoría de entrada en el cuerpo o escala en el que se le nombre.

1.3.3. Retribuciones de los funcionarios en prácticas

Las Administraciones Públicas determinarán las retribuciones de los funcionarios en prácticas que, como mínimo, se corresponderán a las del sueldo del Subgrupo o Grupo, en el supuesto de que este no tenga Subgrupo, en que aspiren a ingresar.

Cuando el nombramiento de funcionarios en prácticas recaiga en funcionarios de carrera de otro Cuerpo o Escala de grupos y/o subgrupos de titulación inferior a aquel en que se aspira a ingresar, durante el tiempo correspondiente al período de prácticas o el curso selectivo, estos seguirán percibiendo los trienios en cada momento perfeccionados computándose dicho tiempo, a efectos de consolidación de trienios y de derechos pasivos, como servido en el nuevo Cuerpo o Escala en el caso de que, de manera efectiva, se adquiera la condición de funcionario de carrera en estos últimos.

1.3.4. Retribuciones del personal laboral

Las retribuciones del personal laboral se determinarán de acuerdo con la legislación laboral, el convenio colectivo que sea aplicable y el contrato de trabajo.

Se considerará ***salario*** la totalidad de las percepciones económicas del personal laboral, en dinero o en especie, por la prestación profesional de los servicios laborales por cuenta ajena, ya retribuyan el trabajo efectivo, cualquiera que sea la forma de remuneración, ya los periodos de descanso computables como de trabajo.

1.3.5. Condiciones generales de las retribuciones

A lo largo del citado Título III del TR-LEBEP, se exponen las siguientes condiciones que afectan al sistema retributivo de los empleados públicos:

- Las **cuantías** de las retribuciones básicas y el incremento de las cuantías globales de las retribuciones complementarias de los funcionarios, así como el incremento de la masa salarial del personal laboral, deberán reflejarse para cada ejercicio presupuestario en la correspondiente ley de presupuestos.
- No podrán acordarse **incrementos retributivos** que globalmente supongan un incremento de la masa salarial superior a los límites fijados anualmente en la Ley de Presupuestos Generales del Estado para el personal.
- No podrá percibirse **participación en tributos** o en cualquier otro ingreso de las Administraciones Públicas como contraprestación de cualquier servicio, participación o premio en multas impuestas, aun cuando estuviesen normativamente atribuidas a los servicios.
- Las Administraciones Públicas podrán destinar cantidades hasta el porcentaje de la masa salarial que se fije en las correspondientes Leyes de Presupuestos Generales del Estado a financiar **aportaciones a planes de pensiones de empleo o contratos de seguro colectivos** que incluyan la cobertura de la contingencia de jubilación, para el personal incluido en sus ámbitos, de acuerdo con lo establecido en la normativa reguladora de los Planes de Pensiones. Las cantidades destinadas a financiar aportaciones a planes de pensiones o contratos de seguros tendrán a todos los efectos la consideración de **retribución diferida**.
- Sin perjuicio de la sanción disciplinaria que pueda corresponder, la **parte de jornada no realizada** dará lugar a la deducción proporcional de haberes, que no tendrá carácter sancionador.
- Quienes ejerciten el **derecho de huelga** no devengarán ni percibirán las retribuciones correspondientes al tiempo en que hayan permanecido en esa situación sin que la deducción de haberes que se efectúe tenga carácter de sanción, ni afecte al régimen respectivo de sus prestaciones sociales.

1.3.6. Retribuciones complementarias

Entre tanto se lleva a cabo la nueva regulación de la función pública de la Administración General del Estado, los preceptos derogados por el TR-LEBEP referidos al sistema retributivo únicamente lo están en tanto se opongan a lo dispuesto, con carácter básico, para todas las Administraciones Públicas, como «mínimo común», por el nuevo TR-LEBEP. En cuanto que normativa propia y específica de la Función Pública de la AGE, al carecer esta de una ley privativa reguladora de su Función Pública, mantienen su vigencia, aunque sin carácter básico, siempre que no se opongan a lo establecido por el TR-LEBEP, mientras se dicta el desarrollo normativo en el ámbito de la AGE.

Por lo tanto, podemos considerar que el derogado artículo 23 de la Ley 30/1984, de 2 de agosto, de medidas para la reforma de la Función Pública, referido a los conceptos retributivos, mantiene su vigencia en lo que no se oponga al TR-LEBEP.

Este artículo 23 señala como retribuciones complementarias las siguientes:

a) El **complemento de destino** correspondiente al nivel del puesto que se desempeñe.

b) El **complemento específico** destinado a retribuir las condiciones particulares de algunos puestos de trabajo en atención a su especial dificultad técnica, dedicación, responsabilidad, incompatibilidad, peligrosidad o penosidad. En ningún caso podrá asignarse más de un complemento específico a cada puesto de trabajo.

c) El **complemento de productividad** destinado a retribuir el especial rendimiento, la actividad extraordinaria y el interés o iniciativa con que el funcionario desempeñe su trabajo.

   Su cuantía global no podrá exceder de un porcentaje sobre los costes totales de personal de cada programa y de cada órgano que se determinará en la Ley de Presupuestos. El responsable de la gestión de cada programa de gasto, dentro de las correspondientes dotaciones presupuestarias determinará, de acuerdo con la normativa establecida en la Ley de Presupuestos, la cuantía individual que corresponda, en su caso, a cada funcionario.

   En todo caso, las cantidades que perciba cada funcionario por este concepto serán de conocimiento público de los demás funcionarios del Departamento u Organismo interesado, así como de los representantes sindicales.

d) Las **gratificaciones por servicios extraordinarios**, fuera de la jornada normal, que en ningún caso podrán ser fijas en su cuantía y periódicas en su devengo.

1.3.7. Indemnizaciones

Son distintos tipos de indemnizaciones las siguientes:

- **«Dieta»** es la cantidad que se devenga diariamente para satisfacer los gastos que origina la estancia fuera de la residencia oficial, en caso de comisión de servicio que no dure más de un mes en territorio nacional y de tres en el extranjero.

  Si se produjera por una comisión de servicio desempeñada por personal de las Fuerzas Armadas o de las Fuerzas y Cuerpos de Seguridad del Estado, formando unidad, dicho devengo recibirá el nombre de **«plus»**.

- **«Indemnización de residencia eventual»** es la cantidad que se devenga diariamente para satisfacer los gastos que origina la estancia fuera de la residencia oficial, en caso de comisiones de residencia eventual o derivadas de la asistencia a cursos convocados por la Administración.

- **«Gastos de Viaje»** es la cantidad que se abona por la utilización de cualquier medio de transporte por razón de servicio.

1.4. Derecho a la negociación colectiva, representación y participación institucional. Derecho de reunión (Cap. IV)

1.4.1. Sindicación

El art. 7 de nuestra vigente Constitución, de 27 de diciembre de 1978 (CE, en otras referencias), reconoce la libertad de creación de Sindicatos, dentro del respeto a la Constitución y a la ley.

El derecho a la libre sindicación viene expresamente previsto en el **artículo 28.1 de nuestra Constitución Española**: "Todos tienen derecho a sindicarse libremente. La ley podrá limitar o exceptuar el ejercicio de este derecho a las Fuerzas o Institutos armados o a los demás Cuerpos sometidos a disciplina militar y regulará las peculiaridades de su ejercicio para los funcionarios públicos. La libertad sindical comprende el derecho a fundar sindicatos y a afiliarse al de su elección, así como el derecho de los sindicatos a formar confederaciones y a fundar confederaciones sindicales y a fundar organizaciones sindicales internacionales o afiliarse a las mismas. Nadie podrá ser obligado a afiliarse a un sindicato".

En primer lugar, hay que exponer que según dispone el artículo 15 del Real Decreto Legislativo 5/2015, de 30 de octubre, por el que se aprueba el Texto Refundido de la Ley del Estatuto Básico del Empleado Público (EBEP), **los empleados públicos** (por tanto, incluidos tanto personal funcionario como personal laboral) tienen los siguientes derechos individuales que se ejercen de forma colectiva:

a) A la **libertad sindical**.

b) A la negociación colectiva y a la participación en la determinación de las condiciones de trabajo.

c) Al ejercicio de la huelga, con la garantía del mantenimiento de los servicios esenciales de la comunidad.

d) Al planteamiento de conflictos colectivos de trabajo, de acuerdo con la legislación aplicable en cada caso.

e) Al de reunión, en los términos establecidos en el artículo 46 de este Estatuto.

En segundo lugar, debemos poner en relación este derecho de los empleados públicos con su regulación jurídica específica contenida en el artículo 1 de la Ley 11/1985, de 2 de agosto, de Libertad Sindical. Dicho precepto dispone que **todos los trabajadores tengan derecho a sindicarse libremente** para la promoción y defensa de sus intereses económicos y sociales. Y, a los efectos de esta ley, se consideran trabajadores tanto aquellos que sean sujetos de una relación laboral como aquellos que lo sean de una relación de carácter administrativo o estatutario al servicio de las Administraciones Públicas.

Por otra parte, el precepto que comentamos establece una modulación del derecho de sindicación, en los siguientes términos:

a) Quedan exceptuados del ejercicio de este derecho los miembros de las Fuerzas Armadas y de los Institutos Armados de carácter militar.

b) De acuerdo con lo dispuesto en el artículo 127.1 de la Constitución, los Jueces, Magistrados y Fiscales no podrán pertenecer a sindicato alguno mientras se hallen en activo.

c) El ejercicio del derecho de sindicación de los miembros de Cuerpos y Fuerzas de Seguridad que no tengan carácter militar, se regirá por su normativa específica, dado el carácter armado y la organización jerarquizada de estos Institutos.

No debemos olvidar que el artículo 7 del EBEP dispone que el personal laboral al servicio de las Administraciones Públicas se rige, entre otra normativa, por la legislación laboral. Por lo tanto, acudiendo al artículo 4 del Real Decreto Legislativo 2/2015, de 23 de octubre, por el que se aprueba el Texto Refundido de la Ley del Estatuto de los Trabajadores, comprobamos que en su apartado 1 dispone los derechos básicos que tienen los trabajadores, con el contenido y alcance que para cada uno de los mismos disponga su específica normativa, y entre ellos, en la letra b), el de **libre sindicación**.

El Estatuto de los Trabajadores, en este caso, se limita a mencionar este derecho en el artículo 4.1.b, siendo la razón que el derecho de sindicación se desarrolla fundamentalmente por la Ley 11/1985, de 2 de agosto, Orgánica de Libertad Sindical. El fundamento de por qué es esta ley y no el Estatuto de los Trabajadores la que desarrolle este derecho constitucional de libre sindicación se debe a la necesidad impuesta por la propia Constitución (artículo 81.1) en cuanto a la exigencia de ley orgánica; la Ley del Estatuto de los Trabajadores únicamente tiene rango de ley ordinaria.

La finalidad que la Ley Orgánica de Libertad Sindical (en su artículo 1.º) atribuye al derecho de todos los trabajadores a sindicarse libremente estriba en la promoción y defensa de sus intereses económicos y sociales (y así lo prevén también los Convenios 87 y 98 de la Organización Internacional del Trabajo –OIT– ratificados por España). A estos efectos, se deben considerar trabajadores tanto los sujetos de una relación laboral como aquellos que lo sean de una relación de carácter administrativo o estatutario al servicio de las Administraciones Públicas. La ley también es aplicable a los funcionarios públicos.

El **contenido del derecho a la libre sindicación**, según lo establecido por el artículo 2.º de la Ley Orgánica de Libertad Sindical, comprende dos niveles con contenidos distintos, a saber:

1. El contenido de la libre sindicación de los trabajadores, que abarca:
   a) El derecho a fundar sindicatos, así como el derecho a suspenderlos o extinguirlos.
   b) El derecho del trabajador a afiliarse al sindicato de su elección con la sola condición de observar los estatutos del mismo o a separarse del que estuviese afiliado, no pudiendo nadie ser obligado a afiliarse a un sindicato.
   c) El derecho de los afiliados a elegir libremente a sus representantes dentro de cada sindicato.
   d) El derecho a la actividad sindical.
2. El contenido de la libertad sindical de las organizaciones sindicales o sindicatos de trabajadores, que contempla:
   a) Redactar sus estatutos y reglamento, organizar su administración interna y sus actividades y formular su programa de acción.

b) Constituir federaciones, confederaciones y organizaciones internacionales, así como afiliarse a ellas y retirarse de las mismas.

c) No ser suspendidas ni disueltas, sino mediante resolución firme de la Autoridad Judicial, fundada en incumplimiento grave de las leyes.

d) El ejercicio de la actividad sindical, comprendiendo la negociación colectiva, el ejercicio del derecho de huelga, planteamiento de conflictos individuales y colectivos, presentación de candidaturas para la elección del comité de empresa y delegados de personal, etc.

Dejando a un lado el régimen jurídico de la creación de los sindicatos, así como el ejercicio de su representatividad, nos interesa centrarnos sobre todo en la **acción sindical**, es decir, que los trabajadores afiliados a un sindicato podrán en el ámbito de la empresa o centro de trabajo:

a) Constituir secciones sindicales.

b) Celebrar reuniones, previa comunicación al empresario, sin perturbar la actividad normal de la empresa.

c) Recibir la información que le remita su sindicado.

Las secciones sindicales: las secciones sindicales de los sindicatos más representativos y de los que tengan representación en los comités de empresa, tendrán los siguientes derechos:

- Negociación colectiva.
- Disponer de un tablón de anuncios para facilitar la información que pueda interesar a los afiliados y trabajadores.
- Utilización de un local adecuado para desarrollar sus actividades en empresas o centros de trabajo con más de 250 trabajadores.

1.4.2. Representación

Según el artículo 31.1 del TR-LEBEP, los empleados públicos tienen derecho a la negociación colectiva, representación y participación institucional para la determinación de sus condiciones de trabajo.

Los apartados 2, 3 y 4 del artículo 31 del TR-LEBEP definen estos derechos así:

- Como **negociación colectiva**: el derecho a negociar la determinación de las condiciones de trabajo de los empleados de la Administración Pública.
- Como **representación**: la facultad de elegir representantes y constituir órganos unitarios a través de los cuales se instrumente la interlocución entre las Administraciones Públicas y sus empleados.
- Como **participación institucional**: el derecho a participar, a través de las organizaciones sindicales, en los órganos de control y seguimiento de las entidades u organismos que legalmente se determine.

El apartado 5 de ese artículo 31 señala que, sin perjuicio de otras formas de colaboración entre las Administraciones Públicas y sus empleados públicos o los representantes de estos, el ejercicio de estos tres derechos se garantiza y se lleva a cabo a través de los órganos y sistemas específicos que regula el Capítulo IV del Título III del EBEP, que veremos más adelante.

El apartado 6 del artículo 31, legitima a las organizaciones sindicales más representativas en el ámbito de la Función Pública para la interposición de recursos en vía administrativa y jurisdiccional contra las resoluciones de los órganos de selección.

Conforme al apartado 7, el ejercicio de los derechos establecidos en este capítulo no podrá oponerse al contenido del EBEP y las leyes de desarrollo previstas en el mismo (fundamentalmente las leyes de función pública que a partir del EBEP aprueben las distintas Comunidades Autónomas para regular su personal).

España tiene firmados numerosos convenios y acuerdos con distintos organismos internacionales, algunos de ellos de carácter laboral, por lo que los procedimientos que se creen para determinar condiciones de trabajo en las Administraciones Públicas no pueden contradecir lo firmado en ellos.

A continuación, nos referiremos a la representación:

A) Los órganos específicos de representación de los funcionarios son:

- Los Delegados de Personal.
- Las Juntas de Personal.

  En las unidades electorales donde el número de funcionarios sea igual o superior a 6 e inferior a 50, su representación corresponderá a los **Delegados de Personal**.

- Hasta 30 funcionarios se elegirá un Delegado.
- De 31 a 49 funcionarios se elegirán tres Delegados, que ejercerán su representación conjunta y mancomunadamente.

Las **Juntas de Personal** se constituirán en unidades electorales que cuenten con un censo mínimo de 50 funcionarios.

Cada Junta de Personal se compone de un número de representantes, en función del número de funcionarios de la Unidad electoral correspondiente, de acuerdo con la siguiente escala, en coherencia con lo establecido en el Estatuto de los Trabajadores:

- De 50 a 100 funcionarios: 5.
- De 101 a 250 funcionarios: 9.
- De 251 a 500 funcionarios: 13.
- De 501 a 750 funcionarios: 17.
- De 751 a 1.000 funcionarios: 21.
- De 1.001 en adelante, dos por cada 1.000 o fracción, con el máximo de 75.

Las Juntas de Personal elegirán de entre sus miembros un Presidente y un Secretario y elaborarán su propio reglamento de procedimiento, que no podrá contravenir lo dispuesto en el presente Estatuto y legislación de desarrollo, remitiendo copia del mismo y de sus modificaciones al órgano u órganos competentes en materia de personal que cada Administración determine. El reglamento y sus modificaciones deberán ser aprobados por los votos favorables de, al menos, dos tercios de sus miembros.

B) Las Juntas de Personal y los Delegados de Personal, en su caso, tendrán las siguientes **funciones**, en sus respectivos ámbitos:

a) Recibir información, sobre la política de personal, así como sobre los datos referentes a la evolución de las retribuciones, evolución probable del empleo en el ámbito correspondiente y programas de mejora del rendimiento.

b) Emitir informe, a solicitud de la Administración Pública correspondiente, sobre el traslado total o parcial de las instalaciones e implantación o revisión de sus sistemas de organización y métodos de trabajo.

c) Ser informados de todas las sanciones impuestas por faltas muy graves.

d) Tener conocimiento y ser oídos en el establecimiento de la jornada laboral y horario de trabajo, así como en el régimen de vacaciones y permisos.

e) Vigilar el cumplimiento de las normas vigentes en materia de condiciones de trabajo, prevención de riesgos laborales, Seguridad Social y empleo y ejercer, en su caso, las acciones legales oportunas ante los organismos competentes.

f) Colaborar con la Administración correspondiente para conseguir el establecimiento de cuantas medidas procuren el mantenimiento e incremento de la productividad.

C) Los miembros de las Juntas de Personal y los Delegados de Personal, en su caso, como representantes legales de los funcionarios, dispondrán en el ejercicio de su función representativa de las siguientes **garantías y derechos**:

a) El acceso y libre circulación por las dependencias de su unidad electoral, sin que se entorpezca el normal funcionamiento de las correspondientes unidades administrativas, dentro de los horarios habituales de trabajo y con excepción de las zonas que se reserven de conformidad con lo dispuesto en la legislación vigente.

b) La distribución libre de las publicaciones que se refieran a cuestiones profesionales y sindicales.

c) La audiencia en los expedientes disciplinarios a que pudieran ser sometidos sus miembros durante el tiempo de su mandato y durante el año inmediatamente posterior, sin perjuicio de la audiencia al interesado regulada en el procedimiento sancionador.

d) Un crédito de horas mensuales dentro de la jornada de trabajo y retribuidas como de trabajo efectivo, de acuerdo con la siguiente escala:

- Hasta 100 funcionarios: 15.
- De 101 a 250 funcionarios: 20.

- De 251 a 500 funcionarios: 30.
- De 501 a 750 funcionarios: 35.
- De 751 en adelante: 40.

Los miembros de la Junta de Personal y Delegados de Personal de la misma candidatura que así lo manifiesten podrán proceder, previa comunicación al órgano que ostente la Jefatura de Personal ante la que aquella ejerza su representación, a la acumulación de los créditos horarios.

e) No ser trasladados ni sancionados por causas relacionadas con el ejercicio de su mandato representativo, ni durante la vigencia del mismo, ni en el año siguiente a su extinción, exceptuando la extinción que tenga lugar por revocación o dimisión.

Los miembros de las Juntas de Personal y los Delegados de Personal no podrán ser discriminados en su formación ni en su promoción económica o profesional por razón del desempeño de su representación.

Cada uno de los miembros de la Junta de Personal y esta como órgano colegiado, así como los Delegados de Personal, en su caso, observarán sigilo profesional en todo lo referente a los asuntos en que la Administración señale expresamente el carácter reservado, aún después de expirar su mandato. En todo caso, ningún documento reservado entregado por la Administración podrá ser utilizado fuera del estricto ámbito de la Administración para fines distintos de los que motivaron su entrega.

D) El **mandato** de los miembros de las Juntas de Personal y de los Delegados de Personal, en su caso, será de cuatro años, pudiendo ser reelegidos.

El mandato se entenderá prorrogado si, a su término, no se hubiesen promovido nuevas elecciones, sin que los representantes con mandato prorrogado se contabilicen a efectos de determinar la capacidad representativa de los Sindicatos.

E) Podrán **promover la celebración de elecciones** a Delegados y Juntas de Personal:

a) Los Sindicatos más representativos a nivel estatal.

b) Los sindicatos más representativos a nivel de comunidad autónoma, cuando la unidad electoral afectada esté ubicada en su ámbito geográfico.

c) Los sindicatos que, sin ser más representativos, hayan conseguido al menos el 10 por 100 de los representantes a los que se refiere este Estatuto en el conjunto de las Administraciones Públicas.

d) Los sindicatos que hayan obtenido al menos un porcentaje del 10 por 100 en la unidad electoral en la que se pretende promover las elecciones.

e) Los funcionarios de la unidad electoral, por acuerdo mayoritario.

Los legitimados para promover elecciones tendrán, a este efecto, derecho a que la Administración Pública correspondiente les suministre el censo de personal de las unidades electorales afectadas, distribuido por organismos o centros de trabajo.

F) El **procedimiento para la elección de las Juntas de Personal y para la elección de Delegados de Personal** se determinará reglamentariamente teniendo en cuenta los siguientes criterios generales:

a) La elección se realizará mediante sufragio personal, directo, libre y secreto que podrá emitirse por correo o por otros medios telemáticos.

b) Serán electores y elegibles los funcionarios que se encuentren en la situación de servicio activo. No tendrán la consideración de electores ni elegibles los funcionarios que ocupen puestos cuyo nombramiento se efectúe a través de real decreto o por decreto de los consejos de gobierno de las comunidades autónomas y de las ciudades de Ceuta y Melilla.

c) Podrán presentar candidaturas las organizaciones sindicales legalmente constituidas o las coaliciones de estas, y los grupos de electores de una misma unidad electoral, siempre que el número de ellos sea equivalente, al menos, al triple de los miembros a elegir.

d) Las Juntas de Personal se elegirán mediante listas cerradas a través de un sistema proporcional corregido, y los Delegados de Personal mediante listas abiertas y sistema mayoritario.

e) Los órganos electorales serán las Mesas Electorales que se constituyan para la dirección y desarrollo del procedimiento electoral y las oficinas públicas permanentes para el cómputo y certificación de resultados reguladas en la normativa laboral.

f) Las impugnaciones se tramitarán conforme a un procedimiento arbitral, excepto las reclamaciones contra las denegaciones de inscripción de actas electorales que podrán plantearse directamente ante la jurisdicción social.

1.4.3. Negociación colectiva

La negociación colectiva de condiciones de trabajo de los funcionarios públicos está sujeta a los principios de:

- Legalidad.
- Cobertura presupuestaria.
- Obligatoriedad.
- Buena fe negocial.
- Publicidad.
- Transparencia.

La negociación colectiva se efectúa mediante el ejercicio de la capacidad representativa reconocida a las organizaciones sindicales.

Serán **objeto de negociación**, en su ámbito respectivo y en relación con las competencias de cada Administración Pública y con el alcance que legalmente proceda en cada caso, las materias siguientes:

a) La aplicación del incremento de las retribuciones del personal al servicio de las Administraciones Públicas que se establezca en la Ley de Presupuestos Generales del Estado y de las comunidades autónomas.

b) La determinación y aplicación de las retribuciones complementarias de los funcionarios.

c) Las normas que fijen los criterios generales en materia de acceso, carrera, provisión, sistemas de clasificación de puestos de trabajo, y planes e instrumentos de planificación de recursos humanos.

d) Las normas que fijen los criterios y mecanismos generales en materia de evaluación del desempeño.

e) Los planes de Previsión Social Complementaria.

f) Los criterios generales de los planes y fondos para la formación y la promoción interna.

g) Los criterios generales para la determinación de prestaciones sociales y pensiones de clases pasivas.

h) Las propuestas sobre derechos sindicales y de participación.

i) Los criterios generales de acción social.

j) Las que así se establezcan en la normativa de prevención de riesgos laborales.

k) Las que afecten a las condiciones de trabajo y a las retribuciones de los funcionarios, cuya regulación exija norma con rango de ley.

l) Los criterios generales sobre ofertas de empleo público.

m) Las referidas a calendario laboral, horarios, jornadas, vacaciones, permisos, movilidad funcional y geográfica, así como los criterios generales sobre la planificación estratégica de los recursos humanos, en aquellos aspectos que afecten a condiciones de trabajo de los empleados públicos.

Quedan **excluidas de la obligatoriedad de la negociación**, las materias siguientes:

a) Las decisiones de las Administraciones Públicas que afecten a sus potestades de organización.

   Cuando las consecuencias de las decisiones de las Administraciones Públicas que afecten a sus potestades de organización tengan repercusión sobre condiciones de trabajo de los funcionarios públicos contempladas en el apartado anterior, procederá la negociación de dichas condiciones con las organizaciones sindicales a que se refiere el TR-LEBEP.

b) La regulación del ejercicio de los derechos de los ciudadanos y de los usuarios de los servicios públicos, así como el procedimiento de formación de los actos y disposiciones administrativas.

c) La determinación de condiciones de trabajo del personal directivo.

d) Los poderes de dirección y control propios de la relación jerárquica.

e) La regulación y determinación concreta, en cada caso, de los sistemas, criterios, órganos y procedimientos de acceso al empleo público y la promoción profesional.

A efectos de negociación colectiva, se constituirán **Mesas de Negociación** en las que estarán legitimados para estar presentes, por una parte:

- Los representantes de la Administración Pública correspondiente *(las Administraciones Públicas podrán encargar el desarrollo de las actividades de negociación colectiva a órganos creados por ellas, de naturaleza estrictamente técnica, que ostentarán su representación en la negociación colectiva previas las instrucciones políticas correspondientes y sin perjuicio de la ratificación de los acuerdos alcanzados por los órganos de gobierno o administrativos con competencia para ello).*

Y por otra:

- Las organizaciones sindicales más representativas a nivel estatal *(los que hubieran obtenido el 10 por 100 o más de los delegados de personal, miembros de comités de empresa o de los correspondientes órganos de representación de las Administraciones Públicas).*

- Las organizaciones sindicales más representativas de comunidad autónoma *(obtención de al menos un 15 por 100 de los delegados de personal, miembros de comités de empresa o de los correspondientes órganos de representación de las Administraciones Públicas).*

- Los sindicatos que hayan obtenido el 10 por 100 o más de los representantes en las elecciones para Delegados y Juntas de Personal, en las unidades electorales comprendidas en el ámbito específico de su constitución.

Se constituye una **Mesa General de Negociación de las Administraciones Públicas**. La representación de estas será unitaria, estará presidida por la Administración General del Estado y contará con representantes de las Comunidades Autónomas, de las ciudades de Ceuta y Melilla y de la Federación Española de Municipios y Provincias, en función de las materias a negociar.

La representación de las organizaciones sindicales legitimadas para estar presentes de acuerdo con lo dispuesto en los artículos 6 y 7 de la Ley Orgánica 11/1985, de 2 de agosto, de Libertad Sindical, se distribuirá en función de los resultados obtenidos en las elecciones a los órganos de representación del personal, Delegados de Personal, Juntas de Personal y Comités de Empresa, en el conjunto de las Administraciones Públicas.

Además de las materias que resulten susceptibles de regulación estatal con carácter de norma básica, será específicamente objeto de negociación en el ámbito de la Mesa General de Negociación de las Administraciones Públicas el incremento global de las retribuciones del personal al servicio de las Administraciones Públicas que corresponda incluir en el Proyecto de Ley de Presupuestos Generales del Estado de cada año.

A los efectos de la negociación colectiva de los funcionarios públicos, se constituirá una **Mesa General de Negociación** en el ámbito de la Administración General del Estado, así como en cada una de las Comunidades Autónomas, ciudades de Ceuta y Melilla y Entidades Locales.

Son competencias propias de las Mesas Generales la negociación de las materias relacionadas con condiciones de trabajo comunes a los funcionarios de su ámbito.

Dependiendo de las Mesas Generales de Negociación y por acuerdo de las mismas podrán constituirse **Mesas Sectoriales**, en atención a las condiciones específicas de trabajo de las organizaciones administrativas afectadas o a las peculiaridades de sectores concretos de funcionarios públicos y a su número.

La competencia de las Mesas Sectoriales se extenderá a los temas comunes a los funcionarios del sector que no hayan sido objeto de decisión por parte de la Mesa General respectiva o a los que esta explícitamente les reenvíe o delegue.

El proceso de negociación se abrirá, en cada Mesa, en la fecha que, de común acuerdo, fijen la Administración correspondiente y la mayoría de la representación sindical. A falta de acuerdo, el proceso se iniciará en el plazo máximo de un mes desde que la mayoría de una de las partes legitimadas lo promueva, salvo que existan causas legales o pactadas que lo impidan.

Ambas partes estarán obligadas a negociar bajo el principio de la buena fe y proporcionarse mutuamente la información que precisen relativa a la negociación.

En las normas de desarrollo del EBEP se establecerá la composición numérica de las Mesas correspondientes a sus ámbitos, sin que ninguna de las partes pueda superar el número de quince miembros.

En el seno de las Mesas de Negociación correspondientes, los representantes de las Administraciones Públicas podrán concertar **Pactos y Acuerdos** con la representación de las organizaciones sindicales legitimadas a tales efectos, para la determinación de condiciones de trabajo de los funcionarios de dichas Administraciones.

Los Pactos y Acuerdos deberán determinar las partes que los conciertan, el ámbito personal, funcional, territorial y temporal, así como la forma, plazo de preaviso y condiciones de denuncia de los mismos.

Se establecerán Comisiones Paritarias de seguimiento de los Pactos y Acuerdos con la composición y funciones que las partes determinen.

Los Pactos celebrados y los Acuerdos, una vez ratificados, deberán ser remitidos a la Oficina Pública que cada Administración competente determine y la Autoridad respectiva ordenará su publicación en el Boletín Oficial que corresponda en función del ámbito territorial.

Salvo acuerdo en contrario, los Pactos y Acuerdos se prorrogarán de año en año si no mediara denuncia expresa de una de las partes.

1.4.4. Negociación colectiva y participación del personal laboral

El artículo 32.1 del Real Decreto Legislativo 5/2015, de 30 de octubre, por el que se aprueba el Texto Refundido de la Ley del Estatuto Básico del Empleado Público (EBEP), dispone que **la negociación colectiva, representación y participación de los empleados públicos con contrato laboral se regirá por la legislación laboral, sin perjuicio de los preceptos *del Capítulo IV del Título III del EBEP* que expresamente les son de aplicación.**

En el apartado 2 del artículo 32, el EBEP garantiza el cumplimiento de los convenios colectivos y acuerdos que afecten al personal laboral, con una excepción:

Los órganos de gobierno de las Administraciones Públicas (Consejo de Ministros en el Estado, o, los Consejos de Gobierno de las Comunidades Autónomas) podrán suspender o modificar el cumplimiento de convenios colectivos o acuerdos ya firmados en la medida estrictamente necesaria para salvaguardar el interés público, de forma excepcional y por ***causa grave de interés público derivada de una alteración sustancial de las circunstancias económicas***.

En cualquier caso, las Administraciones Públicas están obligadas a **informar a las organizaciones sindicales de las causas** de la suspensión o modificación del cumplimiento de los convenios colectivos o acuerdos ya firmados.

1.4.5. Derecho de reunión

Están legitimados para convocar una reunión, además de las organizaciones sindicales, directamente o a través de los Delegados Sindicales:

a) Los Delegados de Personal.

b) Las Juntas de Personal.

c) Los Comités de Empresa.

d) Los empleados públicos de las Administraciones respectivas en número no inferior al 40 por 100 del colectivo convocado.

Las reuniones en el centro de trabajo se autorizarán fuera de las horas de trabajo, salvo acuerdo entre el órgano competente en materia de personal y quienes estén legitimados para convocarlas.

La celebración de la reunión no perjudicará la prestación de los servicios y los convocantes de la misma serán responsables de su normal desarrollo.

1.5. Derecho a la jornada de trabajo, permisos y vacaciones (Cap. V)

El Capítulo V del Título III del EBEP trata del derecho a la jornada de trabajo, permisos y vacaciones.

Para el régimen de jornada de trabajo, permisos y vacaciones del personal laboral se estará a lo establecido en este capítulo y en la legislación laboral correspondiente.

1.5.1. Jornada de trabajo de los funcionarios públicos

Las Administraciones Públicas establecen la jornada general y las especiales de trabajo de sus funcionarios públicos.

La jornada de trabajo podrá ser:

- A tiempo completo.
- A tiempo parcial.

El **Real Decreto-ley 29/2020, de 29 de septiembre, de medidas urgentes en materia de teletrabajo en las Administraciones Públicas y de recursos humanos en el Sistema Nacional de Salud para hacer frente a la crisis sanitaria ocasionada por la COVID-19**, ha añadido un artículo al EBEP, el 47 bis, referido al teletrabajo.

Según dicho artículo, se considera **teletrabajo** aquella modalidad de prestación de servicios a distancia en la que el contenido competencial del puesto de trabajo puede desarrollarse, siempre que las necesidades del servicio lo permitan, fuera de las dependencias de la Administración, mediante el uso de tecnologías de la información y comunicación.

La prestación del servicio mediante teletrabajo habrá de ser expresamente autorizada y será compatible con la modalidad presencial.

En todo caso, tendrá carácter voluntario y reversible salvo en supuestos excepcionales debidamente justificados.

El teletrabajo deberá contribuir a una mejor organización del trabajo a través de la identificación de objetivos y la evaluación de su cumplimiento.

El personal que preste sus servicios mediante teletrabajo tendrá los mismos deberes y derechos, individuales y colectivos, recogidos en el presente Estatuto que el resto del personal que preste sus servicios en modalidad presencial, incluyendo la normativa de prevención de riesgos laborales que resulte aplicable, salvo aquellos que sean inherentes a la realización de la prestación del servicio de manera presencial.

La Administración proporcionará y mantendrá a las personas que trabajen en esta modalidad, los medios tecnológicos necesarios para su actividad.

La disposición adicional 71.ª de la Ley 2/2012, de 29 de junio, de Presupuestos Generales del Estado para el año 2012, dispuso con carácter básico que la jornada general de trabajo del personal del Sector Público no podrá ser inferior a treinta y siete horas y media semanales de trabajo efectivo de promedio en cómputo anual.

La **Ley 6/2018, de 3 de julio, de Presupuestos Generales del Estado para el año 2018,** se refirió a la jornada de trabajo en el Sector Público, en la disposición adicional 144, en los siguientes términos:

Uno.

A partir de la entrada en vigor de esta ley [o sea, desde el 5-7-2018], la jornada de trabajo general en el sector público se computará en cuantía anual y supondrá un promedio semanal de treinta y siete horas y media, sin perjuicio de las jornadas especiales existentes o que, en su caso, se establezcan.

A estos efectos conforman el Sector Público:

a) La Administración General del Estado, las Administraciones de las Comunidades Autónomas y las Entidades que integran la Administración Local.

b) Las entidades gestoras y los servicios comunes de la Seguridad Social.

c) Los organismos autónomos, las entidades públicas empresariales, las autoridades administrativas independientes, y cualesquiera entidades de derecho público con personalidad jurídica propia dependientes o vinculadas a una Administración Pública o a otra entidad pública, así como las Universidades Públicas.

d) Los consorcios definidos en el artículo 118 de la Ley 40/2015, de 1 de octubre, de Régimen Jurídico del Sector Público.

e) Las fundaciones que se constituyan con una aportación mayoritaria, directa o indirecta, de una o varias entidades integradas en el sector público, o cuyo patrimonio fundacional esté formado en más de un 50 % por bienes o derechos aportados o cedidos por las referidas entidades.

f) Las sociedades mercantiles en cuyo capital social la participación, directa o indirecta, de entidades de las mencionadas en las letras a) a e) del presente apartado sea superior al 50 %.

Dos.

No obstante lo anterior, cada Administración Pública podrá establecer en sus calendarios laborales, previa negociación colectiva, otras jornadas ordinarias de trabajo distintas de la establecida con carácter general, o un reparto anual de la jornada en atención a las particularidades de cada función, tarea y ámbito sectorial, atendiendo en especial al tipo de jornada o a las jornadas a turnos, nocturnas o especialmente penosas, siempre y cuando en el ejercicio presupuestario anterior se hubieran cumplido los objetivos de estabilidad presupuestaria, deuda pública y la regla de gasto. Lo anterior no podrá afectar al cumplimiento por cada Administración del objetivo de que la temporalidad en el empleo público no supere el 8 % de las plazas de naturaleza estructural en cada uno de sus ámbitos.

De acuerdo con la normativa aplicable a las entidades locales, y en relación con lo previsto en este apartado, la regulación estatal de jornada y horario tendrá carácter supletorio en tanto que por dichas entidades se apruebe una regulación de su jornada y horario de trabajo, previo acuerdo de negociación colectiva.

Tres.

Asimismo, las Administraciones Públicas que cumplan los requisitos señalados en el apartado anterior, podrán autorizar a sus entidades de derecho público o privado y organismos dependientes, a que establezcan otras jornadas ordinarias de trabajo u otro reparto anual de las mismas, siempre que ello no afecte al cumplimiento de los objetivos de estabilidad presupuestaria, deuda pública y la regla de gasto, así como al objetivo de temporalidad del empleo público en el ámbito respectivo a que se hace referencia en el apartado Dos anterior.

Cuatro.

Quedan sin efecto las previsiones en materia de jornada y horario contenidas en los Acuerdos, Pactos y Convenios vigentes o que puedan suscribirse que contravengan lo previsto en esta disposición.

Cinco.

Cada Administración Pública, previa negociación colectiva, podrá regular una bolsa de horas de libre disposición acumulables entre sí, de hasta un 5 % de la jornada anual, con carácter recuperable en el periodo de tiempo que así se determine y dirigida de forma justificada a la adopción de medidas de conciliación para el cuidado y atención de mayores, discapacitados, e hijos menores, en los términos que en cada caso se determinen. La Administración respectiva deberá regular el periodo de tiempo en el que se generará la posibilidad de hacer uso de esta bolsa de horas, los límites y condiciones de acumulación de la misma, así como el plazo en el que deberán recuperarse.

Igualmente, y en el caso de cuidado de hijos menores de 12 años o discapacitados, podrá establecerse un sistema específico de jornada continua.

Seis.

Esta disposición tiene carácter básico y se dicta al amparo de los artículos 149.1.7.ª, 149.1.13.ª y 149.1.18.ª de la Constitución.

1.5.2. Permisos de los funcionarios públicos

A) Según el artículo 48 del TR-LEBEP, los funcionarios públicos disponen de los siguientes permisos:

a) Por accidente o enfermedad graves, hospitalización o intervención quirúrgica sin hospitalización que precise de reposo domiciliario del cónyuge, pareja de hecho o parientes hasta el **primer grado por consanguinidad o afinidad**; (es decir, padres, hijos, suegros, yernos y nueras), así como de cualquier otra persona distinta de las anteriores que conviva con el funcionario o funcionaria en el mismo domicilio y que requiera el cuidado efectivo de aquella: **5 días.**

   Cuando se trate de accidente o enfermedad graves, hospitalización o intervención quirúrgica sin hospitalización que precise de reposo domiciliario, de un familiar dentro del **segundo grado de consanguinidad o afinidad: 4 días**.

   Cuando se trate de fallecimiento del **cónyuge, pareja de hecho o familiar dentro del primer grado de consanguinidad o afinidad**:

   - 3 días hábiles cuando se produzca en la misma localidad.
   - 5 días hábiles cuando sea en distinta localidad.

   Cuando se trate de fallecimiento de un familiar dentro del **segundo grado de consanguinidad o afinidad**, (es decir, abuelos propios o del cónyuge, hermanos, cuñados, nietos y cónyuges de los nietos), el permiso será:

   - 2 días hábiles cuando se produzca en la misma localidad.
   - 4 días hábiles cuando sea en distinta localidad.

b) Por traslado de domicilio sin cambio de residencia: 1 día.

c) Para realizar funciones sindicales o de representación del personal: en los términos que se determine.

d) Para concurrir a exámenes finales y demás pruebas definitivas de aptitud: durante los días de su celebración.

e) Por el tiempo indispensable para la realización de exámenes prenatales y técnicas de preparación al parto por las funcionarias embarazadas y, en los casos de adopción o acogimiento, o guarda con fines de adopción, para la asistencia a las preceptivas sesiones de información y preparación y para la realización de los preceptivos informes psicológicos y sociales previos a la declaración de idoneidad, que deban realizarse dentro de la jornada de trabajo (a efectos de lo dispuesto en este epígrafe, el término de funcionarias embarazadas incluye también a las personas funcionarias trans gestantes).

f) Por lactancia de un hijo menor de doce meses tendrá derecho a: 1 hora de ausencia del trabajo que podrá dividir en dos fracciones.

Este derecho podrá sustituirse por una reducción de la jornada normal en media hora al inicio y al final de la jornada o, en una hora al inicio o al final de la jornada, con la misma finalidad.

Igualmente, la funcionaria podrá solicitar la sustitución del tiempo de lactancia por un permiso retribuido que acumule en jornadas completas el tiempo correspondiente. Esta modalidad se podrá disfrutar únicamente a partir de la finalización del permiso por nacimiento, adopción, guarda, acogimiento o del progenitor diferente de la madre biológica respectivo.

Este permiso se incrementará proporcionalmente en los casos de parto, adopción, guarda con fines de adopción o acogimiento múltiple.

Este permiso constituye un derecho individual de los funcionarios, sin que pueda transferirse su ejercicio al otro progenitor, adoptante, guardador o acogedor.

g) Por nacimiento de hijos prematuros o que por cualquier otra causa deban permanecer hospitalizados a continuación del parto, la funcionaria o el funcionario tendrá derecho a ausentarse del trabajo durante: un máximo de 2 horas diarias percibiendo las retribuciones íntegras.

Asimismo, tendrán derecho a reducir su jornada de trabajo hasta un máximo de dos horas, con la disminución proporcional de sus retribuciones.

h) Tendrá derecho a la reducción de su jornada de trabajo, con la disminución de sus retribuciones que corresponda en los siguientes casos:

- Por razones de guarda legal, cuando el funcionario tenga el cuidado directo de:
  - * Algún menor de doce años.
  - * De persona mayor que requiera especial dedicación.
  - * De una persona con discapacidad que no desempeñe actividad retribuida.

- Por encargarse del cuidado directo de un familiar, hasta el segundo grado de consanguinidad o afinidad, que por razones de edad, accidente o enfermedad no pueda valerse por sí mismo y que no desempeñe actividad retribuida.

i) Por ser preciso atender el cuidado de un familiar de primer grado, por razones de enfermedad muy grave, el funcionario tendrá derecho a solicitar una reducción de: hasta el 50 % de la jornada laboral, con carácter retribuido, y por el plazo máximo de 1 mes.

   Si hubiera más de un titular de este derecho por el mismo hecho causante, el tiempo de disfrute de esta reducción se podrá prorratear entre los mismos, respetando en todo caso, el plazo máximo de 1 mes.

j) Por tiempo indispensable para:

   - El cumplimiento de un deber inexcusable de carácter público o personal.
   - Por deberes relacionados con la conciliación de la vida familiar y laboral.

k) Por asuntos particulares: 6 días al año. Las Administraciones Públicas podrán establecer hasta dos días adicionales de permiso por asuntos particulares al cumplir el sexto trienio, incrementándose, como máximo, en un día adicional por cada trienio cumplido a partir del octavo.

l) Por matrimonio o registro o constitución formalizada por documento público de pareja de hecho: 15 días.

B) Además, el artículo 49 del TR-LEBEP reconoce el derecho de los funcionarios públicos a que se le concedan, en todo caso, los siguientes permisos:

- Permiso por parto *(permiso por nacimiento para la madre biológica).*
- Permiso por adopción, por guarda con fines de adopción, o acogimiento, tanto temporal como permanente.
- Permiso de paternidad *(permiso del progenitor diferente de la madre biológica por nacimiento, guarda con fines de adopción, acogimiento o adopción de un hijo o hija).*
- Permiso por razón de violencia de género sobre la mujer funcionaria.
- Permiso por cuidado de hijo menor afectado por cáncer u otra enfermedad grave.
- Permiso para hacer efectivo el derecho a la protección y a la asistencia social integral por causa de terrorismo.
- Permiso parental para el cuidado de hijo, hija o menor acogido por tiempo superior a un año, hasta el momento en que el menor cumpla ocho años.

Vamos a tratarlos a continuación individualmente.

a) Permiso por parto

Tiene una duración de 16 semanas, de las cuales las seis semanas inmediatas posteriores al parto serán en todo caso de descanso obligatorio e ininterrumpidas.

El EBEP lo denomina **Permiso por nacimiento para la madre biológica**, este permiso se ampliará en dos semanas más en el supuesto de discapacidad del hijo o hija y, por cada hijo o hija a partir del segundo en los supuestos de parto múltiple, de modo que haya una para cada uno de los progenitores.

No obstante, en caso de fallecimiento de la madre, el otro progenitor podrá hacer uso de la totalidad o, en su caso, de la parte que reste de permiso.

En el caso de que ambos progenitores trabajen y transcurridas las seis primeras semanas de descanso obligatorio, el período de disfrute de este permiso podrá llevarse a cabo a voluntad de aquellos, de manera interrumpida y ejercitarse desde la finalización del descanso obligatorio posterior al parto hasta que el hijo o la hija cumpla doce meses. En el caso del disfrute interrumpido se requerirá, para cada período de disfrute, un preaviso de al menos 15 días y se realizará por semanas completas.

Este permiso podrá disfrutarse a jornada completa o a tiempo parcial, cuando las necesidades del servicio lo permitan.

En los casos de parto prematuro y en aquellos en que, por cualquier otra causa, el neonato deba permanecer hospitalizado a continuación del parto, este permiso se ampliará en tantos días como el neonato se encuentre hospitalizado, con un máximo de trece semanas adicionales.

En el supuesto de fallecimiento del hijo o hija, el periodo de duración del permiso no se verá reducido, salvo que, una vez finalizadas las seis semanas de descanso obligatorio, se solicite la reincorporación al puesto de trabajo.

Durante el disfrute de este permiso, una vez finalizado el período de descanso obligatorio, se podrá participar en los cursos de formación que convoque la Administración.

A efectos de lo dispuesto en este apartado, el término de *madre biológica* incluye también a las personas trans gestantes.

b) Permiso por adopción, por guarda con fines de adopción, o acogimiento, tanto temporal como permanente

Este permiso tiene una duración de 16 semanas.

Seis semanas deberán disfrutarse a jornada completa de forma obligatoria e ininterrumpida inmediatamente después de la resolución judicial por la que se constituye la adopción o bien de la decisión administrativa de guarda con fines de adopción o de acogimiento.

En el caso de que ambos progenitores trabajen y transcurridas las seis primeras semanas de descanso obligatorio, el período de disfrute de este permiso podrá llevarse a cabo de manera interrumpida y ejercitarse desde la finalización del descanso obligatorio posterior al hecho causante dentro de los doce meses a contar o bien desde el nacimiento del hijo o hija, o bien desde la resolución judicial por la que se constituye la adopción o bien de la decisión administrativa de guarda con fines de adopción o de acogimiento. En el caso del disfrute interrumpido se requerirá, para cada período de disfrute, un preaviso de al menos 15 días y se realizará por semanas completas.

Este permiso se ampliará en dos semanas más en el supuesto de discapacidad del menor adoptado o acogido y por cada hijo, a partir del segundo, en los supuestos de adopción, guarda con fines de adopción o acogimiento múltiple, una para cada uno de los progenitores.

El cómputo del plazo se contará a elección del progenitor:

- A partir de la decisión administrativa de guarda con fines de adopción o acogimiento.
- A partir de la resolución judicial por la que se constituya la adopción.

Sin que en ningún caso un mismo menor pueda dar derecho a varios periodos de disfrute de este permiso.

Este permiso podrá disfrutarse a jornada completa o a tiempo parcial, cuando las necesidades de servicio lo permitan, y en los términos que reglamentariamente se determine.

Si fuera necesario el desplazamiento previo de los progenitores al país de origen del adoptado, en los casos de adopción o acogimiento internacional, se tendrá derecho, además, a un permiso de hasta 2 meses de duración, percibiendo durante este periodo exclusivamente las retribuciones básicas.

Con independencia del permiso de hasta dos meses previsto en el párrafo anterior y para el supuesto contemplado en dicho párrafo, el permiso por adopción, guarda con fines de adopción o acogimiento, tanto temporal como permanente, podrá iniciarse hasta cuatro semanas antes de la resolución judicial por la que se constituya la adopción o la decisión administrativa o judicial de acogimiento.

Durante el disfrute de este permiso se podrá participar en los cursos de formación que convoque la Administración.

Los supuestos de adopción, guarda con fines de adopción o acogimiento, tanto temporal como permanente, a los que nos hemos referido serán los que así se establezcan en el Código Civil o en las leyes civiles de las comunidades autónomas que los regulen, debiendo tener el acogimiento temporal una duración no inferior a un año.

c) Permiso del progenitor diferente de la madre biológica por nacimiento, guarda con fines de adopción, acogimiento o adopción de un hijo o hija

Tendrá una duración de dieciséis semanas de las cuales las seis semanas inmediatas posteriores al hecho causante serán en todo caso de descanso obligatorio. Este permiso se ampliará en dos semanas más, una para cada uno de los progenitores, en el supuesto de discapacidad del hijo o hija, y por cada hijo o hija a partir del segundo en los supuestos de nacimiento, adopción, guarda con fines de adopción o acogimiento múltiples, a disfrutar a partir de la fecha del nacimiento, de la decisión administrativa de guarda con fines de adopción o acogimiento, o de la resolución judicial por la que se constituya la adopción.

Este permiso podrá distribuirse por el progenitor que vaya a disfrutar del mismo siempre que las seis primeras semanas sean ininterrumpidas e inmediatamente posteriores a la fecha del nacimiento, de la decisión judicial de guarda con fines de adopción o acogimiento o decisión judicial por la que se constituya la adopción.

En el caso de que ambos progenitores trabajen y transcurridas las seis primeras semanas, el período de disfrute de este permiso podrá llevarse a cabo de manera interrumpida dentro de los doce meses a contar o bien desde el nacimiento del hijo o hija, o bien desde la resolución judicial por la que se constituye la adopción o bien de la decisión administrativa de guarda con fines de adopción o de acogimiento. En el caso del disfrute interrumpido se requerirá, para cada período de disfrute, un preaviso de al menos 15 días y se realizará por semanas completas.

En el caso de que se optara por el disfrute del presente permiso con posterioridad a la semana dieciséis del permiso por nacimiento, si el progenitor que disfruta de este último permiso hubiere solicitado la acumulación del tiempo de lactancia de un hijo menor de doce meses en jornadas completas, será a la finalización de ese período cuando se dará inicio al cómputo de las diez semanas restantes del permiso del progenitor diferente de la madre biológica.

Este permiso podrá disfrutarse a jornada completa o a tiempo parcial, cuando las necesidades del servicio lo permitan, y en los términos que reglamentariamente se determinen, conforme a las reglas establecidas en el presente artículo.

En los casos de parto prematuro y en aquellos en que, por cualquier otra causa, el neonato deba permanecer hospitalizado a continuación del parto, este permiso se ampliará en tantos días como el neonato se encuentre hospitalizado, con un máximo de trece semanas adicionales.

En el supuesto de fallecimiento del hijo o hija, el periodo de duración del permiso no se verá reducido, salvo que, una vez finalizadas las seis semanas de descanso obligatorio se solicite la reincorporación al puesto de trabajo.

Durante el disfrute de este permiso, transcurridas las seis primeras semanas ininterrumpidas e inmediatamente posteriores a la fecha del nacimiento, se podrá participar en los cursos de formación que convoque la Administración.

Desde 2021 la duración del permiso es de dieciséis semanas; las seis primeras semanas serán ininterrumpidas e inmediatamente posteriores a la fecha del nacimiento, de la decisión judicial de guarda con fines de adopción o acogimiento o decisión judicial por la que se constituya la adopción. Las diez semanas restantes podrán ser de disfrute interrumpido; ya sea con posterioridad a las seis semanas inmediatas posteriores al periodo de descanso obligatorio para la madre, o bien con posterioridad a la finalización de los permisos contenidos en los apartados a) y b) del artículo 49 o de la suspensión del contrato por nacimiento, adopción, guarda con fines de adopción o acogimiento.

A efectos de lo dispuesto en este apartado, el término de *madre biológica* incluye también a las personas trans gestantes.

Nota: *En los casos previstos en los permisos por parto (a), de adopción (b), y paternidad (c), el tiempo transcurrido durante el disfrute de estos permisos se computará como de servicio efectivo a todos los efectos, garantizándose la plenitud de derechos económicos de la funcionaria y, en su caso, del otro progenitor funcionario, durante todo el periodo de duración del permiso, y, en su caso, durante los periodos posteriores al disfrute de este, si de acuerdo con la normativa aplicable, el derecho a percibir algún concepto retributivo se determina en función del periodo de disfrute del permiso.*

Los funcionarios que hayan hecho uso del permiso por nacimiento, adopción, guarda con fines de adopción o acogimiento, tanto temporal como permanente, tendrán derecho, una vez finalizado el periodo de permiso, a reintegrarse a su puesto de trabajo en términos y condiciones que no les resulten menos favorables al disfrute del permiso, así como a beneficiarse de cualquier mejora en las condiciones de trabajo a las que hubieran podido tener derecho durante su ausencia.

d) Permiso por razón de violencia de género sobre la mujer funcionaria

Las faltas de asistencia -totales o parciales- de las funcionarias víctimas de violencia de género, tendrán la consideración de justificadas por el tiempo y en las condiciones en que así lo determinen los servicios sociales de atención o de salud según proceda.

Asimismo, las funcionarias víctimas de violencia sobre la mujer, para hacer efectiva su protección o su derecho de asistencia social integral, tendrán derecho a:

- La reducción de la jornada con disminución proporcional de la retribución *(mantendrá sus retribuciones íntegras cuando reduzca su jornada en un tercio o menos).*
- La reordenación del tiempo de trabajo, en los términos que establezca el plan de igualdad de aplicación o, en su defecto, la Administración Pública competente en casa caso, a través de:
  * La adaptación del horario.
  * La aplicación del horario flexible.
  * Otras formas de ordenación del tiempo de trabajo que sean aplicables.

e) Permiso por cuidado de hijo menor afectado por cáncer u otra enfermedad grave

Para el cuidado, durante la hospitalización y tratamiento continuado, del hijo menor de edad afectado por cáncer (tumores malignos, melanomas o carcinomas) o por cualquier otra enfermedad grave que implique un ingreso hospitalario de larga duración y requiera la necesidad de su cuidado directo, continuo y permanente, el funcionario tendrá derecho a una reducción de la jornada de trabajo de *al menos* la mitad de la duración de aquella, percibiendo las retribuciones íntegras con cargo a los presupuestos del órgano o entidad donde venga prestando sus servicios.

Para tener derecho a este permiso se tienen que cumplir los siguientes requisitos:

- Que ambos progenitores, adoptantes, guardadores con fines de adopción o acogedores de carácter permanente, trabajen.
- Informe del servicio público de salud u órgano administrativo sanitario de la comunidad autónoma o, en su caso, de la entidad sanitaria concertada correspondiente, que acredite que la enfermedad implica un ingreso hospitalario de larga duración y requiere la necesidad de en cuidado directo, continuo y permanente.

Como máximo este permiso se extenderá hasta que el hijo o persona que hubiere sido objeto de acogimiento permanente o de guarda con fines de adopción cumpla los 23 años. En consecuencia, el mero cumplimiento de los 18 años de edad del hijo o del menor sujeto a acogimiento permanente o a guarda con fines de adopción, no será causa de extinción de la reducción de la jornada, si se mantiene la necesidad de cuidado directo, continuo y permanente.

Cuando concurran en ambos progenitores, guardadores con fines de adopción o acogedores de carácter permanente, por el mismo sujeto y hecho causante, las circunstancias necesarias para tener derecho a este permiso o, en su caso, puedan tener la condición de beneficiarios de la prestación establecida para este fin en el Régimen de la Seguridad Social que les sea de aplicación, el funcionario tendrá derecho a la percepción de las retribuciones íntegras durante el tiempo que dure la reducción de su jornada de trabajo, siempre que el otro progenitor guardador con fines de adopción o acogedor de carácter permanente, sin perjuicio del derecho a la reducción de jornada que le corresponda, no cobre sus retribuciones íntegras en virtud de este permiso o como beneficiario de la prestación establecida para este fin en el Régimen de la Seguridad Social que le sea de aplicación.

En caso contrario, solo se tendrá derecho a la reducción de jornada, con la consiguiente reducción de retribuciones.

Asimismo, en el supuesto de que ambos presten servicios en el mismo órgano o entidad, ésta podrá limitar su ejercicio simultáneo por razones fundadas en el correcto funcionamiento del servicio.

Cuando la persona enferma contraiga matrimonio o constituya una pareja de hecho, tendrá derecho a la prestación quien sea su cónyuge o pareja de hecho, siempre que acredite las condiciones para ser beneficiario.

Reglamentariamente se establecerán las condiciones y supuestos en los que esta reducción de jornada se podrá acumular en jornadas completas.

f) Permiso para hacer efectivo el derecho a la protección y a la asistencia social integral por causa de terrorismo

Para hacer efectivo su derecho a la protección y a la asistencia social integral, los funcionarios que hayan sufrido daños físicos o psíquicos como consecuencia de la actividad terrorista, su cónyuge o persona con análoga relación de afectividad, y los hijos de los heridos y fallecidos, siempre que ostenten la condición de funcionarios y de víctimas del terrorismo de acuerdo con la legislación vigente, así como los funcionarios amenazados por banda terrorista, previo reconocimiento del Ministerio del Interior o de sentencia judicial firme, tendrán derecho:

- A la reducción de la jornada con disminución proporcional de la retribución.
- A la reordenación del tiempo de trabajo, a través de:
  * La adaptación del horario.
  * La aplicación del horario flexible.
- Otras formas de ordenación del tiempo de trabajo que sean aplicables, en los términos que establezca la Administración competente en cada caso.

Dichas medidas serán adoptadas y mantenidas en el tiempo en tanto que resulten necesarias para la protección y asistencia social integral de la persona a la que se concede, ya sea por razón de las secuelas provocadas por la acción terrorista, ya sea por la amenaza a la que se encuentra sometida, en los términos previstos reglamentariamente.

g) Permiso parental para el cuidado de hijo, hija o menor acogido por tiempo superior a un año, hasta el momento en que el menor cumpla ocho años (permiso añadido por el Real Decreto-ley 5/2023, de 28 de junio, por el que se adoptan y prorrogan determinadas medidas de respuesta a las consecuencias económicas y sociales de la Guerra de Ucrania, de apoyo a la reconstrucción de la isla de La Palma y a otras situaciones de vulnerabilidad; de transposición de Directivas de la Unión Europea en materia de modificaciones estructurales de sociedades mercantiles y conciliación de la vida familiar y la vida profesional de los progenitores y los cuidadores; y de ejecución y cumplimiento del Derecho de la Unión Europea):

Tendrá una duración no superior a ocho semanas, continuas o discontinuas, podrá disfrutarse a tiempo completo, o en régimen de jornada a tiempo parcial, cuando las necesidades del servicio lo permitan y conforme a los términos que reglamentariamente se establezcan.

Este permiso, constituye un derecho individual de las personas progenitoras, adoptantes o acogedoras, hombres o mujeres, sin que pueda transferirse su ejercicio.

Cuando las necesidades del servicio lo permitan, corresponderá a la persona progenitora, adoptante o acogedora especificar la fecha de inicio y fin del disfrute o, en su caso, de los períodos de disfrute, debiendo comunicarlo a la Administración con una antelación de quince días y realizándose por semanas completas.

Cuando concurran en ambas personas progenitoras, adoptantes, o acogedoras, por el mismo sujeto y hecho causante, las circunstancias necesarias para tener derecho a este permiso en los que el disfrute del permiso parental en el período solicitado altere seriamente el correcto funcionamiento de la unidad de la administración en la que ambas presten servicios, ésta podrá aplazar la concesión del permiso por un período razonable, justificándolo por escrito y después de haber ofrecido una alternativa de disfrute más flexible.

A efectos de lo dispuesto en este apartado, el término de madre biológica incluye también a las personas trans gestantes.

C) Permiso retribuido para las funcionarias en estado de gestación

La Disposición adicional decimosexta del EBEP señala que cada Administración Pública, en su ámbito, podrá establecer a las funcionarias en estado de gestación, un permiso retribuido, a partir del día primero de la semana 37 de embarazo, hasta la fecha del parto.

En el supuesto de gestación múltiple, este permiso podrá iniciarse el primer día de la semana 35 de embarazo, hasta la fecha de parto.

Según la disposición final única del Real Decreto Legislativo 5/2015, de 30 de octubre, por el que se aprueba el texto refundido de la Ley del Estatuto Básico del Empleado Público, lo expuesto en este epígrafe C) entró en vigor el 1 de enero de 2016.

1.5.3. Vacaciones de los funcionarios públicos

Los funcionarios públicos tienen derecho a disfrutar, durante cada año natural, de unas vacaciones retribuidas de 22 días hábiles, o de los días que correspondan proporcionalmente si el tiempo de servicio durante el año fue menor.

No se considerarán como días hábiles los sábados, sin perjuicio de las adaptaciones que se establezcan para los horarios especiales.

Cuando las situaciones de permiso de maternidad, incapacidad temporal, riesgo durante la lactancia o riesgo durante el embarazo impidan iniciar el disfrute de las vacaciones dentro del año natural al que correspondan, o una vez iniciado el periodo vacacional sobreviniera una de dichas situaciones, el periodo vacacional se podrá disfrutar aunque haya terminado el año natural a que correspondan y siempre que no hayan transcurrido más de dieciocho meses a partir del final del año en que se hayan originado.

El período de vacaciones anuales retribuidas de los funcionarios públicos no puede ser sustituido por una cuantía económica. En los casos de renuncia voluntaria deberá garantizarse en todo caso el disfrute de las vacaciones devengadas.

No obstante lo anterior, en los casos de conclusión de la relación de servicios de los funcionarios públicos por causas ajenas a la voluntad de estos, tendrán derecho a solicitar el abono de una compensación económica por las vacaciones devengadas y no disfrutadas; y en particular, en los casos de jubilación por incapacidad permanente o por fallecimiento, hasta un máximo de dieciocho meses.

Para el cálculo del período anual de vacaciones, las ausencias motivadas por enfermedad o accidente, así como las derivadas del disfrute de los permisos regulados en los artículos 48 y 49 del texto refundido de la Ley del Estatuto Básico del Empleado Público, o de la licencia a que se refiere el artículo 72 del texto articulado de la Ley de Funcionarios Civiles del Estado, aprobado por el Decreto 315/1964, de 7 de febrero, tendrán, en todo caso y a estos efectos, la consideración de tiempo de servicio.

La Disposición adicional decimocuarta del EBEP señala que cada Administración Pública podrá establecer hasta un máximo de cuatro días adicionales de vacaciones en función del tiempo de servicios prestados por los funcionarios públicos.

1.6. Deberes de los empleados públicos. Código de conducta (Cap. VI)

La condición de empleado público no solo comporta derechos, sino también una especial responsabilidad y obligaciones específicas para con los ciudadanos, la propia Administración y las necesidades del servicio.

El Capítulo VI del Título III del TR-LEBEP, se refiere a los deberes de los empleados públicos.

En el artículo 52, se señala que los empleados públicos deberán desempeñar con diligencia las tareas que tengan asignadas y velar por los intereses generales con sujeción y observancia de la Constitución y del resto del ordenamiento jurídico, y deberán actuar con arreglo a los siguientes principios:

- Objetividad.
- Integridad.
- Neutralidad.
- Responsabilidad.

- Imparcialidad.
- Confidencialidad.
- Dedicación al servicio público.
- Transparencia.
- Ejemplaridad.
- Austeridad.
- Accesibilidad.
- Eficacia.
- Honradez.
- Promoción del entorno cultural y medioambiental.
- Respeto a la igualdad entre mujeres y hombres.

Estos principios inspiran el Código de Conducta de los empleados públicos configurado por los principios éticos y de conducta que veremos a continuación.

1.6.1. Principios éticos

La Real Academia Española de la Lengua define **ética** como el "conjunto de normas morales que rigen la conducta de la persona en cualquier ámbito de la vida".

Se posee ética cuando se logra establecer, para uno mismo, un conjunto de virtudes que se vuelven principios bajo los cuales se rige la conducta.

Cuando hablamos de **ética pública** nos referimos a la ética aplicada y puesta en práctica en el ámbito público. La ética aplicada en los servidores públicos implica plena conciencia en sus actitudes la cual se traduce en actos concretos orientados hacía el interés de la ciudadanía.

La ética pública se refiere entonces a los actos humanos en tanto que son realizados por gobernantes y funcionarios públicos en el cumplimiento del deber.

La ética pública da al servidor público un conocimiento que le permite actuar correctamente en cada situación. La ética pública tiene por objeto lograr que las personas que ocupen un cargo público lo hagan con diligencia y honestidad como resultado de la deliberación.

La aplicación adecuada de los valores conlleva el Buen Gobierno.

Los principios del Código de Conducta de los empleados públicos vienen expuestos en el artículo 53 del TR-LEBEP; son los siguientes:

1. Los empleados públicos respetarán la Constitución y el resto de normas que integran el ordenamiento jurídico.
2. Su actuación perseguirá la satisfacción de los intereses generales de los ciudadanos y se fundamentará en consideraciones objetivas orientadas hacia la impar-

cialidad y el interés común, al margen de cualquier otro factor que exprese posiciones personales, familiares, corporativas, clientelares o cualesquiera otras que puedan colisionar con este principio.

3. Ajustarán su actuación a los principios de lealtad y buena fe con la Administración en la que presten sus servicios, y con sus superiores, compañeros, subordinados y con los ciudadanos.
4. Su conducta se basará en el respeto de los derechos fundamentales y libertades públicas, evitando toda actuación que pueda producir discriminación alguna por razón de nacimiento, origen racial o étnico, género, sexo, orientación e identidad sexual, expresión de género, características sexuales, religión o convicciones, opinión, discapacidad, edad o cualquier otra condición o circunstancia personal o social.
5. Se abstendrán en aquellos asuntos en los que tengan un interés personal, así como de toda actividad privada o interés que pueda suponer un riesgo de plantear conflictos de intereses con su puesto público.
6. No contraerán obligaciones económicas ni intervendrán en operaciones financieras, obligaciones patrimoniales o negocios jurídicos con personas o entidades cuando pueda suponer un conflicto de intereses con las obligaciones de su puesto público.
7. No aceptarán ningún trato de favor o situación que implique privilegio o ventaja injustificada, por parte de personas físicas o entidades privadas.
8. Actuarán de acuerdo con los principios de eficacia, economía y eficiencia, y vigilarán la consecución del interés general y el cumplimiento de los objetivos de la organización.
9. No influirán en la agilización o resolución de trámite o procedimiento administrativo sin justa causa y, en ningún caso, cuando ello comporte un privilegio en beneficio de los titulares de los cargos públicos o su entorno familiar y social inmediato o cuando suponga un menoscabo de los intereses de terceros.
10. Cumplirán con diligencia las tareas que les correspondan o se les encomienden y, en su caso, resolverán dentro de plazo los procedimientos o expedientes de su competencia.
11. Ejercerán sus atribuciones según el principio de dedicación al servicio público absteniéndose no solo de conductas contrarias al mismo, sino también de cualesquiera otras que comprometan la neutralidad en el ejercicio de los servicios públicos.
12. Guardarán secreto de las materias clasificadas u otras cuya difusión esté prohibida legalmente, y mantendrán la debida discreción sobre aquellos asuntos que conozcan por razón de su cargo, sin que puedan hacer uso de la información obtenida para beneficio propio o de terceros, o en perjuicio del interés público.

1.6.2. Principios de conducta

Por su parte, los principios de conducta del citado Código de Conducta de los empleados públicos vienen relacionados en el artículo 54 del TR-LEBEP. Estos son:

1. Tratarán con atención y respeto a los ciudadanos, a sus superiores y a los restantes empleados públicos.

2. El desempeño de las tareas correspondientes a su puesto de trabajo se realizará de forma diligente y cumpliendo la jornada y el horario establecidos.
3. Obedecerán las instrucciones y órdenes profesionales de los superiores, salvo que constituyan una infracción manifiesta del ordenamiento jurídico, en cuyo caso las pondrán inmediatamente en conocimiento de los órganos de inspección procedentes.
4. Informarán a los ciudadanos sobre aquellas materias o asuntos que tengan derecho a conocer, y facilitarán el ejercicio de sus derechos y el cumplimiento de sus obligaciones.
5. Administrarán los recursos y bienes públicos con austeridad, y no utilizarán los mismos en provecho propio o de personas allegadas. Tendrán, asimismo, el deber de velar por su conservación.
6. Se rechazará cualquier regalo, favor o servicio en condiciones ventajosas que vaya más allá de los usos habituales, sociales y de cortesía, sin perjuicio de lo establecido en el Código Penal.
7. Garantizarán la constancia y permanencia de los documentos para su transmisión y entrega a sus posteriores responsables.
8. Mantendrán actualizada su formación y cualificación.
9. Observarán las normas sobre seguridad y salud laboral.
10. Pondrán en conocimiento de sus superiores o de los órganos competentes las propuestas que consideren adecuadas para mejorar el desarrollo de las funciones de la unidad en la que estén destinados. A estos efectos se podrá prever la creación de la instancia adecuada competente para centralizar la recepción de las propuestas de los empleados públicos o administrados que sirvan para mejorar la eficacia en el servicio.
11. Garantizarán la atención al ciudadano en la lengua que lo solicite siempre que sea oficial en el territorio.

2. Título IV. La adquisición y pérdida de la relación de servicio

La condición de funcionario de carrera se adquiere por el cumplimiento sucesivo de los siguientes requisitos:

a) Superación del proceso selectivo.

b) Nombramiento por el órgano o autoridad competente, que será publicado en el Diario Oficial correspondiente. No podrán ser funcionarios y quedarán sin efecto las actuaciones relativas a quienes no acrediten, una vez superado el proceso selectivo, que reúnen los requisitos y condiciones exigidos en la convocatoria.

c) Acto de acatamiento de la Constitución y, en su caso, del Estatuto de Autonomía correspondiente y del resto del Ordenamiento Jurídico.

d) Toma de posesión dentro del plazo que se establezca.

2.1. Acceso al empleo público y adquisición de la relación de servicio

2.1.1. Principios rectores

El acceso al empleo público es un derecho de todos los ciudadanos.

Dicho acceso se efectuará de acuerdo con los principios constitucionales de:

- Igualdad.
- Mérito.
- Capacidad.

Y de acuerdo con lo previsto en el EBEP y en el resto del ordenamiento jurídico.

Las Administraciones Públicas seleccionarán a su personal funcionario y laboral mediante procedimientos en los que se garanticen los principios constitucionales antes expresados, así como los establecidos a continuación:

a) Publicidad de las convocatorias y de sus bases.

b) Transparencia.

c) Imparcialidad y profesionalidad de los miembros de los órganos de selección.

d) Independencia y discrecionalidad técnica en la actuación de los órganos de selección.

e) Adecuación entre el contenido de los procesos selectivos y las funciones o tareas a desarrollar.

f) Agilidad, sin perjuicio de la objetividad, en los procesos de selección.

2.1.2. Requisitos

Para poder participar en los procesos selectivos será necesario reunir los siguientes **requisitos**:

a) Tener la nacionalidad española, *sin perjuicio de lo que exponemos más adelante para nacionales de otros Estados.*

b) Poseer la capacidad funcional para el desempeño de las tareas.

c) Tener cumplidos dieciséis años y no exceder, en su caso, de la edad máxima de jubilación forzosa. *Solo por ley podrá establecerse otra edad máxima, distinta de la edad de jubilación forzosa, para el acceso al empleo público.*

d) No haber sido separado mediante expediente disciplinario del servicio de cualquiera de las Administraciones Públicas o de los órganos constitucionales o estatutarios de las Comunidades Autónomas, ni hallarse en inhabilitación absoluta o especial para empleos o cargos públicos por resolución judicial, para el acceso al cuerpo o escala de funcionario, o para ejercer funciones similares a las que desempeñaban en el caso del personal laboral, en el que hubiese sido separado o inhabilitado. En el caso de ser nacional de otro Estado, no hallarse inhabilitado o en situación equivalente ni haber sido sometido a sanción disciplinaria o equivalente que impida, en su Estado, en los mismos términos el acceso al empleo público.

e) Poseer la titulación exigida.

Las Administraciones Públicas, en el ámbito de sus competencias, deberán prever la selección de empleados públicos debidamente capacitados para cubrir los puestos de trabajo en las Comunidades Autónomas que gocen de dos lenguas oficiales.

Podrá exigirse el cumplimiento de otros requisitos específicos que guarden relación objetiva y proporcionada con las funciones asumidas y las tareas a desempeñar. En todo caso, habrán de establecerse de manera abstracta y general.

2.1.3. Nacionales de otros Estados

Algunos nacionales de otros Estados podrán acceder en igualdad de condiciones que los españoles a los empleos públicos con las siguientes excepciones:

- Aquellos empleos que directa o indirectamente impliquen una participación en el ejercicio del poder público.
- En las funciones que tienen por objeto la salvaguardia de los intereses del Estado o de las Administraciones Públicas.

A) Concretamente, podrán acceder, **como personal funcionario**:

   - Los nacionales de los Estados miembros de la Unión Europea.
   - El cónyuge de los españoles, cualquiera que sea su nacionalidad, siempre que no estén separados de derecho.
   - El cónyuge de los nacionales de otros Estados miembros de la Unión Europea, cualquiera que sea su nacionalidad, siempre que no estén separados de derecho.
   - Los descendientes (de los españoles y de los nacionales de Estados miembros de la Unión Europea) y los de su cónyuge siempre que no estén separados de derecho, sean menores de veintiún años o mayores de dicha edad dependientes.
   - Las personas incluidas en el ámbito de aplicación de los Tratados Internacionales celebrados por la Unión Europea y ratificados por España en los que sea de aplicación la libre circulación de trabajadores.

B) Los extranjeros a los que se refiere el epígrafe A), así como los extranjeros con residencia legal en España podrán acceder a las Administraciones Públicas, **como personal laboral**, en igualdad de condiciones que los españoles.

Solo por ley de las Cortes Generales o de las asambleas legislativas de las comunidades autónomas podrá eximirse del requisito de la nacionalidad por razones de interés general para el acceso a la condición de personal funcionario.

2.1.4. Acceso al empleo público de funcionarios españoles de Organismos Internacionales

Las Administraciones Públicas establecerán los requisitos y condiciones para el acceso a las mismas de funcionarios de nacionalidad española de Organismos Internacionales, siempre que posean la titulación requerida y superen los correspondientes procesos selectivos. Podrán quedar exentos de la realización de aquellas pruebas que tengan por objeto acreditar conocimientos ya exigidos para el desempeño de su puesto en el organismo internacional correspondiente.

La exención de la realización de pruebas encaminadas a acreditar conocimientos ya exigidos para el desempeño de sus puestos de origen deberá solicitarse con anterioridad al último día del plazo de presentación de solicitudes para participar en el Cuerpo o Escala y acompañará acreditación de las convocatorias, programas y pruebas superadas, así como certificación expedida por el Organismo internacional correspondiente de haber superado aquellas. A estos efectos se tendrá en cuenta lo establecido en el Real Decreto 182/1993, de 5 de febrero.

Los funcionarios de Organismos internacionales que superen las pruebas participarán en la elección de destino junto a los restantes aprobados del turno libre. La adjudicación de las plazas se efectuará por riguroso orden de puntuación.

2.1.5. Acceso al empleo público de las personas con discapacidad

Son personas con discapacidad aquellas que presentan deficiencias físicas, mentales, intelectuales o sensoriales, previsiblemente permanentes que, al interactuar con diversas barreras, puedan impedir su participación plena y efectiva en la sociedad, en igualdad de condiciones con los demás.

Según el artículo 59 del EBEP, en las ofertas de empleo público se reservará un cupo no inferior al 7 % de las vacantes para ser cubiertas entre personas con discapacidad, siempre que superen los procesos selectivos y acrediten su discapacidad y la compatibilidad con el desempeño de las tareas, de modo que progresivamente se alcance el 2 % de los efectivos totales en cada Administración Pública.

A dichos efectos, se consideran **personas con discapacidad** aquellas a quienes se les haya reconocido un grado de discapacidad igual o superior al 33 %.

La reserva del mínimo del 7 % se realizará de manera que, al menos, el 2 % de las plazas ofertadas lo sea para ser cubiertas por personas que acrediten discapacidad intelectual y el resto de las plazas ofertadas lo sea para personas que acrediten cualquier otro tipo de discapacidad.

Cada Administración Pública adoptará las medidas precisas para establecer las adaptaciones y ajustes razonables de tiempos y medios en el proceso selectivo y, una vez superado dicho proceso, las adaptaciones en el puesto de trabajo a las necesidades de las personas con discapacidad.

El **Real Decreto 2271/2004, de 3 de diciembre, por el que se regula el acceso al empleo público y la provisión de puestos de trabajo de las personas con discapacidad**, señala en su artículo 2 que el acceso de las personas con discapacidad al empleo público se inspirará en los principios de:

- Igualdad de oportunidades.
- No discriminación.
- Accesibilidad universal.
- Compensación de desventajas.

La opción a estas plazas reservadas habrá de formularse en la solicitud de participación en las convocatorias, con declaración expresa de los interesados de que reúnen el grado de discapacidad requerido, acreditado mediante certificado expedido al efecto por los órganos competentes del Ministerio con competencias en materia de Asuntos Sociales o, en su caso, de la comunidad autónoma competente.

Quienes soliciten participar por el cupo reserva de personas con discapacidad, sea el general o el intelectual, únicamente podrán presentarse por este cupo. La contravención de esta norma determinará la exclusión del aspirante que no la hubiese observado.

Las plazas reservadas para personas con discapacidad podrán incluirse dentro de las convocatorias de plazas de ingreso ordinario o convocarse en un turno independiente.

Con el fin de avanzar en el propósito de conseguir la igualdad de oportunidades, en el supuesto de que alguno de los aspirantes con discapacidad que se haya presentado por el cupo de reserva de personas con discapacidad superase los ejercicios correspondientes, pero no obtuviera plaza y su puntuación fuera superior a la obtenida por otros aspirantes del sistema de acceso general (libre o promoción interna), será incluido por su orden de puntuación en el sistema de acceso general.

Si las plazas reservadas y que han sido cubiertas por las personas con discapacidad no alcanzaran la tasa del 3 % de las plazas convocadas, las plazas no cubiertas se acumularán al cupo del 7 % de la oferta siguiente, con un límite máximo del 10 %.

Nota: el cupo del 7 % fue introducido por la Ley 26/2011, de 1 de agosto, de adaptación normativa a la Convención Internacional sobre los Derechos de las Personas con Discapacidad; con anterioridad el cupo mínimo era del 5 %.

Las pruebas selectivas tendrán idéntico contenido para todos los aspirantes, independientemente del turno por el que se opte. Durante el procedimiento selectivo se dará un tratamiento diferenciado a los dos turnos, en lo que se refiere a las relaciones de admitidos, los llamamientos a los ejercicios y la relación de aprobados. No obstante, al finalizar el proceso, se elaborará una relación única en la que se incluirán todos los candidatos que hayan superado todas las pruebas selectivas, ordenados por la puntuación total obtenida, con independencia del turno por el que hayan participado.

Las plazas reservadas para personas con discapacidad que queden desiertas no podrán acumularse a los turnos ordinarios de acceso, salvo en las convocatorias de promoción interna.

Para asegurar la participación en igualdad de condiciones que el resto de aspirantes, en los procesos selectivos, incluyendo los cursos de formación o periodos de prácticas, se establecerán para los aspirantes con discapacidad que lo soliciten, las adaptaciones de tiempo necesarias para su realización.

En las convocatorias se indicará expresamente esta posibilidad, así como que los interesados deberán formular la correspondiente petición concreta en la solicitud de participación, en la que han de reflejar las necesidades específicas que tengan para acceder al proceso de selección. En tal caso, y a efectos de que el órgano de selección pueda valorar la procedencia o no de la concesión de lo solicitado, el candidato adjuntará el Dictamen Técnico Facultativo emitido por el órgano técnico de calificación del grado de minusvalía competente, acreditando de forma fehaciente, la/s deficiencia/s permanentes que han dado origen al grado de minusvalía reconocido.

La adaptación de tiempos consiste en la concesión de un tiempo adicional para la realización de los ejercicios.

La adaptación de medios y los ajustes razonables consisten en la puesta a disposición del aspirante de los medios materiales y humanos, de las asistencias y apoyos y de las ayudas técnicas y/o tecnologías asistidas que precise para la realización de las pruebas en las que participe, así como en la garantía de la accesibilidad de la información y la comunicación de los procesos y la del recinto o espacio físico donde estas se desarrollen.

A efectos de valorar la procedencia de la concesión de las adaptaciones solicitadas, se solicitará al candidato el correspondiente certificado o información adicional. La adaptación no se otorgará de forma automática, sino únicamente en aquellos casos en que la discapacidad guarde relación directa con la prueba a realizar.

2.1.6. Órganos de selección

Según el artículo 10 del ***Reglamento General de Ingreso del Personal al servicio de la Administración general del Estado y de Provisión de Puestos de Trabajo y Promoción Profesional de los Funcionarios Civiles de la Administración general del Estado,*** son órganos de selección:

- Los Tribunales.
- Las Comisiones Permanentes de Selección.

Según el artículo 60 del EBEP, los órganos de selección serán colegiados y su composición deberá ajustarse a los principios de imparcialidad y profesionalidad de sus miembros, y se tenderá, asimismo, a la paridad entre mujer y hombre.

El Capítulo II del Título V de la Ley Orgánica 3/2007, de 22 de marzo, para la igualdad efectiva de mujeres y hombres, establece la obligatoriedad de equilibrar la presencia de mujeres y hombres en la Administración General del Estado (AGE) y en los organismos públicos vinculados o dependientes de ella, entre otros ámbitos, en tribunales y órganos de selección del personal; salvo por razones fundadas y objetivas, debidamente motivadas (se entenderá por composición equilibrada la presencia de mujeres y hombres de forma que, en el conjunto al que se refiera, las personas de cada sexo no superen el 60 % ni sean menos del 40 %).

No podrán formar parte de los órganos de selección:

- El personal de elección o de designación política.
- Los funcionarios interinos.
- El personal eventual.

La pertenencia a los órganos de selección será siempre a título individual, no pudiendo ostentarse esta en representación o por cuenta de nadie.

2.1.7. Sistemas selectivos

El artículo 61 del EBEP cita los siguientes tipos de sistemas selectivos:

- **Oposición**: consiste en la celebración de una o más pruebas para determinar la capacidad y la aptitud de los aspirantes y fijar su orden de prelación.
- **Concurso de valoración de méritos**: consiste en la comprobación y calificación de los méritos de los aspirantes y en el establecimiento del orden de prelación de los mismos.
- **Concurso-oposición**: consiste en la sucesiva celebración de los dos sistemas anteriores.

Los sistemas selectivos de **funcionarios de carrera** serán los de oposición y concurso-oposición que deberán incluir, en todo caso, una o varias pruebas para determinar la capacidad de los aspirantes y establecer el orden de prelación.

Solo en virtud de ley podrá aplicarse, con carácter excepcional, el sistema de concurso que consistirá únicamente en la valoración de méritos.

Los sistemas selectivos de **personal laboral fijo** serán los de oposición, concurso-oposición, que deberán incluir, en todo caso, una o varias pruebas para determinar la capacidad de los aspirantes y establecer el orden de prelación, o concurso de valoración de méritos.

Según el citado artículo 61, los sistemas selectivos tendrán las siguientes características:

a) Los procesos selectivos tendrán carácter abierto y garantizarán la libre concurrencia, sin perjuicio de lo establecido para la promoción interna y de las medidas de discriminación positiva previstas en el EBEP. Los órganos de selección velarán por el cumplimiento del principio de igualdad de oportunidades entre sexos.

b) Los procedimientos de selección cuidarán especialmente la conexión entre el tipo de pruebas a superar y la adecuación al desempeño de las tareas de los puestos de trabajo convocados, incluyendo, en su caso, las pruebas prácticas que sean precisas.

   Las pruebas podrán consistir:

   - En la comprobación de los conocimientos y la capacidad analítica de los aspirantes, expresados de forma oral o escrita.
   - En la realización de ejercicios que demuestren la posesión de habilidades y destrezas.
   - En la comprobación del dominio de lenguas extranjeras.
   - En su caso, en la superación de pruebas físicas.

Para asegurar la objetividad y la racionalidad de los procesos selectivos, las pruebas podrán completarse con:

- La superación de cursos.
- La superación de periodos de prácticas.
- La exposición curricular por los candidatos.
- Pruebas psicotécnicas.
- La realización de entrevistas.
- Reconocimientos médicos.

c) Los procesos selectivos que incluyan, además de las preceptivas pruebas de capacidad, la valoración de méritos de los aspirantes solo podrá otorgar a dicha valoración una puntuación proporcionada que no determinará, en ningún caso, por sí misma el resultado del proceso selectivo.

d) Las Administraciones Públicas podrán crear órganos especializados y permanentes para la organización de procesos selectivos, pudiéndose encomendar estas funciones a los Institutos o Escuelas de Administración Pública.

e) Los órganos de selección no podrán proponer el acceso a la condición de funcionario de un número superior de aprobados al de plazas convocadas, excepto cuando así lo prevea la propia convocatoria. No obstante, siempre que los órganos de selección hayan propuesto el nombramiento de igual número de aspirantes que el de plazas convocadas, y con el fin de asegurar la cobertura de las mismas, cuando se produzcan renuncias de los aspirantes seleccionados, antes de su nombramiento o toma de posesión, el órgano convocante podrá requerir del órgano de selección relación complementaria de los aspirantes que sigan a los propuestos, para su posible nombramiento como funcionarios de carrera.

2.1.8. Consolidación de empleo temporal

Tal como prevé la disposición transitoria 4.ª del EBEP, las Administraciones Públicas podrán efectuar convocatorias de consolidación de empleo a puestos o plazas de carácter estructural correspondientes a sus distintos cuerpos, escalas o categorías, que estén dotados presupuestariamente y se encuentren desempeñados interina o temporalmente con anterioridad a 1 de enero de 2005.

Estos procesos selectivos deberán garantizar el cumplimiento de los principios de igualdad, mérito, capacidad y publicidad.

El contenido de las pruebas guardará relación con los procedimientos, tareas y funciones habituales de los puestos objeto de cada convocatoria. En la fase de concurso podrá valorarse, entre otros méritos, el tiempo de servicios prestados en las Administraciones Públicas y la experiencia en los puestos de trabajo objeto de la convocatoria.

2.1.9. Adquisición de la condición de personal laboral fijo

El órgano competente procederá a la formalización de los contratos previa justificación de las condiciones de capacidad y requisitos exigidos en la convocatoria. Hasta que se formalicen los mismos y se incorporen a los puestos de trabajo correspondientes, los aspirantes no tendrán derecho a percepción económica alguna.

Transcurrido el período de prueba que se determine en cada convocatoria, el personal que lo supere satisfactoriamente adquirirá la condición de personal laboral fijo.

2.2. Pérdida de la condición de funcionario de carrera

Según el artículo 63 del EBEP, son causas de pérdida de la condición de funcionario de carrera:

a) La renuncia a la condición de funcionario.

b) La pérdida de la nacionalidad.

c) La jubilación total del funcionario.

d) La sanción disciplinaria de separación del servicio que tuviere carácter firme.

e) La pena principal o accesoria de inhabilitación absoluta o especial para cargo público que tuviere carácter firme.

2.2.1. Renuncia

La renuncia voluntaria a la condición de funcionario habrá de ser manifestada por escrito y será aceptada expresamente por la Administración, salvo cuando el funcionario esté sujeto a expediente disciplinario o haya sido dictado en su contra auto de procesamiento o de apertura de juicio oral por la comisión de algún delito.

La renuncia a la condición de funcionario no inhabilita para ingresar de nuevo en la Administración Pública a través del procedimiento de selección establecido.

2.2.2. Pérdida de la nacionalidad

La pérdida de la nacionalidad española o la de cualquier otro Estado miembro de la Unión Europea o la de aquellos Estados a los que, en virtud de tratados internacionales celebrados por la Unión Europea y ratificados por España, les sea de aplicación la libre circulación de trabajadores, que haya sido tenida en cuenta para el nombramiento, determinará la pérdida de la condición de funcionario salvo que simultáneamente se adquiera la nacionalidad de alguno de dichos Estados.

2.2.3. Jubilación

La jubilación de los funcionarios podrá ser:

a) Voluntaria, a solicitud del funcionario.

b) Forzosa, al cumplir la edad legalmente establecida.

c) Por la declaración de incapacidad permanente para el ejercicio de las funciones propias de su cuerpo o escala, o por el reconocimiento de una pensión de incapacidad permanente absoluta o, incapacidad permanente total en relación con el ejercicio de las funciones de su cuerpo o escala.

Procederá la jubilación voluntaria, a solicitud del interesado, siempre que el funcionario reúna los requisitos y condiciones establecidos en el Régimen de Seguridad Social que le sea aplicable.

La jubilación forzosa se declarará de oficio al cumplir el funcionario los 65 años de edad.

No obstante, en los términos de las leyes de Función Pública que se dicten en desarrollo del EBEP, se podrá solicitar la prolongación de la permanencia en el servicio activo como máximo hasta que se cumpla 70 años de edad. La Administración Pública competente deberá de resolver de forma motivada la aceptación o denegación de la prolongación.

Con independencia de la edad legal de jubilación forzosa indicada, la edad de la jubilación forzosa del personal funcionario incluido en el Régimen General de la Seguridad Social será, en todo caso, la que prevean las normas reguladoras de dicho régimen para el acceso a la pensión de jubilación en su modalidad contributiva sin coeficiente reductor por razón de la edad (el artículo 205 del texto refundido de la Ley General de la Seguridad Social, aprobado por el Real Decreto Legislativo 8/2015, de 30 de octubre, señala la edad de 67 años de edad, o 65 años cuando se acrediten treinta y ocho años y seis meses de cotización).

De lo expresado para la jubilación forzosa en este apartado quedarán excluidos los funcionarios que tengan normas estatales específicas de jubilación.

2.2.4. Pena principal o accesoria de inhabilitación absoluta o especial para cargo público

La pena principal o accesoria de inhabilitación absoluta cuando hubiere adquirido firmeza la sentencia que la imponga produce la pérdida de la condición de funcionario respecto a todos los empleos o cargos que tuviere.

La pena principal o accesoria de inhabilitación especial cuando hubiere adquirido firmeza la sentencia que la imponga produce la pérdida de la condición de funcionario respecto de aquellos empleos o cargos especificados en la sentencia.

La pena de inhabilitación especial para empleo o cargo público produce la privación definitiva del empleo o cargo sobre el que recayere, aunque sea electivo, y de los honores que le sean anejos. Produce, además, la incapacidad para obtener el mismo u otros análogos, durante el tiempo de la condena. En la sentencia habrán de especificarse los empleos, cargos y honores sobre los que recae la inhabilitación.

2.3. Rehabilitación de la condición de funcionario

En caso de extinción de la relación de servicios como consecuencia de pérdida de la nacionalidad o jubilación por incapacidad permanente para el servicio, el interesado, una vez desaparecida la causa objetiva que la motivó, podrá solicitar la rehabilitación de su condición de funcionario, que le será concedida.

Los órganos de gobierno de las Administraciones Públicas podrán conceder, con carácter excepcional, la rehabilitación, a petición del interesado, de quien hubiera perdido la condición de funcionario por haber sido condenado a la pena principal o accesoria de inhabilitación, atendiendo a las circunstancias y entidad del delito cometido. Si transcurrido el plazo para dictar la resolución, no se hubiera producido de forma expresa, se entenderá desestimada la solicitud.

Por Real Decreto 2669/1998, de 11 de diciembre, se aprueba el procedimiento a seguir en materia de rehabilitación de los funcionarios públicos en el ámbito de la Administración General del Estado.

Conforme al artículo 6 de este Real Decreto, en los supuestos de cambio de nacionalidad y jubilación por incapacidad permanente para el servicio, la acreditación suficiente de las causas objetivas que posibilitan la rehabilitación será determinante para que el órgano competente para la tramitación del procedimiento formule propuesta de resolución estimatoria de la solicitud del interesado.

Para la resolución del procedimiento de rehabilitación de quienes hubieran perdido su condición de funcionario como consecuencia de haber sido condenados a pena principal o accesoria de inhabilitación, el RD 2669/1998 señala que se tendrán en cuenta los siguientes criterios orientadores para la valoración y apreciación de las circunstancias y entidad del delito cometido:

a) Conducta y antecedentes penales previos y posteriores a la pérdida de la condición de funcionario.

b) Daño y perjuicio para el servicio público derivado de la comisión del delito.

c) Relación del hecho delictivo con el desempeño del cargo funcionarial.

d) Gravedad de los hechos y duración de la condena.

e) Tiempo transcurrido desde la comisión del delito.

f) Informes de los titulares de los órganos administrativos en los que el funcionario prestó sus servicios.

g) Cualquier otro que permita apreciar objetivamente la gravedad del delito cometido y su incidencia sobre la futura ocupación de un puesto de funcionario público.

En todo caso, será preceptivo en el procedimiento el informe de la Subsecretaría del Departamento que hubiera declarado la pérdida de la condición de funcionario.

Formulada propuesta de resolución, tenidos en cuenta los criterios señalados, el órgano administrativo instructor del procedimiento, dará vista del expediente instruido al interesado, con inclusión de la propuesta de resolución formulada, para que, en el plazo máximo de quince días, presente las alegaciones que estime oportunas, debidamente justificadas.

TEMA 6

Estatuto Básico del Empleado Público. Ordenación de la actividad profesional. Situaciones administrativas. Régimen disciplinario. Cooperación entre las Administraciones Públicas

Índice

1. Título V. Ordenación de la actividad profesional

1.1. Planificación de recursos humanos

1.1.1. Objetivos e instrumentos de la planificación

El objetivo de la planificación de los recursos humanos en las Administraciones Públicas es:

Contribuir a la consecución de la ***eficacia*** *en la prestación de los servicios y de la* ***eficiencia*** *en la utilización de los recursos económicos disponibles;* mediante *la dimensión adecuada de sus efectivos, su mejor distribución, formación, promoción profesional y movilidad.*

Las Administraciones Públicas podrán aprobar Planes para la ordenación de sus recursos humanos, que incluyan, entre otras, algunas de las siguientes medidas:

a) Análisis de las disponibilidades y necesidades de personal, tanto desde el punto de vista del número de efectivos, como del de los perfiles profesionales o niveles de cualificación de los mismos.

b) Previsiones sobre los sistemas de organización del trabajo y modificaciones de estructuras de puestos de trabajo.

c) Medidas de movilidad, entre las cuales podrá figurar:

  - La suspensión de incorporaciones de personal externo a un determinado ámbito.
  - La convocatoria de concursos de provisión de puestos limitados a personal de ámbitos que se determinen.

d) Medidas de promoción interna y de formación del personal y de movilidad forzosa.

e) La previsión de la incorporación de recursos humanos a través de la Oferta de empleo público.

Cada Administración Pública planificará sus recursos humanos de acuerdo con los sistemas que establezcan las normas que les sean de aplicación.

El artículo 2 del ***Reglamento General de Ingreso del Personal al servicio de la Administración general del Estado y de Provisión de Puestos de Trabajo y Promoción Profesional de los Funcionarios Civiles de la Administración general del Estado***, señala que los Planes de Empleo, tanto si tienen carácter departamental como interdepartamental, podrán adoptar las siguientes modalidades:

- Planes Integrales de Recursos Humanos.
- Planes Operativos de Recursos Humanos.

A) Los **Planes Integrales de Recursos Humanos** constituirán el instrumento básico de planificación global de estos en los ámbitos correspondientes. Especificarán:

- Los objetivos a conseguir en materia de personal.
- Los efectivos y la estructura de recursos humanos que se consideren adecuados para cumplir tales objetivos.

- Las medidas necesarias para transformar la dotación inicial en la que resulte acorde con la estructura de personal que se pretenda.
- Las actuaciones necesarias al efecto, especialmente en materia de movilidad, formación y promoción.

B) En el ámbito de los Planes Integrales de Recursos Humanos, o con independencia de los mismos, se podrán desarrollar **Planes Operativos de Recursos Humanos** que, al objeto de lograr una mejor utilización de dichos recursos, determinen las previsiones y medidas a adoptar sobre movilidad, redistribución de efectivos y asignación de puestos de trabajo.

1.1.2. Oferta de Empleo Público

Las necesidades de recursos humanos, con asignación presupuestaria, que deban proveerse mediante la incorporación de personal de nuevo ingreso serán objeto de la **oferta de empleo público**, *o a través de otro instrumento similar de gestión de la provisión de las necesidades de personal.*

La oferta de empleo público *o instrumento similar* comportará la **obligación de convocar** los correspondientes procesos selectivos para las plazas comprometidas y hasta un diez por cien adicional, fijando el plazo máximo para la convocatoria de los mismos.

En todo caso, la **ejecución de la oferta de empleo público** *o instrumento similar* deberá desarrollarse dentro del plazo improrrogable de tres años.

La oferta de empleo público *o instrumento similar*:

- Se aprobará anualmente por los órganos de Gobierno de las Administraciones Públicas.
- Deberá ser publicada en el Diario oficial correspondiente.
- Podrá contener medidas derivadas de la planificación de recursos humanos.

1.1.3. Registros de personal y gestión integrada de recursos humanos

Cada Administración Pública constituirá un Registro en el que se inscribirán los datos relativos al personal y que tendrá en cuenta las peculiaridades de determinados colectivos.

Los Registros podrán disponer también de la información agregada sobre los restantes recursos humanos de su respectivo sector público.

Mediante convenio de Conferencia Sectorial se establecerán los contenidos mínimos comunes de los Registros de personal y los criterios que permitan el intercambio homogéneo de la información entre Administraciones, con respeto a lo establecido en la legislación de protección de datos de carácter personal.

Las Administraciones Públicas impulsarán la gestión integrada de recursos humanos.

Cuando las Entidades Locales no cuenten con la suficiente capacidad financiera o técnica, la Administración General del Estado y las Comunidades Autónomas cooperarán con aquellas a los efectos contemplados en este apartado.

1.2. Estructuración del empleo público

En el marco de sus competencias de autoorganización, las Administraciones Públicas estructuran sus recursos humanos de acuerdo con las normas que regulan la selección, la promoción profesional, la movilidad y la distribución de funciones y conforme a lo previsto en el Capítulo II del Título V del EBEP.

1.2.1. Desempeño y agrupación de puestos de trabajo

Los empleados públicos tienen derecho al desempeño de un puesto de trabajo de acuerdo con el sistema de estructuración del empleo público que establezcan las leyes de desarrollo del EBEP.

Las Administraciones Públicas podrán asignar a su personal funciones, tareas o responsabilidades distintas a las correspondientes al puesto de trabajo que desempeñen siempre que resulten adecuadas a su clasificación, grado o categoría, cuando las necesidades del servicio lo justifiquen sin merma en las retribuciones.

Los puestos de trabajo podrán agruparse en función de sus características para ordenar la selección, la formación y la movilidad.

1.2.2. Ordenación de los puestos de trabajo

Las Administraciones Públicas estructurarán su organización a través de **relaciones de puestos de trabajo** u otros instrumentos organizativos similares que comprenderán, al menos:

- La denominación de los puestos.
- Los grupos de clasificación profesional.
- Los cuerpos o escalas, en su caso, a que estén adscritos.
- Los sistemas de provisión.
- Las retribuciones complementarias.

Dichos instrumentos serán públicos.

1.2.3. Cuerpos y escalas de funcionarios

Los funcionarios se agrupan en cuerpos, escalas, especialidades u otros sistemas que incorporen competencias, capacidades y conocimientos comunes acreditados a través de un proceso selectivo.

Según el artículo 76 del TR-LEBEP, los cuerpos y escalas se clasifican, de acuerdo con la titulación exigida para el acceso a los mismos, en los siguientes grupos:

- **Grupo A.** Dividido en dos Subgrupos, A1 y A2.

  Para el acceso a los cuerpos o escalas de este Grupo se exigirá estar en posesión del título universitario de Grado. En aquellos supuestos en los que la ley exija otro título universitario será este el que se tenga en cuenta.

La clasificación de los cuerpos y escalas en cada Subgrupo estará en función del nivel de responsabilidad de las funciones a desempeñar y de las características de las pruebas de acceso.

- **Grupo B.** Para el acceso a los cuerpos o escalas del Grupo B se exigirá estar en posesión del título de Técnico Superior.
- **Grupo C.** Dividido en dos Subgrupos, C1 y C2, según la titulación exigida para el ingreso.
  * C1: Título de Bachiller o Técnico.
  * C2: Título de Graduado en Educación Secundaria Obligatoria.

Los cuerpos y escalas de funcionarios se crean, modifican y suprimen por ley de las Cortes Generales o de las asambleas legislativas de las comunidades autónomas.

Además de los Grupos clasificatorios citados, el TR-LEBEP prevé en su Disposición Adicional sexta, que las Administraciones Públicas pueda establecer otras agrupaciones diferentes de las enunciadas anteriormente, para cuyo acceso no se exija estar en posesión de ninguna de las titulaciones previstas en el sistema educativo. Es el caso de la Agrupación Profesional de Subalternos.

Cuando en el TR-LEBEP se hace referencia a cuerpos y escalas se entenderá comprendida igualmente cualquier otra agrupación de funcionarios.

Según el artículo 77 del EBEP, el personal laboral se clasificará de conformidad con la legislación laboral.

1.3. Provisión de puestos de trabajo en la Función Pública

La provisión de puestos de trabajo es un procedimiento administrativo que tiene por finalidad específica la cobertura, a través de mecanismos previamente diseñados, de los puestos de trabajo vacantes con el personal ya ingresado en la Administración.

Las Administraciones Públicas proveerán los puestos de trabajo mediante procedimientos basados en los principios de igualdad, mérito, capacidad y publicidad.

La provisión de puestos de trabajo en cada Administración Pública se llevará a cabo por los procedimientos de:

- Concurso.
- Libre designación con convocatoria pública.

Las leyes de Función Pública que se dicten en desarrollo del (Estatuto Básico del Empleado Público) EBEP podrán establecer otros procedimientos de provisión en los supuestos de:

- Movilidad por traslado forzoso.
- Permutas entre puestos de trabajo.
- Movilidad por motivos de salud o rehabilitación del funcionario.
- Reingreso al servicio activo.
- Cese o remoción en los puestos de trabajo y supresión de los mismos.

1.3.1. Concurso de provisión de los puestos de trabajo del personal funcionario de carrera

El concurso es el procedimiento normal de provisión de puestos de trabajo.

Consiste en la valoración por órganos colegiados de carácter técnico de los méritos y capacidades y, en su caso, aptitudes de los candidatos.

La composición de estos órganos responderá al principio de profesionalidad y especialización de sus miembros y se adecuará al criterio de paridad entre mujer y hombre. Su funcionamiento se ajustará a las reglas de imparcialidad y objetividad.

Entre tanto se dictan las correspondientes leyes de desarrollo del EBEP, hay que tener en cuenta la Disposición Final 4.ª del EBEP, que señala que: *hasta que se dicten las leyes de Función Pública y las normas reglamentarias de desarrollo se mantendrán en vigor en cada Administración Pública las normas vigentes sobre ordenación, planificación y gestión de recursos humanos en tanto no se opongan a lo establecido en este Estatuto.*

En este sentido, nos detenemos en el artículo 44 del Real Decreto 364/1995, de 10 de marzo, por el que se aprueba el Reglamento General de Ingreso del Personal al servicio de la Administración General del Estado y de Provisión de Puestos de Trabajo y Promoción Profesional de los Funcionarios Civiles de la Administración general del Estado, que establece que en los concursos deberán valorarse:

- Los méritos adecuados a las características de los puestos ofrecidos.
- La posesión de un determinado grado personal.
- La valoración del trabajo desarrollado.
- Los cursos de formación y perfeccionamiento superados.
- La antigüedad.

Todo ello de acuerdo con los siguientes criterios:

a) Solo podrán valorarse los méritos específicos adecuados a las características de cada puesto que se determinen en las respectivas convocatorias.

b) El grado personal consolidado se valorará, en todo caso, en sentido positivo en función de su posición en el intervalo del Cuerpo o Escala correspondiente y, cuando así se determine en la convocatoria, en relación con el nivel de los puestos de trabajo ofrecidos.

c) La valoración del trabajo desarrollado deberá cuantificarse según la naturaleza de los puestos convocados conforme se determine en la convocatoria, teniendo en cuenta el tiempo de permanencia en puestos de trabajo de cada nivel y, alternativa o simultáneamente, en atención a la experiencia en el desempeño de puestos pertenecientes al área funcional o sectorial a que corresponde el convocado y la similitud entre el contenido técnico y especialización de los puestos ocupados por los candidatos con los ofrecidos, pudiendo valorarse también las aptitudes y rendimientos apreciados a los candidatos en los puestos anteriormente desempeñados.

d) Únicamente se valorarán los cursos de formación y perfeccionamiento expresamente incluidos en las convocatorias, que deberán versar sobre materias directamente relacionadas con las funciones propias de los puestos de trabajo.

e) La antigüedad se valorará por años de servicios, computándose a estos efectos los reconocidos que se hubieren prestado con anterioridad a la adquisición de la condición de funcionario de carrera. No se computarán los servicios prestados simultáneamente con otros igualmente alegados. El correspondiente baremo podrá diferenciar la puntuación en atención a los Cuerpos o Escalas en que se hayan desempeñado los servicios.

Las leyes de Función Pública que se dicten en desarrollo del EBEP establecerán el plazo mínimo de ocupación de los puestos obtenidos por concurso para poder participar en otros concursos de provisión de puestos de trabajo.

Según la letra f) del artículo 20 de la Ley 30/1984, de 2 de agosto, de medidas para la reforma de la Función Pública, aún vigente, los funcionarios deberán permanecer en cada puesto de trabajo un mínimo de **dos años** para poder participar en los concursos de provisión de puestos de trabajo, salvo en el ámbito de una Secretaría de Estado, de un Departamento ministerial en defecto de aquella, así como por supresión del puesto de trabajo.

En las convocatorias de concursos podrá establecerse una puntuación que, como máximo, podrá alcanzar la que se determine en las mismas para la antigüedad, para quienes tengan la condición de víctima del terrorismo o de amenazados, siempre que se acredite que la obtención del puesto sea preciso para la consecución de los fines de protección y asistencia social integral de estas personas.

Para la acreditación de estos extremos, reglamentariamente se determinarán los órganos competentes para la emisión de los correspondientes informes. En todo caso, cuando se trate de garantizar la protección de las víctimas será preciso el informe del Ministerio del Interior.

En el caso de supresión o remoción de los puestos obtenidos por concurso se deberá asignar un puesto de trabajo conforme al sistema de carrera profesional propio de cada Administración Pública y con las garantías inherentes de dicho sistema.

1.3.2. Libre designación con convocatoria pública del personal funcionario de carrera

La libre designación con convocatoria pública consiste en la apreciación discrecional por el órgano competente de la idoneidad de los candidatos en relación con los requisitos exigidos para el desempeño del puesto.

Los criterios para determinar los puestos que por su especial responsabilidad y confianza puedan cubrirse por el procedimiento de libre designación con convocatoria pública, serán establecidos por las leyes de Función Pública que se dicten en desarrollo del EBEP.

El Capítulo III del Título III del Real Decreto 364/1995, de 10 de marzo, por el que se aprueba el Reglamento General de Ingreso del Personal al servicio de la Administración General del Estado y de Provisión de Puestos de Trabajo y Promoción Profesional de los Funcionarios Civiles de la

Administración General del Estado, al que acudimos entre tanto se dictan las correspondientes normas de desarrollo del EBEP, señala al respecto de la libre designación, en el ámbito de la Administración General del Estado, los siguientes criterios:

- La facultad de proveer los puestos de libre designación corresponde a los Ministros de los Departamentos de los que dependan y a los Secretarios de Estado en el ámbito de sus competencias.
- Solo podrán cubrirse por este sistema los puestos de Subdirector general, Delegados y Directores territoriales, provinciales o Comisionados de los Departamentos ministeriales, de sus Organismos autónomos y de las Entidades Gestoras y Servicios Comunes de la Seguridad Social, Secretarías de Altos Cargos de la Administración y aquellos otros de carácter directivo o de especial responsabilidad para los que así se determine en las relaciones de puestos de trabajo.
- La designación se realizará previa convocatoria pública, en la que, además de la descripción del puesto y requisitos para su desempeño contenidos en la relación de puestos de trabajo, podrán recogerse las especificaciones derivadas de la naturaleza de las funciones encomendadas al mismo.
- Las solicitudes se dirigirán, dentro de los quince días hábiles siguientes al de la publicación de la convocatoria, al órgano convocante.
- El nombramiento requerirá el previo informe del titular del centro, organismo o unidad a que esté adscrito el puesto de trabajo a cubrir. Si fuera a recaer en un funcionario destinado en otro Departamento, se requerirá informe favorable de este. De no emitirse en el plazo de quince días naturales se considerará favorable. Si fuera desfavorable, podrá, no obstante, efectuarse el nombramiento previa autorización del Secretario de Estado de Función Pública.

  Se requerirá asimismo informe del Delegado del Gobierno cuando los nombramientos se refieran a los Directores de los servicios periféricos de ámbito regional o provincial, respectivamente, o a aquellos Jefes de unidades que, en su respectivo ámbito, no se encuentren encuadradas en ninguna otra de su Departamento.
- Cuando el funcionario pertenezca a un Cuerpo o Escala que tenga reservados puestos en exclusiva se precisará el informe favorable del Ministerio al que esté adscrito el Cuerpo o Escala.
- Los nombramientos deberán efectuarse en el plazo máximo de un mes contado desde la finalización del de presentación de solicitudes. Dicho plazo podrá prorrogarse hasta un mes más.

  Las resoluciones de nombramiento se motivarán con referencia al cumplimiento por parte del candidato elegido de los requisitos y especificaciones exigidos en la convocatoria, y la competencia para proceder al mismo.

  En todo caso deberá quedar acreditada, como fundamento de la resolución adoptada, la observancia del procedimiento debido.

- El plazo para tomar posesión será de tres días hábiles si no implica cambio de residencia del funcionario, o de un mes si comporta cambio de residencia o el reingreso al servicio activo.

  El plazo de toma de posesión empezará a contarse a partir del día siguiente al del cese, que deberá efectuarse dentro de los tres días hábiles siguientes a la publicación de la resolución del concurso en el «Boletín Oficial del Estado». Si la resolución comporta el reingreso al servicio activo, el plazo de toma de posesión deberá computarse desde dicha publicación.

  El Subsecretario del Departamento donde preste servicios el funcionario podrá diferir el cese por necesidades del servicio hasta veinte días hábiles, comunicándose a la unidad a que haya sido destinado el funcionario.

  Excepcionalmente, a propuesta del Departamento, por exigencias del normal funcionamiento de los servicios, la Secretaría de Estado de Función Pública podrá aplazar la fecha de cese hasta un máximo de tres meses, computada la prórroga prevista en el párrafo anterior.

  Con independencia de lo establecido en los dos párrafos anteriores, el Subsecretario del Departamento donde haya obtenido nuevo destino el funcionario podrá conceder una prórroga de incorporación hasta un máximo de veinte días hábiles, si el destino implica cambio de residencia y así lo solicita el interesado por razones justificadas.

  El cómputo de los plazos posesorios se iniciará cuando finalicen los permisos o licencias que hayan sido concedidos a los interesados, salvo que por causas justificadas el órgano convocante acuerde suspender el disfrute de los mismos.

  Efectuada la toma de posesión, el plazo posesorio se considerará como de servicio activo a todos los efectos, excepto en los supuestos de reingreso desde la situación de excedencia voluntaria o excedencia por cuidado de hijos una vez transcurrido el primer año.

- Los funcionarios nombrados para puestos de trabajo de libre designación podrán ser cesados con carácter discrecional.

  La motivación de esta resolución se referirá a la competencia para adoptarla.

  Los funcionarios cesados en un puesto de libre designación serán adscritos provisionalmente a un puesto de trabajo correspondiente a su Cuerpo o Escala no inferior en más de dos niveles al de su grado personal en el mismo municipio, en tanto no obtengan otro con carácter definitivo, con efectos del día siguiente al de la fecha del cese y de acuerdo con el procedimiento que fije el Ministerio de Hacienda y Función Pública.

  La necesidad de que el nuevo puesto que se atribuye al funcionario sea en el mismo municipio no será de aplicación cuando se trate del cese de funcionarios destinados en el exterior.

El órgano competente para el nombramiento podrá recabar la intervención de especialistas que permitan apreciar la idoneidad de los candidatos.

Los titulares de los puestos de trabajo provistos por el procedimiento de libre designación con convocatoria pública podrán ser cesados discrecionalmente. En caso de cese, se les deberá asignar un puesto de trabajo conforme al sistema de carrera profesional propio de cada Administración Pública y con las garantías inherentes de dicho sistema.

1.3.3. Movilidad forzosa del personal funcionario de carrera

Las Administraciones Públicas, de manera motivada, podrán trasladar a sus funcionarios, por necesidades de servicio o funcionales, a unidades, departamentos u organismos públicos o entidades distintos a los de su destino, respetando sus retribuciones, condiciones esenciales de trabajo, modificando, en su caso, la adscripción de los puestos de trabajo de los que sean titulares.

Cuando por motivos excepcionales los planes de ordenación de recursos impliquen cambio de lugar de residencia se dará prioridad a la voluntariedad de los traslados.

Los funcionarios tendrán derecho a las indemnizaciones establecidas reglamentariamente para los traslados forzosos.

1.3.4. Permutas entre puestos de trabajo

El EBEP menciona las permutas entre puestos de trabajo como un posible procedimiento de provisión de puestos de trabajo, a expensas de la aprobación de las leyes de Función Pública que se han de dictar en desarrollo del EBEP.

Mientras tanto habrá que regirse por lo establecido por el artículo 62 del **Decreto 315/1964, de 7 de febrero, por el que se aprueba la Ley articulada de Funcionarios Civiles del Estado**, cuando señala lo siguiente:

El Subsecretario, en su Departamento, y el Vicepresidente de la Comisión Superior de Personal, si se trata de Ministerios distintos, podrán autorizar excepcionalmente permutas de destinos entre funcionarios en activo o en excedencia especial, siempre que concurran las siguientes circunstancias:

a) Que los puestos de trabajo en que sirvan sean de igual naturaleza y corresponda idéntica forma de provisión.

b) Que los funcionarios que pretendan la permuta cuenten, respectivamente, con un número de años de servicio que no difiera entre sí en más de cinco.

c) Que se emita informe previo de los jefes de los solicitantes o de los Subsecretarios respectivos.

En el plazo de diez años, a partir de la concesión de una permuta, no podrá autorizarse otra a cualquiera de los interesados.

No podrá autorizarse permuta entre funcionarios cuando a alguno de ellos le falten menos de diez años para cumplir la edad de jubilación forzosa.

Serán anuladas las permutas si en los dos años siguientes a la fecha en que tenga lugar se produce la jubilación voluntaria de alguno de los permutantes.

1.3.5. Movilidad por razón de violencia de género

El artículo 24 de la Ley Orgánica 1/2004, de 28 de diciembre, de Medidas de Protección Integral contra la Violencia de Género, reconoce a la funcionaria víctima de violencia de género el derecho a la movilidad geográfica de centro de trabajo.

Las mujeres víctimas de violencia de género que se vean obligadas a abandonar el puesto de trabajo en la localidad donde venían prestando sus servicios, para hacer efectiva su protección o el derecho a la asistencia social integral, tendrán derecho al traslado a otro puesto de trabajo propio de su cuerpo, escala o categoría profesional, de análogas características, sin necesidad de que sea vacante de necesaria cobertura.

Aun así, en tales supuestos la Administración Pública competente, estará obligada a comunicarle las vacantes ubicadas en la misma localidad o en las localidades que la interesada expresamente solicite.

Este traslado tendrá la consideración de traslado forzoso.

En las actuaciones y procedimientos relacionados con la violencia de género, se protegerá la intimidad de las víctimas, en especial, sus datos personales, los de sus descendientes y las de cualquier persona que esté bajo su guarda o custodia.

La Conferencia Sectorial de Administración Pública, en su reunión de 22 de octubre de 2018, acordó aprobar el Acuerdo para favorecer la movilidad interadministrativa de las empleadas públicas víctimas de violencia de género.

Este Acuerdo se propone servir como marco general de colaboración, coordinación y comunicación, entre las Administraciones Públicas al objeto de facilitar la aplicación del principio de movilidad de las empleadas públicas de las Administraciones que tengan la condición de víctimas de violencia de género, dando efectividad al derecho contemplado en el artículo 82.1 del texto refundido de la Ley del Estatuto Básico del Empleado Público, aprobado por Real Decreto Legislativo 5/2015, de 30 de octubre, y demás normativa reguladora sobre la materia.

Para facilitar la movilidad por razón de violencia de género de las empleadas públicas que se vean obligadas a abandonar su puesto de trabajo en la Administración de origen, es necesario que en términos de reciprocidad entre todas las Administraciones Públicas, y de acuerdo con la normativa reguladora en la materia, se aborden las acciones que resulten necesarias, dando efectividad a las medidas de protección o al derecho a la asistencia social integral, mediante:

a) La atención de las solicitudes de movilidad de las empleadas públicas víctimas de violencia de género a requerimiento de otra Administración Pública, siempre que la situación de víctima de violencia de género quede debidamente acreditada y no sea posible dar solución a la movilidad por parte de esa Administración.

b) La tramitación con carácter preferente de estos procedimientos, al objeto de que la resolución se dicte en el plazo más breve posible.

c) La protección de la intimidad de las víctimas, en especial sus datos personales, los de los ascendientes, descendientes y los de cualquier persona que esté bajo su custodia o guarda.

La acreditación de la situación de violencia de género, a efectos de lo dispuesto en el citado Acuerdo, se realizará por alguno de los siguientes medios:

a) Sentencia condenatoria por un delito de violencia de género.

b) Orden de protección o cualquier otra resolución judicial que acuerde una medida cautelar a favor de la víctima.

c) Informe del Ministerio Fiscal que indique la existencia de indicios de que la demandante es víctima de violencia de género.

d) Informe de los servicios sociales, de los servicios especializados o de los servicios de acogida destinados a víctimas de violencia de género de la Administración Pública competente; o por cualquier título, siempre que ello esté previsto en las disposiciones normativas de carácter sectorial que regulen el acceso a cada uno de los derechos y recursos.

La empleada pública deberá dirigir su solicitud al órgano competente de la Administración Pública en que se encuentra destinada, aportando la documentación justificativa de su condición de víctima de violencia de género con indicación del ámbito geográfico al que desea que se lleve a efecto la movilidad y motivación de la necesidad de traslado a ese ámbito en concreto.

Cuando la Administración Pública de origen de la interesada no cuente con Unidades o Dependencias ubicadas en el ámbito geográfico por ella solicitado, o por otras causas justificadas no resulte posible su reubicación en la misma, la Administración que corresponda se dirigirá a la Administración o Administraciones Públicas con competencias en ese ámbito y que puedan disponer de una estructura de puestos de trabajo en él, instando la tramitación del expediente de movilidad. A estos efectos, adjuntará tanto la solicitud como el resto de documentación aportada por la solicitante.

La movilidad de la empleada pública se efectuará, en todo caso, a un puesto de trabajo ubicado en el ámbito geográfico nacional. Dicho puesto habrá de ser adecuado a la naturaleza de la relación de servicios de la solicitante y a su clasificación profesional, y esta deberá reunir los requisitos exigidos para el desempeño del mismo que figuren en la respectiva relación de puestos de trabajo u otros instrumentos organizativos similares, pudiendo realizarse, en su caso, las adaptaciones y equivalencias que sean necesarias.

Las indemnizaciones que, en su caso, correspondan a la empleada pública serán a cargo de la Administración Pública de origen en la que se encuentre destinada en el momento de efectuarse la movilidad.

La ocupación por la interesada del nuevo puesto adjudicado tendrá carácter provisional, en tanto no obtenga un puesto con carácter definitivo.

La incorporación al nuevo destino deberá realizarse en el plazo más breve posible. En todo caso, la incorporación deberá producirse en el plazo máximo de **tres días hábiles si no comporta cambio de residencia** de la empleada pública o de **ocho días hábiles, prorrogables justificadamente hasta un máximo de un mes, si lo comporta**, desde la notificación de la resolución de movilidad.

La Administración Pública de destino mantendrá a la empleada pública en el puesto que le sea adjudicado, en tanto permanezcan las circunstancias que dieron lugar a la movilidad, sin que dicho puesto de trabajo pueda ser durante todo ese período objeto de convocatoria para su cobertura definitiva.

La Administración de origen tendrá la obligación de reservar a la empleada pública un destino en la misma localidad y de iguales características retributivas a las del puesto que ocupaba, durante el tiempo en que dicha empleada permanezca destinada con carácter provisional en la Administración a la que se traslade por razón de violencia de género, hasta obtener un puesto con carácter definitivo, sea en la de Administración de destino, en la de origen o en una tercera.

Las Administraciones Públicas intervinientes en la movilidad se comunicarán recíprocamente la formalización del cese y la toma de posesión de la empleada pública en el momento en que se produzcan.

Todas las retribuciones correspondientes al plazo posesorio serán abonadas por la Administración Pública de origen en la cuantía correspondiente al puesto de trabajo que venía desempeñando. Las retribuciones o salarios del nuevo puesto corresponderán a la Administración Pública a la que va destinada a partir de la fecha de la toma de posesión en el nuevo puesto de trabajo.

La empleada pública tendrá derecho a percibir las retribuciones que correspondan al puesto que le sea adjudicado en la Administración a la que se traslade, para lo que la Administración de origen, en caso de que se produzca pérdida retributiva, regulará un mecanismo de compensación articulado desde la perspectiva presupuestaria, que permita el abono de una indemnización en tanto se mantenga esa diferencia retributiva.

La empleada pública tendrá la obligación de comunicar a la Administración en la que se le ha adjudicado el nuevo destino, la desaparición, en su caso, de las circunstancias que dieron lugar a la necesidad de traslado o la pérdida de la condición de víctima de violencia de género, promoviéndose en ese momento la reincorporación a su Administración de origen. Los plazos para dicha reincorporación serán los mismos indicados anteriormente y este retorno tendrá la consideración de movilidad voluntaria.

Se protegerá la intimidad de las empleadas públicas en las anotaciones de los actos administrativos que deban realizarse en los registros de personal de las Administraciones Públicas, así como en el acceso a la información existente sobre ellas en los sistemas de información de las distintas Administraciones Públicas.

En aquellos supuestos en los que, por las circunstancias excepcionales de su situación, la interesada solicite únicamente un **traslado temporal de duración inferior a 6 meses**, o cuando no exista vacante para poder resolver con la inmediatez necesaria el traslado, la

Administración de origen y aquella en la que vaya a prestar servicios la empleada pública, podrán acordar en su favor una atribución temporal de funciones en comisión de servicios o figura similar que contemple el convenio colectivo aplicable al personal laboral, continuando la interesada como titular de su puesto de trabajo en la Administración de origen y percibiendo sus retribuciones con cargo a esa Administración.

Transcurrido ese plazo finalizará la atribución temporal de funciones o figura equivalente y se actuará de acuerdo con lo dispuesto en los apartados anteriores, en el caso de persistir la necesidad de traslado.

En los supuestos de movilidad de empleadas públicas con relaciones de servicio de carácter no permanente, la Administración Pública a la que vayan destinadas formalizará una nueva relación de servicios de igual carácter que aquella que mantenía con la Administración de origen.

1.3.6. Movilidad por razón de violencia terrorista

Según el artículo 35 de la Ley 29/2011, de 22 de septiembre, de Reconocimiento y Protección Integral a las Víctimas del Terrorismo, las personas víctimas del terrorismo (que han sufrido daños físicos y/o psíquicos como consecuencia de la actividad terrorista), que tuviesen la condición de funcionarios públicos tendrán derecho a la movilidad geográfica de centro de trabajo, en los términos que se determine en su legislación específica.

En el caso de que se ejercite dicho derecho a la movilidad geográfica, los cónyuges o personas vinculadas por análoga relación de afectividad con aquellos, tendrán derecho preferente a ocupar un puesto de trabajo igual o similar al que vengan desempeñando, si hubiera plaza vacante en la misma localidad.

El artículo 82.2 del EBEP determina que, para hacer efectivo su derecho a la protección y a la asistencia social integral, los funcionarios que hayan sufrido daños físicos o psíquicos como consecuencia de la actividad terrorista, su cónyuge o persona que haya convivido con análoga relación de afectividad, y los hijos de los heridos y fallecidos, siempre que ostenten la condición de funcionarios y de víctimas del terrorismo de acuerdo con la legislación vigente, así como los funcionarios amenazados por organizaciones terroristas, previo reconocimiento del Ministerio del Interior o de sentencia judicial firme, tendrán derecho al traslado a otro puesto de trabajo propio de su cuerpo, escala o categoría profesional, de análogas características, cuando la vacante sea de necesaria cobertura o, en caso contrario, dentro de la comunidad autónoma.

Aun así, en tales supuestos la Administración Pública competente estará obligada a comunicarle las vacantes ubicadas en la misma localidad o en las localidades que el interesado expresamente solicite.

Este traslado tendrá la consideración de traslado forzoso.

En todo caso este derecho podrá ser ejercitado en tanto resulte necesario para la protección y asistencia social integral de la persona a la que se concede, ya sea por razón de las secuelas provocadas por la acción terrorista, ya sea por la amenaza a la que se encuentra sometida, en los términos previstos reglamentariamente.

En las actuaciones y procedimientos relacionados con la violencia terrorista se protegerá la intimidad de las víctimas, en especial, sus datos personales, los de sus descendientes y los de cualquier persona que esté bajo su guarda o custodia.

1.3.7. Movilidad voluntaria entre Administraciones Públicas

Con el fin de lograr un mejor aprovechamiento de los recursos humanos, que garantice la eficacia del servicio que se preste a los ciudadanos, la Administración General del Estado y las comunidades autónomas y las entidades locales establecerán medidas de movilidad interadministrativa, preferentemente mediante convenio de Conferencia Sectorial u otros instrumentos de colaboración.

La Conferencia Sectorial de Administración Pública podrá aprobar los criterios generales a tener en cuenta para llevar a cabo las homologaciones necesarias para hacer posible la movilidad.

Los funcionarios de carrera que obtengan destino en otra Administración Pública a través de los procedimientos de movilidad quedarán respecto de su Administración de origen en la situación administrativa de servicio en otras Administraciones Públicas. En los supuestos de remoción o supresión del puesto de trabajo obtenido por concurso, permanecerán en la Administración de destino, que deberá asignarles un puesto de trabajo conforme a los sistemas de carrera y provisión de puestos vigentes en dicha Administración.

En el supuesto de cese del puesto obtenido por libre designación, la Administración de destino, en el plazo máximo de un mes a contar desde el día siguiente al del cese, podrá acordar la adscripción del funcionario a otro puesto de la misma o le comunicará que no va a hacer efectiva dicha adscripción. En todo caso, durante este periodo se entenderá que continúa a todos los efectos en servicio activo en dicha Administración.

Transcurrido el plazo citado sin que se hubiera acordado su adscripción a otro puesto, o recibida la comunicación de que la misma no va a hacerse efectiva, el funcionario deberá solicitar en el plazo máximo de un mes el reingreso al servicio activo en su Administración de origen, la cual deberá asignarle un puesto de trabajo conforme a los sistemas de carrera y provisión de puestos vigentes en dicha Administración, con efectos económicos y administrativos desde la fecha en que se hubiera solicitado el reingreso.

De no solicitarse el reingreso al servicio activo en el plazo indicado será declarado de oficio en situación de excedencia voluntaria por interés particular, con efectos desde el día siguiente a que hubiesen cesado en el servicio activo en la Administración de destino.

1.3.8. Otros tipos de provisión recogidos en el Reglamento General de Ingreso del Personal al servicio de la Administración General del Estado y de Provisión de Puestos de Trabajo y Promoción Profesional de los Funcionarios Civiles de la Administración General del Estado

Entre tanto se dictan las leyes de Función Pública previstas en desarrollo del EBEP, consideramos oportuno, en este punto, estudiar los otros tipos de provisión que recoge el aún vigente Reglamento General de Ingreso del Personal al servicio de la Administración general

del Estado y de Provisión de Puestos de Trabajo y Promoción Profesional de los Funcionarios Civiles de la Administración General del Estado.

Estos otros tipos de provisión -aparte del Concurso y la Libre Designación- que detalla el citado Reglamento en el Capítulo IV de su Título III, son:

- Redistribución de efectivos.
- Reasignación de efectivos.
- Movilidad por cambios de adscripción de puestos de trabajo.
- Reingreso al servicio activo.
- Adscripción provisional.
- Comisiones de servicios.
- Movilidad por razones de salud o de rehabilitación.
- Movilidad de la funcionaria víctima de violencia de género.

1.3.8.1. Redistribución de efectivos

Los funcionarios que ocupen con carácter definitivo puestos no singularizados podrán ser adscritos, por necesidades del servicio, a otros de la misma naturaleza, nivel de complemento de destino y complemento específico, siempre que para la provisión de los referidos puestos esté previsto el mismo procedimiento y sin que ello suponga cambio de municipio.

Son puestos no singularizados aquellos que no se individualizan o distinguen de los restantes puestos de trabajo en las correspondientes relaciones.

El puesto de trabajo al que se acceda a través de la redistribución de efectivos tendrá asimismo carácter definitivo, iniciándose el cómputo de los dos años para poder acceder a los concursos de provisión desde la fecha en que se accedió con tal carácter al puesto que se desempeñaba en el momento de la redistribución.

1.3.8.2. Reasignación de efectivos

Los funcionarios cuyo puesto de trabajo sea objeto de supresión como consecuencia de un Plan de Empleo podrán ser destinados a otro puesto de trabajo por el procedimiento de reasignación de efectivos.

La reasignación de efectivos como consecuencia de un Plan de Empleo se efectuará aplicando criterios objetivos relacionados con las aptitudes, formación, experiencia y antigüedad, que se concretarán en el mismo.

La adscripción al puesto adjudicado por reasignación tendrá carácter definitivo.

Los funcionarios que como consecuencia de la reasignación de efectivos vean modificado su municipio de residencia tendrán derecho a la indemnización prevista al respecto, sin perjuicio de otras ayudas que puedan establecerse en los Planes de Empleo.

1.3.8.3. Movilidad por cambio de adscripción de puestos de trabajo

Los Departamentos ministeriales, Organismos autónomos y Entidades Gestoras y Servicios Comunes de la Seguridad Social podrán disponer la adscripción de los puestos de trabajo no singularizados y de los funcionarios titulares de los mismos a otras unidades o centros.

Si la adscripción supusiera cambio de municipio, solamente podrá llevarse a cabo con la conformidad de los titulares de los puestos, sin perjuicio de lo establecido en la disposición adicional quinta de la Ley 22/1993, de 29 de diciembre:

Los funcionarios destinados en organismos, centros o unidades, dependientes de los departamentos ministeriales que el Gobierno determine, que trasladen su sede a otro municipio, manteniendo su actividad y la identidad de sus funciones y las características de su puesto de trabajo, podrán optar entre el traslado o el pase a la situación de excedencia voluntaria incentivada.

En el caso de que opten por el traslado, los funcionarios afectados percibirán las indemnizaciones que se prevean en el Plan de Empleo correspondiente y que en ningún caso serán inferiores a las establecidas para la excedencia voluntaria incentivada, cuando el traslado suponga cambio de provincia.

En el marco de los Planes de Empleo podrá promoverse la celebración de concursos de provisión de puestos de trabajo dirigidos a cubrir plazas vacantes en centros y organismos identificados como deficitarios, para funcionarios procedentes de áreas consideradas como excedentarias. La obtención de una plaza en dichos concursos conlleva la supresión del puesto de origen u otro del mismo nivel de complemento de destino y complemento específico en la relación de puestos de trabajo del centro u organismo de origen.

1.3.8.4. Reingreso al servicio activo

El reingreso al servicio activo de los funcionarios que no tengan reserva de puesto de trabajo se efectuará mediante su participación en las convocatorias de concurso o de libre designación para la provisión de puestos de trabajo o, en su caso, por reasignación de efectivos para los funcionarios en situación de expectativa de destino o en la modalidad de excedencia forzosa.

Asimismo, el reingreso podrá efectuarse por adscripción provisional, condicionado a las necesidades del servicio, de acuerdo con los criterios que establezca el Ministerio de Hacienda y Función Pública y siempre que se reúnan los requisitos para el desempeño del puesto.

El puesto asignado con carácter provisional se convocará para su provisión definitiva en el plazo máximo de un año y el funcionario tendrá obligación de participar en la convocatoria, solicitando el puesto que ocupa provisionalmente.

1.3.8.5. Adscripción provisional

Los puestos de trabajo podrán proveerse por medio de adscripción provisional únicamente en los siguientes supuestos:

a) Remoción o cese en un puesto de trabajo obtenido por concurso o libre designación.

b) Supresión del puesto de trabajo.

c) Reingreso al servicio activo de los funcionarios sin reserva de puesto de trabajo.

1.3.8.6. Comisiones de servicios

Cuando un puesto de trabajo quede vacante podrá ser cubierto, en caso de urgente e inaplazable necesidad, en comisión de servicios de carácter voluntario, con un funcionario que reúna los requisitos establecidos para su desempeño en la relación de puestos de trabajo.

Podrán acordarse también comisiones de servicios de carácter forzoso. Cuando, celebrado concurso para la provisión de una vacante, esta se declare desierta y sea urgente para el servicio su provisión podrá destinarse con carácter forzoso al funcionario que preste servicios en el mismo Departamento, incluidos sus Organismos autónomos, o Entidad Gestora de la Seguridad Social, en el municipio más próximo o con mejores facilidades de desplazamiento y que tenga menores cargas familiares y, en igualdad de condiciones, al de menor antigüedad.

Las citadas comisiones de servicios tendrán una duración máxima de un año prorrogable por otro en caso de no haberse cubierto el puesto con carácter definitivo.

Si la comisión no implica cambio de residencia del funcionario, el cese y la toma de posesión deberán producirse en el plazo de tres días desde la notificación del acuerdo de comisión de servicios; si implica cambio de residencia, el plazo será de ocho días en las comisiones de carácter voluntario y de treinta en las de carácter forzoso.

A los funcionarios en comisión de servicios se les reservará el puesto de trabajo y percibirán la totalidad de sus retribuciones con cargo a los créditos incluidos en los programas en que figuren dotados los puestos de trabajo que realmente desempeñan.

A petición de las Administraciones de las Comunidades Autónomas, los Departamentos ministeriales podrán autorizar comisiones de servicios con carácter voluntario de hasta dos años de duración a los funcionarios que presten servicio en aquellos.

El Reglamento contempla también otros dos casos de Comisiones de Servicios:

- Comisión de servicios para participar en programas o misiones de cooperación internacional al servicio de Organizaciones internacionales, Entidades o Gobiernos extranjeros. Por tiempo que salvo casos excepcionales no será superior a seis meses.
- Comisión de servicios de funciones especiales. Consiste en atribuir a los funcionarios el desempeño temporal en comisión de servicios de funciones especiales que no estén asignadas específicamente a los puestos incluidos en las relaciones de puestos de trabajo, o para la realización de tareas que, por causa de su mayor volumen temporal u otras razones coyunturales, no puedan ser atendidas con suficiencia por los funcionarios que desempeñen con carácter permanente los puestos de trabajo que tengan asignadas dichas tareas.

En tal supuesto continuarán percibiendo las retribuciones correspondientes a su puesto de trabajo, sin perjuicio de la percepción de las indemnizaciones por razón del servicio a que tengan derecho, en su caso.

1.3.8.7. Movilidad por razones de salud o de rehabilitación

Previa solicitud basada en motivos de salud o rehabilitación del funcionario, su cónyuge, o los hijos a su cargo, se podrá adscribir a los funcionarios a puestos de trabajo de distinta unidad administrativa, en la misma o en otra localidad.

En todo caso, se requerirá el informe previo del servicio médico oficial legalmente establecido. Si los motivos de salud o de rehabilitación concurren directamente en el funcionario solicitante, será preceptivo el informe del Servicio de prevención de riesgos laborales del departamento u organismo donde preste sus servicios.

La adscripción estará condicionada a que exista puesto vacante, dotado presupuestariamente, cuyo nivel de complemento de destino y específico no sea superior al del puesto de origen, y que sea de necesaria provisión. El funcionario deberá cumplir los requisitos previstos en la relación de puestos de trabajo.

La adscripción tendrá carácter definitivo cuando el funcionario ocupara con tal carácter su puesto de origen y, en este supuesto, deberá permanecer un mínimo de dos años en el nuevo puesto, con las siguientes excepciones:

- En el ámbito de una Secretaría de Estado o de un Departamento ministerial, en defecto de aquella.
- Los funcionarios que, habiendo accedido a un puesto de trabajo por el procedimiento de concurso, hayan sido removidos por causas sobrevenidas, derivadas de:
    * Una alteración en el contenido del puesto de trabajo, realizada a través de las relaciones de puestos de trabajo, que modifique los supuestos que sirvieron de base a la convocatoria.
    * Una falta de capacidad para su desempeño manifestada por rendimiento insuficiente, que no comporte inhibición y que impida realizar con eficacia las funciones atribuidas al puesto.
- En el supuesto de supresión de puestos de trabajo.

El cese en el puesto de origen y la toma de posesión en el nuevo puesto de trabajo deberán producirse en el plazo de tres días hábiles si no implica cambio de residencia del funcionario, o de un mes si comporta cambio de residencia.

1.3.9. Provisión de puestos y movilidad del personal laboral

Según el artículo 83 del EBEP, la provisión de puestos y movilidad del personal laboral se realizará de conformidad con lo que establezcan los convenios colectivos que sean de aplicación y, en su defecto, por el sistema de provisión de puestos y movilidad del personal funcionario de carrera.

2. Título VI. Situaciones administrativas

El EBEP dedica su Título VI a la regulación de las situaciones administrativas de los empleados públicos.

Según el artículo 85, del EBEP, los funcionarios de carrera se hallarán en alguna de las siguientes situaciones:

a) Servicio activo.

b) Servicios especiales.

c) Servicio en otras Administraciones Públicas.

d) Excedencia.

e) Suspensión de funciones.

Las leyes de Función Pública que se dicten en desarrollo del EBEP podrán regular otras situaciones administrativas de los funcionarios de carrera, en los supuestos, en las condiciones y con los efectos que en las mismas se determinen, cuando concurra, entre otras, alguna de las circunstancias siguientes:

a) Cuando por razones organizativas, de reestructuración interna o exceso de personal, resulte una imposibilidad transitoria de asignar un puesto de trabajo o la conveniencia de incentivar la cesación en el servicio activo.

b) Cuando los funcionarios accedan, bien por promoción interna o por otros sistemas de acceso, a otros cuerpos o escalas y no les corresponda quedar en alguna de las situaciones previstas anteriormente, y cuando pasen a prestar servicios en organismos o entidades del sector público en régimen distinto al de funcionario de carrera.

Dicha regulación, según la situación administrativa de que se trate, podrá conllevar garantías de índole retributiva o imponer derechos u obligaciones en relación con el reingreso al servicio activo.

El Real Decreto 365/1995, de 10 de marzo, por el que se aprueba el Reglamento de Situaciones Administrativas de los Funcionarios Civiles de la Administración General del Estado, contempla, además de las situaciones previstas en el EBEP, estas otras:

- Expectativa de destino.
- Excedencia forzosa.
- Excedencia voluntaria por servicios en el sector público.
- Excedencia voluntaria incentivada.

2.1. Servicio activo

Se hallarán en situación de servicio activo quienes, conforme a la normativa de función pública dictada en desarrollo del EBEP, presten servicios en su condición de funcionarios públicos cualquiera que sea la Administración u organismo público o entidad en el que se encuentren destinados y no les corresponda quedar en otra situación.

Según el artículo 3 del Reglamento de Situaciones Administrativas de los Funcionarios Civiles de la Administración General del Estado, los funcionarios se hallan en situación de servicio activo:

a) Cuando desempeñen un puesto que, conforme a la correspondiente relación de puestos de trabajo, esté adscrito a los funcionarios comprendidos en el ámbito de aplicación de la Ley 30/1984, de 2 de agosto, de Medidas para la Reforma de la Función Pública.

b) Cuando desempeñen puestos en las Corporaciones Locales o las Universidades públicas que puedan ser ocupados por los funcionarios comprendidos en el ámbito de aplicación de la Ley 30/1984, de 2 de agosto, de Medidas para la Reforma de la Función Pública.

c) Cuando se encuentren en comisión de servicios.

d) Cuando presten servicios en puestos de trabajo de niveles incluidos en el intervalo correspondiente a su Cuerpo o Escala en los Gabinetes de la Presidencia del Gobierno, de los Ministros o de los Secretarios de Estado, y opten por permanecer en esta situación, conforme al artículo 29.2.i) de la Ley 30/1984, de 2 de agosto, de Medidas para la Reforma de la Función Pública. Asimismo, cuando presten servicios en puestos de niveles comprendidos en el intervalo correspondiente al Grupo en el que figure clasificado su Cuerpo o Escala en Gabinetes de Delegados o Subdelegados del Gobierno.

e) Cuando presten servicios en las Cortes Generales, de conformidad con lo dispuesto en el Estatuto del Personal de las mismas o en el Tribunal de Cuentas, y no les corresponda quedar en otra situación.

f) Cuando accedan a la condición de miembros de las Asambleas Legislativas de las Comunidades Autónomas y, no percibiendo retribuciones periódicas por el desempeño de la función, opten por permanecer en esta situación, conforme al artículo 29.2.g) de la Ley 30/1984, de 2 de agosto.

g) Cuando accedan a la condición de miembros de las Corporaciones Locales, conforme al régimen previsto por el artículo 74 de la Ley 7/1985, de 2 de abril, reguladora de las Bases de Régimen Local, salvo que desempeñen cargo retribuido y de dedicación exclusiva en las mismas.

h) Cuando queden a disposición del Subsecretario, Director del Organismo autónomo, Delegado del Gobierno o Subdelegado del Gobierno, de acuerdo con lo dispuesto en el artículo 21.2.b) de la Ley 30/1984, de 2 de agosto, de Medidas para la Reforma de la Función Pública.

i) Cuando cesen en un puesto de trabajo por haber obtenido otro mediante procedimientos de provisión de puestos de trabajo, durante el plazo posesorio.

j) Cuando se encuentren en las dos primeras fases de reasignación de efectivos.

k) Cuando, por razón de su condición de funcionario exigida por disposición legal, presten servicios en Organismos o Entes públicos.

l) En el supuesto de cesación progresiva de actividades.

Los funcionarios de carrera en situación de servicio activo gozan de todos los derechos inherentes a su condición de funcionarios y quedan sujetos a los deberes y responsabilidades derivados de la misma. Se regirán por las normas de este Estatuto y por la normativa de función pública de la Administración Pública en que presten servicios.

2.2. Servicios especiales

Los funcionarios de carrera serán declarados en situación de servicios especiales:

a) Cuando sean designados miembros del Gobierno o de los órganos de gobierno de las comunidades autónomas y ciudades de Ceuta y Melilla, miembros de las Instituciones de la Unión Europea o de las organizaciones internacionales, o sean nombrados altos cargos de las citadas Administraciones Públicas o Instituciones.

b) Cuando sean autorizados para realizar una misión por periodo determinado superior a seis meses en organismos internacionales, gobiernos o entidades públicas extranjeras o en programas de cooperación internacional.

c) Cuando sean nombrados para desempeñar puestos o cargos en organismos públicos o entidades, dependientes o vinculados a las Administraciones Públicas que, de conformidad con lo que establezca la respectiva Administración Pública, estén asimilados en su rango administrativo a altos cargos.

d) Cuando sean adscritos a los servicios del Tribunal Constitucional o del Defensor del Pueblo o destinados al Tribunal de Cuentas en los términos previstos en el artículo 93.3 de la Ley 7/1988, de 5 de abril, de Funcionamiento del Tribunal de Cuentas.

e) Cuando accedan a la condición de Diputado o Senador de las Cortes Generales o miembros de las asambleas legislativas de las comunidades autónomas si perciben retribuciones periódicas por la realización de la función. Aquellos que pierdan dicha condición por disolución de las correspondientes cámaras o terminación del mandato de las mismas podrán permanecer en la situación de servicios especiales hasta su nueva constitución.

f) Cuando se desempeñen cargos electivos retribuidos y de dedicación exclusiva en las Asambleas de las ciudades de Ceuta y Melilla y en las entidades locales, cuando se desempeñen responsabilidades de órganos superiores y directivos municipales y cuando se desempeñen responsabilidades de miembros de los órganos locales para el conocimiento y la resolución de las reclamaciones económico-administrativas.

g) Cuando sean designados para formar parte del Consejo General del Poder Judicial o de los consejos de justicia de las comunidades autónomas.

h) Cuando sean elegidos o designados para formar parte de los Órganos Constitucionales o de los órganos estatutarios de las comunidades autónomas u otros cuya elección corresponda al Congreso de los Diputados, al Senado o a las asambleas legislativas de las comunidades autónomas.

i) Cuando sean designados como personal eventual por ocupar puestos de trabajo con funciones expresamente calificadas como de confianza o asesoramiento político y no opten por permanecer en la situación de servicio activo.

j) Cuando adquieran la condición de funcionarios al servicio de organizaciones internacionales.

k) Cuando sean designados asesores de los grupos parlamentarios de las Cortes Generales o de las asambleas legislativas de las comunidades autónomas.

l) Cuando sean activados como reservistas voluntarios para prestar servicios en las Fuerzas Armadas.

Quienes se encuentren en situación de servicios especiales:

- Percibirán las retribuciones del puesto o cargo que desempeñen y no las que les correspondan como funcionarios de carrera, sin perjuicio del derecho a percibir los trienios que tengan reconocidos en cada momento.
- El tiempo que permanezcan en tal situación se les computará a efectos de ascensos, reconocimiento de trienios, promoción interna y derechos en el régimen de Seguridad Social que les sea de aplicación. *Esto no será de aplicación a los funcionarios públicos que, habiendo ingresado al servicio de las instituciones comunitarias europeas, o al de entidades y organismos asimilados, ejerciten el derecho de transferencia establecido en el estatuto de los funcionarios de las Comunidades Europeas.*
- Tendrán derecho, al menos, a reingresar al servicio activo en la misma localidad, en las condiciones y con las retribuciones correspondientes a la categoría, nivel o escalón de la carrera consolidados, de acuerdo con el sistema de carrera administrativa vigente en la Administración Pública a la que pertenezcan.
- Tendrán los derechos que cada Administración Pública pueda establecer en función del cargo que haya originado el pase a la mencionada situación. *En este sentido, las Administraciones Públicas velarán para que no haya menoscabo en el derecho a la carrera profesional de los funcionarios públicos que hayan sido nombrados altos cargos, miembros del Poder Judicial o de otros órganos constitucionales o estatutarios o que hayan sido elegidos alcaldes, retribuidos y con dedicación exclusiva, presidentes de diputaciones o de cabildos o consejos insulares, Diputados o Senadores de las Cortes Generales y miembros de las asambleas legislativas de las comunidades autónomas. Como mínimo, estos funcionarios recibirán el mismo tratamiento en la consolidación del grado y conjunto de complementos que el que se establezca para quienes hayan sido directores generales y otros cargos superiores de la correspondiente Administración Pública.*

El pase a la situación de servicios especiales se declarará de oficio o a instancia del interesado, una vez verificado el supuesto que la ocasione, con efectos desde el momento en que se produjo.

Conforme al artículo 9.1 del RD 365/1995, quienes pierdan la condición, en virtud de la cual hubieran sido declarados en la situación de servicios especiales deberán solicitar el **reingreso al servicio activo** en el plazo de un mes, declarándoseles, de no

hacerlo en la situación de excedencia voluntaria por interés particular, con efectos desde el día en que perdieron aquella condición. El reingreso tendrá efectos económicos y administrativos desde la fecha de solicitud del mismo cuando exista derecho a la reserva de puesto.

2.3. Servicio en otras Administraciones Públicas

Serán declarados en la situación de servicio en otras Administraciones Públicas los funcionarios de carrera que, en virtud de los procesos de transferencias o por los procedimientos de provisión de puestos de trabajo, obtengan destino en una Administración Pública distinta.

Se mantendrán en esa situación en el caso de que por disposición legal de la Administración a la que acceden se integren como personal propio de esta.

A) Los funcionarios transferidos a las comunidades autónomas se integran plenamente en la organización de la Función Pública de las mismas, hallándose en la situación de servicio activo en la Función Pública de la comunidad autónoma en la que se integran.

Las comunidades autónomas al proceder a esta integración de los funcionarios transferidos como funcionarios propios respetarán el Grupo o Subgrupo del cuerpo o escala de procedencia, así como los derechos económicos inherentes a la posición en la carrera que tuviesen reconocido.

Los funcionarios transferidos mantienen todos sus derechos en la Administración Pública de origen como si se hallaran en servicio activo de acuerdo con lo establecido en los respectivos Estatutos de Autonomía.

Se reconoce la igualdad entre todos los funcionarios propios de las comunidades autónomas con independencia de su Administración de procedencia.

Conforme al artículo 10.2 del RD 365/1995, la sanción de separación del servicio será acordada por el órgano competente de la Comunidad Autónoma, previo dictamen del Consejo de Estado, sin perjuicio de los informes que previamente deban solicitar estas de acuerdo con lo previsto en su legislación específica.

B) Los funcionarios de carrera en la situación de servicio en otras Administraciones Públicas que se encuentren en dicha situación por haber obtenido un puesto de trabajo mediante los sistemas de provisión previstos en el EBEP:

- Se rigen por la legislación de la Administración en la que estén destinados de forma efectiva.
- Conservan su condición de funcionario de la Administración de origen.
- Conservan el derecho a participar en las convocatorias para la provisión de puestos de trabajo que se efectúen por la Administración de origen.
- El tiempo de servicio en la Administración Pública en la que estén destinados se les computará como de servicio activo en su cuerpo o escala de origen.
- Si reingresan al servicio activo en la Administración de origen, procedentes de la situación de servicio en otras Administraciones Públicas, obtendrán el reconocimiento profesional de los progresos alcanzados en el sistema de carrera profesional y

sus efectos sobre la posición retributiva conforme al procedimiento previsto en los convenios de Conferencia Sectorial y demás instrumentos de colaboración que establecen medidas de movilidad interadministrativa. En defecto de tales convenios o instrumentos de colaboración, el reconocimiento se realizará por la Administración Pública en la que se produzca el reingreso.

Conforme al artículo 11.2 del RD 365/1995, en todo caso les serán aplicables a estos funcionarios las normas relativas a promoción profesional, promoción interna, régimen retributivo, situaciones administrativas, incompatibilidades y régimen disciplinario de la Administración pública en que se hallen destinados, con excepción de la sanción de separación del servicio, que se acordará por el Ministro del Departamento al que esté adscrito el Cuerpo o Escala al que pertenezca el funcionario, previa incoación de expediente disciplinario por la Administración de la Comunidad Autónoma de destino.

2.4. Excedencia

El artículo 89.1 del EBEP reconoce las siguientes modalidades de excedencia de los funcionarios de carrera:

a) Excedencia voluntaria por interés particular.

b) Excedencia voluntaria por agrupación familiar.

c) Excedencia por cuidado de familiares.

d) Excedencia por razón de violencia de género.

e) Excedencia por razón de violencia terrorista.

2.4.1. Excedencia voluntaria por interés particular

Los funcionarios de carrera podrán obtener la excedencia voluntaria por interés particular cuando hayan prestado servicios efectivos en cualquiera de las Administraciones Públicas durante un periodo mínimo de cinco años inmediatamente anteriores.

No obstante, las leyes de Función Pública que se dicten en desarrollo del EBEP podrán establecer una duración menor del periodo de prestación de servicios exigido para que el funcionario de carrera pueda solicitar la excedencia y se determinarán los periodos mínimos de permanencia en la misma.

La concesión de excedencia voluntaria por interés particular quedará subordinada a las necesidades del servicio debidamente motivadas. No podrá declararse cuando al funcionario público se le instruya expediente disciplinario.

Procederá declarar de oficio la excedencia voluntaria por interés particular cuando finalizada la causa que determinó el pase a una situación distinta a la de servicio activo, se incumpla la obligación de solicitar el reingreso al servicio activo en el plazo en que se determine reglamentariamente.

Conforme al artículo 16 del RD 365/1995, en las resoluciones por las que se declare esta situación se expresará el plazo máximo de duración de la misma. La falta de petición de reingreso al servicio activo dentro de dicho plazo comportará la pérdida de la condición de funcionario.

Cuando el funcionario pertenezca a un Cuerpo o Escala que tenga reservados puestos en exclusiva, se dará conocimiento de las resoluciones de concesión de excedencia voluntaria por interés particular al Ministerio a que esté adscrito dicho Cuerpo o Escala.

La solicitud de reingreso al servicio activo condicionada a puestos o municipios concretos de funcionarios procedentes de esta situación no interrumpirá el cómputo del plazo máximo de duración de la misma.

Quienes se encuentren en situación de excedencia por interés particular:

- No devengarán retribuciones.
- No les será computable el tiempo que permanezcan en tal situación a efectos de ascensos, trienios y derechos en el régimen de Seguridad Social que les sea de aplicación.

2.4.2. Excedencia voluntaria por agrupación familiar

Podrá concederse la excedencia voluntaria por agrupación familiar *sin el requisito de haber prestado servicios efectivos en cualquiera de las Administraciones Públicas durante el periodo establecido* a los funcionarios cuyo cónyuge resida en otra localidad por haber obtenido y estar desempeñando un puesto de trabajo de carácter definitivo como funcionario de carrera o como laboral fijo:

- En cualquiera de las Administraciones Públicas, organismos públicos y entidades de derecho público dependientes o vinculados a ellas.
- En los Órganos Constitucionales o del Poder Judicial y órganos similares de las comunidades autónomas.
- En la Unión Europea.
- En organizaciones internacionales.

Según el artículo 17 del RD 365/1995, esta excedencia tendrá una duración mínima de 2 años y máxima de 15.

Antes de finalizar el período de quince años de duración de esta situación deberá solicitarse el reingreso al servicio activo, declarándose, de no hacerlo, de oficio la situación de excedencia voluntaria por interés particular.

Quienes se encuentren en situación de excedencia voluntaria por agrupación familiar:

- No devengarán retribuciones.
- No les será computable el tiempo que permanezcan en tal situación a efectos de ascensos, trienios y derechos en el régimen de Seguridad Social que les sea de aplicación.

2.4.3. Excedencia por cuidado de familiares

Los funcionarios de carrera tendrán derecho a un período de excedencia de duración no superior a tres años **para atender al cuidado de cada hijo**, tanto cuando lo sea por naturaleza como por adopción, o de cada menor sujeto a guarda con fines de adopción o acogimiento permanente, a contar desde la fecha de nacimiento o, en su caso, de la resolución judicial o administrativa.

También tendrán derecho a un período de excedencia de duración no superior a tres años, **para atender al cuidado de un familiar que se encuentre a su cargo**, hasta el segundo grado inclusive de consanguinidad o afinidad que por razones de edad, accidente, enfermedad o discapacidad no pueda valerse por sí mismo y no desempeñe actividad retribuida.

El período de excedencia será único por cada sujeto causante. Cuando un nuevo sujeto causante diera origen a una nueva excedencia, el inicio del período de la misma pondrá fin al que se viniera disfrutando.

En el caso de que dos funcionarios generasen el derecho a disfrutarla por el mismo sujeto causante, la Administración podrá limitar su ejercicio simultáneo por razones justificadas relacionadas con el funcionamiento de los servicios.

Los efectos para los funcionarios en excedencia por cuidado de familiares son los siguientes:

- El tiempo de permanencia en esta situación será computable a efectos de trienios, carrera y derechos en el régimen de Seguridad Social que sea de aplicación.
- El puesto de trabajo desempeñado se reservará, al menos, durante dos años. Transcurrido este periodo, dicha reserva lo será a un puesto en la misma localidad y de igual retribución.
- Los funcionarios en esta situación podrán participar en los cursos de formación que convoque la Administración.

2.4.4. Excedencia por razón de violencia de género

Las funcionarias víctimas de violencia de género, para hacer efectiva su protección o su derecho a la asistencia social integral, tendrán derecho a solicitar la situación de excedencia sin tener que haber prestado un tiempo mínimo de servicios previos y sin que sea exigible plazo de permanencia en la misma.

Los efectos de esta situación son los siguientes:

- Durante los seis primeros meses tendrán derecho a la reserva del puesto de trabajo que desempeñaran, siendo computable dicho período a efectos de antigüedad, carrera y derechos del régimen de Seguridad Social que sea de aplicación.

  Cuando las actuaciones judiciales lo exigieran se podrá prorrogar este periodo por tres meses, con un máximo de dieciocho, con idénticos efectos a los señalados anteriormente, a fin de garantizar la efectividad del derecho de protección de la víctima.
- Durante los dos primeros meses de esta excedencia la funcionaria tendrá derecho a percibir las retribuciones íntegras y, en su caso, las prestaciones familiares por hijo a cargo.

2.4.5. Excedencia por razón de violencia terrorista

Los funcionarios que hayan sufrido daños físicos o psíquicos como consecuencia de la actividad terrorista, así como los amenazados por organizaciones terroristas, previo reconocimiento del Ministerio del Interior o de sentencia judicial firme, tendrán derecho a disfrutar de un periodo de excedencia en las mismas condiciones que las víctimas de violencia de género.

Dicha excedencia será autorizada y mantenida en el tiempo en tanto que resulte necesaria para la protección y asistencia social integral de la persona a la que se concede, ya sea por razón de las secuelas provocadas por la acción terrorista, ya sea por la amenaza a la que se encuentra sometida, en los términos previstos reglamentariamente.

2.5. Suspensión de funciones

El funcionario declarado en la situación de suspensión quedará privado durante el tiempo de permanencia en la misma del ejercicio de sus funciones y de todos los derechos inherentes a la condición.

La suspensión determinará la pérdida del puesto de trabajo cuando exceda de seis meses.

La **suspensión firme** se impondrá en virtud de sentencia dictada en causa criminal o en virtud de sanción disciplinaria. La suspensión firme por sanción disciplinaria no podrá exceder de seis años.

El funcionario declarado en la situación de suspensión de funciones:

- No podrá prestar servicios en ninguna Administración Pública ni en los organismos públicos, agencias, o entidades de derecho público dependientes o vinculadas a ellas durante el tiempo de cumplimiento de la pena o sanción.

Podrá acordarse la **suspensión de funciones con carácter provisional** con ocasión de la tramitación de un procedimiento judicial o expediente disciplinario, en los términos siguientes:

- La suspensión provisional como medida cautelar en la tramitación de un expediente disciplinario no podrá exceder de 6 meses, salvo en caso de paralización del procedimiento imputable al interesado.
- La suspensión provisional podrá acordarse también durante la tramitación de un procedimiento judicial, y se mantendrá por el tiempo a que se extienda la prisión provisional u otras medidas decretadas por el juez que determinen la imposibilidad de desempeñar el puesto de trabajo. En este caso, si la suspensión provisional excediera de seis meses no supondrá pérdida del puesto de trabajo.
- El funcionario suspenso provisional tendrá derecho a percibir durante la suspensión las retribuciones básicas y, en su caso, las prestaciones familiares por hijo a cargo.
- Cuando la suspensión provisional se eleve a definitiva, el funcionario deberá devolver lo percibido durante el tiempo de duración de aquella.
- Si la suspensión provisional no llegara a convertirse en sanción definitiva, la Administración deberá restituir al funcionario la diferencia entre los haberes realmente percibidos y los que hubiera debido percibir si se hubiera encontrado con plenitud de derechos.
- El tiempo de permanencia en suspensión provisional será de abono para el cumplimiento de la suspensión firme.

- Cuando la suspensión no sea declarada firme, el tiempo de duración de la misma se computará como de servicio activo, debiendo acordarse la inmediata reincorporación del funcionario a su puesto de trabajo, con reconocimiento de todos los derechos económicos y demás que procedan desde la fecha de suspensión.

2.6. Otras situaciones contempladas en el Real Decreto 365/1995, de 10 de marzo

Como vimos anteriormente, el Real Decreto 365/1995, de 10 de marzo, por el que se aprueba el Reglamento de Situaciones Administrativas de los Funcionarios Civiles de la Administración General del Estado, contempla, además de las situaciones previstas en el EBEP, las siguientes:

- Expectativa de destino.
- Excedencia forzosa.
- Excedencia voluntaria por servicios en el sector público.
- Excedencia voluntaria incentivada.

2.6.1. Expectativa de destino

Los funcionarios afectados por un procedimiento de reasignación de efectivos, que no hayan obtenido puesto en las dos primeras fases de reasignación previstas en el apartado g) del artículo 20.1 de la Ley 30/1984, de 2 de agosto, de Medidas para la Reforma de la Función Pública, pasarán a la situación de expectativa de destino.

Los funcionarios en expectativa de destino se adscribirán al Ministerio de Hacienda y Función Pública, a través de relaciones específicas de puestos en reasignación, pudiendo ser reasignados por este en los términos establecidos en el mencionado artículo.

Los funcionarios permanecerán en esta situación un período máximo de un año, transcurrido el cual pasarán a la situación de excedencia forzosa.

Los funcionarios en situación de expectativa de destino estarán obligados:

- A aceptar los puestos de características similares a los que desempeñaban que se les ofrezcan en la provincia donde estaban destinados.
- A participar en los concursos para la provisión de puestos de trabajo adecuados a su Cuerpo, Escala o Categoría que les sean notificados, situados en dichas provincias de destino.
- A participar en los cursos de capacitación a los que se les convoque, promovidos o realizados por el Instituto Nacional de Administración Pública y los Centros de formación reconocidos.

Se entenderán como puestos de similares características aquellos que guarden similitud en su forma de provisión y retribuciones respecto al que se venía desempeñando. El incumplimiento de estas obligaciones determinará el pase a la situación de excedencia forzosa.

Corresponde a la Secretaría de Estado de Función Pública efectuar la declaración y cese en esta situación administrativa y la gestión del personal afectado por la misma.

Los funcionarios en expectativa de destino percibirán las retribuciones básicas, el complemento de destino del grado personal que les corresponda, o en su caso, el del puesto de trabajo que desempeñaban, y el 50 por 100 del complemento específico que percibieran al pasar a esta situación.

A los restantes efectos, incluido el régimen de incompatibilidades, esta situación se equipara a la de servicio activo.

2.6.2. Excedencia forzosa

La excedencia forzosa se produce por las siguientes causas:

a) Para los funcionarios en situación de expectativa de destino, por el transcurso del período máximo establecido para la misma, o por el incumplimiento de las obligaciones determinadas en la Ley 30/1984 para dicho personal.

b) Cuando el funcionario declarado en la situación de suspensión firme, que no tenga reservado puesto de trabajo, solicite el reingreso y no se le conceda en el plazo de seis meses contados a partir de la extinción de la responsabilidad penal o disciplinaria.

En el supuesto contemplado en el párrafo a) el reingreso obligatorio deberá ser en puestos de características similares a las de los que desempeñaban los funcionarios afectados por el proceso de reasignación de efectivos. Estos funcionarios quedan obligados a participar en los cursos de capacitación que se les ofrezcan y a participar en los concursos para puestos adecuados a su Cuerpo, Escala o Categoría, que les sean notificados.

Los restantes excedentes forzosos estarán obligados a participar en los concursos que se convoquen para la provisión de puestos de trabajo cuyos requisitos de desempeño reúnan y que les sean notificados, así como a aceptar el reingreso obligatorio al servicio activo en puestos correspondientes a su Cuerpo o Escala.

El incumplimiento de las obligaciones recogidas en este apartado determinará el pase a la situación de excedencia voluntaria por interés particular.

Los excedentes forzosos no podrán desempeñar puestos de trabajo en el sector público bajo ningún tipo de relación funcionarial o contractual, sea esta de naturaleza laboral o administrativa. Si obtienen puesto de trabajo en dicho sector pasarán a la situación de excedencia voluntaria.

Los funcionarios en esta situación tendrán derecho a percibir las retribuciones básicas y, en su caso, las prestaciones familiares por hijo a cargo, así como al cómputo del tiempo en dicha situación a efectos de derechos pasivos y de trienios.

Corresponde a la Secretaría de Estado de Función Pública acordar la declaración de la excedencia forzosa prevista en el párrafo a) anterior, y, en su caso, el pase a la excedencia voluntaria por interés particular y la excedencia voluntaria regulada en el apartado 3.a) del artículo 29 de la Ley 30/1984 de estos excedentes forzosos, así como la gestión del personal afectado.

La declaración de excedencia forzosa prevista en el párrafo b) y, en su caso, la de excedencia voluntaria por interés particular o por prestación de otros servicios en el sector público de estos excedentes forzosos, corresponderá a los Departamentos ministeriales en relación con los funcionarios de los Cuerpos o Escalas adscritos a los mismos, y a la Dirección General de la Función Pública en relación con los funcionarios de los Cuerpos y Escalas adscritos al Ministerio de Hacienda y Función Pública y dependientes de la Secretaría de Estado de Función Pública.

2.6.3. Excedencia voluntaria por prestación de servicios en el sector público

Procederá declarar, de oficio o a instancia de parte, en esta situación a los funcionarios de carrera que se encuentren en servicio activo en otro cuerpo o escala de cualquiera de las Administraciones públicas, salvo que hubieran obtenido la oportuna compatibilidad, y a los que pasen a prestar servicios como personal laboral fijo en organismos o entidades del sector público y no les corresponda quedar en las situaciones de servicio activo o servicios especiales.

El desempeño de puestos con carácter de funcionario interino o de personal laboral temporal no habilitará para pasar a esta situación administrativa.

La declaración de excedencia voluntaria por prestación de servicios en el sector público procederá también en el caso de los funcionarios del Estado integrados en la función pública de las Comunidades Autónomas que ingresen voluntariamente en Cuerpos o Escalas de funcionarios propios de las mismas distintos a aquellos en que inicialmente se hubieran integrado.

Los funcionarios podrán permanecer en esta situación en tanto se mantenga la relación de servicios que dio origen a la misma. Una vez producido el cese como funcionario de carrera o personal laboral fijo deberán solicitar el reingreso al servicio activo en el plazo máximo de un mes, declarándoseles, de no hacerlo, en la situación de excedencia voluntaria por interés particular.

2.6.4. Excedencia voluntaria incentivada

Los funcionarios afectados por un proceso de reasignación de efectivos que se encuentren en alguna de las dos primeras fases a que hace referencia el artículo 20.1.g) de la Ley 30/1984, de 2 de agosto, podrán ser declarados, a su solicitud, en situación de excedencia voluntaria incentivada.

Asimismo, quienes se encuentren en las situaciones de expectativa de destino o de excedencia forzosa como consecuencia de la aplicación de un Plan de Empleo tendrán derecho a pasar, a su solicitud, a dicha situación.

Corresponde a la Secretaría de Estado de Función Pública acordar la declaración de esta situación.

La excedencia voluntaria incentivada tendrá una duración de cinco años e impedirá desempeñar puestos de trabajo en el sector público, bajo ningún tipo de relación funcionarial o contractual, sea esta de naturaleza laboral o administrativa.

Si no se solicita el reingreso al servicio activo dentro del mes siguiente al de la finalización del período aludido, el Departamento ministerial al que esté adscrito el Cuerpo o Escala del funcionario le declarará en excedencia voluntaria por interés particular.

Quienes pasen a la situación de excedencia voluntaria incentivada tendrán derecho a una mensualidad de las retribuciones de carácter periódico, excluidas las pagas extraordinarias y el complemento de productividad, devengadas en el último puesto de trabajo desempeñado, por cada año completo de servicios efectivos y con un máximo de doce mensualidades.

2.7. Situaciones del personal laboral

Según el artículo 92 del EBEP, el personal laboral se regirá por el Estatuto de los Trabajadores y por los Convenios Colectivos que les sean de aplicación.

Los convenios colectivos podrán determinar la aplicación del Capítulo VI del EBEP al personal incluido en su ámbito de aplicación en lo que resulte compatible con el Estatuto de los Trabajadores.

3. Título VII. Régimen disciplinario

El Título VII del TR-LEBEP regula el régimen disciplinario de los empleados públicos.

Los funcionarios públicos y el personal laboral quedan sujetos al régimen disciplinario establecido en el citado título y en las normas que las leyes de Función Pública dicten en desarrollo del TR-LEBEP. El régimen disciplinario del personal laboral se regirá, en lo no previsto en dicho título, por la legislación laboral.

Los funcionarios serán responsables de la buena gestión de los servicios que tengan encomendados, procurando resolver por propia iniciativa las dificultades que encuentren en el ejercicio de su función, y sin perjuicio de la responsabilidad que incumba en cada caso a sus superiores jerárquicos, a los cuales deberán dar cuenta los funcionarios de las dificultades surgidas y de las soluciones aplicadas por su iniciativa.

Sin perjuicio de su propia responsabilidad, en los términos del artículo 106.2 de la Constitución, la Administración podrá dirigirse, mediante la instrucción del correspondiente expediente, contra el funcionario que hubiere causado daños a los administrados o a los bienes y derechos de la Administración, por culpa grave o ignorancia inexcusable, con el fin de resarcirse de los daños causados.

Los particulares podrán exigir al personal de la Administración, mediante el proceso declarativo correspondiente, la indemnización de los daños causados en su persona o bienes cuando se haya producido por culpa grave o ignorancia inexcusable.

El incumplimiento por los funcionarios de los deberes que les afectan determina, como ha señalado ENTRENA CUESTA, su responsabilidad, que puede ser de tres clases: civil, penal y administrativa. Estas tres clases de responsabilidad, en cuanto se basan en distintos sectores del ordenamiento jurídico, son entre sí compatibles e independientes. De aquí, dos consecuencias de distinto signo: en virtud de la compatibilidad, un mismo hecho puede dar lugar al nacimiento de varias de las responsabilidades indicadas. Y debido a la independencia que entre ellas existe, la circunstancia de que una de las tres Jurisdicciones competentes se pronuncie por la inexistencia de la responsabilidad que enjuicia no constituye obstáculo para que cualquiera de las otras dos aprecie la concurrencia de la responsabilidad que les corresponda determinar.

Esta afirmación, no obstante, hay que matizarla por la incidencia del principio *non bis in ídem* en la materia, con arreglo al cual una persona no puede ser sancionada dos veces por el mismo hecho. Al efecto, de las sentencias de 30 de enero de 1981 y de 14 de junio de 1983, de nuestro Tribunal Constitucional, se puede deducir que:

a) Se admite la inaplicabilidad del principio cuando se trata de un funcionario, por cuanto, al tratarse de una relación de sujeción especial, se justifica el ejercicio del *ius puniendi* por los Tribunales y, a su vez, la potestad sancionadora de la Administración.

b) No obstante, no podrán seguirse simultáneamente dos procedimientos, uno administrativo y otro penal, paralizándose el primero hasta la resolución del segundo, y debiendo respetar la Administración la declaración fáctica de los Tribunales.

Las Administraciones Públicas corregirán disciplinariamente las infracciones del personal a su servicio cometidas en el ejercicio de sus funciones y cargos, sin perjuicio de la responsabilidad patrimonial o penal que pudiera derivarse de tales infracciones.

Esta potestad disciplinaria de las Administraciones Públicas se ejercerá de acuerdo con los siguientes principios:

a) Principio de legalidad y tipicidad de las faltas y sanciones, a través de la predeterminación normativa o, en el caso del personal laboral, de los convenios colectivos.

b) Principio de irretroactividad de las disposiciones sancionadoras no favorables y de retroactividad de las favorables al presunto infractor.

c) Principio de proporcionalidad, aplicable tanto a la clasificación de las infracciones y sanciones como a su aplicación.

d) Principio de culpabilidad *(para imponer una pena a un sujeto es preciso que se le pueda culpar, responsabilizar del hecho que motiva su imposición).*

e) Principio de presunción de inocencia.

Cuando de la instrucción de un procedimiento disciplinario resulte la existencia de indicios fundados de criminalidad, se suspenderá su tramitación poniéndolo en conocimiento del Ministerio Fiscal.

Los hechos declarados probados por resoluciones judiciales firmes vinculan a la Administración.

Los funcionarios que se encuentren en situación distinta de la de servicio activo, podrán incurrir en responsabilidad disciplinaria por las faltas que citaremos más adelante que puedan cometer dentro de sus peculiares situaciones administrativas. De no ser posible el cumplimiento de la sanción en el momento en que se dicte la resolución, por hallarse el funcionario en situación administrativa que lo impida, esta se hará efectiva cuando su cambio de situación lo permita, salvo que haya transcurrido el plazo de prescripción.

No podrá exigirse responsabilidad disciplinaria por actos posteriores a la pérdida de la condición de funcionario.

La pérdida de la condición de funcionario no libera de la responsabilidad civil o penal contraída por faltas cometidas durante el tiempo en que se ostentó aquella.

3.1. Faltas disciplinarias

El artículo 95 del TR-LEBEP clasifica las faltas disciplinarias en:

- Muy graves.
- Graves.
- Leves.

Es importante destacar, tal como dispone el artículo 93 del TR-LEBEP, que los funcionarios públicos o el personal laboral que indujeren a otros a la realización de actos o conductas constitutivos de falta disciplinaria incurrirán en la misma responsabilidad que estos.

Igualmente, incurrirán en responsabilidad los funcionarios públicos o personal laboral que encubrieren las faltas consumadas muy graves o graves, cuando de dichos actos se derive daño grave para la Administración o los ciudadanos.

A) **Son faltas muy graves**:

a) El incumplimiento del deber de respeto a la Constitución y a los respectivos Estatutos de Autonomía de las comunidades autónomas y ciudades de Ceuta y Melilla, en el ejercicio de la función pública.

b) Toda actuación que suponga discriminación por razón de origen racial o étnico, religión o convicciones, discapacidad, edad, orientación sexual, identidad sexual, características sexuales, lengua, opinión, lugar de nacimiento o vecindad, sexo o cualquier otra condición o circunstancia personal o social, así como el acoso por razón de sexo, origen racial o étnico, religión o convicciones, discapacidad, edad, orientación sexual, expresión de género, características sexuales, y el acoso moral y sexual.

c) El abandono del servicio, así como no hacerse cargo voluntariamente de las tareas o funciones que tienen encomendadas.

d) La adopción de acuerdos manifiestamente ilegales que causen perjuicio grave a la Administración o a los ciudadanos.

e) La publicación o utilización indebida de la documentación o información a que tengan o hayan tenido acceso por razón de su cargo o función.

f) La negligencia en la custodia de secretos oficiales, declarados así por ley o clasificados como tales, que sea causa de su publicación o que provoque su difusión o conocimiento indebido.

g) El notorio incumplimiento de las funciones esenciales inherentes al puesto de trabajo o funciones encomendadas.

h) La violación de la imparcialidad, utilizando las facultades atribuidas para influir en procesos electorales de cualquier naturaleza y ámbito.

i) La desobediencia abierta a las órdenes o instrucciones de un superior, salvo que constituyan infracción manifiesta del Ordenamiento jurídico.

j) La prevalencia de la condición de empleado público para obtener un beneficio indebido para sí o para otro.

k) La obstaculización al ejercicio de las libertades públicas y derechos sindicales.

l) La realización de actos encaminados a coartar el libre ejercicio del derecho de huelga.

m) El incumplimiento de la obligación de atender los servicios esenciales en caso de huelga.

n) El incumplimiento de las normas sobre incompatibilidades cuando ello dé lugar a una situación de incompatibilidad.

o) La incomparecencia injustificada en las Comisiones de Investigación de las Cortes Generales y de las asambleas legislativas de las comunidades autónomas.

p) El acoso laboral.

q) También serán faltas muy graves las que queden tipificadas como tales en ley de las Cortes Generales o de la asamblea legislativa de la correspondiente comunidad autónoma o por los convenios colectivos en el caso de personal laboral.

B) Las **faltas graves** serán establecidas por ley de las Cortes Generales o de la asamblea legislativa de la correspondiente comunidad autónoma o por los convenios colectivos en el caso de personal laboral, atendiendo a las siguientes circunstancias:

a) El grado en que se haya vulnerado la legalidad.

b) La gravedad de los daños causados al interés público, patrimonio o bienes de la Administración o de los ciudadanos.

c) El descrédito para la imagen pública de la Administración.

La Disposición Final 4.ª del TR-LEBEP indica que hasta que se dicten las leyes de Función Pública y las normas reglamentarias de desarrollo se mantendrán en vigor en cada Administración Pública las normas vigentes sobre ordenación, planificación y **gestión de recursos humanos** en tanto no se opongan a lo establecido en el TR-LEBEP.

C) Las leyes de Función Pública que se dicten en desarrollo del TR-LEBEP determinarán el régimen aplicable a las **faltas leves**, atendiendo a las anteriores circunstancias.

Las infracciones prescribirán:

- Las muy graves: a los 3 años.
- Las graves: a los 2 años.
- Las leves: a los 6 meses.

El plazo de prescripción de las faltas comenzará a contarse desde que se hubieran cometido, y desde el cese de su comisión cuando se trate de faltas continuadas.

3.2. Sanciones

Por razón de las faltas cometidas podrán imponerse las siguientes sanciones:

a) Separación del servicio de los funcionarios, que en el caso de los funcionarios interinos comportará la revocación de su nombramiento, y que solo podrá sancionar la comisión de faltas muy graves.

b) Despido disciplinario del personal laboral, que solo podrá sancionar la comisión de faltas muy graves y comportará la inhabilitación para ser titular de un nuevo contrato de trabajo con funciones similares a las que desempeñaban.

c) Suspensión firme de funciones, o de empleo y sueldo en el caso del personal laboral, con una duración máxima de 6 años.

d) Traslado forzoso, con o sin cambio de localidad de residencia, por el período que en cada caso se establezca.

e) Demérito, que consistirá en la penalización a efectos de carrera, promoción o movilidad voluntaria.

f) Apercibimiento.

g) Cualquier otra que se establezca por ley.

Procederá la readmisión del personal laboral fijo cuando sea declarado improcedente el despido acordado como consecuencia de la incoación de un expediente disciplinario por la comisión de una falta muy grave.

El alcance de cada sanción se establecerá teniendo en cuenta el grado de intencionalidad, descuido o negligencia que se revele en la conducta, el daño al interés público, la reiteración o reincidencia, así como el grado de participación.

Corresponde a los Ministros imponer la sanción de separación del servicio por faltas muy graves (artículo 61, letra s de la Ley 40/2015, de 1 de octubre, de Régimen Jurídico del Sector Público –LRJSP–).

Corresponde a los Subsecretarios ejercer la potestad disciplinaria del personal del Departamento por faltas graves o muy graves, salvo la separación del servicio (artículo 63, letra ñ de la LRJSP).

Las sanciones prescribirán:

- Las impuestas por faltas muy graves: a los 3 años.
- Las impuestas por faltas graves: a los 2 años.
- Las impuestas por faltas leves: al año.

El plazo de prescripción de las sanciones comenzará a contarse desde la firmeza de la resolución sancionadora.

3.3. El procedimiento disciplinario

Para imponer una sanción por la comisión de faltas muy graves o graves es preciso seguir el procedimiento previamente establecido.

La imposición de sanciones por faltas leves se llevará a cabo por procedimiento sumario con audiencia al interesado.

El procedimiento disciplinario que se establezca en el desarrollo del EBEP se estructurará atendiendo a los principios de eficacia, celeridad y economía procesal, con pleno respeto a los derechos y garantías de defensa del presunto responsable.

En el procedimiento disciplinario quedará establecida la debida separación entre la fase instructora y la sancionadora, encomendándose a órganos distintos.

Cuando así esté previsto en las normas que regulen los procedimientos sancionadores, se podrá adoptar mediante resolución motivada medidas de carácter provisional que aseguren la eficacia de la resolución final que pudiera recaer.

La suspensión provisional como medida cautelar en la tramitación de un expediente disciplinario no podrá exceder de 6 meses, salvo en caso de paralización del procedimiento imputable al interesado.

La suspensión provisional podrá acordarse también durante la tramitación de un procedimiento judicial, y se mantendrá por el tiempo a que se extienda la prisión provisional u otras medidas decretadas por el juez que determinen la imposibilidad de desempeñar el puesto de trabajo. En este caso, si la suspensión provisional excediera de seis meses no supondrá pérdida del puesto de trabajo.

La suspensión provisional tendrá los siguientes efectos:

a) **En cuanto a las retribuciones:**

- El funcionario suspenso provisional tendrá derecho a percibir durante la suspensión las retribuciones básicas y, en su caso, las prestaciones familiares por hijo a cargo.
- Cuando la suspensión provisional se eleve a definitiva, el funcionario deberá devolver lo percibido durante el tiempo de duración de aquella.
- Si la suspensión provisional no llegara a convertirse en sanción definitiva, la Administración deberá restituir al funcionario la diferencia entre los haberes realmente percibidos y los que hubiera debido percibir si se hubiera encontrado con plenitud de derechos.

b) **En cuanto al cómputo del tiempo:**

- El tiempo de permanencia en suspensión provisional será de abono para el cumplimiento de la suspensión firme.

Cuando la suspensión no sea declarada firme, el tiempo de duración de la misma se computará como de servicio activo, debiendo acordarse la inmediata reincorporación del funcionario a su puesto de trabajo, con reconocimiento de todos los derechos económicos y demás que procedan desde la fecha de suspensión.

4. Título VIII. Cooperación entre las Administraciones Públicas

Las Administraciones Públicas actuarán y se relacionarán entre sí en las materias objeto del EBEP de acuerdo con los ***principios de cooperación y colaboración***, respetando, en todo caso, el ejercicio legítimo por las otras Administraciones de sus competencias.

A) La **Conferencia Sectorial de Administración Pública**, como órgano de cooperación en materia de administración pública de la Administración General del Estado, de las Administraciones de las comunidades autónomas, de las ciudades de Ceuta y Melilla, y de la Administración Local, cuyos representantes serán designados por la Federación Española de Municipios y Provincias, como asociación de entidades locales de ámbito estatal con mayor implantación, sin perjuicio de la competencia de otras Conferencias Sectoriales u órganos equivalentes, atenderá en su funcionamiento y organización a lo establecido en la vigente legislación sobre régimen jurídico de las Administraciones Públicas.

B) Se crea la **Comisión de Coordinación del Empleo Público** como órgano técnico y de trabajo dependiente de la Conferencia Sectorial de Administración Pública. En esta Comisión se hará efectiva la coordinación de la política de personal entre la Administración General del Estado, las Administraciones de las comunidades autónomas y de las ciudades de Ceuta y Melilla, y las entidades locales y en concreto le corresponde:

a) Impulsar las actuaciones necesarias para garantizar la efectividad de los principios constitucionales en el acceso al empleo público.

b) Estudiar y analizar los proyectos de legislación básica en materia de empleo público, así como emitir informe sobre cualquier otro proyecto normativo que las Administraciones Públicas le presenten.

c) Elaborar estudios e informes sobre el empleo público. Dichos estudios e informes se remitirán a las organizaciones sindicales presentes en la Mesa General de Negociación de las Administraciones Públicas.

Componen la Comisión de Coordinación del Empleo Público los titulares de aquellos órganos directivos de la política de recursos humanos de la Administración General del Estado, de las Administraciones de las comunidades autónomas y de las ciudades de Ceuta y Melilla, y los representantes de la Administración Local designados por la Federación Española de Municipios y Provincias, como asociación de entidades locales de ámbito estatal con mayor implantación, en los términos que se determinen reglamentariamente, previa consulta con las comunidades autónomas.

La Comisión de Coordinación del Empleo Público elaborará sus propias normas de organización y funcionamiento.

TEMA 7

La Ley 31/1995, de 8 de noviembre, de Prevención de riesgos laborales: objeto, ámbito de aplicación y definiciones. Derechos y obligaciones. Consulta y participación de los trabajadores

Índice

1. La Ley de Prevención de Riesgos Laborales

El artículo 40.2 de la Constitución Española encomienda a los poderes públicos, como uno de los principios rectores de la política social y económica, **velar por la seguridad e higiene en el trabajo**.

Al mandato constitucional se le une también la necesidad de armonizar la legislación española con la **normativa europea** en la materia (principalmente la Directiva 89/391/CEE, relativa a la aplicación de las medidas para promover la mejora de la seguridad y de la salud de los trabajadores en el trabajo) y con otros **tratados internacionales** ratificados por España (como el Convenio 155 con la Organización Internacional del Trabajo, sobre seguridad y salud de los trabajadores y medio ambiente de trabajo).

Fruto de estos compromisos y de la necesidad de unificar, actualizar y completar la anterior normativa, se aprobó la **Ley 31/1995, de 8 de noviembre, de Prevención de Riesgos Laborales.**

Al insertarse esta ley en el ámbito específico de las relaciones laborales, se configura como una **referencia legal mínima** en un doble sentido:

- Como ley que establece un marco legal a partir del cual las normas reglamentarias irán fijando y concretando los aspectos más técnicos de las medidas preventivas.
- Como soporte básico a partir del cual la negociación colectiva podrá desarrollar su función específica.

Las disposiciones de carácter laboral contenidas en la Ley 31/1995 y en sus normas reglamentarias tendrán en todo caso el **carácter de Derecho necesario mínimo indisponible**, pudiendo ser mejoradas y desarrolladas en los convenios colectivos.

La Ley 31/1995 establece los principios generales relativos a:

- La prevención de los riesgos profesionales para la protección de la seguridad y de la salud.

- La eliminación o disminución de los riesgos derivados del trabajo.
- La información, la consulta, la participación equilibrada y la formación de los trabajadores en materia preventiva.

Para el cumplimiento de dichos fines, esta ley regula las actuaciones a desarrollar por las Administraciones Públicas, así como por los empresarios, los trabajadores y sus respectivas organizaciones representativas.

La Ley 31/1995 contiene un total de **54 artículos** y varias disposiciones más estructuradas del siguiente modo:

- Exposición de motivos.
- Capítulo I: Objeto, ámbito de aplicación y definiciones (arts. 1 al 4).
- Capítulo II: Política en materia de prevención de riesgos para proteger la seguridad y la salud en el trabajo (arts. 5 al 13).
- Capítulo III: Derechos y obligaciones (arts. 14 al 29).
- Capítulo IV: Servicios de prevención (arts. 30 al 32 bis).
- Capítulo V: Consulta y participación de los trabajadores (arts. 33 al 40).
- Capítulo VI: Obligaciones de los fabricantes, importadores y suministradores (art. 41).
- Capítulo VII: Responsabilidades y sanciones (arts. 42 al 54).
- 18 Disposiciones Adicionales.
- 2 Disposiciones Transitorias.
- 1 Disposición Derogatoria.
- 2 Disposiciones Finales.

1.1. Objeto

El preámbulo de la ley señala que esta ley tiene por **objeto** la determinación del cuerpo básico de garantías y responsabilidades preciso para establecer un adecuado nivel de protección de la salud de los trabajadores frente a los riesgos derivados de las condiciones de trabajo, y ello en el marco de una política coherente, coordinada y eficaz de prevención de los riesgos laborales.

En el artículo 2.1. de la Ley 31/1995 se precisa que el **objeto** de esta ley es:

- Promover la seguridad y la salud de los trabajadores mediante la aplicación de medidas y el desarrollo de las actividades necesarias para la prevención de riesgos derivados del trabajo.

1.2. Ámbito de aplicación

La Ley 31/1995 y sus normas de desarrollo son de **aplicación** en los siguientes ámbitos:

- Relaciones laborales reguladas en el Texto Refundido de la Ley del Estatuto de los Trabajadores.
- Relaciones de carácter administrativo o estatutario del personal al servicio de las Administraciones Públicas, con las peculiaridades que se contemplan en la propia ley o en sus normas de desarrollo.
- Sociedades cooperativas, constituidas de acuerdo con la legislación que les sea de aplicación, en las que existan socios cuya actividad consista en la prestación de un trabajo personal, con las peculiaridades derivadas de su normativa específica.

La ley contempla algunas obligaciones específicas para fabricantes, importadores y suministradores; y también se derivan algunos derechos y obligaciones para los trabajadores autónomos.

La Ley 31/1995 **no será de aplicación** en aquellas actividades cuyas particularidades lo impidan en el ámbito de las funciones públicas de:

- Policía, seguridad y resguardo aduanero.
- Servicios operativos de protección civil y peritaje forense en los casos de grave riesgo, catástrofe y calamidad pública.
- Fuerzas Armadas y actividades militares de la Guardia Civil.

Nota: Estas excepciones previstas únicamente pueden aplicarse en el supuesto de acontecimientos excepcionales en los cuales el correcto desarrollo de las medidas destinadas a garantizar la protección de la población en situaciones de grave riesgo colectivo exige que el personal que tenga que hacer frente a un suceso de este tipo conceda una prioridad absoluta a la finalidad perseguida por tales medidas con el fin de que esta pueda alcanzarse.

En los centros y establecimientos militares será de aplicación lo dispuesto por la Ley 31/1995, con las particularidades previstas en su normativa específica.

En los establecimientos penitenciarios, se adaptarán a la Ley 31/1995 aquellas actividades cuyas características justifiquen una regulación especial.

Según la Disposición adicional 18ª de la Ley 31/1995 (añadida por el Real Decreto-ley 16/2022, de 6 de septiembre, para la mejora de las condiciones de trabajo y de Seguridad Social de las personas trabajadoras al servicio del hogar), en el ámbito de la relación laboral de carácter especial del servicio del hogar familiar, las personas trabajadoras tienen derecho a una protección eficaz en materia de seguridad y salud en el trabajo, especialmente en el ámbito de la prevención de la violencia contra las mujeres, teniendo en cuenta las características específicas del trabajo doméstico, en los términos y con las garantías que se prevean reglamentariamente a fin de asegurar su salud y seguridad.

1.3. Definiciones

A continuación reproducimos las definiciones de algunos términos relacionados con la prevención de riesgos laborales, recogidas en la Ley 31/1995 y en sus principales normas de desarrollo:

- **Prevención**: el conjunto de actividades o medidas adoptadas o previstas en todas las fases de actividad de la empresa con el fin de evitar o disminuir los riesgos derivados del trabajo.
- **Riesgo laboral**: la posibilidad de que un trabajador sufra un determinado daño derivado del trabajo. Para calificar un riesgo desde el punto de vista de su gravedad, se valorarán conjuntamente la probabilidad de que se produzca el daño y la severidad del mismo.
- **Daños derivados del trabajo**: las enfermedades, patologías o lesiones sufridas con motivo u ocasión del trabajo.
- **Riesgo laboral grave e inminente**: aquel que resulte probable racionalmente que se materialice en un futuro inmediato y pueda suponer un daño grave para la salud de los trabajadores. En el caso de exposición a agentes susceptibles de causar daños graves a la salud de los trabajadores, se considerará que existe un riesgo grave e inminente cuando sea probable racionalmente que se materialice en un futuro inmediato una exposición a dichos agentes de la que puedan derivarse daños graves para la salud, aun cuando estos no se manifiesten de forma inmediata.
- **Potencialmente peligrosos (procesos, actividades, operaciones, equipos o productos)**: aquellos que, en ausencia de medidas preventivas específicas, originen riesgos para la seguridad y la salud de los trabajadores que los desarrollan o utilizan.
- **Equipo de trabajo**: cualquier máquina, aparato, instrumento o instalación utilizada en el trabajo.
- **Condición de trabajo**: cualquier característica del mismo que pueda tener una influencia significativa en la generación de riesgos para la seguridad y la salud del trabajador. Quedan específicamente incluidas en esta definición:

  a) Las características generales de los locales, instalaciones, equipos, productos y demás útiles existentes en el centro de trabajo.

  b) La naturaleza de los agentes físicos, químicos y biológicos presentes en el ambiente de trabajo y sus correspondientes intensidades, concentraciones o niveles de presencia.

  c) Los procedimientos para la utilización de los agentes citados anteriormente que influyan en la generación de los riesgos mencionados.

  d) Todas aquellas otras características del trabajo, incluidas las relativas a su organización y ordenación, que influyan en la magnitud de los riesgos a que esté expuesto el trabajador.

- **Equipo de protección individual**: cualquier equipo destinado a ser llevado o sujetado por el trabajador para que le proteja de uno o varios riesgos que puedan amenazar su seguridad o su salud en el trabajo, así como cualquier complemento o accesorio destinado a tal fin.
- **Accidente de trabajo**: toda lesión corporal que el trabajador sufra con ocasión o por consecuencia del trabajo que ejecute por cuenta ajena.
- **Enfermedad profesional**: la contraída a consecuencia del trabajo ejecutado por cuenta ajena en las actividades que se especifiquen en el cuadro que se apruebe por las disposiciones de aplicación y desarrollo de la Ley General de la Seguridad Social, y que esté provocada por la acción de los elementos o sustancias que en dicho cuadro se indiquen para cada enfermedad profesional.
- **Lugares de trabajo**: las áreas del centro de trabajo, edificadas o no, en las que los trabajadores deban permanecer o a las que puedan acceder en razón de su trabajo.

  Se consideran incluidos en esta definición los servicios higiénicos y locales de descanso, los locales de primeros auxilios y los comedores. Las instalaciones de servicio o protección anejas a los lugares de trabajo se considerarán como parte integrante de los mismos.
- **Manipulación manual de cargas**: cualquier operación de transporte o sujeción de una carga por parte de uno o varios trabajadores, como el levantamiento, la colocación, el empuje, la tracción o el desplazamiento, que por sus características o condiciones ergonómicas inadecuadas entrañe riesgos, en particular dorsolumbares, para los trabajadores.
- **Señalización de seguridad y salud en el trabajo**: una señalización que, referida a un objeto, actividad o situación determinadas, proporcione una indicación o una obligación relativa a la seguridad o la salud en el trabajo mediante una señal en forma de panel, un color, una señal luminosa o acústica, una comunicación verbal o una señal gestual, según proceda.
- **Utilización de un equipo de trabajo**: cualquier actividad referida a un equipo de trabajo, tal como la puesta en marcha o la detención, el empleo, el transporte, la reparación, la transformación, el mantenimiento y la conservación, incluida, en particular, la limpieza.
- **Zona peligrosa**: cualquier zona situada en el interior o alrededor de un equipo de trabajo en la que la presencia de un trabajador expuesto entrañe un riesgo para su seguridad o para su salud.
- **Trabajador expuesto**: cualquier trabajador que se encuentre total o parcialmente en una zona peligrosa.
- **Operador del equipo**: el trabajador encargado de la utilización de un equipo de trabajo.

- **Evaluación de los riesgos laborales**: es el proceso dirigido a estimar la magnitud de aquellos riesgos que no hayan podido evitarse, obteniendo la información necesaria para que el empresario esté en condiciones de tomar una decisión apropiada sobre la necesidad de adoptar medidas preventivas y, en tal caso, sobre el tipo de medidas que deben adoptarse.
- **Trabajadores especialmente sensibles**: son aquellos que puedan padecer específicamente riesgos laborales adicionales, como consecuencia de sus propias características personales, su estado biológico conocido, o por tener reconocida una situación de discapacidad física, psíquica o sensorial.
- **Empresario titular del centro de trabajo**: la persona que tiene la capacidad de poner a disposición y gestionar el centro de trabajo.
- **Empresario principal**: el empresario que contrata o subcontrata con otros la realización de obras o servicios correspondientes a la propia actividad de aquel y que se desarrollan en su propio centro de trabajo.
- **Servicio de prevención**: el conjunto de medios humanos y materiales necesarios para realizar las actividades preventivas a fin de garantizar la adecuada protección de la seguridad y la salud de los trabajadores, asesorando y asistiendo para ello al empresario, a los trabajadores y a sus representantes y a los órganos de representación especializados.
- **Servicio de prevención propio**: el conjunto de medios humanos y materiales de la empresa necesarios para la realización de las actividades de prevención.
- **Servicio de prevención ajeno**: el prestado por una entidad especializada que concierte con la empresa la realización de actividades de prevención, el asesoramiento y apoyo que precise en función de los tipos de riesgos o ambas actuaciones conjuntamente.

2. Derechos y obligaciones

2.1. Derechos de los trabajadores

El principio básico de la Ley 31/1995 es el derecho de los trabajadores a una **protección eficaz en materia de seguridad y salud en el trabajo**.

De este derecho genérico forman parte, a su vez, los siguientes derechos de los trabajadores:

- Información, consulta y participación.
- Formación en materia preventiva.
- Paralización de la actividad en caso de riesgo grave e inminente.
- Vigilancia de su estado de salud.

Veamos a continuación en qué consisten estos derechos:

A) Información, consulta y participación

El empresario debe adoptar las medidas adecuadas para que los trabajadores reciban todas las **informaciones** necesarias en relación con:

a) Los riesgos para la seguridad y la salud de los trabajadores en el trabajo, tanto aquellos que afecten a la empresa en su conjunto como a cada tipo de puesto de trabajo o función.

b) Las medidas y actividades de protección y prevención aplicables a los riesgos señalados en el apartado anterior.

c) Las medidas adoptadas en situaciones de emergencia.

Si la empresa cuenta con representantes de los trabajadores, dicha información podrá facilitarse a través de los mismos.

En todo caso, deberá informarse directamente a cada trabajador de:

- Los riesgos específicos que afecten a su puesto de trabajo o función.
- Las medidas de protección y prevención aplicables a dichos riesgos.

El empresario debe **consultar** a los trabajadores y permitir su **participación**, en el marco de todas las cuestiones que afecten a la seguridad y a la seguridad y a la salud en el trabajo.

Concretamente, tal como establece el artículo 33 de la Ley 31/1995, el empresario deberá consultar a los trabajadores, **con la debida antelación**, la adopción de las decisiones relativas a:

a) La planificación y la organización del trabajo en la empresa y la introducción de nuevas tecnologías, en todo lo relacionado con las consecuencias que estas pudieran tener para la seguridad y la salud de los trabajadores, derivadas de la elección de los equipos, la determinación y la adecuación de las condiciones de trabajo y el impacto de los factores ambientales en el trabajo.

b) La organización y desarrollo de las actividades de protección de la salud y prevención de los riesgos profesionales en la empresa, incluida la designación de los trabajadores encargados de dichas actividades o el recurso a un servicio de prevención externo.

c) La designación de los trabajadores encargados de las medidas de emergencia.

d) Los procedimientos de información y documentación.

e) El proyecto y la organización de la formación en materia preventiva.

f) Cualquier otra acción que pueda tener efectos sustanciales sobre la seguridad y la salud de los trabajadores.

En las empresas que cuenten con representantes de los trabajadores, las citadas consultas se llevarán a cabo con dichos representantes.

Los trabajadores tienen derecho a efectuar **propuestas** al empresario, así como a los órganos de participación y representación, dirigidas a la mejora de los niveles de protección de la seguridad y la salud en la empresa.

Nota: Cada vez que en este tema nos refiramos a la empresa o a los empresarios, incluimos en esos términos a las Administraciones Públicas, en las relaciones con su personal.

B) Formación de los trabajadores

El empresario debe garantizar que cada trabajador reciba formación en materia preventiva. Dicha formación tendrá las siguientes características:

- Teórica y práctica.
- Suficiente y adecuada.
- En los siguientes momentos:
  * El momento de su contratación, cualquiera que sea la modalidad o duración de esta.
  * Cuando se produzcan cambios en las funciones que desempeñe.
  * Cuando se introduzcan nuevas tecnologías o cambios en los equipos de trabajo.
- Centrada específicamente en el puesto de trabajo o función de cada trabajador.
- Adaptada a la evolución de los riesgos y a la aparición de otros nuevos.
- Repetida periódicamente, si fuera necesario.
- Impartida dentro de la jornada de trabajo o, si no fuera posible, en otras horas pero con el descuento en aquella del tiempo invertido en la formación.
- Podrá ser impartida por la empresa mediante medios propios o concertándola con servicios ajenos.
- En ningún caso su coste recaerá sobre los trabajadores.

C) Paralización de la actividad en caso de riesgo grave e inminente

El **trabajador** tendrá derecho a interrumpir su actividad y abandonar el lugar de trabajo, en caso necesario, cuando considere que dicha actividad entraña un riesgo grave e inminente para su vida o su salud.

Cuando los trabajadores estén o puedan estar expuestos a un riesgo grave e inminente, y el empresario no adopte o no permita la adopción de las medidas necesarias para garantizar la seguridad y la salud de los trabajadores, **los representantes legales** de estos podrán acordar, por mayoría de sus miembros, la paralización de la actividad de los trabajadores afectados por dicho riesgo. Tal acuerdo será comunicado de inmediato a la empresa y a la autoridad laboral, la cual, en el plazo de veinticuatro horas, anulará o ratificará la paralización acordada.

Dicho acuerdo podrá ser adoptado por decisión mayoritaria de **los Delegados de Prevención** cuando no resulte posible reunir con la urgencia requerida al órgano de representación del personal.

Al respecto de la paralización de la actividad, el Estatuto de los Trabajadores, en su artículo 19.5, señala que "Los delegados de prevención y, en su defecto, los representantes legales de los trabajadores en el centro de trabajo, que aprecien una probabilidad seria y grave de accidente por la inobservancia de la legislación aplicable en la materia, requerirán al empresario por escrito para que adopte las medidas oportunas que hagan desaparecer el estado de riesgo; si la petición no fuese atendida en un plazo de cuatro días, se dirigirán a la autoridad competente; esta, si apreciase las circunstancias alegadas, mediante resolución fundada, requerirá al empresario para que adopte las medidas de seguridad apropiadas o que suspenda sus actividades en la zona o local de trabajo o con el material en peligro. También podrá ordenar, con los informes técnicos precisos, la paralización inmediata del trabajo si se estima un riesgo grave de accidente.

Si el riesgo de accidente fuera inminente, la paralización de las actividades podrá ser acordada por los representantes de los trabajadores, por mayoría de sus miembros. Tal acuerdo podrá ser adoptado por decisión mayoritaria de los delegados de prevención cuando no resulte posible reunir con la urgencia requerida al órgano de representación del personal. El acuerdo será comunicado de inmediato a la empresa y a la autoridad laboral, la cual, en veinticuatro horas, anulará o ratificará la paralización acordada".

Los trabajadores o sus representantes no podrán sufrir perjuicio alguno derivado de la adopción de las medidas referidas, a menos que hubieran obrado de mala fe o cometido negligencia grave.

D) Vigilancia de la salud

El empresario garantizará a los trabajadores a su servicio la vigilancia periódica de su estado de salud en función de los riesgos inherentes al trabajo.

Dicha vigilancia tendrá las siguientes características:

- El trabajador debe prestar su **consentimiento** para ser sometido a las pruebas y reconocimientos. De este carácter voluntario solo se exceptuarán, previo informe de los representantes de los trabajadores, los supuestos en los que la realización de los reconocimientos sea imprescindible:
    * Para evaluar los efectos de las condiciones de trabajo sobre la salud de los trabajadores.

  * Para verificar si el estado de salud del trabajador puede constituir un peligro para el mismo, para los demás trabajadores o para otras personas relacionadas con la empresa.
  * Cuando así esté establecido en una disposición legal en relación con la protección de riesgos específicos y actividades de especial peligrosidad.
- En todo caso se deberá optar por la realización de aquellos reconocimientos o pruebas que causen las **menores molestias** al trabajador y que sean proporcionales al riesgo.
- Las medidas de vigilancia y control de la salud de los trabajadores se llevarán a cabo respetando siempre el **derecho a la intimidad y a la dignidad** de la persona del trabajador y la confidencialidad de toda la información relacionada con su estado de salud.
- Los **resultados** de la vigilancia de la salud serán comunicados a los trabajadores afectados.
- Los datos relativos a la vigilancia de la salud de los trabajadores no podrán ser usados con **fines discriminatorios** ni en **perjuicio** del trabajador.
  * *Acceso a la información médica de carácter personal*: limitada al personal médico y a las autoridades sanitarias que lleven a cabo la vigilancia de la salud de los trabajadores. No puede facilitarse al empresario o a otras personas sin consentimiento expreso del trabajador.
  * *Información al empresario y las personas u órganos con responsabilidades en materia de prevención*: de las conclusiones que se deriven de los reconocimientos efectuados en relación con la aptitud del trabajador para el desempeño del puesto de trabajo, o con la necesidad e introducir o mejorar las medidas de protección y prevención, a fin de que puedan desarrollar correctamente sus funciones en materia preventiva.
- El derecho a la vigilancia periódica del estado de salud deberá **prolongarse** más allá de la finalización de la relación laboral, cuando la naturaleza de los riesgos inherentes al trabajo lo haga necesario.
- Las medidas de vigilancia y control se llevarán a cabo por **personal sanitario** con competencia técnica, formación y capacidad acreditada.

2.2. Obligaciones de los trabajadores

Tal como establece el artículo 29 de la Ley 31/1995, corresponde a cada trabajador **velar**, según sus posibilidades y mediante el **cumplimiento de las medidas de prevención** que en cada caso sean adoptadas, por su propia seguridad y salud en el trabajo y por la de aquellas otras personas a las que pueda afectar su actividad profesional, a causa de sus actos y omisiones en el trabajo, de conformidad con su formación y las instrucciones del empresario.

Los trabajadores, con arreglo a su formación y siguiendo las instrucciones del empresario, deberán en particular:

1. **Usar adecuadamente**, de acuerdo con su naturaleza y los riesgos previsibles, las máquinas, aparatos, herramientas, sustancias peligrosas, equipos de transporte y, en general, cualesquiera otros medios con los que desarrollen su actividad.
2. **Utilizar correctamente** los medios y equipos de protección facilitados por el empresario, de acuerdo con las instrucciones recibidas de este.
3. **No poner fuera de funcionamiento** y utilizar correctamente los dispositivos de seguridad existentes o que se instalen en los medios relacionados con su actividad o en los lugares de trabajo en los que esta tenga lugar.
4. **Informar** de inmediato a su superior jerárquico directo, y a los trabajadores designados para realizar actividades de protección y de prevención o, en su caso, al servicio de prevención, acerca de cualquier situación que, a su juicio, entrañe, por motivos razonables, un riesgo para la seguridad y la salud de los trabajadores.
5. **Contribuir** al cumplimiento de las obligaciones establecidas por la autoridad competente con el fin de proteger la seguridad y la salud de los trabajadores en el trabajo.
6. **Cooperar** con el empresario para que este pueda garantizar unas condiciones de trabajo que sean seguras y no entrañen riesgos para la seguridad y la salud de los trabajadores.

El incumplimiento por los trabajadores de las obligaciones en materia de prevención de riesgos a que se refieren los apartados anteriores tendrá la consideración de **incumplimiento laboral** a los efectos previstos en el artículo 58.1 del Estatuto de los Trabajadores o de falta, en su caso, conforme a lo establecido en la correspondiente normativa sobre régimen disciplinario de los funcionarios públicos o del personal estatutario al servicio de las Administraciones Públicas.

2.3. Obligaciones del empresario

El derecho de los trabajadores a una protección eficaz en materia de seguridad y salud en el trabajo, supone la existencia de un correlativo deber del empresario de **protección** de los trabajadores frente a los riesgos laborales.

Este deber de protección constituye, igualmente, un deber de las Administraciones Públicas respecto del personal a su servicio.

En cumplimiento del deber de protección, el empresario deberá **garantizar la seguridad y la salud de los trabajadores** a su servicio en todos los aspectos relacionados con el trabajo.

Para ello, en el marco de sus responsabilidades, el empresario realizará la **prevención** de los riesgos laborales mediante:

- La integración de la actividad preventiva en la empresa.

- La adopción de cuantas medidas sean necesarias para la protección de la seguridad y la salud de los trabajadores, con las especialidades previstas en materia de:
  * Plan de prevención de riesgos laborales.
  * Evaluación de riesgos.
  * Información, consulta y participación de los trabajadores.
  * Formación de los trabajadores.
  * Actuación en casos de emergencia y de riesgo grave e inminente.
  * Vigilancia de la salud.
  * Constitución de una organización y de los medios necesarios.
- Desarrollo de una acción permanente de seguimiento de la actividad preventiva, con el fin de perfeccionar de manera continua:
  * Las actividades de identificación, evaluación y control de los riesgos que no se hayan podido evitar.
  * Los niveles de protección existentes.
- Disponer lo necesario para la adaptación de las medidas de prevención señaladas a las modificaciones que puedan experimentar las circunstancias que incidan en la realización del trabajo.

Las acciones del empresario se **complementarán** con:

- Las obligaciones establecidas para los trabajadores.
- La atribución de funciones en materia de protección y prevención a trabajadores o servicios de la empresa.
- El recurso al concierto con entidades especializadas para el desarrollo de actividades de prevención.

Estas acciones de trabajadores y entidades no eximen al empresario del cumplimiento de su deber en esta materia.

En ningún modo el coste de las medidas relativas a seguridad y la salud en el trabajo recaerán sobre los trabajadores.

2.4. Principios de la acción preventiva

El empresario aplicará las medidas que integran el deber general de prevención citado anteriormente, con arreglo a los siguientes **principios generales**:

a) Evitar los riesgos.

b) Evaluar los riesgos que no se puedan evitar.

c) Combatir los riesgos en su origen.

d) Adaptar el trabajo a la persona, en particular en lo que respecta a la concepción de los puestos de trabajo, así como a la elección de los equipos y los métodos de trabajo y de producción, con miras, en particular, a atenuar el trabajo monótono y repetitivo y a reducir los efectos del mismo en la salud.

e) Tener en cuenta la evolución de la técnica.

f) Sustituir lo peligroso por lo que entrañe poco o ningún peligro.

g) Planificar la prevención, buscando un conjunto coherente que integre en ella la técnica, la organización del trabajo, las condiciones de trabajo, las relaciones sociales y la influencia de los factores ambientales en el trabajo.

h) Adoptar medidas que antepongan la protección colectiva a la individual.

i) Dar las debidas instrucciones a los trabajadores.

Otros principios de la acción preventiva son:

- Tomar en consideración las capacidades profesionales de los trabajadores en materia de seguridad y de salud en el momento de encomendarles las tareas.
- Adoptar las medidas necesarias a fin de garantizar que solo los trabajadores que hayan recibido información suficiente y adecuada puedan acceder a las zonas de riesgo grave y específico.
- Prever en las medidas a tomar las distracciones o imprudencias no temerarias que pudiera cometer el trabajador.
- Tener en cuenta los riesgos adicionales que pudiera implicar la adopción de determinadas medidas preventivas, las cuales solo podrán adoptarse cuando la magnitud de dichos riesgos sea sustancialmente inferior a la de los que se pretende controlar y no existan alternativas más seguras.

2.5. Plan de prevención de riesgos laborales

El Plan de prevención de riesgos laborales es la herramienta a través de la cual se integra la actividad preventiva de la empresa en su sistema general de gestión y se establece su política de prevención de riesgos laborales.

El Plan de prevención de riesgos laborales debe ser:

- Aprobado por la dirección de la empresa.
- Asumido por toda su estructura organizativa, en particular por todos sus niveles jerárquicos.
- Conocido por todos sus trabajadores.

El Plan de prevención de riesgos laborales habrá de reflejarse en un documento que se conservará a disposición de la autoridad laboral, de las autoridades sanitarias y de los representantes de los trabajadores, e incluirá, con la amplitud adecuada a la dimensión y características de la empresa, los siguientes **elementos**:

a) La identificación de la empresa, de su actividad productiva, el número y características de los centros de trabajo y el número de trabajadores y sus características con relevancia en la prevención de riesgos laborales.

b) La **estructura organizativa de la empresa**, identificando **las funciones** y **responsabilidades** que asume cada uno de sus niveles jerárquicos y los respectivos cauces de comunicación entre ellos, en relación con la prevención de riesgos laborales.

c) La organización de la producción en cuanto a la identificación de los distintos **procesos técnicos** y **las prácticas** y **los procedimientos** organizativos existentes en la empresa, en relación con la prevención de riesgos laborales.

d) La organización de la prevención en la empresa, indicando la modalidad preventiva elegida y los órganos de representación existentes.

e) La política, los objetivos y metas que en materia preventiva pretende alcanzar la empresa, así como **los recursos** humanos, técnicos, materiales y económicos de los que va a disponer al efecto.

Los instrumentos esenciales para la gestión y aplicación del Plan de prevención de riesgos laborales son:

- La evaluación de riesgos.
- La planificación de la actividad preventiva.

A) Evaluación de riesgos

El empresario deberá realizar una **evaluación inicial** de los riesgos para la seguridad y salud de los trabajadores, teniendo en cuenta, con carácter general:

- La naturaleza de la actividad.
- Las características de los puestos de trabajo existentes.
- Las características de los trabajadores que deban desempeñarlos.

Igual evaluación deberá hacerse con ocasión de:

- La elección de los equipos de trabajo.
- La elección de las sustancias o preparados químicos.
- El acondicionamiento de los lugares de trabajo.

La evaluación inicial tendrá en cuenta aquellas otras actuaciones que deban desarrollarse de conformidad con lo dispuesto en la normativa sobre **protección de riesgos específicos y actividades de especial peligrosidad**. La evaluación será actualizada cuando cambien las condiciones de trabajo y, en todo caso, se someterá a consideración y se revisará, si fuera necesario, con ocasión de los daños para la salud que se hayan producido.

Cuando el resultado de la evaluación lo hiciera necesario, el empresario realizará **controles periódicos** de las condiciones de trabajo y de la actividad de los trabajadores en la prestación de sus servicios, para detectar situaciones potencialmente peligrosas.

B) Planificación de la actividad preventiva

Cuando el resultado de la evaluación pusiera de manifiesto situaciones de riesgo, el empresario planificará la actividad preventiva que proceda con objeto de eliminar o controlar y reducir dichos riesgos, conforme a un orden de prioridades en función de su magnitud y número de trabajadores expuestos a los mismos.

La planificación de la actividad preventiva incluirá, en todo caso, los medios humanos y materiales necesarios, así como la asignación de los recursos económicos precisos para la consecución de los objetivos propuestos; también cada actividad preventiva debe indicar la designación de responsables para su ejecución.

Igualmente habrán de ser objeto de integración en la planificación de la actividad preventiva:

- Las medidas de emergencia.
- La vigilancia de la salud.
- La información y la formación de los trabajadores en materia preventiva.
- La coordinación de todos estos aspectos.

La actividad preventiva deberá planificarse para un **período determinado**, estableciendo las fases y prioridades de su desarrollo en función de la magnitud de los riesgos y del número de trabajadores expuestos a los mismos, así como su seguimiento y control periódico.

Las empresas, en atención al número de trabajadores (*hasta 50 trabajadores*) y a la naturaleza y peligrosidad de las actividades realizadas, podrán realizar el plan de prevención de riesgos laborales, la evaluación de riesgos y la planificación de la actividad preventiva de **forma simplificada**, siempre que ello no suponga una reducción del nivel de protección de la seguridad y salud de los trabajadores y en los términos que reglamentariamente se determinen.

2.6. Equipos de trabajo y medios de protección

El empresario adoptará las medidas necesarias con el fin de que los **equipos de trabajo** sean adecuados para el trabajo que deba realizarse y convenientemente adaptados a tal efecto, de forma que garanticen la seguridad y la salud de los trabajadores al utilizarlos.

Cuando la utilización de un equipo de trabajo pueda presentar un riesgo específico para la seguridad y la salud de los trabajadores, el empresario adoptará las medidas necesarias con el fin de que:

a) La utilización del equipo de trabajo quede reservada a los encargados de dicha utilización.

b) Los trabajos de reparación, transformación, mantenimiento o conservación sean realizados por los trabajadores específicamente capacitados para ello.

El Real Decreto 1215/1997, de 18 de julio, establece las disposiciones mínimas de seguridad y salud para la utilización por los trabajadores de los equipos de trabajo.

El empresario deberá proporcionar a sus trabajadores **equipos de protección individual** adecuados para el desempeño de sus funciones y velar por el uso efectivo de los mismos cuando, por la naturaleza de los trabajos realizados, sean necesarios.

Los equipos de protección individual deberán utilizarse cuando los riesgos no se puedan evitar o no puedan limitarse suficientemente por medios técnicos de protección colectiva o mediante medidas, métodos o procedimientos de organización del trabajo.

El Real Decreto 773/1997, de 30 de mayo, establece las disposiciones mínimas de seguridad y salud relativas a la utilización por los trabajadores de equipos de protección individual.

En aplicación de lo dispuesto en el citado Real Decreto 773/1997, los trabajadores, con arreglo a su formación y siguiendo las instrucciones del empresario, deberán en particular:

a) Utilizar y cuidar correctamente los equipos de protección individual.

b) Colocar el equipo de protección individual después de su utilización en el lugar indicado para ello.

c) Informar de inmediato a su superior jerárquico directo de cualquier defecto, anomalía o daño apreciado en el equipo de protección individual utilizado que, a su juicio, pueda entrañar una pérdida de su eficacia protectora.

2.7. Documentación

En relación con las obligaciones indicadas en los apartados anteriores, el empresario deberá elaborar y conservar a disposición de la autoridad laboral la siguiente documentación:

- Plan de prevención de riesgos laborales.
- Evaluación de los riesgos para la seguridad y la salud en el trabajo, incluido el resultado de los controles periódicos de las condiciones de trabajo y de la actividad de los trabajadores.
- Planificación de la actividad preventiva, incluidas las medidas de protección y de prevención a adoptar y, en su caso, material de protección que deba utilizarse.

- Práctica de los controles del estado de salud de los trabajadores y conclusiones obtenidas de los mismos.
- Relación de accidentes de trabajo y enfermedades profesionales que hayan causado al trabajador una incapacidad laboral superior a un día de trabajo.

En el momento de **cesación de la actividad**, las empresas deberán remitir a la autoridad laboral la citada documentación.

El empresario estará obligado a **notificar por escrito** a la autoridad laboral los daños para la salud de los trabajadores a su servicio que se hubieran producido con motivo del desarrollo de su trabajo, conforme al procedimiento que se determine reglamentariamente.

La documentación aquí relacionada deberá también ser puesta a disposición de las autoridades sanitarias.

2.8. Situaciones especiales de protección

2.8.1. Protección de trabajadores especialmente sensibles a determinados riesgos

El empresario garantizará de manera específica la protección de los trabajadores que, por sus propias características personales o estado biológico conocido, incluidos aquellos que tengan reconocida la situación de discapacidad física, psíquica o sensorial, sean especialmente sensibles a los riesgos derivados del trabajo. A tal fin, deberá tener en cuenta dichos aspectos en las evaluaciones de los riesgos y, en función de estas, adoptará las medidas preventivas y de protección necesarias.

Los trabajadores no serán empleados en aquellos puestos de trabajo en los que, a causa de sus características personales, estado biológico o por su discapacidad física, psíquica o sensorial debidamente reconocida, puedan ellos, los demás trabajadores u otras personas relacionadas con la empresa ponerse en situación de peligro o, en general, cuando se encuentren manifiestamente en estados o situaciones transitorias que no respondan a las exigencias psicofísicas de los respectivos puestos de trabajo.

Igualmente, el empresario deberá tener en cuenta en las evaluaciones los factores de riesgo que puedan incidir en la función de procreación de los trabajadores y trabajadoras, en particular por la exposición a agentes físicos, químicos y biológicos que puedan ejercer efectos mutagénicos o de toxicidad para la procreación, tanto en los aspectos de la fertilidad, como del desarrollo de la descendencia, con objeto de adoptar las medidas preventivas necesarias.

La protección a trabajadores especialmente sensibles a determinados riesgos, se puede concretar en tres medidas:

- Asignación al trabajador de un puesto de trabajo compatible con su situación personal.
- Medidas de acceso y señalización que tomen en consideración la situación personal de los trabajadores, especialmente con respecto a los trabajadores minusválidos.
- Equipos de trabajo adaptados a su utilización por trabajadores discapacitados.

2.8.2. Protección de la maternidad

A) Adaptación de las condiciones o del tiempo de trabajo de la trabajadora afectada

La evaluación de los riesgos deberá comprender la determinación de la naturaleza, el grado y la duración de la exposición de las trabajadoras en situación de embarazo o parto reciente a agentes, procedimientos o condiciones de trabajo que puedan influir negativamente en la salud de las trabajadoras o del feto, en cualquier actividad susceptible de presentar un riesgo específico.

Si los resultados de la evaluación revelasen un riesgo para la seguridad y la salud o una posible repercusión sobre el embarazo o la lactancia de las citadas trabajadoras, el empresario adoptará las medidas necesarias para evitar la exposición a dicho riesgo, a través de una adaptación de las condiciones o del tiempo de trabajo de la trabajadora afectada. Dichas medidas incluirán, cuando resulte necesario, la no realización de trabajo nocturno o de trabajo a turnos.

B) Cambio de puesto o función a uno diferente, dentro del mismo grupo o categoría, y compatible con el estado de la trabajadora

Cuando la adaptación de las condiciones o del tiempo de trabajo no resultase posible o, a pesar de tal adaptación, las condiciones de un puesto de trabajo pudieran influir negativamente en la salud de la trabajadora embarazada o del feto, y así lo certifiquen los Servicios Médicos del Instituto Nacional de la Seguridad Social o de las Mutuas, en función de la Entidad con la que la empresa tenga concertada la cobertura de los riesgos profesionales, con el informe del médico del Servicio Nacional de Salud que asista facultativamente a la trabajadora, esta deberá desempeñar un puesto de trabajo o función diferente y compatible con su estado.

El empresario deberá determinar, previa consulta con los representantes de los trabajadores, la relación de los puestos de trabajo exentos de riesgos a estos efectos.

El cambio de puesto o función se llevará a cabo de conformidad con las reglas y criterios que se apliquen en los supuestos de movilidad funcional y tendrá efectos hasta el momento en que el estado de salud de la trabajadora permita su reincorporación al anterior puesto.

C) Cambio a un puesto no correspondiente al grupo o categoría equivalente al de la trabajadora

En el supuesto de que, aun aplicando las reglas señaladas en el epígrafe B), no existiese puesto de trabajo o función compatible, la trabajadora podrá ser destinada a un puesto no correspondiente a su grupo o categoría equivalente, si bien conservará el derecho al conjunto de retribuciones de su puesto de origen.

D) Paso de la trabajadora afectada a la situación de suspensión del contrato por riesgo durante el embarazo

Si dicho cambio de puesto no resultara técnica u objetivamente posible, o no pueda razonablemente exigirse por motivos justificados, podrá declararse el paso de la trabajadora afectada a la situación de suspensión del contrato por riesgo durante el embarazo, contemplada en el artículo 45.1.d) del Estatuto de los Trabajadores, durante el período necesario para la protección de su seguridad o de su salud y mientras persista la imposibilidad de reincorporarse a su puesto anterior o a otro puesto compatible con su estado.

E) Período de lactancia

Lo dispuesto en los epígrafes A), B) y C) será también de aplicación durante el período de lactancia natural, si las condiciones de trabajo pudieran influir negativamente en la salud de la mujer o del hijo y así lo certifiquen los Servicios Médicos del Instituto Nacional de la Seguridad Social o de las Mutuas, en función de la Entidad con la que la empresa tenga concertada la cobertura de los riesgos profesionales, con el informe del médico del Servicio Nacional de Salud que asista facultativamente a la trabajadora o a su hijo. Podrá, asimismo, declararse el pase de la trabajadora afectada a la situación de suspensión del contrato por riesgo durante la lactancia natural de hijos menores de nueve meses contemplada en el artículo 45.1.d) del Estatuto de los Trabajadores, si se dan las circunstancias previstas en el epígrafe D).

F) Exámenes prenatales y técnicas de preparación al parto

Las trabajadoras embarazadas tendrán derecho a ausentarse del trabajo, con derecho a remuneración, para la realización de exámenes prenatales y técnicas de preparación al parto, previo aviso al empresario y justificación de la necesidad de su realización dentro de la jornada de trabajo.

2.8.3. Protección de menores

A fin de determinar la naturaleza, el grado y la duración de su exposición, en cualquier actividad susceptible de presentar un riesgo específico al respecto, a agentes, procesos o condiciones de trabajo que puedan poner en peligro la seguridad o la salud de los **trabajadores menores de dieciocho años**, el empresario deberá efectuar una evaluación de los puestos de trabajo a desempeñar por estos trabajadores:

- Antes de la incorporación al trabajo.
- Previamente a cualquier modificación importante de sus condiciones de trabajo.

A tal fin, la evaluación tendrá especialmente en cuenta los riesgos específicos para la seguridad, la salud y el desarrollo de los jóvenes derivados de:

- Su falta de experiencia.
- Su inmadurez para evaluar los riesgos existentes o potenciales.
- Su desarrollo todavía incompleto.

La **Directiva 94/33/CEE del Consejo**, dispone que se prohíba el trabajo de los menores:

1. En aquellos puestos de trabajo que superen objetivamente sus capacidades físicas o psicofísicas.
2. Que implique una exposición nociva a agentes tóxicos, cancerígenos, que produzcan alteraciones genéticas hereditarias, que tengan efectos nefastos para el feto durante el embarazo o que tengan cualquier otro efecto nefasto y crónico para el ser humano.
3. Que implique una exposición nociva a radiaciones.
4. Que represente riesgo de accidente en atención a la falta de consciencia o experiencia propia de los jóvenes.
5. Que ponga en peligro su salud por exponerles al frío o calor, ruidos o causa de vibraciones.

El Estatuto de los Trabajadores (Real Decreto Legislativo 2/2015, de 23 de octubre), en relación con el trabajo de menores señala lo siguiente:

- Se prohíbe la admisión al trabajo a los **menores de dieciséis años**.
- Los trabajadores menores de dieciocho años no podrán realizar **trabajos nocturnos** ni aquellas actividades o puestos de trabajo que el Gobierno, a propuesta del Ministerio de Trabajo previa consulta con las organizaciones sindicales más representativas, declare insalubres, penosos, nocivos o peligrosos, tanto para su salud como para su formación profesional y humana.
- Se prohíbe realizar **horas extraordinarias** a los menores de dieciocho años. Los trabajadores menores de dieciocho años no podrán realizar más de ocho horas diarias de trabajo efectivo, incluyendo, en su caso el tiempo dedicado a la formación y, si trabajasen para varios empleadores, las horas realizadas con cada uno de ellos.
- La intervención de los menores de dieciséis años en **espectáculos públicos** solo se autorizará en casos excepcionales por la autoridad laboral, siempre que no su-

ponga peligro para su salud física ni para su formación profesional y humana; el permiso deberá constar por escrito y para actos determinados.

- En el caso de los trabajadores menores de dieciocho años, el **período de descanso** tendrá una duración mínima de treinta minutos, y deberá establecerse siempre que la duración de la jornada diaria continuada exceda de cuatro horas y media.
- La duración del **descanso semanal** de los menores de dieciocho años será, como mínimo, de dos días ininterrumpidos.

2.9. Coordinación de actividades empresariales

Cuando en un mismo centro de trabajo desarrollen actividades trabajadores de dos o más empresas, estas deberán **cooperar en la aplicación de la normativa sobre prevención de riesgos laborales**. A tal fin, establecerán los medios de coordinación que sean necesarios en cuanto a la protección y prevención de riesgos laborales y la información sobre los mismos a sus respectivos trabajadores.

El empresario titular del centro de trabajo adoptará las medidas necesarias para que aquellos **otros empresarios que desarrollen actividades en su centro de trabajo** reciban la información y las instrucciones adecuadas, en relación con los riesgos existentes en el centro de trabajo y con las medidas de protección y prevención correspondientes, así como sobre las medidas de emergencia a aplicar, para su traslado a sus respectivos trabajadores.

Las empresas que **contraten o subcontraten** con otras la realización de obras o servicios correspondientes a la propia actividad de aquellas y que se desarrollen en sus propios centros de trabajo deberán vigilar el cumplimiento por dichos contratistas y subcontratistas de la normativa de prevención de riesgos laborales.

El Real Decreto 171/2004, de 30 de enero, desarrolla el artículo 24 de la Ley 31/1995, en materia de coordinación de actividades empresariales.

2.10. Relaciones de trabajo temporales, de duración determinada y en empresas de trabajo temporal

Los trabajadores con relaciones de trabajo temporales o de duración determinada, así como los contratados por empresas de trabajo temporal, deberán disfrutar del **mismo nivel de protección** en materia de seguridad y salud que los restantes trabajadores de la empresa en la que prestan sus servicios.

El empresario adoptará las medidas necesarias para garantizar que, **con carácter previo** al inicio de su actividad, dichos trabajadores reciban información acerca de los riesgos a los que vayan a estar expuestos, en particular en lo relativo a:

- La necesidad de cualificaciones o aptitudes profesionales determinadas.
- La exigencia de controles médicos especiales.

- La existencia de riesgos específicos del puesto de trabajo a cubrir, así como sobre las medidas de protección y prevención frente a los mismos.

Dichos trabajadores recibirán, en todo caso, una formación suficiente y adecuada a las características del puesto de trabajo a cubrir, teniendo en cuenta su cualificación y experiencia profesional y los riesgos a los que vayan a estar expuestos.

En las **relaciones de trabajo a través de empresas de trabajo temporal**:

- La **empresa usuaria** será responsable de las condiciones de ejecución del trabajo en todo lo relacionado con la protección de la seguridad y la salud de los trabajadores. Corresponderá, además, a la empresa usuaria el cumplimiento de las obligaciones en materia de información citadas anteriormente.
- La **empresa de trabajo temporal** será responsable del cumplimiento de las obligaciones en materia de formación y vigilancia de la salud.

3. Consulta y participación de los trabajadores

Los trabajadores tienen derecho a participar en la empresa en las cuestiones relacionadas con la prevención de riesgos en el trabajo.

En las empresas o centros de trabajo que cuenten con seis o más trabajadores, la participación de estos se canalizará a través de sus representantes y de la representación especializada que trataremos en este apartado.

A los Comités de Empresa, a los Delegados de Personal y a los representantes sindicales les corresponde, en los términos que, respectivamente, les reconocen *el Estatuto de los Trabajadores, la Ley de Órganos de Representación del Personal al Servicio de las Administraciones Públicas y la Ley Orgánica de Libertad Sindical*, la defensa de los intereses de los trabajadores en materia de prevención de riesgos en el trabajo. Para ello, los representantes del personal ejercerán las competencias que dichas normas establecen en materia de información, consulta y negociación, vigilancia y control y ejercicio de acciones ante las empresas y los órganos y tribunales competentes.

En el ámbito de las Administraciones públicas el derecho de participación se ejercerá con las adaptaciones que procedan en atención a la diversidad de las actividades que desarrollan y las diferentes condiciones en que éstas se realizan, la complejidad y dispersión de su estructura organizativa y sus peculiaridades en materia de representación colectiva, en los términos previstos en la *Ley 7/1990, de 19 de julio, sobre negociación colectiva y participación en la determinación de las condiciones de trabajo de los empleados públicos*, pudiéndose establecer ámbitos sectoriales y descentralizados en función del número de efectivos y centros.

3.1. Los Delegados de Prevención

Los Delegados de Prevención son los representantes de los trabajadores con funciones específicas en materia de prevención de riesgos en el trabajo.

3.1.1. Número

Los Delegados de Prevención serán designados por y entre los representantes del personal, en el ámbito de los órganos de representación previstos en las normas a que nos referimos en la introducción de este apartado, con arreglo a la siguiente escala:

- De 50 a 100 trabajadores: 2 Delegados de Prevención.
- De 101 a 500 trabajadores: 3 Delegados de Prevención.
- De 501 a 1.000 trabajadores: 4 Delegados de Prevención.
- De 1.001 a 2.000 trabajadores: 5 Delegados de Prevención.
- De 2.001 a 3.000 trabajadores: 6 Delegados de Prevención.
- De 3.001 a 4.000 trabajadores: 7 Delegados de Prevención.
- De 4.001 en adelante: 8 Delegados de Prevención.

En las empresas de hasta treinta trabajadores el Delegado de Prevención será el Delegado de Personal.

En las empresas de treinta y uno a cuarenta y nueve trabajadores habrá un Delegado de Prevención que será elegido por y entre los Delegados de Personal.

A efectos de determinar el número de Delegados de Prevención se tendrán en cuenta los siguientes criterios:

a) Los trabajadores vinculados por contratos de duración determinada superior a un año se computarán como trabajadores fijos de plantilla.

b) Los contratados por término de hasta un año se computarán según el número de días trabajados en el período de un año anterior a la designación. Cada doscientos días trabajados o fracción se computarán como un trabajador más.

No obstante, en los convenios colectivos podrán establecerse otros sistemas de designación de los Delegados de Prevención, siempre que se garantice que la facultad de designación corresponde a los representantes del personal o a los propios trabajadores.

Asimismo, en la negociación colectiva o mediante los acuerdos a que se refiere el artículo 83, apartado 3, del Estatuto de los Trabajadores podrá acordarse que las competencias reconocidas en la Ley 31/1995 a los Delegados de Prevención sean ejercidas por órganos específicos creados en el propio convenio o en los acuerdos citados. Dichos órganos podrán asumir, en los términos y conforme a las modalidades que se acuerden, competencias generales respecto del conjunto de los centros de trabajo incluidos en el ámbito de aplicación del convenio o del acuerdo, en orden a fomentar el mejor cumplimiento en los mismos de la normativa sobre prevención de riesgos laborales.

Igualmente, en el ámbito de las Administraciones públicas se podrán establecer, en los términos señalados en la Ley 7/1990, de 19 de julio, sobre negociación colectiva y participación en la determinación de las condiciones de trabajo de los empleados públicos, otros sistemas de designación de los Delegados de Prevención y acordarse que las competencias que la Ley 31/1995 atribuye a estos puedan ser ejercidas por órganos específicos.

3.1.2. Competencias

Son competencias de los Delegados de Prevención:

a) Colaborar con la dirección de la empresa en la mejora de la acción preventiva.

b) Promover y fomentar la cooperación de los trabajadores en la ejecución de la normativa sobre prevención de riesgos laborales.

c) Ser consultados por el empresario, con carácter previo a su ejecución, acerca de las decisiones a que se refiere el artículo 33 de la Ley 31/1995 *(ver letra A) del apdo. 2.1).*

d) Ejercer una labor de vigilancia y control sobre el cumplimiento de la normativa de prevención de riesgos laborales.

En las empresas que no cuenten con Comité de Seguridad y Salud por no alcanzar el número mínimo de trabajadores establecido al efecto, las competencias atribuidas a aquel serán ejercidas por los Delegados de Prevención.

3.1.3. Facultades

En el ejercicio de las competencias atribuidas a los Delegados de Prevención, estos estarán facultados para:

a) Acompañar a los técnicos en las evaluaciones de carácter preventivo del medio ambiente de trabajo, así como a los Inspectores de Trabajo y Seguridad Social en las visitas y verificaciones que realicen en los centros de trabajo para comprobar el cumplimiento de la normativa sobre prevención de riesgos laborales, pudiendo formular ante ellos las observaciones que estimen oportunas.

b) Tener acceso, con las limitaciones previstas en el apartado 4 del artículo 22 de la Ley 31/1995, a la información y documentación relativa a las condiciones de trabajo que sean necesarias para el ejercicio de sus funciones y, en particular, a la prevista en los artículos 18 y 23 de la citada ley. Cuando la información esté sujeta a las limitaciones reseñadas, solo podrá ser suministrada de manera que se garantice el respeto de la confidencialidad.

c) Ser informados por el empresario sobre los daños producidos en la salud de los trabajadores una vez que aquel hubiese tenido conocimiento de ellos, pudiendo presentarse, aún fuera de su jornada laboral, en el lugar de los hechos para conocer las circunstancias de los mismos.

d) Recibir del empresario las informaciones obtenidas por este procedentes de las personas u órganos encargados de las actividades de protección y prevención en la empresa, así como de los organismos competentes para la seguridad y la salud de los trabajadores, sin perjuicio de lo dispuesto en el artículo 40 de la Ley 31/1995 en materia de colaboración con la Inspección de Trabajo y Seguridad Social.

e) Realizar visitas a los lugares de trabajo para ejercer una labor de vigilancia y control del estado de las condiciones de trabajo, pudiendo, a tal fin, acceder a cualquier zona de los mismos y comunicarse durante la jornada con los trabajadores, de manera que no se altere el normal desarrollo del proceso productivo.

f) Recabar del empresario la adopción de medidas de carácter preventivo y para la mejora de los niveles de protección de la seguridad y la salud de los trabajadores, pudiendo a tal fin efectuar propuestas al empresario, así como al Comité de Seguridad y Salud para su discusión en el mismo.

g) Proponer al órgano de representación de los trabajadores la adopción del acuerdo de paralización de actividades.

3.1.4. Informes

Los informes que deban emitir los Delegados de Prevención a tenor de las consultas preceptivas del empresario *(ver letra A) del apartado 2.1.)* tendrán que elaborarse en un plazo de quince días, o en el tiempo imprescindible cuando se trate de adoptar medidas dirigidas a prevenir riesgos inminentes. Transcurrido el plazo sin haberse emitido el informe, el empresario podrá poner en práctica su decisión.

La decisión negativa del empresario a la adopción de las medidas propuestas por el Delegado de Prevención a tenor de lo dispuesto en la letra f) del apartado anterior deberá ser motivada.

3.1.5. Garantías y sigilo profesional

A) Garantías

En las empresas privadas

En su condición de representantes de los trabajadores, los Delegados de Prevención tendrán las siguientes **garantías**:

a) Apertura de expediente contradictorio en el supuesto de sanciones por faltas graves o muy graves, en el que serán oídos, aparte del interesado, el comité de empresa o delegados de personal.

b) Prioridad de permanencia en la empresa o centro de trabajo respecto de los demás trabajadores, en los supuestos de suspensión o extinción por causas tecnológicas o económicas.

c) No ser despedido ni sancionado durante el ejercicio de sus funciones ni dentro del año siguiente a la expiración de su mandato, salvo en caso de que esta se produzca por revocación o dimisión, siempre que el despido o sanción se base en la acción del trabajador en el ejercicio de su representación, sin perjuicio, por tanto, de lo establecido en el artículo 54 del Estatuto de los Trabajadores. Asimismo, no podrá ser discriminado en su promoción económica o profesional en razón, precisamente, del desempeño de su representación.

d) Expresar con libertad sus opiniones en las materias concernientes a la esfera de su representación, pudiendo publicar y distribuir, sin perturbar el normal desenvolvimiento del trabajo, las publicaciones de interés laboral o social, comunicándolo a la empresa.

e) Disponer de un crédito de horas mensuales retribuidas para el ejercicio de sus funciones de representación, de acuerdo con la siguiente escala:

1. Hasta cien trabajadores, quince horas.
2. De ciento uno a doscientos cincuenta trabajadores, veinte horas.
3. De doscientos cincuenta y uno a quinientos trabajadores, treinta horas.
4. De quinientos uno a setecientos cincuenta trabajadores, treinta y cinco horas.
5. De setecientos cincuenta y uno en adelante, cuarenta horas.

Podrá pactarse en convenio colectivo la acumulación de horas de los distintos delegados de prevención, en uno o varios de ellos, sin rebasar el máximo total, pudiendo quedar relevado o relevados del trabajo, sin perjuicio de su remuneración.

El tiempo utilizado por los Delegados de Prevención para el desempeño de las funciones previstas en la Ley 31/1995 será considerado como **de ejercicio de funciones de representación** a efectos de la utilización del crédito de horas mensuales retribuidas previsto en la letra e).

No obstante lo anterior, será considerado en todo caso como **tiempo de trabajo efectivo**, sin imputación al citado crédito horario, el correspondiente a las reuniones del Comité de Seguridad y Salud y a cualesquiera otras convocadas por el empresario en materia de prevención de riesgos, así como el destinado a las visitas previstas en las letras a) y c).

El empresario deberá proporcionar a los Delegados de Prevención los medios y la formación en materia preventiva que resulten necesarios para el ejercicio de sus funciones.

La formación se deberá facilitar por el empresario por sus propios medios o mediante concierto con organismos o entidades especializadas en la materia y deberá adaptarse a la evolución de los riesgos y a la aparición de otros nuevos, repitiéndose periódicamente si fuera necesario.

El tiempo dedicado a la formación será considerado como **tiempo de trabajo** a todos los efectos y su coste no podrá recaer en ningún caso sobre los Delegados de Prevención.

En la Administración Pública

Los Delegados de Prevención, como representantes legales de los funcionarios, dispondrán en el ejercicio de su función representativa de las siguientes garantías y derechos:

a) El acceso y libre circulación por las dependencias de su Unidad electoral, sin que entorpezca el normal funcionamiento de las correspondientes unidades.

b) La distribución libre de todo tipo de publicaciones, ya se refieran a cuestiones profesionales o sindicales.

c) Ser oída la Junta de Personal o Delegados de personal en los expedientes disciplinarios a que pudieran ser sometidos sus miembros durante el tiempo de su mandato y durante el año inmediatamente posterior, sin perjuicio de la audiencia al interesado regulada en el procedimiento sancionador.

d) Un crédito de horas mensuales dentro de la jornada de trabajo y retribuidas como de trabajo efectivo, de acuerdo con la siguiente escala:

- Hasta 100 funcionarios: 15.
- De 101 a 250 funcionarios: 20.
- De 251 a 500 funcionarios: 30.
- De 501 a 750 funcionarios: 35.
- De 751 en adelante: 40.

e) No ser trasladados ni sancionados durante el ejercicio de sus funciones ni dentro del año siguiente a la expiración de su mandato, salvo en caso de que esta se produzca por revocación o dimisión, siempre que el traslado o la sanción se base en la acción del funcionario en el ejercicio de su representación.

Asimismo, no podrán ser discriminados en su promoción económica o profesional en razón, precisamente, del desempeño de su representación.

B) Sigilo profesional

Los delegados de prevención deberán observar el deber de sigilo con respecto a aquella información que, en legítimo y objetivo interés de la empresa o del centro de trabajo, les haya sido expresamente comunicada con carácter reservado.

Los Delegados de Prevención en el caso de las Administraciones Públicas observarán sigilo profesional en todo lo referente a los temas en que la Administración señale expresamente el carácter reservado, aun después de expirar su mandato. En todo caso, ningún documento reservado entregado por la Administración podrá ser utilizado fuera del estricto ámbito de la Administración o para fines distintos a los que motivaron su entrega.

3.2. El Comité de Seguridad y Salud

El Comité de Seguridad y Salud es el órgano paritario y colegiado de participación destinado a la consulta regular y periódica de las actuaciones de la empresa en materia de prevención de riesgos.

Se constituirá un Comité de Seguridad y Salud en todas las empresas o centros de trabajo que cuenten con 50 o más trabajadores.

3.2.1. Miembros

El Comité estará formado por los Delegados de Prevención, de una parte, y por el empresario y/o sus representantes en número igual al de los Delegados de Prevención, de la otra.

3.2.2. Reuniones

En las reuniones del Comité de Seguridad y Salud participarán, con voz pero sin voto, los Delegados Sindicales y los responsables técnicos de la prevención en la empresa que no estén incluidos en la composición a la que se refiere el apartado anterior.

En las mismas condiciones podrán participar trabajadores de la empresa que cuenten con una especial cualificación o información respecto de concretas cuestiones que se debatan en este órgano y técnicos en prevención ajenos a la empresa, siempre que así lo solicite alguna de las representaciones en el Comité.

El Comité de Seguridad y Salud se reunirá **trimestralmente** y siempre que lo solicite alguna de las representaciones en el mismo. El Comité adoptará sus propias normas de funcionamiento.

Las empresas que cuenten con varios centros de trabajo dotados de Comité de Seguridad y Salud podrán acordar con sus trabajadores la creación de un **Comité Intercentros**, con las funciones que el acuerdo le atribuya.

3.2.3. Competencias

El Comité de Seguridad y Salud tendrá las siguientes competencias:

a) Participar en la elaboración, puesta en práctica y evaluación de los planes y programas de prevención de riesgos de la empresa.

   A tal efecto, en su seno se debatirán, antes de su puesta en práctica y en lo referente a su incidencia en la prevención de riesgos:

   - La elección de la modalidad organizativa de la empresa y, en su caso, la gestión realizada por las entidades especializadas con las que la empresa hubiera concertado la realización de actividades preventivas.

   - Los proyectos en materia de planificación, organización del trabajo e introducción de nuevas tecnologías, organización y desarrollo de las actividades de protección y prevención.

   - El proyecto y organización de la formación en materia preventiva.

b) Promover iniciativas sobre métodos y procedimientos para la efectiva prevención de los riesgos, proponiendo a la empresa la mejora de las condiciones o la corrección de las deficiencias existentes.

3.2.4. Facultades

En el ejercicio de sus competencias, el Comité de Seguridad y Salud estará facultado para:

a) Conocer directamente la situación relativa a la prevención de riesgos en el centro de trabajo, realizando a tal efecto las visitas que estime oportunas.

b) Conocer cuántos documentos e informes relativos a las condiciones de trabajo sean necesarios para el cumplimiento de sus funciones, así como los procedentes de la actividad del servicio de prevención, en su caso.

c) Conocer y analizar los daños producidos en la salud o en la integridad física de los trabajadores, al objeto de valorar sus causas y proponer las medidas preventivas oportunas.

d) Conocer e informar la memoria y programación anual de servicios de prevención.

TEMA 8

Ley Orgánica para la Igualdad Efectiva de Mujeres y Hombres. Objeto y ámbito de la Ley. El principio de igualdad de trato entre mujeres y hombres. El principio de igualdad en el empleo público: criterios de actuación de las Administraciones Públicas

Índice

1. Ley de Igualdad entre Mujeres y Hombres

La igualdad entre mujeres y hombres es un principio jurídico universal reconocido en diversos textos internacionales sobre derechos humanos, entre los que destacan:

- La Convención sobre la eliminación de todas las formas de discriminación contra la mujer, aprobada por la Asamblea General de Naciones Unidas en diciembre de 1979 y ratificada por España en 1983.
- Conferencias mundiales monográficas, como la de Nairobi de 1985 y Beijing de 1995.

La igualdad es un principio fundamental de la Unión Europea. La LO 3/2007, se apoya fundamentalmente en:

- Desde la entrada en vigor del Tratado de Ámsterdam (el 1 de mayo de 1999), la igualdad entre mujeres y hombres y la eliminación de las desigualdades entre unas y otros son un objetivo que debe integrarse en todas las políticas y acciones de la Unión y de sus miembros.
- Directiva 2002/73/CE, de reforma de la Directiva 76/207/CEE, relativa a la aplicación del principio de igualdad de trato entre hombres y mujeres en lo que se refiere al acceso al empleo, a la formación y a la promoción profesionales, y a las condiciones de trabajo.
- La Directiva 2004/113/CE, sobre aplicación del principio de igualdad de trato entre hombres y mujeres en el acceso a bienes y servicios y su suministro.

Básicamente, hay dos artículos en la Constitución Española que se refieren directamente al principio de igualdad:

- Artículo 14: *"Los españoles son iguales ante la ley, sin que pueda prevalecer discriminación alguna por razón de nacimiento, raza, **sexo**, religión, opinión o cualquier otra condición o circunstancia personal o social."*
- Artículo 9.2: *"Corresponde a los poderes públicos promover las condiciones para que la libertad y la igualdad del individuo y de los grupos en que se integra sean reales y efectivas; remover los obstáculos que impidan o dificulten su plenitud y facilitar la participación de todos los ciudadanos en la vida política, económica, cultural y social."*

La igualdad de género se define como *"la igualdad de derechos, responsabilidades y oportunidades de las mujeres y los hombres, y las niñas y los niños"*. La igualdad no significa que las mujeres y los hombres sean lo mismo, sino que los derechos, las responsabilidades y las oportunidades no dependen del sexo con el que nacieron. La igualdad de género supone que se tengan en cuenta los intereses, las necesidades y las prioridades tanto de las mujeres como de los hombres, reconociéndose la diversidad de los diferentes grupos de mujeres y de hombres.

Ante la necesidad de una acción normativa dirigida a combatir todas las manifestaciones aún subsistentes de discriminación, directa o indirecta, por razón de sexo y a promover la igualdad real entre mujeres y hombres, con remoción de los obstáculos y estereotipos sociales que impiden realizarla, se aprobó la **Ley Orgánica 3/2007, de 22 de marzo, para la igualdad efectiva de mujeres y hombres.**

La mayor novedad de esta ley radica en la prevención de las conductas discriminatorias (violencia de género, discriminación salarial, discriminación en las pensiones de viudedad, mayor desempleo femenino, escasa presencia de las mujeres en puestos de responsabilidad,...) y en la previsión de políticas activas para hacer efectivo el principio de igualdad.

1.1. Fundamentos jurídicos

Los principales fundamentos jurídicos en los que se asienta esta ley (en adelante nos referiremos a ella como LO 3/2007), son de tres procedencias:

- La Constitución Española.
- Tratados y Conferencias de las Naciones Unidas.
- Tratados y Directivas de la Unión Europea.

A) Básicamente, hay dos artículos en la Constitución Española que se refieren directamente al principio de igualdad:

- Artículo 14: *"Los españoles son iguales ante la ley, sin que pueda prevalecer discriminación alguna por razón de nacimiento, raza,* ***sexo****, religión, opinión o cualquier otra condición o circunstancia personal o social."*
- Artículo 9.2: *"Corresponde a los poderes públicos promover las condiciones para que la libertad y la igualdad del individuo y de los grupos en que se integra sean reales y efectivas; remover los obstáculos que impidan o dificulten su plenitud y facilitar la participación de todos los ciudadanos en la vida política, económica, cultural y social."*

B) La igualdad entre mujeres y hombres es un principio jurídico universal reconocido en diversos textos internacionales sobre derechos humanos, entre los que destacan:

- La Convención sobre la eliminación de todas las formas de discriminación contra la mujer, aprobada por la Asamblea General de Naciones Unidas en diciembre de 1979 y ratificada por España en 1983.
- Conferencias mundiales monográficas, como la de Nairobi de 1985 y Beijing de 1995.

C) La igualdad es un principio fundamental de la Unión Europea. La LO 3/2007, se apoya fundamentalmente en:

- Desde la entrada en vigor del Tratado de Ámsterdam (el 1 de mayo de 1999), la igualdad entre mujeres y hombres y la eliminación de las desigualdades entre unas y otros son un objetivo que debe integrarse en todas las políticas y acciones de la Unión y de sus miembros.

- Directiva 2002/73/CE, de reforma de la Directiva 76/207/CEE, relativa a la aplicación del principio de igualdad de trato entre hombres y mujeres en lo que se refiere al acceso al empleo, a la formación y a la promoción profesionales, y a las condiciones de trabajo.
- La Directiva 2004/113/CE, sobre aplicación del principio de igualdad de trato entre hombres y mujeres en el acceso a bienes y servicios y su suministro.

1.2. Estructura

La LO 3/2007 se estructura en un Título preliminar, ocho Títulos, treinta y una disposiciones adicionales, once disposiciones transitorias, una disposición derogatoria y ocho disposiciones finales; a su vez, los Títulos se dividen en capítulos y artículos (78 artículos en total), del siguiente modo:

- **Exposición de motivos**.
- **Título Preliminar** (arts. 1 y 2).
- **Título I**. El principio de igualdad y la tutela contra la discriminación (arts. 3 al 13).
- **Título II**. Políticas públicas para la igualdad (arts. 14 al 35):
  * Capítulo I. Principios generales (arts. 14 al 22).
  * Capítulo II. Acción administrativa para la igualdad (arts. 23 al 35).
- **Título III**. Igualdad y medios de comunicación (arts. 36 al 41).
- **Título IV**. El derecho al trabajo en igualdad de oportunidades (arts. 42 al 50):
  * Capítulo I. Igualdad de trato y de oportunidades en el ámbito laboral (arts. 42 y 43).
  * Capítulo II. Igualdad y conciliación (art. 44).
  * Capítulo III. Los planes de igualdad de las empresas y otras medidas de promoción de la igualdad (arts. 45 al 49).
  * Capítulo IV. Distintivo empresarial en materia de igualdad (art. 50).
- **Título V**. El principio de igualdad en el empleo público (arts. 51 al 68):
  * Capítulo I. Criterios de actuación de las Administraciones públicas (art. 51).
  * Capítulo II. El principio de presencia equilibrada en la Administración General del Estado y en los organismos públicos vinculados o dependientes de ella (arts. 52 al 54).
  * Capítulo III. Medidas de igualdad en el empleo para la Administración General del Estado y para los organismos públicos vinculados o dependientes de ella (arts. 55 al 64).

* Capítulo IV. Fuerzas Armadas (arts. 65 y 66).
* Capítulo V. Fuerzas y Cuerpos de Seguridad del Estado (arts. 67 y 68).

- **Título VI**. Igualdad de trato en el acceso a bienes y servicios y su suministro (arts. 69 al 72).
- **Título VII**. La igualdad en la responsabilidad social de las empresas (arts. 73 al 75).
- **Título VIII**. Disposiciones organizativas (arts. 76 al 78).
- 31 Disposiciones Adicionales.
- 12 Disposiciones Transitorias.
- 1 Disposición Derogatoria.
- 8 Disposiciones Finales.

1.3. Objeto de la Ley

Las mujeres y los hombres son iguales en dignidad humana, e iguales en derechos y deberes. La LO 3/2007 tiene por objeto hacer efectivo el derecho de igualdad de trato y de oportunidades entre mujeres y hombres, en particular mediante la eliminación de la discriminación de la mujer, sea cual fuere su circunstancia o condición, en cualesquiera de los ámbitos de la vida y, singularmente, en las esferas política, civil, laboral, económica, social y cultural para, en el desarrollo de los anteriormente citados artículos 9.2 y 14 de la Constitución, alcanzar una sociedad más democrática, más justa y más solidaria.

Para conseguirlo, la LO 3/2007:

- Establece principios de actuación de los Poderes Públicos.
- Regula derechos y deberes de las personas físicas y jurídicas, tanto públicas como privadas.
- Prevé medidas destinadas a eliminar y corregir en los sectores público y privado, toda forma de discriminación por razón de sexo.

1.4. Ámbito de aplicación

Todas las personas gozarán de los derechos derivados del principio de igualdad de trato y de la prohibición de discriminación por razón de sexo.

Las obligaciones establecidas en la LO 3/2007 son de aplicación a toda persona, física o jurídica, que se encuentre o actúe en territorio español, cualquiera que fuese su nacionalidad, domicilio o residencia.

1.5. Contenido

A tenor de la estructura anteriormente desarrollada, los contenidos tratados en los diferentes Títulos y Disposiciones de la LO 3/2007 son los siguientes:

El Título Preliminar establece el objeto y el ámbito de aplicación de la ley.

El Título I:

- Define los conceptos y categorías jurídicas básicas relativas a la igualdad, como las de discriminación directa e indirecta, acoso sexual y acoso por razón de sexo, y acciones positivas.
- Determina las consecuencias jurídicas de las conductas discriminatorias e incorpora garantías de carácter procesal para reforzar la protección judicial del derecho de igualdad.

En **el Título II**:

- *Capítulo I*:
    * Se establecen las pautas generales de actuación de los poderes públicos en relación con la igualdad.
    * Se define el *principio de transversalidad* y los instrumentos para su integración en la elaboración, ejecución y aplicación de las normas.
    * Se consagra el *principio de presencia equilibrada de mujeres y hombres en las listas electorales y en los nombramientos realizados por los poderes públicos*, con las consiguientes modificaciones en las Disposiciones adicionales de la Ley Electoral.
    * Se regulan los informes de impacto de género y la planificación pública de las acciones en favor de la igualdad, que en la Administración General del Estado se plasmarán en un Plan Estratégico de Igualdad de Oportunidades.
- En el *Capítulo II* de este Título:
    * Se establecen los criterios de orientación de las políticas públicas en materia de educación, cultura y sanidad.
    * También se contempla la promoción de la incorporación de las mujeres a la sociedad de la información, la inclusión de medidas de efectividad de la igualdad en las políticas de acceso a la vivienda, y en las de desarrollo del medio rural.

El Título III contiene:

- Medidas de fomento de la igualdad en los medios de comunicación social, con reglas específicas para los de titularidad pública.
- Así como instrumentos de control de los supuestos de publicidad de contenido discriminatorio.

El Título IV se ocupa del derecho al trabajo en igualdad de oportunidades,

- Incorporando medidas para garantizar la igualdad entre mujeres y hombres en el acceso al empleo, en la formación y en la promoción profesionales, y en las condiciones de trabajo.
- Se incluye además, entre los derechos laborales de los trabajadores y las trabajadoras, la protección frente al acoso sexual y al acoso por razón de sexo.
- Además del deber general de las empresas de respetar el principio de igualdad en el ámbito laboral, se contempla, específicamente, el deber de negociar planes de igualdad en las empresas de más de cincuenta trabajadores o trabajadoras.
- Para favorecer la incorporación de las mujeres al mercado de trabajo, se establece un objetivo de mejora del acceso y la permanencia en el empleo de las mujeres, potenciando su nivel formativo y su adaptabilidad a los requerimientos del mercado de trabajo mediante su posible consideración como grupo de población prioritario de las políticas activas de empleo. Igualmente, la ley recoge una serie de medidas sociales y laborales concretas, que quedan reguladas en las distintas disposiciones adicionales de la ley.
- Se adaptan las infracciones y sanciones y los mecanismos de control de los incumplimientos en materia de no discriminación, y se refuerza el papel de la Inspección de Trabajo y Seguridad Social. Es particularmente novedosa, en este ámbito, la posibilidad de conmutar sanciones accesorias por el establecimiento de Planes de Igualdad.

El Título V:

- En su *Capítulo I* regula el principio de igualdad en el empleo público, estableciéndose los criterios generales de actuación a favor de la igualdad para el conjunto de las Administraciones públicas.

- En su *Capítulo II*, la presencia equilibrada de mujeres y hombres en los nombramientos de órganos directivos de la Administración General del Estado, que se aplica también a los órganos de selección y valoración del personal y en las designaciones de miembros de órganos colegiados, comités y consejos de administración de empresas en cuya capital participe dicha Administración.
- El *Capítulo III* de este Título se dedica a las medidas de igualdad en el empleo en el ámbito de la Administración General del Estado, en sentido análogo a lo previsto para las relaciones de trabajo en el sector privado, y con la previsión específica del mandato de aprobación de un protocolo de actuación frente al acoso sexual y por razón de sexo.
- Los *Capítulos IV y V* regulan, de forma específica, el respeto del principio de igualdad en las Fuerzas Armadas y en las Fuerzas y Cuerpos de Seguridad del Estado.

El Título VI de la ley está dedicado a la igualdad de trato en el acceso a bienes y servicios, con especial referencia a los seguros.

El Título VII contempla la realización voluntaria de acciones de responsabilidad social por las empresas en materia de igualdad, que pueden ser también objeto de concierto con la representación de los trabajadores y trabajadoras, las organizaciones de consumidores, las asociaciones de defensa de la igualdad o los organismos de igualdad. Específicamente, se regula el uso de estas acciones con fines publicitarios.

En este Título, y en el marco de la responsabilidad social corporativa, se ha incluido el fomento de la presencia equilibrada de mujeres y hombres en los consejos de administración de las sociedades mercantiles, concediendo para ello un plazo razonable.

El Título VIII de la ley establece una serie de disposiciones organizativas, con la creación de una Comisión Interministerial de Igualdad entre mujeres y hombres y de las Unidades de Igualdad en cada Ministerio. Junto a lo anterior, la ley constituye un Consejo de participación de la mujer, como órgano colegiado que ha de servir de cauce para la participación institucional en estas materias.

Las disposiciones adicionales recogen las diversas modificaciones de preceptos de leyes vigentes necesarias para su acomodación a las exigencias y previsiones derivadas de la LO 3/2007. Junto a estas modificaciones del ordenamiento, se incluyen también regulaciones específicas para definir el principio de composición o presencia equilibrada, crear un fondo en materia de sociedad de la información, nuevos supuestos de nulidad de determinadas extinciones de la relación laboral, designar al Instituto de la Mujer a efectos de las Directivas objeto de incorporación.

Las disposiciones transitorias establecen el régimen aplicable temporalmente a determinados aspectos de la ley, como los relativos a nombramientos y procedimientos, medidas preventivas del acoso en la Administración General del Estado, el distintivo empresarial en materia de igualdad, las tablas de mortalidad y supervivencia, los nuevos derechos de maternidad y paternidad, la composición equilibrada de las listas electorales, así como a la negociación de nuevos convenios colectivos.

Las disposiciones finales se refieren a la naturaleza de la ley, a su fundamento constitucional y a su relación con el ordenamiento comunitario, habilitan para el desarrollo reglamentario, establecen las fechas de su entrada en vigor y un mandato de evaluación de los resultados de la negociación colectiva en materia de igualdad. La disposición transitoria 12ª señala los plazos de las empresas de 50 a 250 trabajadores para aprobar sus planes de igualdad.

1.6. Entrada en vigor

La LO 3/2007 entró en vigor el 24 de marzo de 2007 (un día después de su publicación en el BOE n.º 71, de 23 de marzo de 2007); con excepción de lo previsto en el artículo 71.2, referente a costes relacionados con el embarazo y el parto en contratos de seguros o servicios financieros, que entró en vigor el 31 de diciembre de 2008.

2. El principio de igualdad y la tutela contra la discriminación

2.1. Introducción

Antes de estudiar los principios generales de la LO 3/2007, es necesario definir conceptos fundamentales en esta ley, como son:

- Principio de igualdad de trato y de oportunidades.
- Discriminación.
- Acoso sexual.
- Acoso por razón de sexo.

También repasaremos aquí el ejercicio de la tutela del derecho de igualdad que dispone la LO 3/2007.

2.1.1. El principio de igualdad de trato entre mujeres y hombres (arts. 3, 4 y 5)

El principio de igualdad de trato entre mujeres y hombres supone la ausencia de toda discriminación, directa o indirecta, por razón de sexo, y especialmente, las derivadas de:

- La maternidad.
- La asunción de obligaciones familiares.
- El estado civil.

El principio de igualdad de trato y de oportunidades entre mujeres y hombre es un ***principio informador del ordenamiento jurídico*** y, como tal, se integrará y observará en la interpretación y aplicación de las normas jurídicas.

El principio de igualdad de trato y de oportunidades entre mujeres y hombres, aplicable en el ámbito del empleo privado y en el del empleo público, **se garantizará**, en los términos previsto en la normativa aplicable:

- En el acceso al empleo; incluso al trabajo por cuenta propia.
- En la formación profesional.
- En la promoción profesional.
- En las condiciones de trabajo; incluidas las retributivas y las de despido.
- En la afiliación y participación en las organizaciones sindicales y empresariales, o en cualquier organización cuyos miembros ejerzan una profesión concreta; incluidas las prestaciones concedidas por las mismas.

2.1.2. Discriminación (arts. 6, 8 y 9)

Se considera **discriminación directa** por razón de sexo la situación en que se encuentra una persona que sea, haya sido o pudiera ser tratada, en atención a su sexo, de manera menos favorable que otra en situación comparable.

Constituye discriminación directa por razón de sexo todo trato desfavorable a las mujeres relacionado con el embarazo o la maternidad.

Se considera **discriminación indirecta** por razón de sexo la situación en que una disposición, criterio o práctica aparentemente neutros pone a personas de un sexo en desventaja particular con respecto a personas del otro, salvo que dicha disposición, criterio o práctica puedan justificarse objetivamente en atención a una finalidad legítima y que los medios para alcanzar dicha finalidad sean necesarios y adecuados.

En cualquier caso, toda orden de discriminar, directa o indirectamente, por razón de sexo, se considerará discriminatoria.

Se considerará discriminación por razón de sexo cualquier trato adverso o efecto negativo que se produzca en una persona como consecuencia de la presentación por su parte de queja, reclamación, denuncia, demanda o recurso, de cualquier tipo, destinados a impedir su discriminación y a exigir el cumplimiento efectivo del principio de igualdad de trato entre mujeres y hombres.

2.1.3. Acoso sexual y acoso por razón de sexo (art. 7)

A efectos de la LO 3/2007, se considera ***acoso sexual*** cualquier comportamiento, verbal o físico, de naturaleza sexual que tenga el propósito o produzca el efecto de atentar contra la dignidad de una persona, en particular cuando se crea un entorno intimidatorio, degradante u ofensivo.

Constituye ***acoso por razón de sexo*** cualquier comportamiento realizado en función del sexo de una persona, con el propósito o el efecto de atentar contra su dignidad y de crear un entorno intimidatorio, degradante u ofensivo.

En todo caso, el acoso sexual y el acoso por razón de sexo, se consideran discriminatorios.

El condicionamiento de un derecho o de una expectativa de derecho a la aceptación de una situación constitutiva de acoso sexual o de acoso por razón de sexo se considerará también acto de discriminación por razón de sexo.

2.1.4. Consecuencias jurídicas de las conductas discriminatorias (art. 10)

A este respecto, el artículo 10 de la LO 3/2007 indica que *"los actos y las cláusulas de los negocios jurídicos que constituyan o causen discriminación por razón de sexo se considerarán nulos y sin efecto, y darán lugar a responsabilidad a través de un sistema de **reparaciones o indemnizaciones** que sean reales, efectivas y proporcionadas al perjuicio sufrido, así como, en su caso, a través de un sistema eficaz y disuasorio de **sanciones** que prevenga la realización de conductas discriminatorias."*

2.1.5. Tutela judicial efectiva y prueba (arts. 12 y 13)

El artículo 53.2 de la Constitución, establece que cualquier ciudadano podrá recabar la ***tutela*** de las libertades y derechos reconocidos en el artículo 14 y la Sección 1.ª del Capítulo Segundo ante los Tribunales ordinarios por un procedimiento basado en los principios de preferencia y sumariedad y, en su caso, a través del recurso de amparo ante el Tribunal Constitucional.

De acuerdo con lo anterior, cualquier persona podrá recabar de los tribunales la tutela del derecho a la igualdad entre mujeres y hombres, incluso tras la terminación de la relación en la que supuestamente se ha producido la discriminación.

La capacidad y la legitimación para intervenir en los procesos, civiles, sociales y contencioso-administrativos que versen sobre la defensa de este derecho corresponden a las ***personas físicas y jurídicas con interés legítimo***, determinadas en las leyes reguladoras de estos procesos.

La ***persona acosada*** será la única legitimada en los litigios sobre acoso sexual y acoso por razón de sexo.

De acuerdo con las leyes procesales, en aquellos procedimientos en los que las alegaciones de la parte actora se fundamenten en actuaciones discriminatorias, por razón de sexo, corresponderá a la ***persona demandada*** probar la ausencia de discriminación en las medidas adoptadas y su proporcionalidad (esto no será aplicable a los procesos penales).

A los efectos de lo dispuesto en el párrafo anterior, el órgano judicial, a instancia de parte, podrá recabar, si lo estimase útil y pertinente, ***informe o dictamen*** de los organismos públicos competentes.

2.1.6. Acciones positivas

Los Poderes Públicos podrán adoptar medidas específicas a favor de las mujeres para corregir situaciones patentes de desigualdad de hecho respecto de los hombres.

Tales medidas, que serán aplicables en tanto subsistan dichas situaciones, habrán de ser razonables y proporcionadas en relación con el objetivo perseguido en cada caso.

Según el objetivo, las medidas de acción positiva pueden ser:

- Equiparadoras. Para remover obstáculos y compensar las situaciones discriminatorias que han sufrido las mujeres por razón de sexo.
- Promocionales. Orientadas a contrarrestar las imágenes negativas de las mujeres, –sexistas y estereotipadas–, así como la falta de reconocimiento histórico de sus necesidades y de sus aportaciones políticas, sociales, económicas y culturales.
- Transformadoras. Su objetivo es incidir en las estructuras sociales de desigualdad transformando la influencia del sistema educativo, cambiando roles y estereotipos de género, modificando prácticas sociales discriminatorias.

2.2. Principios generales

Los principios generales de la LO 3/2007, vienen recogidos en el capítulo I del Título II de la misma. Pasamos a referirlos a continuación.

2.2.1. Criterios generales (art. 14)

El artículo 14 de la LO 3/2007 indica cuáles serán los criterios generales de actuación de los Poderes Públicos para el cumplimiento de los fines de esta ley. Tales criterios son:

1. El ***compromiso*** con la efectividad del derecho constitucional de igualdad entre mujeres y hombres.
2. La ***integración*** del principio de igualdad de trato y de oportunidades en el conjunto de las políticas económica, laboral, social, cultural y artística, con el fin de evitar la segregación laboral y eliminar las diferencias retributivas, así como potenciar el crecimiento del empresariado femenino en todos los ámbitos que abarque el conjunto de políticas y el valor del trabajo de las mujeres, incluido el doméstico.
3. La ***colaboración y cooperación*** entre las distintas Administraciones públicas en la aplicación del principio de igualdad de trato y de oportunidades.
4. La ***participación equilibrada*** de mujeres y hombres en las candidaturas electorales y en la toma de decisiones.

5. La adopción de las medidas necesarias para la ***erradicación*** de la violencia de género, la violencia familiar y todas las formas de acoso sexual y acoso por razón de sexo.
6. La consideración de las singulares dificultades en que se encuentran las mujeres de colectivos de ***especial vulnerabilidad*** como son las que pertenecen a minorías, las mujeres migrantes, las niñas, las mujeres con discapacidad, las mujeres mayores, las mujeres viudas y las mujeres víctimas de violencia de género, para las cuales los poderes públicos podrán adoptar, igualmente, medidas de acción positiva.
7. La ***protección de la maternidad***, con especial atención a la asunción por la sociedad de los efectos derivados del embarazo, parto y lactancia.
8. El establecimiento de medidas que aseguren la ***conciliación del trabajo y de la vida personal y familiar*** de las mujeres y los hombres, así como el fomento de la ***corresponsabilidad*** en las labores domésticas y en la atención a la familia.
9. El fomento de instrumentos de colaboración entre las distintas Administraciones públicas y los ***agentes sociales, las asociaciones de mujeres y otras entidades privadas***.
10. El fomento de la efectividad del principio de igualdad entre mujeres y hombres en las ***relaciones entre particulares***.
11. La implantación de un ***lenguaje no sexista*** en el ámbito administrativo y su fomento en la totalidad de las relaciones sociales, culturales y artísticas.
12. Todos los puntos considerados en este artículo se promoverán e integrarán de igual manera en la ***política española de cooperación internacional para el desarrollo***.

2.2.2. Transversalidad del principio de igualdad de trato entre mujeres y hombres (art. 15)

El principio de igualdad de trato y oportunidades entre mujeres y hombres informará, con ***carácter transversal***, la actuación de todos los Poderes Públicos.

Las Administraciones públicas lo integrarán, de forma activa, en:

- La adopción y ejecución de sus disposiciones normativas.
- La definición y presupuestación de políticas públicas en todos los ámbitos.
- El desarrollo conjunto de todas sus actividades.

2.2.3. Nombramientos realizados por los Poderes Públicos (art. 16)

Los Poderes Públicos procurarán atender al principio de presencia equilibrada de mujeres y hombres en los nombramientos y designaciones de los cargos de responsabilidad que les correspondan.

2.2.4. Planes e Informes (arts. 17, 18 y 19)

La LO 3/2007, en su artículo 17, encarga al Gobierno la aprobación periódica de un ***Plan Estratégico de Igualdad de Oportunidades*** en aquellas materias que sean competencia del Estado, que incluya medidas para alcanzar el objetivo de igualdad entre mujeres y hombres y eliminar la discriminación por razón de sexo.

Por su parte, el artículo 18, exige al Gobierno la elaboración de un informe periódico -del que dará cuenta a las Cortes Generales- sobre el conjunto de sus actuaciones en relación con la efectividad del principio de igualdad entre mujeres y hombres. Los términos en que se elaboran estos informes están regulados reglamentariamente por el R.D. 1729/2007, de 21 de diciembre.

El artículo 19, establece que todos aquellos proyectos de disposiciones de carácter general y los planes de especial relevancia económica, social, cultural y artística que se sometan a la aprobación del Consejo de Ministros, deberán incorporar un ***informe sobre su impacto por razón de género***.

2.2.5. Estadísticas y estudios (art. 20)

El artículo 20 de la LO 3/2007, establece una serie de medidas obligatorias a las que se someterán los estudios y estadísticas que elaboren los poderes públicos. Estas medidas tienen como objeto hacer efectivas las disposiciones de la propia ley y que se garantice la integración de modo efectivo de la perspectiva de género en su actividad ordinaria.

Estas medidas son:

a) Incluir sistemáticamente la variable de sexo en las estadísticas, encuestas y recogida de datos que lleven a cabo.

b) Establecer e incluir en las operaciones estadísticas nuevos indicadores que posibiliten un mejor conocimiento de las diferencias en los valores, roles, situaciones, condiciones, aspiraciones y necesidades de mujeres y hombres, su manifestación e interacción en la realidad que se vaya a analizar.

c) Diseñar e introducir los indicadores y mecanismos necesarios que permitan el conocimiento de la incidencia de otras variables cuya concurrencia resulta generadora de situaciones de discriminación múltiple en los diferentes ámbitos de intervención.

d) Realizar muestras lo suficientemente amplias como para que las diversas variables incluidas puedan ser explotadas y analizadas en función de la variable de sexo.

e) Explotar los datos de que disponen de modo que se puedan conocer las diferentes situaciones, condiciones, aspiraciones y necesidades de mujeres y hombres en los diferentes ámbitos de intervención.

f) Revisar y, en su caso, adecuar las definiciones estadísticas existentes con objeto de contribuir al reconocimiento y valoración del trabajo de las mujeres y evitar la estereotipación negativa de determinados colectivos de mujeres.

Las medidas citadas son de obligado cumplimiento, solo se podrá justificar el incumplimiento de alguna de ellas de manera excepcional y mediante informe motivado y aprobado por el órgano competente.

2.2.6. Colaboración entre las Administraciones públicas (arts. 21 y 22)

La Administración General del Estado y las Administraciones de las Comunidades Autónomas cooperarán para integrar el derecho de igualdad entre mujeres y hombres en el ejercicio de sus respectivas competencias y, en especial, en sus actuaciones de planificación. En el seno de la Conferencia Sectorial de la Mujer podrán adoptarse planes y programas conjuntos de actuación con esta finalidad.

Las Entidades Locales integrarán el derecho de igualdad en el ejercicio de sus competencias y colaborarán, a tal efecto, con el resto de las Administraciones públicas.

Con el fin de avanzar hacia un reparto equitativo de los tiempos entre mujeres y hombres, las corporaciones locales podrán establecer ***Planes Municipales de organización del tiempo de la ciudad***. Sin perjuicio de las competencias de las Comunidades Autónomas, el Estado podrá prestar asistencia técnica para la elaboración de estos planes.

3. La igualdad en el ámbito de la educación superior

En el capítulo II del título II se establecen los criterios de orientación de las políticas públicas en materia de educación, cultura y sanidad. También se contempla la promoción de la incorporación de las mujeres a la sociedad de la información, la inclusión de medidas de efectividad de la igualdad en las políticas de acceso a la vivienda, y en las de desarrollo del medio rural.

Con respecto al **sistema educativo**:

- Uno de sus ***fines*** ha de ser la educación en el respeto de los derechos y libertades fundamentales y en la igualdad de derechos y oportunidades entre mujeres y hombres.
- Uno de sus ***principios de calidad*** será la eliminación de los obstáculos que dificultan la igualdad efectiva entre mujeres y hombres y el fomento de la igualdad plena entre unas y otros.

Las **Administraciones educativas** garantizarán un igual derecho a la educación de mujeres y hombres:

- Integrando activamente el principio de igualdad de trato en los objetivos y en las actuaciones educativas.
- Evitando que, por comportamientos sexistas o por los estereotipos sociales asociados, se produzcan desigualdades entre mujeres y hombres.

- Desarrollando, en el ámbito de sus respectivas competencias, las siguientes actuaciones:
  * La atención especial en los currículos y en todas las etapas educativas al principio de igualdad entre mujeres y hombres.
  * La eliminación y el rechazo de los comportamientos y contenidos sexistas y estereotipos que supongan discriminación entre mujeres y hombres, con especial consideración a ello en los libros de texto y materiales educativos.
  * La integración del estudio y aplicación del principio de igualdad en los cursos y programas para la formación inicial y permanente del profesorado.
  * La promoción de la presencia equilibrada de mujeres y hombres en los órganos de control y de gobierno de los centros docentes.
  * La cooperación con el resto de las Administraciones educativas para el desarrollo de proyectos y programas dirigidos a fomentar el conocimiento y la difusión, entre las personas de la comunidad educativa, de los principios de coeducación y de igualdad efectiva entre mujeres y hombres.
  * El establecimiento de medidas educativas destinadas al reconocimiento y enseñanza del papel de las mujeres en la Historia.

En el ámbito de la **educación superior**; las Administraciones Públicas, en el ejercicio de sus respectivas competencias, fomentarán la enseñanza y la investigación sobre el significado y alcance de la igualdad entre mujeres y hombres, promoviendo:

a) La inclusión, en los planes de estudio en que proceda, de enseñanzas en materia de igualdad entre mujeres y hombres.

b) La creación de postgrados específicos.

c) La realización de estudios e investigaciones especializadas en la materia.

4. El principio de igualdad en el empleo público: criterios de actuación de las Administracione Públicas

La igualdad en el empleo público es tratada en el título V de la LO 3/2007. Para tratar esta materia dicho título se estructura en los siguientes cinco capítulos:

- **Capítulo I**: criterios de actuación de las Administraciones públicas.
- **Capítulo II**: el principio de presencia equilibrada en la Administración General del Estado y en los organismos públicos vinculados o dependientes de ella.
- **Capítulo III**: medidas de igualdad en el empleo para la Administración General del Estado y para los organismos públicos vinculados o dependientes de ella.
- **Capítulo IV**: Fuerzas Armadas.
- **Capítulo V**: Fuerzas y Cuerpos de Seguridad.

A continuación repasamos los aspectos más importantes de estos capítulos.

4.1. Criterios de actuación de las Administraciones Públicas

El artículo 51 recoge los siguientes criterios de actuación que deberán cumplir las Administraciones públicas, en el ámbito de sus respectivas competencias y en aplicación del principio de igualdad entre mujeres y hombres:

a) Remover los obstáculos que impliquen la pervivencia de cualquier tipo de discriminación con el fin de ofrecer condiciones de igualdad efectiva entre mujeres y hombres en el acceso al empleo público y en el desarrollo de la carrera profesional.

b) Facilitar la conciliación de la vida personal, familiar y laboral, sin menoscabo de la promoción profesional.

c) Fomentar la formación en igualdad, tanto en el acceso al empleo público como a lo largo de la carrera profesional.

d) Promover la presencia equilibrada de mujeres y hombres en los órganos de selección y valoración.

e) Establecer medidas efectivas de protección frente al acoso sexual y al acoso por razón de sexo.

f) Establecer medidas efectivas para eliminar cualquier discriminación retributiva, directa o indirecta, por razón de sexo.

g) Evaluar periódicamente la efectividad del principio de igualdad en sus respectivos ámbitos de actuación.

4.2. Principio de presencia equilibrada

La Disposición Adicional Primera de la LO 3/2007, determina que se entenderá por composición equilibrada la prSesencia de mujeres y hombres de forma que, en el conjunto al que se refiera, las personas de cada sexo no superen el 60 % ni sean menos del 40 %.

El capítulo II del título V de la LO 3/2007, establece la obligatoriedad de equilibrar la presencia de mujeres y hombres en la Administración General del Estado (AGE) y en los organismos públicos vinculados o dependientes de ella, prestando expresa atención a los nombramientos en los siguientes ámbitos:

- Titulares de **órganos directivos**; cuya designación le corresponda.
- **Tribunales y órganos de selección** del personal; salvo por razones fundadas y objetivas, debidamente motivadas.

- **Comisiones de valoración de méritos** para la provisión de puestos de trabajo.
- Representantes en **órganos colegiados, comités de personas expertas o comités consultivos**, nacionales o internacionales; salvo por razones fundadas y objetivas, debidamente motivadas.
- Representantes en los **consejos de administración** de las empresas en cuyo capital participe.

4.3. Medidas de igualdad en el empleo

El capítulo III del título V de la LO 3/2007, establece una serie de medidas que han de aplicarse obligatoriamente en la Administración General del Estado y en los organismos públicos vinculados o dependientes de ella, para favorecer la igualdad en el empleo público. Tales medidas son:

a) Cuando se apruebe la celebración de convocatorias de pruebas selectivas para el acceso al empleo público, se incluirá un ***informe de impacto de género***. Salvo en casos de urgencia y siempre sin perjuicio de la prohibición de discriminación por razón de sexo.

b) Con el fin de proteger la maternidad y facilitar la conciliación de la vida personal, familiar y laboral, el personal al servicio de la Administración Pública disfrutará de un régimen de ***excedencias, reducciones de jornada, permisos*** u otros beneficios. Con la misma finalidad se reconocerá un permiso de paternidad en la normativa del personal.

c) En las bases de los concursos para la provisión de puestos de trabajo se computará, a los efectos de ***valoración del trabajo desarrollado y de los correspondientes méritos***, el tiempo que las personas candidatas hayan permanecido en las situaciones a que se refiere el epígrafe anterior.

d) Concesión de ***licencia por riesgo durante el embarazo***, cuando las condiciones del puesto de trabajo de una funcionaria incluida en el ámbito de aplicación del mutualismo administrativo, cuando las condiciones de su puesto de trabajo pudieran influir negativamente en la salud de la mujer, del hijo e hija. En estos casos, se garantizará la plenitud de los derechos económicos de la funcionaria durante toda la duración de la licencia. Esto también será aplicable durante el período de lactancia natural.

e) Cuando el período de vacaciones coincida con una incapacidad temporal derivada del embarazo, parto o lactancia natural, o con el permiso de maternidad, o con su ampliación por lactancia, la empleada pública tendrá derecho a disfrutar las ***vacaciones en fecha distinta***, aunque haya terminado el año natural al que correspondan.

   Gozarán de este mismo derecho quienes estén disfrutando de permiso de paternidad.

f) Preferencia, durante un año, en la adjudicación de plazas para ***participar en los cursos de formación*** a quienes se hayan incorporado al servicio activo procedentes del permiso de maternidad o paternidad, o hayan reingresado desde la situación de excedencia por razones de guarda legal y atención a personas mayores dependientes o personas con discapacidad. Todo ello con el objeto de actualizar los conocimientos de los empleados y empleadas públicas.

En las convocatorias de los correspondientes cursos de formación se reservará al menos un 40 % de las plazas para su adjudicación a aquellas empleadas públicas que reúnan los requisitos establecidos, con el fin de facilitar la promoción profesional y su acceso a puestos directivos en la Administración General del Estado y en los organismos públicos vinculados o dependientes de ella.

g) En los ***programas oficiales (temarios) de las pruebas de acceso*** al empleo público de la AGE y de los organismos públicos vinculados o dependientes de ella, se contemplará el estudio y la aplicación del principio de igualdad entre mujeres y hombres en los diversos ámbitos de la función pública.

h) La Administración General del Estado y los organismos públicos vinculados o dependientes de ella impartirán ***cursos de formación*** sobre la igualdad de trato y oportunidades entre mujeres y hombres y sobre prevención de la violencia de género, que se dirigirán a todo su personal.

i) Las Administraciones públicas contarán con un ***protocolo de actuación frente al acoso sexual y al acoso por razón de sexo***, con objeto de prevenir estas formas de discriminación. Este protocolo se negociará con los representantes legales de los trabajadores y trabajadoras y comprenderá, al menos, los siguientes principios:

- El compromiso de la Administración General del Estado y de los organismos públicos vinculados o dependientes de ella de prevenir y no tolerar el acoso sexual y el acoso por razón de sexo.
- La instrucción a todo el personal de su deber de respetar la dignidad de las personas y su derecho a la intimidad, así como la igualdad de trato entre mujeres y hombres.
- El tratamiento reservado de las denuncias de hechos que pudieran ser constitutivos de acoso sexual o de acoso por razón de sexo, sin perjuicio de lo establecido en la normativa de régimen disciplinario.
- La identificación de las personas responsables de atender a quienes formulen una queja o denuncia.

j) Al menos anualmente, todos los Departamentos Ministeriales y Organismos Públicos remitirán a los Ministerios de Trabajo y Asuntos Sociales (actualmente al Ministerio de Igualdad) y de Administraciones Públicas (actualmente Hacienda y Función Pública), ***información relativa a la aplicación efectiva*** en cada uno de ellos ***del principio de igualdad entre mujeres y hombres***, especificando mediante la desagregación por sexo, la distribución de:

- Su plantilla.
- Grupo de titulación.
- Nivel de complemento de destino.
- Retribuciones promediadas.

k) ***Plan para la Igualdad entre mujeres y hombres en la AGE y en los organismos públicos vinculados o dependientes de ella.*** Esta medida de igualdad en el empleo público tiene las siguientes características:

- Se aprobará por el Gobierno al inicio de cada legislatura.
- Ha de establecer:
    * Objetivos a alcanzar en materia de promoción de la igualdad de trato y oportunidades en el empleo público.
    * Estrategias o medidas a adoptar para su consecución.
- Será objeto de negociación, y en su caso acuerdo, con la representación legal de los empleados públicos.
- Evaluación anual por el Consejo de Ministros de su cumplimiento.

La disposición adicional 7ª del Estatuto Básico del Empleado Público (Real Decreto Legislativo 5/2015, de 30 de octubre) obliga a las Administraciones Públicas a respetar la igualdad de trato y de oportunidades en el ámbito laboral, debiendo adoptar, con esta finalidad, medidas dirigidas a evitar cualquier tipo de discriminación laboral entre mujeres y hombres.

Sin perjuicio de lo anterior, las Administraciones Públicas aprobarán, al inicio de cada legislatura, un Plan para la Igualdad entre mujeres y hombres para sus respectivos ámbitos, a desarrollar en el convenio colectivo o acuerdo de condiciones de trabajo del personal funcionario que sea aplicable, en los términos previstos en el mismo.

El Plan establecerá los objetivos a alcanzar en materia de promoción de la igualdad de trato y oportunidades en el empleo público, así como las estrategias o medidas a adoptar para su consecución. El Plan será objeto de negociación, y en su caso acuerdo, con la representación legal de los empleados públicos en la forma que se determine en la legislación sobre negociación colectiva en la Administración Pública y su cumplimiento será evaluado con carácter anual.

Las Administraciones públicas deberán remitir sus planes de igualdad, así como sus protocolos que permitan proteger a las víctimas de acoso sexual y por razón de sexo, al Registro de Planes de Igualdad adscrito al departamento con competencias en materia de función pública, para un mejor conocimiento, seguimiento y trasparencia de las medidas a adoptar por todas las Administraciones Públicas en esta materia.

4.4. Fuerzas Armadas y Fuerzas y Cuerpos de Seguridad

Los capítulos IV y V del título V de la LO 3/2007, recogen expresamente el respeto que han de tener las normas sobre personal de las Fuerzas Armadas y las normas reguladoras de las Fuerzas y Cuerpos de Seguridad del Estado, al principio de igualdad; impidiendo cualquier situación de discriminación sobre todo en lo referente al sistema de acceso, formación, ascensos, destinos y situaciones administrativas.

Las normas referidas al personal al servicio de las administraciones públicas en materia de igualdad, protección integral contra la violencia de género y la violencia sexual, y la conciliación de la vida personal, familiar y profesional serán de aplicación en las **Fuerzas Armadas**, con las adaptaciones que resulten necesarias y en los términos establecidos en su normativa específica.

Las normas referidas al personal al servicio de las administraciones públicas en materia de igualdad, prevención de la violencia de género y la violencia sexual, y la conciliación de la vida personal, familiar y profesional serán de aplicación en las **Fuerzas y Cuerpos de Seguridad**, adaptándose, en su caso, a las peculiaridades de las funciones que tienen encomendadas, en los términos establecidos por su normativa específica.

TEMA 9

La protección de datos de carácter personal. Regulación y definiciones. Principios de la protección de datos. Derechos de las personas

Índice

1. La protección de datos de carácter personal

En cualquier actividad de la vida moderna es normal que se nos solicite información referente a datos personales. Dato personal es una información que nos identifica o nos puede hacer identificables, como el nombre, el NIF, una fotografía o una grabación de nuestra voz. Cuando hacemos una matrícula para realizar unos estudios, reservamos una habitación de hotel, abrimos una cuenta en un banco, navegamos por internet, estamos facilitando datos que quedan a merced de la entidad o las personas que nos los solicitan.

En las redes sociales, exponemos información sobre nosotros mismos, colgamos fotos, vídeos y comentarios, nos agregamos a páginas que tratan sobre las cosas que nos interesan y también etiquetamos a nuestros amigos y compartimos datos y opiniones sobre ellos.

Cada vez más, se hace necesario que aprendamos a vivir respetando la intimidad de los demás y a defender y proteger nuestros derechos y los de los más cercanos a nosotros.

El derecho a la protección de datos supone que los ciudadanos tenemos la capacidad para disponer y decidir sobre todas las informaciones que se refieran a nosotros. En este tema vamos a tratar cuestiones muy importantes sobre el uso y la protección de los datos propios y de datos de terceros que puedan pasar por nuestras manos o el ordenador de nuestro puesto de trabajo.

2. Regulación

La protección de datos de carácter personal es un derecho fundamental reconocido en el artículo 18 de la Constitución Española. Dicho artículo establece lo siguiente:

> *"1. **Se garantiza el derecho al honor, a la intimidad personal y familiar y a la propia imagen.***
>
> 2. El domicilio es inviolable. Ninguna entrada o registro podrá hacerse en el sin consentimiento del titular o resolución judicial, salvo en caso de flagrante delito.
>
> *3. Se garantiza el* **secreto de las comunicaciones** *y, en especial, de las postales, telegráficas y telefónicas, salvo resolución judicial.*
>
> *4. **La Ley limitará el uso de la informática para garantizar el honor y la intimidad personal y familiar de los ciudadanos y el pleno ejercicio de sus derechos."***

El Tribunal Constitucional señaló en su Sentencia 94/1998, de 4 de mayo, que nos encontramos ante un derecho fundamental a la protección de datos por el que se garantiza a la persona el control sobre sus datos, cualesquiera datos personales, y sobre su uso y destino, para evitar el tráfico ilícito de los mismos o lesivo para la dignidad y los derechos de los afectados; de esta forma, el derecho a la protección de datos se configura como una facultad del ciudadano para oponerse a que determinados datos personales sean usados para fines distintos a aquel que justificó su obtención.

Por su parte, en la Sentencia 292/2000, de 30 de noviembre, lo considera como un derecho autónomo e independiente que consiste en un poder de disposición y de control sobre los datos personales que faculta a la persona para decidir cuáles de esos datos proporcionar a un tercero, sea el Estado o un particular, o cuáles puede este tercero recabar, y que también permite al individuo saber quién posee esos datos personales y para qué, pudiendo oponerse a esa posesión o uso.

A nivel legislativo, la concreción y desarrollo del derecho fundamental de protección de las personas físicas en relación con el tratamiento de datos personales tuvo lugar en sus orígenes mediante la aprobación de la Ley Orgánica 5/1992, de 29 de octubre, reguladora del tratamiento automatizado de datos personales, conocida como LORTAD.

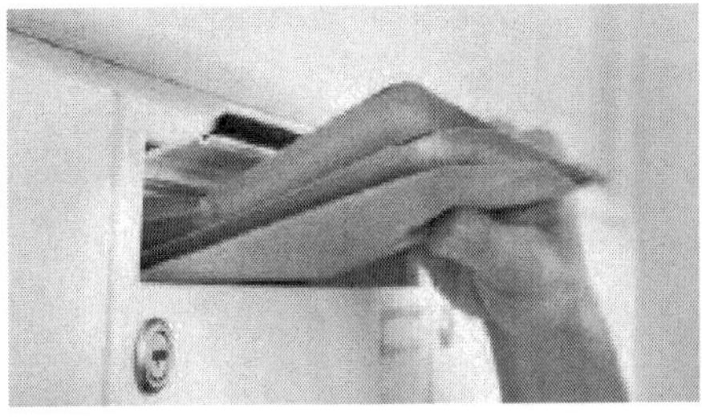

La Ley Orgánica 5/1992 fue reemplazada por la **Ley Orgánica 15/1999, de 5 de diciembre, de protección de datos personales**, la cual adoptó al ordenamiento español lo dispuesto por la Directiva 95/46/CE del Parlamento Europeo y del Consejo de 24 de octubre de 1995, relativa a la protección de las personas físicas en lo que respecta al tratamiento de datos personales y a la libre circulación de estos datos.

Por otra parte, también se recoge en el artículo 8 de la Carta de los Derechos Fundamentales de la Unión Europea y en el artículo 16.1 del Tratado de Funcionamiento de la Unión Europea.

Anteriormente, a nivel europeo, se había adoptado la Directiva 95/46/CE citada, cuyo objeto era procurar que la garantía del derecho a la protección de datos personales no supusiese un obstáculo a la libre circulación de los datos en el seno de la Unión, estableciendo así un espacio común de garantía del derecho que, al propio tiempo, asegurase que en caso de transferencia internacional de los datos, su tratamiento en el país de destino estuviese protegido por salvaguardas adecuadas a las previstas en la propia directiva.

El 25 de mayo de 2016 entró en vigor el ***Reglamento (UE) 2016/679 del Parlamento Europeo y del Consejo, de 27 de abril de 2016 relativo a la protección de las personas físicas en lo que respecta al tratamiento de sus datos personales y a la libre circulación de estos datos y por el que se deroga la Directiva 95/46/CE,*** aunque no comenzó a aplicarse hasta dos años después, el 25 de mayo de 2018.

Este Reglamento se conoce también como Reglamento General de Protección de Datos (en adelante nos referiremos a él como RGPD).

Asimismo, se ha adoptado por la legislación española la Directiva (UE) 2016/680 del Parlamento Europeo y del Consejo, de 27 de abril de 2016, relativa a la protección de las personas físicas en lo que respecta al tratamiento de datos personales por parte de las autoridades competentes para fines de prevención, investigación, detección o enjuiciamiento de infracciones penales o de ejecución de sanciones penales, y a la libre circulación de dichos datos y por la que se deroga la Decisión Marco 2008/977/JAI del Consejo.

El principio de *seguridad jurídica*, en su vertiente positiva, obliga a los Estados miembros a integrar el ordenamiento europeo en el interno de una manera lo suficientemente clara y pública como para permitir su pleno conocimiento tanto por los operadores jurídicos como por los propios ciudadanos, en tanto que, en su vertiente negativa, implica la obligación para tales Estados de eliminar situaciones de incertidumbre derivadas de la existencia de normas en el Derecho nacional incompatibles con el europeo.

La adaptación al RGPD requiere, en suma, la elaboración de una nueva ley orgánica que sustituya a la LO 15/1999. En esta labor se han preservado los principios de buena regulación, al tratarse de una norma necesaria para la adaptación del ordenamiento español a la citada disposición europea y proporcional a este objetivo, siendo su razón última procurar seguridad jurídica.

Con objeto de incorporar de forma inmediata al Derecho interno aquellas cuestiones que resultaran imprescindibles para la adecuada aplicación en España del RGPD y que no estuvieran excluidas del ámbito del legislador de urgencia por el artículo 86 de la Constitución Española, se aprobó el ***Real Decreto-ley 5/2018, de 27 de julio, de medidas urgentes para la adaptación del Derecho español a la normativa de la Unión Europea en materia de protección de datos***.

Finalmente, las Cortes Generales han aprobado la esperada nueva ley orgánica, la ***Ley Orgánica 3/2018, de 5 de diciembre, de Protección de Datos Personales y garantía de los derechos digitales,*** la cual deroga la LO 15/1999 así como el RDL 5/2018.

El derecho fundamental de las personas físicas a la protección de datos personales, amparado por el artículo 18.4 de la Constitución, se ejercerá con arreglo a lo establecido en el Reglamento (UE) 2016/679 y en esta ley orgánica.

2.1. Disposiciones generales del RGPD

2.1.1. Objeto

El Reglamento General de Protección de Datos (RGPD) establece:

- Las normas relativas a la protección de las personas físicas en lo que respecta al tratamiento de los datos personales.
- Las normas relativas a la libre circulación de tales datos. La libre circulación de los datos personales en la Unión no podrá ser restringida ni prohibida por motivos relacionados con la protección de las personas físicas en lo que respecta al tratamiento de datos personales.

El RGPD protege los derechos y libertades fundamentales de las personas físicas y, en particular, su derecho a la protección de los datos personales.

2.1.2. Ámbito de aplicación

El RGPD se aplica al tratamiento total o parcialmente automatizado de datos personales, así como al tratamiento no automatizado de datos personales contenidos o destinados a ser incluidos en un fichero.

El Reglamento no se aplica al tratamiento de datos personales:

a) En el ejercicio de una actividad no comprendida en el ámbito de aplicación del Derecho de la Unión.

b) Por parte de los Estados miembros cuando lleven a cabo actividades comprendidas en el ámbito de aplicación del capítulo 2 del título V del Tratado de la Unión Europea – TUE- *(se refiere a disposiciones específicas sobre la política exterior y de seguridad común).*

c) Efectuado por una persona física en el ejercicio de actividades exclusivamente personales o domésticas.

d) Por parte de las autoridades competentes con fines de prevención, investigación, detección o enjuiciamiento de infracciones penales, o de ejecución de sanciones penales, incluida la de protección frente a amenazas a la seguridad pública y su prevención.

El Reglamento se aplica al tratamiento de datos personales en el contexto de las actividades de un establecimiento del responsable o del encargado en la Unión, independientemente de que el tratamiento tenga lugar en la Unión o no.

El Reglamento se aplica al tratamiento de datos personales de interesados que se encuentran en la Unión por parte de un responsable o encargado no establecido en la Unión, cuando las actividades de tratamiento estén relacionadas con:

a) La oferta de bienes o servicios a dichos interesados en la Unión, independientemente de si a estos se les requiere su pago.

b) El control de su comportamiento, en la medida en que este tenga lugar en la Unión.

El Reglamento se aplica al tratamiento de datos personales por parte de un responsable que no esté establecido en la Unión sino en un lugar en que el Derecho de los Estados miembros sea de aplicación en virtud del Derecho internacional público.

2.1.3. Definiciones

A los efectos del RGPD, su artículo 4 define los siguientes términos:

1. «**Datos personales**»: toda información sobre una persona física identificada o identificable («el interesado»); se considerará ***persona física identificable*** toda persona cuya identidad pueda determinarse, directa o indirectamente, en particular mediante un identificador, como por ejemplo un nombre, un número de identificación, datos de localización, un identificador en línea o uno o varios elementos propios de la identidad física, fisiológica, genética, psíquica, económica, cultural o social de dicha persona.

2. «**Tratamiento**»: cualquier operación o conjunto de operaciones realizadas sobre datos personales o conjuntos de datos personales, ya sea por procedimientos automatizados o no, como la recogida, registro, organización, estructuración, conservación, adaptación o modificación, extracción, consulta, utilización, comunicación por transmisión, difusión o cualquier otra forma de habilitación de acceso, cotejo o interconexión, limitación, supresión o destrucción.

3. «**Limitación del tratamiento**»: el marcado de los datos de carácter personal conservados con el fin de limitar su tratamiento en el futuro.
4. «**Elaboración de perfiles**»: toda forma de tratamiento automatizado de datos personales consistente en utilizar datos personales para evaluar determinados aspectos personales de una persona física, en particular para analizar o predecir aspectos relativos al rendimiento profesional, situación económica, salud, preferencias personales, intereses, fiabilidad, comportamiento, ubicación o movimientos de dicha persona física.
5. «**Seudonimización**»: el tratamiento de datos personales de manera tal que ya no puedan atribuirse a un interesado sin utilizar información adicional, siempre que dicha información adicional figure por separado y esté sujeta a medidas técnicas y organizativas destinadas a garantizar que los datos personales no se atribuyan a una persona física identificada o identificable.
6. «**Fichero**»: todo conjunto estructurado de datos personales, accesibles con arreglo a criterios determinados, ya sea centralizado, descentralizado o repartido de forma funcional o geográfica.
7. «**Responsable del tratamiento» o «responsable**»: la persona física o jurídica, autoridad pública, servicio u otro organismo que, solo o junto con otros, determine los fines y medios del tratamiento; si el Derecho de la Unión o de los Estados miembros determina los fines y medios del tratamiento, el responsable del tratamiento o los criterios específicos para su nombramiento podrá establecerlos el Derecho de la Unión o de los Estados miembros.
8. «**Encargado del tratamiento» o «encargado**»: la persona física o jurídica, autoridad pública, servicio u otro organismo que trate datos personales por cuenta del responsable del tratamiento.
9. «**Destinatario**»: la persona física o jurídica, autoridad pública, servicio u otro organismo al que se comuniquen datos personales, se trate o no de un tercero.

   No obstante, no se considerarán destinatarios las autoridades públicas que puedan recibir datos personales en el marco de una investigación concreta de conformidad con el Derecho de la Unión o de los Estados miembros; el tratamiento de tales datos por dichas autoridades públicas será conforme con las normas en materia de protección de datos aplicables a los fines del tratamiento.
10. «**Tercero**»: persona física o jurídica, autoridad pública, servicio u organismo distinto del interesado, del responsable del tratamiento, del encargado del tratamiento y de las personas autorizadas para tratar los datos personales bajo la autoridad directa del responsable o del encargado.
11. «**Consentimiento del interesado**»: toda manifestación de voluntad libre, específica, informada e inequívoca por la que el interesado acepta, ya sea mediante una declaración o una clara acción afirmativa, el tratamiento de datos personales que le conciernen.
12. «**Violación de la seguridad de los datos personales**»: toda violación de la seguridad que ocasione la destrucción, pérdida o alteración accidental o ilícita de datos personales transmitidos, conservados o tratados de otra forma, o la comunicación o acceso no autorizados a dichos datos.

13. «**Datos genéticos**»: datos personales relativos a las características genéticas heredadas o adquiridas de una persona física que proporcionen una información única sobre la fisiología o la salud de esa persona, obtenidos en particular del análisis de una muestra biológica de tal persona.
14. «**Datos biométricos**»: datos personales obtenidos a partir de un tratamiento técnico específico, relativos a las características físicas, fisiológicas o conductuales de una persona física que permitan o confirmen la identificación única de dicha persona, como imágenes faciales o datos dactiloscópicos.
15. «**Datos relativos a la salud**»: datos personales relativos a la salud física o mental de una persona física, incluida la prestación de servicios de atención sanitaria, que revelen información sobre su estado de salud.
16. «**Establecimiento principal**»:
    a) ***En lo que se refiere a un responsable del tratamiento con establecimientos en más de un Estado miembro***, el lugar de su administración central en la Unión, salvo que las decisiones sobre los fines y los medios del tratamiento se tomen en otro establecimiento del responsable en la Unión y este último establecimiento tenga el poder de hacer aplicar tales decisiones, en cuyo caso el establecimiento que haya adoptado tales decisiones se considerará establecimiento principal.
    b) ***En lo que se refiere a un encargado del tratamiento con establecimientos en más de un Estado miembro***, el lugar de su administración central en la Unión o, si careciera de esta, el establecimiento del encargado en la Unión en el que se realicen las principales actividades de tratamiento en el contexto de las actividades de un establecimiento del encargado en la medida en que el encargado esté sujeto a obligaciones específicas con arreglo al RGPD.
17. «**Representante**»: persona física o jurídica establecida en la Unión que, habiendo sido designada por escrito por el responsable o el encargado del tratamiento represente al responsable o al encargado en lo que respecta a sus respectivas obligaciones en virtud del RGPD.
18. «**Empresa**»: persona física o jurídica dedicada a una actividad económica, independientemente de su forma jurídica, incluidas las sociedades o asociaciones que desempeñen regularmente una actividad económica.
19. «**Grupo empresarial**»: grupo constituido por una empresa que ejerce el control y sus empresas controladas.
20. «**Normas corporativas vinculantes**»: las políticas de protección de datos personales asumidas por un responsable o encargado del tratamiento establecido en el territorio de un Estado miembro para transferencias o un conjunto de transferencias de datos personales a un responsable o encargado en uno o más países terceros, dentro de un grupo empresarial o una unión de empresas dedicadas a una actividad económica conjunta.
21. «**Autoridad de control**»: la autoridad pública independiente establecida por un Estado miembro.

22. «**Autoridad de control interesada**»: la autoridad de control a la que afecta el tratamiento de datos personales debido a que:

    a) El responsable o el encargado del tratamiento está establecido en el territorio del Estado miembro de esa autoridad de control.

    b) Los interesados que residen en el Estado miembro de esa autoridad de control se ven sustancialmente afectados o es probable que se vean sustancialmente afectados por el tratamiento.

    c) Se ha presentado una reclamación ante esa autoridad de control.

23. «**Tratamiento transfronterizo**»:

    a) El tratamiento de datos personales realizado en el contexto de las actividades de establecimientos en más de un Estado miembro de un responsable o un encargado del tratamiento en la Unión, si el responsable o el encargado está establecido en más de un Estado miembro.

    b) El tratamiento de datos personales realizado en el contexto de las actividades de un único establecimiento de un responsable o un encargado del tratamiento en la Unión, pero que afecta sustancialmente o es probable que afecte sustancialmente a interesados en más de un Estado miembro.

24. «**Objeción pertinente y motivada**»: la objeción a una propuesta de decisión sobre la existencia o no de infracción del Reglamento, o sobre la conformidad con el presente Reglamento de acciones previstas en relación con el responsable o el encargado del tratamiento, que demuestre claramente la importancia de los riesgos que entraña el proyecto de decisión para los derechos y libertades fundamentales de los interesados y, en su caso, para la libre circulación de datos personales dentro de la Unión.

25. «**Servicio de la sociedad de la información**» *[definición del artículo 1, apartado 1, letra b), de la Directiva (UE) 2015/1535 del Parlamento Europeo y del Consejo]*: todo servicio prestado normalmente a cambio de una remuneración, a distancia, por vía electrónica y a petición individual de un destinatario de servicios.

    A efectos de la presente definición, se entenderá por:

    i) «A distancia», un servicio prestado sin que las partes estén presentes simultáneamente.

    ii) «Por vía electrónica», un servicio enviado desde la fuente y recibido por el destinatario mediante equipos electrónicos de tratamiento (incluida la compresión digital) y de almacenamiento de datos y que se transmite, canaliza y recibe enteramente por hilos, radio, medios ópticos o cualquier otro medio electromagnético.

    iii) «A petición individual de un destinatario de servicios», un servicio prestado mediante transmisión de datos a petición individual.

26. «**Organización internacional**»: una organización internacional y sus entes subordinados de Derecho internacional público o cualquier otro organismo creado mediante un acuerdo entre dos o más países o en virtud de tal acuerdo.

2.2. Disposiciones generales de la LO 3/2018

2.2.1. Objetos

La Ley Orgánica 3/2018, de 5 de diciembre, tiene por objeto:

a) Adaptar el ordenamiento jurídico español al RGPD y completar sus disposiciones.

b) Garantizar los derechos digitales de la ciudadanía conforme al mandato establecido en el artículo 18.4 de la Constitución.

Las comunidades autónomas ostentan competencias de desarrollo normativo y ejecución del derecho fundamental a la protección de datos personales en su ámbito de actividad y a las autoridades autonómicas de protección de datos que se creen les corresponde contribuir a garantizar este derecho fundamental de la ciudadanía.

2.2.2. Estructura

La LO 3/2018 se estructura del siguiente modo:

- Preámbulo.
- Título I. Disposiciones generales (arts. 1 a 3).
- Título II. Principios de protección de datos (arts. 4 a 10).
- Título III. Derechos de las personas (arts. 11 a 18).
  * Capítulo I. Transparencia e información.
  * Capítulo II. Ejercicio de los derechos.
- Título IV. Disposiciones aplicables a tratamientos concretos (arts. 19 a 27).
- Título V. Responsable y encargado del tratamiento (arts. 28 a 39).
  * Capítulo I. Disposiciones generales. Medidas de responsabilidad activa.
  * Capítulo II. Encargado del tratamiento.
  * Capítulo III. Delegado de protección de datos.
  * Capítulo IV. Códigos de conducta y certificación.
- Título VI. Transferencias internacionales de datos (arts. 40 a 43).
- Título VII. Autoridades de protección de datos (arts. 44 a 62).
  * Capítulo I. La Agencia Española de Protección de Datos.
  * Capítulo II. Autoridades autonómicas de protección de datos.
- Título VIII. Procedimientos en caso de posible vulneración de la normativa de protección de datos (arts. 63 a 69).
- Título IX. Régimen sancionador (arts. 70 a 78).
- Título X. Garantía de los derechos digitales (arts. 79 a 97).

- 23 Disposiciones Adicionales.
- 6 Disposiciones Transitorias.
- 1 Disposición Derogatoria.
- 16 Disposiciones Finales.

2.2.3. Naturaleza

Conforme a su disposición final primera, la LO 3/2018 tiene el carácter de ley orgánica.

No obstante, tienen **carácter de ley ordinaria**:

- El Título IV (disposiciones aplicables a tratamientos concretos).
- El Título VII (autoridades de protección de datos); *salvo los artículos 52 (deber de colaboración) y 53 (alcance de la actividad de investigación), que tienen carácter orgánico.*
- El Título VIII (procedimientos en caso de posible vulneración de la normativa de protección de datos).
- El Título IX (régimen sancionador).
- Del Título X (garantía de los derechos digitales), los siguientes artículos:
  * Artículo 79 (los derechos en la Era digital).
  * Artículo 80 (derecho a la neutralidad de Internet).
  * Artículo 81 (derecho de acceso universal a Internet).
  * Artículo 82 (derecho a la seguridad digital).
  * Artículo 88 (derecho a la desconexión digital en el ámbito laboral).
  * Artículo 95 (derecho de portabilidad en servicios de redes sociales y servicios equivalentes).
  * Artículo 96 (derecho al testamento digital).
  * Artículo 97 (políticas de impulso de los derechos digitales).
- Las disposiciones adicionales, *salvo la disposición adicional segunda (protección de datos y transparencia y acceso a la información pública) y la disposición adicional decimoséptima (tratamientos de datos de salud), que tienen carácter orgánico.*
- Las disposiciones transitorias.
- Y las disposiciones finales, *salvo las disposiciones finales primera (naturaleza de la presente Ley), segunda (título competencial), tercera (modificación de la LO del Régimen Electoral General), cuarta (modificación de la LO del Poder Judicial), octava (modificación de la LO de Universidades), décima (modificación de la LO de Educación) y decimosexta (entrada en vigor), que tienen carácter orgánico.*

Con respecto a las leyes ordinarias, las **leyes orgánicas**, requieren el voto favorable de la mayoría absoluta de los miembros del Congreso de los Diputados en una votación final sobre el conjunto del proyecto aprobado. Las leyes orgánicas tienen además las siguientes limitaciones procedimentales: no cabe en materia de ley orgánica la delegación legislativa en Comisión (75.3), la iniciativa legislativa popular (87.3) ni la aprobación por decreto-ley (artículo 86, que enumera con otra terminología materias similares a las contenidas en el artículo 81).

En el caso de la LO 3/2018; las características de las leyes orgánicas son aplicables a las partes de esta ley que gozan del carácter de ley orgánica.

2.2.4. Ámbito de aplicación

Lo dispuesto en los Títulos I a IX y en los artículos 89 a 94 de la LO 3/2018 se aplica a cualquier tratamiento total o parcialmente automatizado de datos personales, así como al tratamiento no automatizado de datos personales contenidos o destinados a ser incluidos en un fichero.

Esta ley orgánica no será de aplicación:

a) A los tratamientos excluidos del ámbito del RGPD.

b) A los tratamientos de datos de personas fallecidas.

c) A los tratamientos sometidos a la normativa sobre protección de materias clasificadas.

Los tratamientos a los que no sea directamente aplicable el RGPD por afectar a actividades no comprendidas en el ámbito de aplicación del Derecho de la Unión Europea, se regirán por lo dispuesto en su legislación específica si la hubiere y **supletoriamente** por lo establecido en el citado RGPD y en la LO 3/2018. Se encuentran en esta situación, entre otros:

- Los tratamientos realizados al amparo de la legislación orgánica del régimen electoral general.
- Los tratamientos realizados en el ámbito de instituciones penitenciarias.
- Los tratamientos derivados del Registro Civil, los Registros de la Propiedad y Mercantiles.

El tratamiento de datos llevado a cabo con ocasión de la tramitación por los órganos judiciales de los procesos de los que sean competentes, así como el realizado dentro de la gestión de la Oficina Judicial, se regirán por lo dispuesto en el RGPD y la LO 3/2018 sin perjuicio de las disposiciones de la Ley Orgánica 6/1985, de 1 julio, del Poder Judicial, que le sean aplicables.

El tratamiento de datos llevado a cabo con ocasión de la tramitación por el Ministerio Fiscal de los procesos de los que sea competente, así como el realizado con esos fines dentro de la gestión de la Oficina Fiscal, se regirán por lo dispuesto en el RGPD y la LO 3/2018, sin perjuicio de las disposiciones de la Ley 50/1981, de 30 de diciembre, reguladora del Estatuto Orgánico del Ministerio Fiscal, la Ley Orgánica 6/1985, de 1 de julio, del Poder Judicial y de las normas procesales que le sean aplicables.

En cuanto a los **datos de las personas fallecidas**, el artículo 3 de la LO 3/2018 dispone lo siguiente:

> 1. Las personas vinculadas al fallecido por razones familiares o de hecho así como sus herederos podrán dirigirse al responsable o encargado del tratamiento al objeto de solicitar el acceso a los datos personales de aquella y, en su caso, su rectificación o supresión.
>
> Como excepción, las personas a las que se refiere el párrafo anterior no podrán acceder a los datos del causante, ni solicitar su rectificación o supresión, cuando la persona fallecida lo hubiese prohibido expresamente o así lo establezca una ley. Dicha prohibición no afectará al derecho de los herederos a acceder a los datos de carácter patrimonial del causante.
>
> 2. Las personas o instituciones a las que el fallecido hubiese designado expresamente para ello podrán también solicitar, con arreglo a las instrucciones recibidas, el acceso a los datos personales de este y, en su caso su rectificación o supresión.
>
> Mediante real decreto se establecerán los requisitos y condiciones para acreditar la validez y vigencia de estos mandatos e instrucciones y, en su caso, el registro de los mismos.
>
> 3. En caso de fallecimiento de menores, estas facultades podrán ejercerse también por sus representantes legales o, en el marco de sus competencias, por el Ministerio Fiscal, que podrá actuar de oficio o a instancia de cualquier persona física o jurídica interesada.
>
> En caso de fallecimiento de personas con discapacidad, estas facultades también podrán ejercerse, además de por quienes señala el párrafo anterior, por quienes hubiesen sido designados para el ejercicio de funciones de apoyo, si tales facultades se entendieran comprendidas en las medidas de apoyo prestadas por el designado.

2.3. Cómputo de plazos

Conforme a la disposición adicional 3ª de la LO 3/2018, los plazos establecidos en el RGPD o en dicha ley orgánica, con independencia de que se refieran a relaciones entre particulares o con entidades del sector público, se regirán por las siguientes reglas:

a) Cuando los plazos se señalen por días, se entiende que estos son hábiles, excluyéndose del cómputo los sábados, los domingos y los declarados festivos.

b) Si el plazo se fija en semanas, concluirá el mismo día de la semana en que se produjo el hecho que determina su iniciación en la semana de vencimiento.

c) Si el plazo se fija en meses o años, concluirá el mismo día en que se produjo el hecho que determina su iniciación en el mes o el año de vencimiento. Si en el mes de vencimiento no hubiera día equivalente a aquel en que comienza el cómputo, se entenderá que el plazo expira el último día del mes.

d) Cuando el último día del plazo sea inhábil, se entenderá prorrogado al primer día hábil siguiente.

3. Principios de la protección de datos

3.1. Principios relativos al tratamiento

En relación al tratamiento, el artículo 5 del RGPD establece los siguientes principios:

a) **Principio de licitud, lealtad y transparencia**: los datos personales serán tratados de manera lícita, leal y transparente en relación con el interesado.

b) **Principio de limitación de la finalidad**: los datos personales serán recogidos con fines determinados, explícitos y legítimos, y no serán tratados ulteriormente de manera incompatible con dichos fines; el tratamiento ulterior de los datos personales con fines de archivo en interés público, fines de investigación científica e histórica o fines estadísticos no se considerará incompatible con los fines iniciales.

c) **Principio de minimización de datos**: los datos personales serán adecuados, pertinentes y limitados a lo necesario en relación con los fines para los que son tratados.

d) **Principio de exactitud**: los datos personales serán exactos y, si fuera necesario, actualizados; se adoptarán todas las medidas razonables para que se supriman o rectifiquen sin dilación los datos personales que sean inexactos con respecto a los fines para los que se tratan.

   Según el artículo 4 de la LO 3/2018, no será imputable al responsable del tratamiento, siempre que este haya adoptado todas las medidas razonables para que se supriman o rectifiquen sin dilación, la inexactitud de los datos personales, con respecto a los fines para los que se tratan, cuando los datos inexactos:

   - Hubiesen sido obtenidos por el responsable directamente del afectado.
   - Hubiesen sido obtenidos por el responsable de un mediador o intermediario en caso de que las normas aplicables al sector de actividad al que pertenezca el responsable del tratamiento establecieran la posibilidad de intervención de un intermediario o mediador que recoja en nombre propio los datos de los afectados para su transmisión al responsable. El mediador o intermediario asumirá las responsabilidades que pudieran derivarse en el supuesto de comunicación al responsable de datos que no se correspondan con los facilitados por el afectado.
   - Fuesen sometidos a tratamiento por el responsable por haberlos recibido de otro responsable en virtud del ejercicio por el afectado del derecho a la portabilidad conforme al artículo 20 del Reglamento (UE) 2016/679 y lo previsto en esta ley orgánica.
   - Fuesen obtenidos de un registro público por el responsable.

e) **Principio de limitación del plazo de conservación**: los datos personales serán mantenidos de forma que se permita la identificación de los interesados durante no más tiempo del necesario para los fines del tratamiento de los datos personales; los datos personales podrán conservarse durante períodos más largos siempre que se traten exclusivamente con fines de archivo en interés público, fines de in-

vestigación científica o histórica o fines estadísticos, sin perjuicio de la aplicación de las medidas técnicas y organizativas apropiadas que impone el Reglamento a fin de proteger los derechos y libertades del interesado.

f) **Principio de integridad y confidencialidad**: los datos personales serán tratados de tal manera que se garantice una seguridad adecuada de los mismos, incluida la protección contra el tratamiento no autorizado o ilícito y contra su pérdida, destrucción o daño accidental, mediante la aplicación de medidas técnicas u organizativas apropiadas.

   Tal como señala el artículo 5 de la LO 3/2018, los responsables y encargados del tratamiento de datos así como todas las personas que intervengan en cualquier fase de este estarán sujetas al deber de confidencialidad.

   La obligación general señalada en el párrafo anterior será complementaria de los deberes de secreto profesional de conformidad con su normativa aplicable.

   Las obligaciones señaladas en los párrafos anteriores se mantendrán aun cuando hubiese finalizado la relación del obligado con el responsable o encargado del tratamiento.

g) **Principio de responsabilidad proactiva**: el responsable del tratamiento será responsable del cumplimiento de lo indicado en las letras anteriores y capaz de demostrarlo.

   El RGPD describe este principio como la necesidad de que el responsable del tratamiento aplique medidas técnicas y organizativas apropiadas a fin de garantizar y poder demostrar que el tratamiento es conforme con el Reglamento.

   En términos prácticos, este principio requiere que las organizaciones analicen qué datos tratan, con qué finalidades lo hacen y qué tipo de operaciones de tratamiento llevan a cabo. A partir de este conocimiento deben determinar de forma explícita la forma en que aplicarán las medidas que el RGPD prevé, asegurándose de que esas medidas son las adecuadas para cumplir con el mismo y de que pueden demostrarlo ante los interesados y ante las autoridades de supervisión.

   En síntesis, este principio exige una actitud consciente, diligente y proactiva por parte de las organizaciones frente a todos los tratamientos de datos personales que lleven a cabo.

3.2. Licitud del tratamiento

Todo tratamiento de datos necesita apoyarse en una base que lo legitime. La identificación de la base legal es indispensable para estar en condiciones de demostrar que se cumple con las previsiones del RGPD. Según dispone el artículo 6 del RGPD, el tratamiento solo será **lícito** si se cumple al menos una de las siguientes condiciones:

a) El interesado dio su consentimiento para el tratamiento de sus datos personales para uno o varios fines específicos.

b) El tratamiento es necesario para la ejecución de un contrato en el que el interesado es parte o para la aplicación a petición de este de medidas precontractuales.

c) El tratamiento es necesario para el cumplimiento de una obligación legal aplicable al responsable del tratamiento.

d) El tratamiento es necesario para proteger intereses vitales del interesado o de otra persona física.

e) El tratamiento es necesario para el cumplimiento de una misión realizada en interés público o en el ejercicio de poderes públicos conferidos al responsable del tratamiento.

f) El tratamiento es necesario para la satisfacción de intereses legítimos perseguidos por el responsable del tratamiento o por un tercero, siempre que sobre dichos intereses no prevalezcan los intereses o los derechos y libertades fundamentales del interesado que requieran la protección de datos personales, en particular cuando el interesado sea un niño.

Lo dispuesto en la letra f) no será de aplicación al tratamiento realizado por las autoridades públicas en el ejercicio de sus funciones.

Los Estados miembros podrán mantener o introducir disposiciones más específicas a fin de adaptar la aplicación de las normas del RGPD con respecto al tratamiento en cumplimiento de las letras c) y e), fijando de manera más precisa requisitos específicos de tratamiento y otras medidas que garanticen un tratamiento lícito y equitativo, con inclusión de otras situaciones específicas de tratamiento.

Conforme al artículo 8 de la LO 3/2018, el tratamiento de datos personales solo podrá considerarse ***fundado en el cumplimiento de una obligación legal exigible al responsable***, cuando así lo prevea una norma de Derecho de la Unión Europea o una norma con rango de ley, que podrá determinar las condiciones generales del tratamiento y los tipos de datos objeto del mismo así como las cesiones que procedan como consecuencia del cumplimiento de la obligación legal. Dicha norma podrá igualmente imponer condiciones especiales al tratamiento, tales como la adopción de medidas adicionales de seguridad u otras establecidas en el capítulo IV del RGPD).

Este es el caso, por ejemplo, de las bases de datos reguladas por ley y gestionadas por autoridades públicas que responden a objetivos específicos de control de riesgos y solvencia, supervisión e inspección del tipo de la Central de Información de Riesgos del Banco de España regulada por la Ley 44/2002, de 22 de noviembre, de Medidas de Reforma del Sistema Financiero, o de los datos, documentos e informaciones de carácter reservado que obren en poder de la Dirección General de Seguros y Fondos de Pensiones de conformidad con lo previsto en la Ley 20/2015, de 14 de julio, de ordenación, supervisión y solvencia de las entidades aseguradoras y reaseguradoras.

El tratamiento de datos personales solo podrá considerarse ***fundado en el cumplimiento de una misión realizada en interés público o en el ejercicio de poderes públicos conferidos al responsable*** cuando derive de una competencia atribuida por una norma con rango de ley.

La base del tratamiento indicado en las citadas letras c) y e), deberá ser establecida por:

a) El Derecho de la Unión.

b) El Derecho de los Estados miembros que se aplique al responsable del tratamiento.

La finalidad del tratamiento deberá quedar determinada en dicha base jurídica o, en lo relativo al tratamiento a que se refiere la letra e), será necesaria para el cumplimiento de una misión realizada en interés público o en el ejercicio de poderes públicos conferidos al responsable del tratamiento.

Dicha base jurídica podrá contener disposiciones específicas para adaptar la aplicación de normas del Reglamento, entre otras:

- Las condiciones generales que rigen la licitud del tratamiento por parte del responsable; los tipos de datos objeto de tratamiento.
- Los interesados afectados.
- Las entidades a las que se pueden comunicar datos personales y los fines de tal comunicación.
- La limitación de la finalidad.
- Los plazos de conservación de los datos.
- Las operaciones y los procedimientos del tratamiento, incluidas las medidas para garantizar un tratamiento lícito y equitativo, como las relativas a otras situaciones específicas de tratamiento a tenor del capítulo IX del Reglamento.

El Derecho de la Unión o de los Estados miembros cumplirá un objetivo de interés público y será proporcional al fin legítimo perseguido.

Cuando el tratamiento para otro fin distinto de aquel para el que se recogieron los datos personales no esté basado en el consentimiento del interesado o en el Derecho de la Unión o de los Estados miembros que constituya una medida necesaria y proporcional en una sociedad democrática para salvaguardar los objetivos indicados en el artículo 23, apartado 1 del RGPD *(ver apdo. 4.9)*, el responsable del tratamiento, con objeto de determinar si el tratamiento con otro fin es compatible con el fin para el cual se recogieron inicialmente los datos personales, tendrá en cuenta entre otras cosas:

a) Cualquier relación entre los fines para los cuales se hayan recogido los datos personales y los fines del tratamiento ulterior previsto.

b) El contexto en que se hayan recogido los datos personales, en particular por lo que respecta a la relación entre los interesados y el responsable del tratamiento.

c) La naturaleza de los datos personales, en concreto cuando se traten categorías especiales de datos personales, o datos personales relativos a condenas e infracciones penales.

d) Las posibles consecuencias para los interesados del tratamiento ulterior previsto.

e) La existencia de garantías adecuadas, que podrán incluir el cifrado o la seudonimización.

3.3. Condiciones para el consentimiento

De conformidad con lo dispuesto en el artículo 4.11 del RGPD, se entiende por **consentimiento del afectado** toda manifestación de voluntad libre, específica, informada e inequívoca por la que este acepta, ya sea mediante una declaración o una clara acción afirmativa, el tratamiento de datos personales que le conciernen.

El RGPD mantiene los mismos principios del consentimiento que establecía la LO 15/1999, exigiendo un consentimiento libre, informado, específico e inequívoco.

Sin embargo, como novedad respecto de la LOPD, el RGPD indica que para poder considerar que el consentimiento es inequívoco, deberá existir una declaración del interesado o una acción positiva que manifieste su conformidad. El silencio, las casillas ya marcadas o la inacción no constituirán prueba de consentimiento.

Cuando el tratamiento se base en el consentimiento del interesado, el responsable deberá ser capaz de demostrar que aquel consintió el tratamiento de sus datos personales.

El artículo 6.2 de la LO 3/2018 añade que, cuando se pretenda fundar el tratamiento de los datos en el consentimiento del afectado para una pluralidad de finalidades será preciso que conste de manera específica e inequívoca que dicho consentimiento se otorga para todas ellas.

No podrá supeditarse la ejecución del contrato a que el afectado consienta el tratamiento de los datos personales para finalidades que no guarden relación con el mantenimiento, desarrollo o control de la relación contractual.

Si el consentimiento del interesado se da en el contexto de una declaración escrita que también se refiera a otros asuntos, la solicitud de consentimiento se presentará de tal forma que se distinga claramente de los demás asuntos, de forma inteligible y de fácil acceso y utilizando un lenguaje claro y sencillo.

No será vinculante ninguna parte de la declaración que constituya infracción del RGPD.

El interesado tendrá derecho a retirar su consentimiento en cualquier momento.

La retirada del consentimiento no afectará a la licitud del tratamiento basada en el consentimiento previo a su retirada. Antes de dar su consentimiento, el interesado será informado de ello. Será tan fácil retirar el consentimiento como darlo.

Al evaluar si el consentimiento se ha dado libremente, se tendrá en cuenta en la mayor medida posible el hecho de si, entre otras cosas, la ejecución de un contrato, incluida la prestación de un servicio, se supedita al consentimiento al tratamiento de datos personales que no son necesarios para la ejecución de dicho contrato.

El RGPD contempla algunas situaciones en las que el consentimiento, además de inequívoco, ha de ser **explícito**:

- Tratamiento de datos sensibles (art.9.2.a).
- Adopción de decisiones automatizadas (art. 22.2.c).
- Transferencias internacionales (art. 49.1.a).

3.4. Consentimiento de los menores de edad

Conforme al RGPD, cuando se aplique el consentimiento para el tratamiento de sus datos personales para uno o varios fines específicos en relación con la oferta directa a niños de servicios de la sociedad de la información, el tratamiento de los datos personales de un niño se considerará lícito cuando tenga como mínimo 16 años.

Si el niño es menor de 16 años, tal tratamiento únicamente se considerará lícito si el consentimiento lo dio o autorizó el titular de la patria potestad o tutela sobre el niño, y solo en la medida en que se dio o autorizó. Los Estados miembros podrán establecer por ley una edad inferior a tales fines, siempre que esta no sea inferior a 13 años.

Lo señalado en el párrafo anterior no afectará a las disposiciones generales del Derecho contractual de los Estados miembros, como las normas relativas a la validez, formación o efectos de los contratos en relación con un niño.

A nivel del Estado español, la LO 3/2018, en su artículo 7 establece que el tratamiento de los datos personales de un menor de edad únicamente podrá fundarse en su consentimiento cuando sea mayor de catorce años. Se exceptúan los supuestos en que la ley exija la asistencia de los titulares de la patria potestad o tutela para la celebración del acto o negocio jurídico en cuyo contexto se recaba el consentimiento para el tratamiento.

El tratamiento de los datos de los menores de catorce años, fundado en el consentimiento, solo será lícito si consta el del titular de la patria potestad o tutela, con el alcance que determinen los titulares de la patria potestad o tutela.

El responsable del tratamiento hará esfuerzos razonables para verificar que el consentimiento fue dado o autorizado por el titular de la patria potestad o tutela sobre el niño, teniendo en cuenta la tecnología disponible.

3.5. Tratamientos especiales

3.5.1. Tratamiento de categorías especiales de datos personales

El artículo 9.1 del RGPD prohíbe:

- El tratamiento de datos personales que revelen el origen étnico o racial, las opiniones políticas, las convicciones religiosas o filosóficas, o la afiliación sindical.
- El tratamiento de datos genéticos, datos biométricos dirigidos a identificar de manera unívoca a una persona física, datos relativos a la salud o datos relativos a la vida sexual u orientación sexual de una persona física.

Según el artículo 9.2 del RGPD, lo anterior no será de aplicación cuando concurra una de las circunstancias siguientes:

a) El interesado dio su consentimiento explícito para el tratamiento de dichos datos personales con uno o más de los fines especificados, excepto cuando el Derecho de la Unión o de los Estados miembros establezca que la prohibición del citado artículo 9.1 no puede ser levantada por el interesado.

b) El tratamiento es necesario para el cumplimiento de obligaciones y el ejercicio de derechos específicos del responsable del tratamiento o del interesado en el ámbito del Derecho laboral y de la seguridad y protección social, en la medida en que así lo autorice el Derecho de la Unión o de los Estados miembros o un convenio colectivo con arreglo al Derecho de los Estados miembros que establezca garantías adecuadas del respeto de los derechos fundamentales y de los intereses del interesado.

c) El tratamiento es necesario para proteger intereses vitales del interesado o de otra persona física, en el supuesto de que el interesado no esté capacitado, física o jurídicamente, para dar su consentimiento.

d) El tratamiento es efectuado, en el ámbito de sus actividades legítimas y con las debidas garantías, por una fundación, una asociación o cualquier otro organismo sin ánimo de lucro, cuya finalidad sea política, filosófica, religiosa o sindical, siempre que el tratamiento se refiera exclusivamente a los miembros actuales o antiguos de tales organismos o a personas que mantengan contactos regulares con ellos en relación con sus fines y siempre que los datos personales no se comuniquen fuera de ellos sin el consentimiento de los interesados.

e) El tratamiento se refiere a datos personales que el interesado ha hecho manifiestamente públicos.

f) El tratamiento es necesario para la formulación, el ejercicio o la defensa de reclamaciones o cuando los tribunales actúen en ejercicio de su función judicial.

g) El tratamiento es necesario por razones de un interés público esencial, sobre la base del Derecho de la Unión o de los Estados miembros, que debe ser proporcional al objetivo perseguido, respetar en lo esencial el derecho a la protección de datos y establecer medidas adecuadas y específicas para proteger los intereses y derechos fundamentales del interesado.

h) El tratamiento es necesario para fines de medicina preventiva o laboral, evaluación de la capacidad laboral del trabajador, diagnóstico médico, prestación de asistencia o tratamiento de tipo sanitario o social, o gestión de los sistemas y servicios de asistencia sanitaria y social, sobre la base del Derecho de la Unión o de los Estados miembros o en virtud de un contrato con un profesional sanitario y sin perjuicio de las condiciones y garantías contempladas en el artículo 9.3 del RGPD.

i) El tratamiento es necesario por razones de interés público en el ámbito de la salud pública, como la protección frente a amenazas transfronterizas graves para la salud, o para garantizar elevados niveles de calidad y de seguridad de la asistencia sanitaria y de los medicamentos o productos sanitarios, sobre la base del Derecho de la Unión o de los Estados miembros que establezca medidas adecuadas y específicas para proteger los derechos y libertades del interesado, en particular el secreto profesional.

j) El tratamiento es necesario con fines de archivo en interés público, fines de investigación científica o histórica o fines estadísticos, sobre la base del Derecho de la Unión o de los Estados miembros, que debe ser proporcional al objetivo persegui-

do, respetar en lo esencial el derecho a la protección de datos y establecer medidas adecuadas y específicas para proteger los intereses y derechos fundamentales del interesado.

En virtud del artículo 9 de la LO 3/2018, a los efectos del artículo 9.2.a) del RGPD, a fin de evitar situaciones discriminatorias, el solo consentimiento del afectado no bastará para levantar la prohibición del tratamiento de datos cuya finalidad principal sea identificar su ideología, afiliación sindical, religión, orientación sexual, creencias u origen racial o étnico.

Lo dispuesto en el párrafo anterior no impedirá el tratamiento de dichos datos al amparo de los restantes supuestos contemplados en el citado artículo 9.2 del RGPD cuando así proceda.

Los tratamientos de datos contemplados en las letras g), h) e i) del artículo 9.2 del RGPD fundados en el Derecho español deberán estar amparados en una norma con rango de ley, que podrá establecer requisitos adicionales relativos a su seguridad y confidencialidad. En particular, dicha norma podrá amparar el tratamiento de datos en el ámbito de la salud cuando así lo exija la gestión de los sistemas y servicios de asistencia sanitaria y social, pública y privada, o la ejecución de un contrato de seguro del que el afectado sea parte.

Según el artículo 9.3 del RGPD, los datos personales a que se refiere el artículo 9.1 podrán tratarse a los fines citados en la letra h), cuando su tratamiento sea realizado por un profesional sujeto a la obligación de secreto profesional, o bajo su responsabilidad, de acuerdo con el Derecho de la Unión o de los Estados miembros o con las normas establecidas por los organismos nacionales competentes, o por cualquier otra persona sujeta también a la obligación de secreto de acuerdo con el Derecho de la Unión o de los Estados miembros o de las normas establecidas por los organismos nacionales competentes.

Los Estados miembros podrán mantener o introducir condiciones adicionales, inclusive limitaciones, con respecto al tratamiento de datos genéticos, datos biométricos o datos relativos a la salud.

3.5.2. Tratamiento de datos personales relativos a condenas e infracciones penales

El tratamiento de datos personales relativos a condenas e infracciones penales o medidas de seguridad conexas sobre la base del artículo referido a la licitud del tratamiento, solo podrá llevarse a cabo bajo la supervisión de las autoridades públicas o cuando lo autorice el Derecho de la Unión o de los Estados miembros que establezca garantías adecuadas para los derechos y libertades de los interesados.

Según el artículo 10.1 de la LO 3/2018, el tratamiento de datos personales relativos a condenas e infracciones penales, así como a procedimientos y medidas cautelares y de seguridad conexas, para fines distintos de los de prevención, investigación, detección o enjuiciamiento de infracciones penales o de ejecución de sanciones penales, solo podrá llevarse a cabo cuando se encuentre amparado en una norma de Derecho de la Unión, en esta ley orgánica 3/2018 o en otras normas de rango legal.

Solo podrá llevarse un registro completo de condenas penales bajo el control de las autoridades públicas.

El registro completo de los datos referidos a condenas e infracciones penales, así como a procedimientos y medidas cautelares y de seguridad conexas a que se refiere el artículo 10 del RGPD, podrá realizarse conforme con lo establecido en la regulación del Sistema de registros administrativos de apoyo a la Administración de Justicia.

Fuera de los supuestos señalados en los párrafos anteriores, los tratamientos de datos referidos a condenas e infracciones penales, así como a procedimientos y medidas cautelares y de seguridad conexas solo serán posibles cuando sean llevados a cabo por abogados y procuradores y tengan por objeto recoger la información facilitada por sus clientes para el ejercicio de sus funciones.

3.5.3. Tratamiento que no requiere identificación

Si los fines para los cuales un responsable trata datos personales no requieren o ya no requieren la identificación de un interesado por el responsable, este no estará obligado a mantener, obtener o tratar información adicional con vistas a identificar al interesado con la única finalidad de cumplir el RGPD.

Cuando, en los casos a que se refiere el párrafo anterior, el responsable sea capaz de demostrar que no está en condiciones de identificar al interesado, le informará en consecuencia, de ser posible. En tales casos no se aplicarán los artículos 15 a 20 del RGPD, excepto cuando el interesado, a efectos del ejercicio de sus derechos en virtud de dichos artículos, facilite información adicional que permita su identificación.

4. Derechos de las personas

El RGPD actualiza y refuerza los derechos de los ciudadanos sobre su información personal, cambia la forma en que las organizaciones gestionan la protección de datos, debiendo adoptar medidas conscientes, diligentes y proactivas.

El capítulo 3 del RGPD trata de los derechos del interesado. Concretamente se mencionan los siguientes:

- Derecho de información.
- Derecho de acceso del interesado.
- Derecho de rectificación.
- Derecho de supresión (derecho al olvido).
- Derecho a la limitación del tratamiento.
- Derecho a la portabilidad de los datos.
- Derecho de oposición.
- Derecho a no ser objeto de decisiones individuales automatizadas.

4.1. Derecho de información

Cuando se recaben datos de carácter personal el responsable del tratamiento debe facilitar al interesado determinada información al respecto en aras de la transparencia en el tratamiento de sus datos personales.

El RGPD regula este derecho distinguiendo entre la información que se debe facilitar al interesado dependiendo de si los datos personales se han obtenido directamente de él o no.

El responsable del tratamiento tomará las medidas oportunas para facilitar al interesado toda información indicada en los epígrafes A y B de este apartado, así como cualquier comunicación con arreglo a los derechos citados relativa al tratamiento, en forma concisa, transparente, inteligible y de fácil acceso, con un lenguaje claro y sencillo, en particular cualquier información dirigida específicamente a un niño.

La información será facilitada por escrito o por otros medios, inclusive, si procede, por medios electrónicos. Cuando lo solicite el interesado, la información podrá facilitarse verbalmente siempre que se demuestre la identidad del interesado por otros medios.

El responsable del tratamiento facilitará al interesado el ejercicio de sus derechos, tal como veremos en los subapartados siguientes que los desarrollan.

En los casos a que se refiere el *segundo párrafo del apartado 3.5.3.*, el responsable no se negará a actuar a petición del interesado con el fin de ejercer sus derechos, salvo que pueda demostrar que no está en condiciones de identificar al interesado.

El responsable del tratamiento facilitará al interesado información relativa a sus actuaciones sobre la base de una solicitud con arreglo a los derechos que desarrollaremos seguidamente, y, en cualquier caso, sin dilación indebida, en el plazo de un mes a partir de la recepción de la solicitud. Dicho plazo podrá prorrogarse otros dos meses en caso necesario, teniendo en cuenta la complejidad y el número de solicitudes. El responsable informará al interesado de cualquiera de dichas prórrogas en el plazo de un mes a partir de la recepción de la solicitud, indicando los motivos de la dilación.

Cuando el interesado presente la solicitud por medios electrónicos, la información se facilitará por medios electrónicos cuando sea posible, a menos que el interesado solicite que se facilite de otro modo.

Si el responsable del tratamiento no da curso a la solicitud del interesado, le informará sin dilación, y a más tardar transcurrido un mes de la recepción de la solicitud, de las razones de su no actuación y de la posibilidad de presentar una reclamación ante una autoridad de control y de ejercitar acciones judiciales.

La información facilitada en virtud de los derechos que tratamos en este apartado será a título gratuito.

Cuando las solicitudes sean manifiestamente infundadas o excesivas, especialmente debido a su carácter repetitivo, el responsable del tratamiento podrá:

a) Cobrar un canon razonable en función de los costes administrativos afrontados para facilitar la información o la comunicación o realizar la actuación solicitada.

b) Negarse a actuar respecto de la solicitud.

El responsable del tratamiento soportará la carga de demostrar el carácter manifiestamente infundado o excesivo de la solicitud.

Cuando el responsable del tratamiento tenga dudas razonables en relación con la identidad de la persona física que cursa la solicitud a que se refieren los *subapartados 4.2. a 4.7.*, podrá solicitar que se facilite la información adicional necesaria para confirmar la identidad del interesado.

A) Información que deberá facilitarse cuando los datos personales se obtengan del interesado (art. 13 del RGPD)

Cuando se obtengan de un interesado datos personales relativos a él, el responsable del tratamiento, en el momento en que estos se obtengan, le facilitará toda la información indicada a continuación:

a) La identidad y los datos de contacto del responsable y, en su caso, de su representante.

b) Los datos de contacto del delegado de protección de datos, en su caso.

c) Los fines del tratamiento a que se destinan los datos personales y la base jurídica del tratamiento.

d) Cuando el tratamiento se base en el artículo 6, apartado 1, letra f), los intereses legítimos del responsable o de un tercero; *[el tratamiento es necesario para la satisfacción de intereses legítimos perseguidos por el responsable del tratamiento o por un tercero, siempre que sobre dichos intereses no prevalezcan los intereses o los derechos y libertades fundamentales del interesado que requieran la protección de datos personales, en particular cuando el interesado sea un niño]*.

e) Los destinatarios o las categorías de destinatarios de los datos personales, en su caso.

f) En su caso, la intención del responsable de transferir datos personales a un tercer país u organización internacional y la existencia o ausencia de una decisión de adecuación de la Comisión, o, en el caso de las transferencias indicadas en los artículos del RGPD 46 o 47 o el artículo 49, apartado 1, párrafo segundo, referencia a las garantías adecuadas o apropiadas y a los medios para obtener una copia de estas o al lugar en que se hayan puesto a disposición.

Además de la citada información, el responsable del tratamiento facilitará al interesado, en el momento en que se obtengan los datos personales, la siguiente información necesaria para garantizar un tratamiento de datos leal y transparente:

a) El plazo durante el cual se conservarán los datos personales o, cuando no sea posible, los criterios utilizados para determinar este plazo.

b) La existencia del derecho a solicitar al responsable del tratamiento el acceso a los datos personales relativos al interesado, y su rectificación o supresión, o la limitación de su tratamiento, o a oponerse al tratamiento, así como el derecho a la portabilidad de los datos.

c) Cuando el tratamiento esté basado en el artículo 6, apartado 1, letra a) *(el interesado dio su consentimiento para el tratamiento de sus datos personales para uno o varios fines específicos)*, o el artículo 9, apartado 2, letra a), la existencia del derecho a retirar el consentimiento en cualquier momento, sin que ello afecte a la licitud del tratamiento basado en el consentimiento previo a su retirada.

d) El derecho a presentar una reclamación ante una autoridad de control.

e) Si la comunicación de datos personales es un requisito legal o contractual, o un requisito necesario para suscribir un contrato, y si el interesado está obligado a facilitar los datos personales y está informado de las posibles consecuencias de no facilitar tales datos.

f) La existencia de decisiones automatizadas, incluida la elaboración de perfiles, y, al menos en tales casos, información significativa sobre la lógica aplicada, así como la importancia y las consecuencias previstas de dicho tratamiento para el interesado.

Cuando el responsable del tratamiento proyecte el tratamiento ulterior de datos personales para un fin que no sea aquel para el que se recogieron, proporcionará al interesado, con anterioridad a dicho tratamiento ulterior, información sobre ese otro fin y cualquier información adicional pertinente.

Las disposiciones de este epígrafe A) no serán aplicables cuando y en la medida en que el interesado ya disponga de la información.

En relación a la información a facilitar cuando los datos personales se hayan obtenido del interesado, el artículo 11 (puntos 1 y 2) de la LO 3/2018, establece que el responsable del tratamiento podrá dar cumplimiento al deber de información establecido en el artículo 13 del RGPD facilitando al afectado la **información básica** e indicándole una dirección electrónica u otro medio que permita acceder de forma sencilla e inmediata a la restante información.

La información básica a la que se refiere el párrafo anterior deberá contener, al menos:

a) La identidad del responsable del tratamiento y de su representante, en su caso.

b) La finalidad del tratamiento.

c) La posibilidad de ejercer los derechos establecidos en los artículos 15 a 22 del RGPD, antes relacionados.

Si los datos obtenidos del afectado fueran a ser tratados para la elaboración de perfiles, la información básica comprenderá asimismo esta circunstancia. En este caso, el afectado deberá ser informado de su derecho a oponerse a la adopción de decisiones individuales automatizadas que produzcan efectos jurídicos sobre él o le afecten significativamente de modo similar, cuando concurra este derecho de acuerdo con lo previsto en el artículo 22 del RGPD.

B) Información que deberá facilitarse cuando los datos personales no se hayan obtenido del interesado (art. 14 del RGPD)

Cuando los datos personales no se hayan obtenido del interesado, el responsable del tratamiento le facilitará la siguiente información:

a) La identidad y los datos de contacto del responsable y, en su caso, de su representante.

b) Los datos de contacto del delegado de protección de datos, en su caso.

c) Los fines del tratamiento a que se destinan los datos personales, así como la base jurídica del tratamiento.

d) Las categorías de datos personales de que se trate.

e) Los destinatarios o las categorías de destinatarios de los datos personales, en su caso.

f) En su caso, la intención del responsable de transferir datos personales a un destinatario en un tercer país u organización internacional y la existencia o ausencia de una decisión de adecuación de la Comisión, o, en el caso de las transferencias indicadas en los artículos del RGPD 46 o 47 o el artículo 49, apartado 1, párrafo segundo, referencia a las garantías adecuadas o apropiadas y a los medios para obtener una copia de estas o al lugar en que se hayan puesto a disposición.

Además de la información anterior, el responsable del tratamiento facilitará al interesado la siguiente información necesaria para garantizar un tratamiento de datos leal y transparente respecto del interesado:

a) El plazo durante el cual se conservarán los datos personales o, cuando eso no sea posible, los criterios utilizados para determinar este plazo.

b) Cuando el tratamiento *es necesario para la satisfacción de intereses legítimos perseguidos por el responsable del tratamiento o por un tercero*: los intereses legítimos del responsable del tratamiento o de un tercero.

c) La existencia del derecho a solicitar al responsable del tratamiento el acceso a los datos personales relativos al interesado, y su rectificación o supresión, o la limitación de su tratamiento, y a oponerse al tratamiento, así como el derecho a la portabilidad de los datos.

d) Cuando el tratamiento esté basado en que *el interesado dio su consentimiento para el tratamiento de sus datos personales para uno o varios fines específicos*: la existencia del derecho a retirar el consentimiento en cualquier momento, sin que ello afecte a la licitud del tratamiento basada en el consentimiento antes de su retirada.

e) El derecho a presentar una reclamación ante una autoridad de control.

f) La fuente de la que proceden los datos personales y, en su caso, si proceden de fuentes de acceso público.

g) La existencia de decisiones automatizadas, incluida la elaboración de perfiles, y, al menos en tales casos, información significativa sobre la lógica aplicada, así como la importancia y las consecuencias previstas de dicho tratamiento para el interesado.

El responsable del tratamiento facilitará la información indicada en los párrafos anteriores de este epígrafe B):

a) Dentro de un plazo razonable, una vez obtenidos los datos personales, y a más tardar dentro de un mes (en lugar de los 3 meses que señalaba la LO 15/1999), habida cuenta de las circunstancias específicas en las que se traten dichos datos.

b) Si los datos personales han de utilizarse para comunicación con el interesado, a más tardar en el momento de la primera comunicación a dicho interesado.

c) Si está previsto comunicarlos a otro destinatario, a más tardar en el momento en que los datos personales sean comunicados por primera vez.

Esta obligación de informar se debe cumplir sin necesidad de requerimiento alguno, y el responsable deberá poder acreditar con posterioridad que ha sido satisfecha.

Cuando el responsable del tratamiento proyecte el tratamiento ulterior de los datos personales para un fin que no sea aquel para el que se obtuvieron, proporcionará al interesado, antes de dicho tratamiento ulterior, información sobre ese otro fin y cualquier otra información pertinente indicada en el segundo grupo de este epígrafe.

Las disposiciones de este epígrafe B) no serán aplicables cuando y en la medida en que:

a) El interesado ya disponga de la información.

b) La comunicación de dicha información resulte imposible o suponga un esfuerzo desproporcionado, en particular para el tratamiento con fines de archivo en interés público, fines de investigación científica o histórica o fines estadísticos, a reserva de las condiciones y garantías indicadas en el artículo 89, apartado 1 del RGPD, o en la medida en que la obligación mencionada en el primer grupo de este epígrafe pueda imposibilitar u obstaculizar gravemente el logro de los objetivos de tal tratamiento. En tales casos, el responsable adoptará medidas adecuadas para proteger los derechos, libertades e intereses legítimos del interesado, inclusive haciendo pública la información.

c) La obtención o la comunicación esté expresamente establecida por el Derecho de la Unión o de los Estados miembros que se aplique al responsable del tratamiento y que establezca medidas adecuadas para proteger los intereses legítimos del interesado.

d) Cuando los datos personales deban seguir teniendo carácter confidencial sobre la base de una obligación de secreto profesional regulada por el Derecho de la Unión o de los Estados miembros, incluida una obligación de secreto de naturaleza legal.

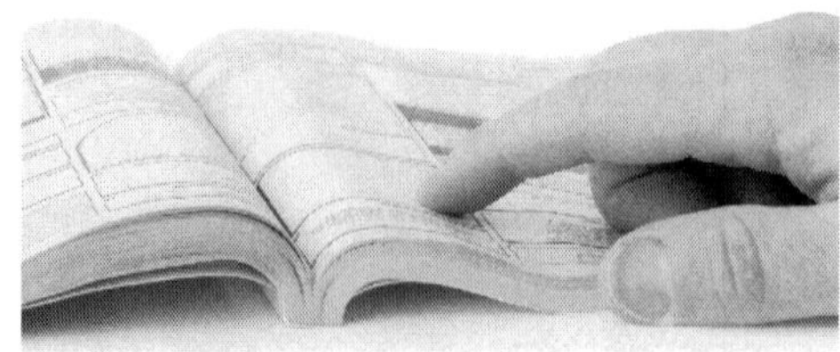

En relación a la información que habrá de solicitarse cuando los datos personales no hubieran sido obtenidos del afectado, el artículo 11.3 de la LO 3/2018 dispone que, el responsable podrá dar cumplimiento al deber de información establecido en el artículo 14 del RGPD facilitando a aquel la información básica señalada en los puntos 1 y 2 del artículo 11 (citados en el epígrafe A), indicándole una dirección electrónica u otro medio que permita acceder de forma sencilla e inmediata a la restante información. En estos supuestos, la información básica incluirá también:

a) Las categorías de datos objeto de tratamiento.

b) Las fuentes de las que procedieran los datos.

C) Transparencia

La información que deberá facilitarse a los interesados en virtud de los epígrafes A y B de este apartado podrá transmitirse en combinación con iconos normalizados que permitan proporcionar de forma fácilmente visible, inteligible y claramente legible una adecuada visión de conjunto del tratamiento previsto. Los iconos que se presenten en formato electrónico serán legibles mecánicamente.

La Comisión estará facultada para adoptar actos delegados a fin de especificar la información que se ha de presentar a través de iconos y los procedimientos para proporcionar iconos normalizados.

El Título III de la LO 3/2018, dedicado a los derechos de las personas, adapta al Derecho español el principio de transparencia en el tratamiento del reglamento europeo, que regula el derecho de los afectados a ser informados acerca del tratamiento y recoge la denominada «información por capas» ya generalmente aceptada en ámbitos como el de la videovigilancia o la instalación de dispositivos de almacenamiento masivo de datos (tales como las «cookies»), facilitando al afectado la información básica, si bien, indicándole una dirección electrónica u otro medio que permita acceder de forma sencilla e inmediata a la restante información.

4.2. Derecho de acceso del interesado

El artículo 15.1 del RGPD dispone que el interesado tendrá derecho a obtener del responsable del tratamiento confirmación de si se están tratando o no datos personales que le conciernen y, en tal caso, derecho de acceso a los datos personales y a la siguiente información:

a) Los fines del tratamiento.

b) Las categorías de datos personales de que se trate.

c) Los destinatarios o las categorías de destinatarios a los que se comunicaron o serán comunicados los datos personales, en particular destinatarios en terceros países u organizaciones internacionales;

d) De ser posible, el plazo previsto de conservación de los datos personales o, de no ser posible, los criterios utilizados para determinar este plazo.

e) La existencia del derecho a solicitar del responsable la rectificación o supresión de datos personales o la limitación del tratamiento de datos personales relativos al interesado, o a oponerse a dicho tratamiento.

f) El derecho a presentar una reclamación ante una autoridad de control.

g) Cuando los datos personales no se hayan obtenido del interesado, cualquier información disponible sobre su origen.

h) La existencia de decisiones automatizadas, incluida la elaboración de perfiles, y, al menos en tales casos, información significativa sobre la lógica aplicada, así como la importancia y las consecuencias previstas de dicho tratamiento para el interesado.

Cuando se transfieran datos personales a un tercer país o a una organización internacional, el interesado tendrá derecho a ser informado de las garantías adecuadas en virtud del artículo 46 del RGPD relativas a la transferencia.

El responsable del tratamiento facilitará una copia de los datos personales objeto de tratamiento. Cuando el interesado presente la solicitud por medios electrónicos, y a menos que este solicite que se facilite de otro modo, la información se facilitará en un formato electrónico de uso común.

El derecho a obtener copia no afectará negativamente a los derechos y libertades de otros.

Respecto al derecho de acceso, el artículo 13 de la LO 3/2018 añade las siguientes consideraciones:

- Cuando el responsable trate una gran cantidad de datos relativos al afectado y este ejercite su derecho de acceso sin especificar si se refiere a todos o a una parte de los datos, el responsable podrá solicitarle, antes de facilitar la información, que el afectado especifique los datos o actividades de tratamiento a los que se refiere la solicitud.
- El derecho de acceso se entenderá otorgado si el responsable del tratamiento facilitara al afectado un sistema de acceso remoto, directo y seguro a los datos personales que garantice, de modo permanente, el acceso a su totalidad. A tales efectos, la comunicación por el responsable al afectado del modo en que este podrá acceder a dicho sistema bastará para tener por atendida la solicitud de ejercicio del derecho.

No obstante, el interesado podrá solicitar del responsable la información referida a los extremos previstos en el artículo 15.1 del RGPD que no se incluyese en el sistema de acceso remoto.

4.3. Derecho de rectificación

Conforme al artículo 16 del RGPD, el interesado tendrá derecho a obtener sin dilación indebida del responsable del tratamiento la rectificación de los datos personales inexactos que le conciernan.

Teniendo en cuenta los fines del tratamiento, el interesado tendrá derecho a que se completen los datos personales que sean incompletos, inclusive mediante una declaración adicional.

Al ejercer el derecho de rectificación reconocido en el artículo 16 del Reglamento (UE) 2016/679, el afectado deberá indicar en su solicitud a qué datos se refiere y la corrección que haya de realizarse. Deberá acompañar, cuando sea preciso, la documentación justificativa de la inexactitud o carácter incompleto de los datos objeto de tratamiento.

4.4. Derecho de supresión (derecho al olvido)

Este derecho sustituye y amplía el derecho de cancelación de la LO 15/1999.

Conforme al RGPD, el interesado tendrá derecho a obtener sin dilación indebida del responsable del tratamiento la supresión de los datos personales que le conciernan, el cual estará obligado a suprimir sin dilación indebida los datos personales cuando concurra alguna de las circunstancias siguientes:

a) Los datos personales ya no sean necesarios en relación con los fines para los que fueron recogidos o tratados de otro modo.

b) El interesado retire el consentimiento en que se basa el tratamiento, y este no se base en otro fundamento jurídico.

c) El interesado se oponga al tratamiento y no prevalezcan otros motivos legítimos para el tratamiento, o el interesado se oponga al tratamiento cuando el tratamiento de datos personales tenga por objeto la mercadotecnia directa.

d) Los datos personales hayan sido tratados ilícitamente.

e) Los datos personales deban suprimirse para el cumplimiento de una obligación legal establecida en el Derecho de la Unión o de los Estados miembros que se aplique al responsable del tratamiento.

f) Los datos personales se hayan obtenido en relación con la oferta de servicios de la sociedad de la información.

Cuando haya hecho públicos los datos personales y esté obligado, en virtud de lo anterior, a suprimir dichos datos, el responsable del tratamiento, teniendo en cuenta la tecnología disponible y el coste de su aplicación, adoptará medidas razonables, incluidas medidas técnicas, con miras a informar a los responsables que estén tratando los datos personales de la solicitud del interesado de supresión de cualquier enlace a esos datos personales, o cualquier copia o réplica de los mismos.

Los párrafos anteriores no se aplicarán cuando el tratamiento sea necesario:

a) Para ejercer el derecho a la libertad de expresión e información.

b) Para el cumplimiento de una obligación legal que requiera el tratamiento de datos impuesta por el Derecho de la Unión o de los Estados miembros que se aplique al

responsable del tratamiento, o para el cumplimiento de una misión realizada en interés público o en el ejercicio de poderes públicos conferidos al responsable.

c) Por razones de interés público en el ámbito de la salud pública.

d) Con fines de archivo en interés público, fines de investigación científica o histórica o fines estadísticos, en la medida en que el derecho de supresión pudiera hacer imposible u obstaculizar gravemente el logro de los objetivos de dicho tratamiento.

e) Para la formulación, el ejercicio o la defensa de reclamaciones.

En relación al derecho de supresión, el artículo 15 de la LO 3/2018 añade que, cuando la supresión derive del ejercicio del derecho de oposición (que tratamos más adelante), el responsable podrá conservar los datos identificativos del afectado necesarios con el fin de impedir tratamientos futuros para fines de mercadotecnia directa.

4.5. Derecho a la limitación del tratamiento

El interesado tendrá derecho a obtener del responsable del tratamiento la limitación del tratamiento de los datos cuando se cumpla alguna de las condiciones siguientes:

a) El interesado impugne la exactitud de los datos personales, en un plazo que permita al responsable verificar la exactitud de los mismos.

b) El tratamiento sea ilícito y el interesado se oponga a la supresión de los datos personales y solicite en su lugar la limitación de su uso.

c) El responsable ya no necesite los datos personales para los fines del tratamiento, pero el interesado los necesite para la formulación, el ejercicio o la defensa de reclamaciones.

d) El interesado se haya opuesto al tratamiento en virtud de lo señalado al tratar el derecho de oposición (concretamente en su primer párrafo), mientras se verifica si los motivos legítimos del responsable prevalecen sobre los del interesado.

Cuando el tratamiento de datos personales se haya limitado en virtud del derecho a la limitación del tratamiento, dichos datos solo podrán ser objeto de tratamiento, con excepción de su conservación:

- Con el consentimiento del interesado.
- Para la formulación, el ejercicio o la defensa de reclamaciones.
- Con miras a la protección de los derechos de otra persona física o jurídica.
- O, por razones de interés público importante de la Unión o de un determinado Estado miembro.

Todo interesado que haya obtenido la limitación del tratamiento con arreglo a lo expuesto sobre este derecho será informado por el responsable antes del levantamiento de dicha limitación.

Conforme al artículo 16 de la LO 3/2018, el hecho de que el tratamiento de los datos personales esté limitado debe constar claramente en los sistemas de información del responsable.

La limitación de tratamiento es un derecho de los interesados que no debe confundirse con el bloqueo de datos existente en la legislación española.

A este derecho se le aplican los mismos plazos y procedimientos que a los restantes derechos previstos en el RGPD.

4.6. Derecho a la portabilidad de los datos

El interesado tendrá derecho a recibir los datos personales que le incumban, que haya facilitado a un responsable del tratamiento, en un formato estructurado, de uso común y lectura mecánica, y a transmitirlos a otro responsable del tratamiento sin que lo impida el responsable al que se los hubiera facilitado, cuando:

a) El tratamiento esté basado en el consentimiento con arreglo al artículo 6, apartado 1, letra a) del RGPD *[el interesado dio su consentimiento para el tratamiento de sus datos personales para uno o varios fines específicos]*, o el artículo 9, apartado 2, letra a), *[el interesado dio su consentimiento explícito para el tratamiento de dichos datos personales con uno o más de los fines especificados]* o en un contrato con arreglo al artículo 6, apartado 1, letra b) *[el tratamiento es necesario para la ejecución de un contrato en el que el interesado es parte o para la aplicación a petición de este de medidas precontractuales]*.

b) El tratamiento se efectúe por medios automatizados.

Al ejercer su derecho a la portabilidad de los datos de acuerdo con lo anterior, el interesado tendrá derecho a que los datos personales se transmitan directamente de responsable a responsable cuando sea técnicamente posible.

El ejercicio de este derecho se entenderá sin perjuicio del derecho de supresión. Tal derecho no se aplicará al tratamiento que sea necesario para el cumplimiento de una misión realizada en interés público o en el ejercicio de poderes públicos conferidos al responsable del tratamiento.

El derecho a la portabilidad de los datos no afectará negativamente a los derechos y libertades de otros.

4.7. Derecho de oposición

El interesado tendrá derecho a oponerse en cualquier momento, por motivos relacionados con su situación particular, a que datos personales que le conciernan sean objeto de un tratamiento basado en lo dispuesto en el artículo 6, apartado 1, letras e) o f), *[e) el tratamiento es necesario para el cumplimiento de una misión realizada en interés público o en el ejercicio de poderes públicos conferidos al responsable del tratamiento; f) el tratamiento es necesario para la satisfacción de intereses legítimos perseguidos por el responsable del tratamiento o por un tercero, siempre que sobre dichos intereses no prevalezcan los intereses o los derechos y libertades fundamentales del interesado que requieran la protección de datos personales, en particular cuando el interesado sea un niño]* incluida la elaboración de perfiles sobre la base de dichas disposiciones. El responsable del tratamiento dejará de tratar los datos personales, salvo que acredite motivos legítimos imperiosos para el tratamiento que prevalezcan sobre los intereses, los derechos y las libertades del interesado, o para la formulación, el ejercicio o la defensa de reclamaciones.

Cuando el tratamiento de datos personales tenga por objeto la mercadotecnia directa, el interesado tendrá derecho a oponerse en todo momento al tratamiento de los datos personales que le conciernan, incluida la elaboración de perfiles en la medida en que esté relacionada con la citada mercadotecnia.

Cuando el interesado se oponga al tratamiento con fines de mercadotecnia directa, los datos personales dejarán de ser tratados para dichos fines.

A más tardar en el momento de la primera comunicación con el interesado, el derecho de oposición será mencionado explícitamente al interesado y será presentado claramente y al margen de cualquier otra información.

En el contexto de la utilización de servicios de la sociedad de la información, y no obstante lo dispuesto en la Directiva 2002/58/CE, el interesado podrá ejercer su derecho a oponerse por medios automatizados que apliquen especificaciones técnicas.

Cuando los datos personales se traten con fines de investigación científica o histórica o fines estadísticos, el interesado tendrá derecho, por motivos relacionados con su situación particular, a oponerse al tratamiento de datos personales que le conciernan, salvo que sea necesario para el cumplimiento de una misión realizada por razones de interés público.

4.8. Derecho a no ser objeto de decisiones individuales automatizadas

Según el artículo 22 del RGPD, todo interesado tendrá derecho a no ser objeto de una decisión basada únicamente en el tratamiento automatizado, incluida la elaboración de perfiles, que produzca efectos jurídicos en él o le afecte significativamente de modo similar.

Lo anterior no se aplicará si la decisión:

a) Es necesaria para la celebración o la ejecución de un contrato entre el interesado y un responsable del tratamiento.

b) Está autorizada por el Derecho de la Unión o de los Estados miembros que se aplique al responsable del tratamiento y que establezca asimismo medidas adecuadas para salvaguardar los derechos y libertades y los intereses legítimos del interesado.

c) Se basa en el consentimiento explícito del interesado.

En los casos a que se refieren las letras a) y c), el responsable del tratamiento adoptará las medidas adecuadas para salvaguardar los derechos y libertades y los intereses legítimos del interesado, como mínimo el derecho a obtener intervención humana por parte del responsable, a expresar su punto de vista y a impugnar la decisión.

Las decisiones a que se refieren las letras a), b) y c) no se basarán en las categorías especiales de datos personales contempladas en el artículo 9, apartado 1 *(origen étnico o racial, las opiniones políticas, las convicciones religiosas o filosóficas, o la afiliación sindical, y el tratamiento de datos genéticos, datos biométricos dirigidos a identificar de manera unívoca a una persona física, datos relativos a la salud o datos relativos a la vida sexual u orientación sexual de una persona física)*, salvo que se aplique el artículo 9, apartado 2, letra a) o g), *[a) el interesado dio su consentimiento explícito para el tratamiento de dichos datos personales con uno o más de los fines especificados, excepto cuando el Derecho de la Unión o de los Estados miembros establezca que la prohibición mencionada en el apartado 1 no puede ser levantada por el interesado; g) el tratamiento es necesario por razones de un interés público esencial, sobre la base del Derecho de la Unión o de los Estados miembros, que debe ser proporcional al objetivo perseguido, respetar en lo esencial el derecho a la protección de datos y establecer medidas adecuadas y específicas para proteger los intereses y derechos fundamentales del interesado]* y se hayan tomado medidas adecuadas para salvaguardar los derechos y libertades y los intereses legítimos del interesado.

4.9. Limitaciones a los derechos

El artículo 23 del RGPD indica que el Derecho de la Unión o de los Estados miembros que se aplique al responsable o el encargado del tratamiento podrá limitar, a través de medidas legislativas, el alcance de las obligaciones y de los derechos que hemos tratado, cuando tal limitación respete en lo esencial los derechos y libertades fundamentales y sea una medida necesaria y proporcionada en una sociedad democrática para salvaguardar:

a) La seguridad del Estado.

b) La defensa.

c) La seguridad pública.

d) La prevención, investigación, detección o enjuiciamiento de infracciones penales o la ejecución de sanciones penales, incluida la protección frente a amenazas a la seguridad pública y su prevención.

e) Otros objetivos importantes de interés público general de la Unión o de un Estado miembro, en particular un interés económico o financiero importante de la Unión o de un Estado miembro, inclusive en los ámbitos fiscal, presupuestario y monetario, la sanidad pública y la seguridad social.

f) La protección de la independencia judicial y de los procedimientos judiciales.

g) La prevención, la investigación, la detección y el enjuiciamiento de infracciones de normas deontológicas en las profesiones reguladas.

h) Una función de supervisión, inspección o reglamentación vinculada, incluso ocasionalmente, con el ejercicio de la autoridad pública en los casos contemplados en las letras a) a e) y g).

i) La protección del interesado o de los derechos y libertades de otros.

j) La ejecución de demandas civiles.

En particular, cualquier medida legislativa de las indicadas contendrá como mínimo, en su caso, disposiciones específicas relativas a:

a) La finalidad del tratamiento o de las categorías de tratamiento.

b) Las categorías de datos personales de que se trate.

c) El alcance de las limitaciones establecidas.

d) Las garantías para evitar accesos o transferencias ilícitos o abusivos.

e) La determinación del responsable o de categorías de responsables.

f) Los plazos de conservación y las garantías aplicables habida cuenta de la naturaleza, alcance y objetivos del tratamiento o las categorías de tratamiento;

g) Los riesgos para los derechos y libertades de los interesados.

h) El derecho de los interesados a ser informados sobre la limitación, salvo si puede ser perjudicial a los fines de esta.

4.10. Disposiciones generales sobre el ejercicio de los derechos

En relación al ejercicio de los derechos tratados en los apartados anteriores, el artículo 12 de la LO 3/2018 establece las siguientes disposiciones generales:

a) Los derechos reconocidos en los artículos 15 a 22 del RGPD *(todos los estudiados en los apartados anteriores)*, podrán ejercerse directamente o por medio de representante legal o voluntario.

b) El responsable del tratamiento estará obligado a informar al afectado sobre los medios a su disposición para ejercer los derechos que le corresponden.

c) Los medios deberán ser fácilmente accesibles para el afectado.

d) El ejercicio del derecho no podrá ser denegado por el solo motivo de optar el afectado por otro medio.

e) El encargado podrá tramitar, por cuenta del responsable, las solicitudes de ejercicio formuladas por los afectados de sus derechos si así se estableciere en el contrato o acto jurídico que les vincule.

f) La prueba del cumplimiento del deber de responder a la solicitud de ejercicio de sus derechos formulado por el afectado recaerá sobre el responsable.

g) Cuando las leyes aplicables a determinados tratamientos establezcan un régimen especial que afecte al ejercicio de los derechos, se estará a lo dispuesto en aquellas.

h) En cualquier caso, los titulares de la patria potestad podrán ejercitar en nombre y representación de los menores de catorce años los derechos de acceso, rectificación, cancelación, oposición o cualesquiera otros que pudieran corresponderles en el contexto de la presente ley orgánica.

i) Serán gratuitas las actuaciones llevadas a cabo por el responsable del tratamiento para atender las solicitudes de ejercicio de estos derechos, con las siguientes salvedades:

- Cuando las solicitudes sean manifiestamente infundadas o excesivas, especialmente debido a su ***carácter repetitivo***, el responsable del tratamiento podrá cobrar un canon razonable en función de los costes administrativos afrontados para facilitar la información o la comunicación o realizar la actuación solicitada.

  Se podrá considerar repetitivo el ejercicio del derecho de acceso en más de una ocasión durante el plazo de seis meses, a menos que exista causa legítima para ello.

  El responsable del tratamiento soportará la carga de demostrar el carácter manifiestamente infundado o excesivo de la solicitud.

- En relación al derecho de acceso, el responsable del tratamiento debe facilitar una copia de los datos personales objeto de tratamiento. Se presentan dos salvedades a la gratuidad de las actuaciones:

*Cuando el afectado elija un medio distinto al que se le ofrece que suponga un **coste desproporcionado**, la solicitud será considerada excesiva, por lo que dicho afectado asumirá el exceso de costes que su elección comporte. En este caso, solo será exigible al responsable del tratamiento la satisfacción del derecho de acceso sin dilaciones indebidas.*

*El responsable podrá percibir **por cualquier otra copia** solicitada por el interesado un canon razonable basado en los costes administrativos.*

4.11. Derechos digitales

Internet se ha convertido en una realidad omnipresente tanto en nuestra vida personal como colectiva. Una gran parte de nuestra actividad profesional, económica y privada se desarrolla en la Red y adquiere una importancia fundamental tanto para la comunicación humana como para el desarrollo de nuestra vida en sociedad.

Ya en los años noventa, y conscientes del impacto que iba a producir Internet en nuestras vidas, los pioneros de la Red propusieron elaborar una Declaración de los Derechos del Hombre y del Ciudadano en Internet.

Hoy identificamos con bastante claridad los riesgos y oportunidades que el mundo de las redes ofrece a la ciudadanía. Corresponde a los poderes públicos impulsar políticas que hagan efectivos los derechos de la ciudadanía en Internet promoviendo la igualdad de los ciudadanos y de los grupos en los que se integran para hacer posible el pleno ejercicio de los derechos fundamentales en la realidad digital.

La transformación digital de nuestra sociedad es ya una realidad en nuestro desarrollo presente y futuro tanto a nivel social como económico. En este contexto, países de nuestro entorno ya han aprobado normativa que refuerza los derechos digitales de la ciudadanía.

Los constituyentes de 1978 ya intuyeron el enorme impacto que los avances tecnológicos provocarían en nuestra sociedad y, en particular, en el disfrute de los derechos fundamentales. Una deseable futura reforma de la Constitución debería incluir entre sus prioridades la actualización de la Constitución a la era digital y, específicamente, elevar a rango constitucional una nueva generación de derechos digitales. Pero, en tanto no se acometa este reto, el legislador debe abordar el reconocimiento de un sistema de garantía de los derechos digitales que, inequívocamente, encuentra su anclaje en el mandato impuesto por el apartado cuarto del artículo 18 de la Constitución Española y que, en algunos casos, ya han sido perfilados por la jurisprudencia ordinaria, constitucional y europea.

El Título X de la LO 3/2018 acomete la tarea de reconocer y garantizar un elenco de derechos digitales de los ciudadanos conforme al mandato establecido en la Constitución. En particular, son objeto de regulación los derechos y libertades predicables al entorno de Internet como la neutralidad de la Red y el acceso universal o los derechos a la seguridad y educación digital así como los derechos al olvido, a la portabilidad y al testamento digital. Ocupa un lugar relevante el reconocimiento del derecho a la desconexión digital en el marco del derecho a la intimidad en el uso de dispositivos digitales en el ámbito laboral y la protección de los menores en Internet. Finalmente, resulta destacable la garantía de la libertad de expresión y el derecho a la aclaración de informaciones en medios de comunicación digitales.

Conforme al artículo 79 de la LO 3/2018, los derechos y libertades consagrados en la Constitución y en los Tratados y Convenios Internacionales en que España sea parte son plenamente aplicables en Internet. Los prestadores de servicios de la sociedad de la información y los proveedores de servicios de Internet deben contribuir a garantizar su aplicación.

4.11.1. Derecho a la neutralidad de Internet

Los usuarios tienen derecho a la neutralidad de Internet.

Los proveedores de servicios de Internet proporcionarán una oferta transparente de servicios sin discriminación por motivos técnicos o económicos.

4.11.2. Derecho de acceso universal a Internet

Conforme al artículo 81 de la LO 3/2018:

1. Todos tienen derecho a acceder a Internet independientemente de su condición personal, social, económica o geográfica.
2. Se garantizará un acceso universal, asequible, de calidad y no discriminatorio para toda la población.
3. El acceso a Internet de hombres y mujeres procurará la superación de la brecha de género tanto en el ámbito personal como laboral.
4. El acceso a Internet procurará la superación de la brecha generacional mediante acciones dirigidas a la formación y el acceso a las personas mayores.
5. La garantía efectiva del derecho de acceso a Internet atenderá la realidad específica de los entornos rurales.
6. El acceso a Internet deberá garantizar condiciones de igualdad para las personas que cuenten con necesidades especiales.

4.11.3. Derecho a la seguridad digital

Los usuarios tienen derecho a la seguridad de las comunicaciones que transmitan y reciban a través de Internet.

Los proveedores de servicios de Internet deben informar a los usuarios de sus derechos.

4.11.4. Derecho a la educación digital

El sistema educativo ha de garantizar la plena inserción del alumnado en la sociedad digital y el aprendizaje de un consumo responsable y un uso crítico y seguro de los medios digitales y respetuoso con la dignidad humana, la justicia social y la sostenibilidad medioambiental, los valores constitucionales, los derechos fundamentales y, particularmente con el respeto y la garantía de la intimidad personal y familiar y la protección de datos personales. Las actuaciones realizadas en este ámbito tendrán carácter inclusivo, en particular en lo que respecta al alumnado con necesidades educativas especiales.

Las Administraciones educativas deberán incluir en el desarrollo del currículo la competencia digital a la que se refiere el párrafo anterior, así como los elementos relacionados con las situaciones de riesgo derivadas de la inadecuada utilización de las TIC, con especial atención a las situaciones de violencia en la red.

El profesorado recibirá las competencias digitales y la formación necesaria para la enseñanza y transmisión de los valores y derechos referidos.

Los planes de estudio de los títulos universitarios, en especial, aquellos que habiliten para el desempeño profesional en la formación del alumnado, han de garantizar la formación en el uso y seguridad de los medios digitales y en la garantía de los derechos fundamentales en Internet.

Las Administraciones Públicas incorporarán a los temarios de las pruebas de acceso a los cuerpos superiores y a aquellos en que habitualmente se desempeñen funciones que impliquen el acceso a datos personales materias relacionadas con la garantía de los derechos digitales y en particular el de protección de datos.

4.11.5. Protección de los menores en Internet

Los padres, madres, tutores, curadores o representantes legales procurarán que los menores de edad hagan un uso equilibrado y responsable de los dispositivos digitales y de los servicios de la sociedad de la información a fin de garantizar el adecuado desarrollo de su personalidad y preservar su dignidad y sus derechos fundamentales.

La utilización o difusión de imágenes o información personal de menores en las redes sociales y servicios de la sociedad de la información equivalentes que puedan implicar una intromisión ilegítima en sus derechos fundamentales determinará la intervención del Ministerio Fiscal, que instará las medidas cautelares y de protección previstas en la Ley Orgánica 1/1996, de 15 de enero, de Protección Jurídica del Menor.

4.11.6. Derecho de rectificación en Internet

Todos tienen derecho a la libertad de expresión en Internet.

Conforme al artículo 85 de la LO 3/2018, los responsables de redes sociales y servicios equivalentes deben adoptar protocolos adecuados para posibilitar el ejercicio del derecho de rectificación ante los usuarios que difundan contenidos que atenten contra el derecho al honor, la intimidad personal y familiar en Internet y el derecho a comunicar o recibir libremente información veraz, atendiendo a los requisitos y procedimientos previstos en la Ley Orgánica 2/1984, de 26 de marzo, reguladora del derecho de rectificación.

El derecho de rectificación es el derecho de toda persona, natural o jurídica, a rectificar la información difundida, por cualquier medio de comunicación social, de hechos que le aludan, que considere inexactos y cuya divulgación pueda causarle perjuicio.

Cuando los medios de comunicación digitales deban atender la solicitud de rectificación formulada contra ellos deberán proceder a la publicación en sus archivos digitales de un aviso aclaratorio que ponga de manifiesto que la noticia original no refleja la situación actual del individuo. Dicho aviso deberá aparecer en lugar visible junto con la información original.

4.11.7. Derecho a la actualización de informaciones en medios de comunicación digitales

El artículo 86 de la LO 3/2018 dispone que toda persona tiene derecho a solicitar motivadamente de los medios de comunicación digitales la inclusión de un aviso de actualización suficientemente visible junto a las noticias que le conciernan cuando la información contenida en la noticia original no refleje su situación actual como consecuencia de circunstancias que hubieran tenido lugar después de la publicación, causándole un perjuicio.

En particular, procederá la inclusión de dicho aviso cuando las informaciones originales se refieran a actuaciones policiales o judiciales que se hayan visto afectadas en beneficio del interesado como consecuencia de decisiones judiciales posteriores. En este caso, el aviso hará referencia a la decisión posterior.

4.11.8. Derecho a la intimidad y uso de dispositivos digitales en el ámbito laboral

Tal como señala el artículo 87 de la LO 3/2018, los trabajadores y los empleados públicos tendrán derecho a la protección de su intimidad en el uso de los dispositivos digitales puestos a su disposición por su empleador.

El empleador podrá acceder a los contenidos derivados del uso de medios digitales facilitados a los trabajadores a los solos efectos de controlar el cumplimiento de las obligaciones laborales o estatutarias y de garantizar la integridad de dichos dispositivos.

Los empleadores deberán establecer criterios de utilización de los dispositivos digitales respetando en todo caso los estándares mínimos de protección de su intimidad de acuerdo con los usos sociales y los derechos reconocidos constitucional y legalmente. En su elaboración deberán participar los representantes de los trabajadores.

El acceso por el empleador al contenido de dispositivos digitales respecto de los que haya admitido su uso con fines privados requerirá que se especifiquen de modo preciso los usos autorizados y se establezcan garantías para preservar la intimidad de los trabajadores, tales como, en su caso, la determinación de los períodos en que los dispositivos podrán utilizarse para fines privados. Los trabajadores deberán ser informados de los criterios de utilización a los que se refiere este apartado.

4.11.9. Derecho a la desconexión digital en el ámbito laboral

Los trabajadores y los empleados públicos tendrán derecho a la desconexión digital a fin de garantizar, fuera del tiempo de trabajo legal o convencionalmente establecido, el respeto de su tiempo de descanso, permisos y vacaciones, así como de su intimidad personal y familiar.

Las modalidades de ejercicio de este derecho atenderán a la naturaleza y objeto de la relación laboral, potenciarán el derecho a la conciliación de la actividad laboral y la vida personal y familiar y se sujetarán a lo establecido en la negociación colectiva o, en su defecto, a lo acordado entre la empresa y los representantes de los trabajadores.

El empleador, previa audiencia de los representantes de los trabajadores, elaborará una política interna dirigida a trabajadores, incluidos los que ocupen puestos directivos, en la que definirán las modalidades de ejercicio del derecho a la desconexión y las acciones de formación y de sensibilización del personal sobre un uso razonable de las herramientas tecnológicas que evite el riesgo de fatiga informática.

En particular, se preservará el derecho a la desconexión digital en los supuestos de realización total o parcial del trabajo a distancia así como en el domicilio del empleado vinculado al uso con fines laborales de herramientas tecnológicas.

4.11.10. Derecho a la intimidad frente al uso de dispositivos de videovigilancia y de grabación de sonidos en el lugar de trabajo

Los empleadores podrán tratar las imágenes obtenidas a través de sistemas de cámaras o videocámaras para el ejercicio de las funciones de control de los trabajadores o los empleados públicos previstas, respectivamente, en el artículo 20.3 del Estatuto de los Trabajadores y en la legislación de función pública, siempre que estas funciones se ejerzan dentro de su marco legal y con los límites inherentes al mismo.

Los empleadores habrán de informar con carácter previo, y de forma expresa, clara y concisa, a los trabajadores o los empleados públicos y, en su caso, a sus representantes, acerca de esta medida. En el supuesto de que se haya captado la comisión flagrante de un acto ilícito por los trabajadores o los empleados públicos se entenderá cumplido el deber de informar cuando existiese al menos el dispositivo al que se refiere el artículo 22.4 de la LO 3/2018. *(Se trata de un dispositivo informativo en lugar suficientemente visible identificando, al menos, la existencia del tratamiento, la identidad del responsable y la posibilidad de ejercitar los derechos previstos en los artículos 15 a 22 del RGPD. También podrá incluirse en el dispositivo informativo un código de conexión o dirección de internet a esta información).*

En ningún caso se admitirá la instalación de sistemas de grabación de sonidos ni de videovigilancia en lugares destinados al descanso o esparcimiento de los trabajadores o los empleados públicos, tales como vestuarios, aseos, comedores y análogos.

La utilización de sistemas similares a los referidos en los párrafos anteriores para la grabación de sonidos en el lugar de trabajo se admitirá únicamente cuando resulten relevantes los riesgos para la seguridad de las instalaciones, bienes y personas derivados de la actividad que se desarrolle en el centro de trabajo y siempre respetando el principio de proporcionalidad, el de intervención mínima y las garantías previstas en los párrafos anteriores.

4.11.11. Derecho a la intimidad ante la utilización de sistemas de geolocalización en el ámbito laboral

Los empleadores podrán tratar los datos obtenidos a través de sistemas de geolocalización para el ejercicio de las funciones de control de los trabajadores o los empleados públicos previstas, respectivamente, en el artículo 20.3 del Estatuto de los Trabajadores y en la legislación de función pública, siempre que estas funciones se ejerzan dentro de su marco legal y con los límites inherentes al mismo.

Con carácter previo, los empleadores habrán de informar de forma expresa, clara e inequívoca a los trabajadores o los empleados públicos y, en su caso, a sus representantes, acerca de la existencia y características de estos dispositivos. Igualmente deberán informarles acerca del posible ejercicio de los derechos de acceso, rectificación, limitación del tratamiento y supresión.

4.11.12. Derechos digitales en la negociación colectiva

Conforme al artículo 91 de la LO 3/2018, los convenios colectivos podrán establecer garantías adicionales de los derechos y libertades relacionados con el tratamiento de los datos personales de los trabajadores y la salvaguarda de derechos digitales en el ámbito laboral.

4.11.13. Protección de datos de los menores en Internet

Los centros educativos y cualesquiera personas físicas o jurídicas que desarrollen actividades en las que participen menores de edad garantizarán la protección del interés superior del menor y sus derechos fundamentales, especialmente el derecho a la protección de datos personales, en la publicación o difusión de sus datos personales a través de servicios de la sociedad de la información.

Cuando dicha publicación o difusión fuera a tener lugar a través de servicios de redes sociales o servicios equivalentes deberán contar con el consentimiento del menor o sus representantes legales, conforme a lo prescrito en el artículo 7 de la LO 3/2018.

4.11.14. Derecho al olvido en búsquedas de Internet

El artículo 93 de la LO 3/2018, dispone que toda persona tiene derecho a que los motores de búsqueda en Internet eliminen de las listas de resultados que se obtuvieran tras una búsqueda efectuada a partir de su nombre los enlaces publicados que contuvieran información relativa a esa persona cuando fuesen inadecuados, inexactos, no pertinentes, no actualizados o excesivos o hubieren devenido como tales por el transcurso del tiempo, teniendo en cuenta los fines para los que se recogieron o trataron, el tiempo transcurrido y la naturaleza e interés público de la información.

Del mismo modo deberá procederse cuando las circunstancias personales que en su caso invocase el afectado evidenciasen la prevalencia de sus derechos sobre el mantenimiento de los enlaces por el servicio de búsqueda en Internet.

Este derecho subsistirá aun cuando fuera lícita la conservación de la información publicada en el sitio web al que se dirigiera el enlace y no se procediese por la misma a su borrado previo o simultáneo.

El ejercicio del derecho al que se refiere este artículo no impedirá el acceso a la información publicada en el sitio web a través de la utilización de otros criterios de búsqueda distintos del nombre de quien ejerciera el derecho.

4.11.15. Derecho al olvido en servicios de redes sociales y servicios equivalentes

Conforme al artículo 94 de la LO 3/2018:

Toda persona tiene derecho a que sean suprimidos, a su simple solicitud, los datos personales que hubiese facilitado para su publicación por servicios de redes sociales y servicios de la sociedad de la información equivalentes.

Toda persona tiene derecho a que sean suprimidos los datos personales que le conciernan y que hubiesen sido facilitados por terceros para su publicación por los servicios de redes sociales y servicios de la sociedad de la información equivalentes cuando fuesen inadecuados, inexactos, no pertinentes, no actualizados o excesivos o hubieren devenido como tales por el transcurso del tiempo, teniendo en cuenta los fines para los que se recogieron o trataron, el tiempo transcurrido y la naturaleza e interés público de la información. Del mismo modo deberá procederse a la supresión de dichos datos cuando las circunstancias personales que en su caso invocase el afectado evidenciasen la prevalencia de sus derechos sobre el mantenimiento de los datos por el servicio. Se exceptúan de lo señalado en este apartado los datos que hubiesen sido facilitados por personas físicas en el ejercicio de actividades personales o domésticas.

En caso de que el derecho se ejercitase por un afectado respecto de datos que hubiesen sido facilitados al servicio, por él o por terceros, durante su minoría de edad, el prestador deberá proceder sin dilación a su supresión por su simple solicitud, sin necesidad de que concurran las circunstancias mencionadas en el párrafo anterior.

4.11.16. Derecho de portabilidad en servicios de redes sociales y servicios equivalentes

Los usuarios de servicios de redes sociales y servicios de la sociedad de la información equivalentes tendrán derecho a recibir y transmitir los contenidos que hubieran facilitado a los prestadores de dichos servicios, así como a que los prestadores los transmitan directamente a otro prestador designado por el usuario, siempre que sea técnicamente posible.

Los prestadores podrán conservar, sin difundirla a través de Internet, copia de los contenidos cuando dicha conservación sea necesaria para el cumplimiento de una obligación legal.

4.11.17. Derecho al testamento digital

El acceso a contenidos gestionados por prestadores de servicios de la sociedad de la información sobre personas fallecidas se regirá por las siguientes reglas que determina el artículo 96 de la LO 3/2018:

a) Las personas vinculadas al fallecido por razones familiares o de hecho, así como sus herederos podrán dirigirse a los prestadores de servicios de la sociedad de la información al objeto de acceder a dichos contenidos e impartirles las instrucciones que estimen oportunas sobre su utilización, destino o supresión. Como excepción, las personas mencionadas no podrán acceder a los contenidos del causante, ni solicitar su modificación o eliminación, cuando la persona fallecida lo hubiese prohibido expresamente o así lo establezca una ley. Dicha prohibición no afectará al derecho de los herederos a acceder a los contenidos que pudiesen formar parte del caudal relicto.

b) El albacea testamentario así como aquella persona o institución a la que el fallecido hubiese designado expresamente para ello también podrá solicitar, con arreglo a las instrucciones recibidas, el acceso a los contenidos con vistas a dar cumplimiento a tales instrucciones.

c) En caso de personas fallecidas menores de edad, estas facultades podrán ejercerse también por sus representantes legales o, en el marco de sus competencias, por el Ministerio Fiscal, que podrá actuar de oficio o a instancia de cualquier persona física o jurídica interesada.

d) En caso de fallecimiento de personas con discapacidad, estas facultades podrán ejercerse también, además de por quienes señala la letra anterior, por quienes hubiesen sido designados para el ejercicio de funciones de apoyo si tales facultades se entendieran comprendidas en las medidas de apoyo prestadas por el designado.

Las personas así legitimadas podrán decidir acerca del mantenimiento o eliminación de los perfiles personales de personas fallecidas en redes sociales o servicios equivalentes, a menos que el fallecido hubiera decidido acerca de esta circunstancia, en cuyo caso se estará a sus instrucciones.

El responsable del servicio al que se le comunique, con arreglo al párrafo anterior, la solicitud de eliminación del perfil, deberá proceder sin dilación a la misma.

Mediante real decreto se establecerán los requisitos y condiciones para acreditar la validez y vigencia de los mandatos e instrucciones y, en su caso, el registro de los mismos, que podrá coincidir con el previsto en el artículo 3 de la LO 3/2018.

Lo establecido en el artículo 96 de la LO 3/2018 en relación con las personas fallecidas en las comunidades autónomas con derecho civil, foral o especial, propio se regirá por lo establecido por estas dentro de su ámbito de aplicación.

4.11.18. Políticas de impulso de los derechos digitales

El Gobierno, en colaboración con las comunidades autónomas, elaborará un ***Plan de Acceso a Internet*** con los siguientes objetivos:

a) Superar las brechas digitales y garantizar el acceso a Internet de colectivos vulnerables o con necesidades especiales y de entornos familiares y sociales económicamente desfavorecidos mediante, entre otras medidas, un bono social de acceso a Internet.

b) Impulsar la existencia de espacios de conexión de acceso público.

c) Fomentar medidas educativas que promuevan la formación en competencias y habilidades digitales básicas a personas y colectivos en riesgo de exclusión digital y la capacidad de todas las personas para realizar un uso autónomo y responsable de Internet y de las tecnologías digitales.

Asimismo, se aprobará un ***Plan de Actuación*** dirigido a promover las acciones de formación, difusión y concienciación necesarias para lograr que los menores de edad hagan un uso equilibrado y responsable de los dispositivos digitales y de las redes sociales y de los servicios de la sociedad de la información equivalentes de Internet con la finalidad de garantizar su adecuado desarrollo de la personalidad y de preservar su dignidad y derechos fundamentales.

El Gobierno presentará un ***informe anual*** ante la comisión parlamentaria correspondiente del Congreso de los Diputados en el que se dará cuenta de la evolución de los derechos, garantías y mandatos contemplados en el Título X de la LO 3/2018 y de las medidas necesarias para promover su impulso y efectividad.

TEMA 10

La Ley Orgánica 2/2023, de 22 de marzo, del Sistema Universitario: Estructura y contenido. La autonomía universitaria. La naturaleza jurídica de las Universidades. Funciones del Sistema Universitario. Cooperación, coordinación y participación en el sistema universitario. Creación y reconocimiento de las universidades y calidad del sistema universitario. La estructura de las Universidades. La Gobernanza de las Universidades

Índice

1. La Ley Orgánica 2/2023, de 22 de marzo, del Sistema Universitario. Estructura. La Autonomía Universitaria[1]

1.1. La Ley Orgánica 2/2023, de 22 de marzo, del Sistema Universitario. Aprobación

1.1.1. Antecedentes

El artículo 27.10 de la Constitución española de 1978 reconoció la autonomía de las Universidades en los términos que la ley establezca, garantizando con ella la libertad de cátedra, de estudio y de investigación, así como la autonomía de gestión y administración de sus propios recursos.

Con la aprobación de la Ley 11/1983, de 2 de agosto (BOE del 1 de septiembre) «de Reforma Universitaria» (LRU), las universidades adquirieron una considerable autonomía y autogobierno.

La LRU fue derogada por la Ley Orgánica 6/2001, de 21 de diciembre, de Universidades (LOU), que fue publicada en el Boletín Oficial del Estado el 24 de diciembre y entró en vigor a los veinte días de su publicación en el mismo, es decir, el día 13 de enero de 2002.

Esta última ley ha sido derogada por la reciente Ley Orgánica 2/2023, de 22 de marzo, del Sistema Universitario (LOSU), que fue publicada en el BOE el 23 de marzo y entró en vigor el 12 de abril (a los veinte días de su publicación en el BOE).

1.1.2. Disposición derogatoria

De conformidad con la disposición derogatoria única de la LOSU, quedan expresamente derogadas:

a) La Ley Orgánica 6/2001, de 21 de diciembre, de Universidades.

b) La Ley Orgánica 4/2007, de 12 de abril, por la que se modifica la Ley Orgánica 6/2001, de 21 de diciembre, de Universidades, salvo sus disposiciones finales segunda y cuarta.

c) El Real Decreto-ley 14/2012, de 20 de abril, de medidas urgentes de racionalización del gasto público en el ámbito educativo.

Quedan igualmente derogadas todas las disposiciones de igual o inferior rango en cuanto se opongan a lo establecido en la LOSU.

---

[1] En el presente tema será analizado el contenido de la Ley Orgánica 2/2023, de 22 de marzo, del Sistema Universitario, cuyo contenido no es objeto específico de otros temas.

1.2. Objetivos de la reforma. La Exposición de Motivos de la LOSU

En el Preámbulo de la LOSU se establece en primer lugar que la Universidad es una institución fundamental en la sociedad del conocimiento en la que vivimos. De la Universidad, y del sistema educativo en su conjunto, depende la educación avanzada de las personas, y lo que ello conlleva con relación a la igualdad de oportunidades para todas y el desarrollo económico, científico y tecnológico de nuestra sociedad en momentos de emergencia climática. Además, la comunidad universitaria ha constituido a través de la historia un espacio de libertad intelectual, de espíritu crítico, de tolerancia, de diálogo, de debate, de afirmación de valores éticos y humanistas, de aprendizaje del respeto al medio ambiente y de preservación y creación cultural, abierto a la diversidad de expresiones del espíritu humano.

La Universidad ha sido, es y debe ser fuente de conocimiento, de bienestar material, de justicia social, de inclusión, de oportunidades y de libertad cultural para todas las edades.

Como institución secular que es, ha demostrado su capacidad para combinar el mantenimiento de sus valores esenciales con la adecuación a los cambios que iban sucediéndose. Llega ahora el momento en que ha de volver a demostrar su fuerza adaptándose y acompañando las transformaciones y retos sociales, culturales, tecnológicos, medioambientales, científicos e institucionales que caracterizan el cambio de época que atravesamos.

A partir de la restauración de la democracia, la sociedad ha experimentado una transformación multidimensional a escala global. Se ha profundizado la revolución científica y tecnológica, particularmente en el ámbito de la información y la comunicación. La sociedad se ha beneficiado de una digitalización creciente. La globalización ha acrecentado la interdependencia de los países y las regiones a todos los niveles. El feminismo ha modificado las relaciones humanas en términos de equidad de género, cambiando profundamente la educación de las personas y contribuyendo a la feminización mayoritaria del estudiantado de la Universidad. La transición ecológica, la emergencia climática y el reto demográfico han cobrado un protagonismo extraordinario. La movilidad internacional de personas y talento está ocasionando una interrelación cultural que revaloriza la diversidad y abre nuevas

perspectivas a la creatividad. Han surgido nuevos modelos pedagógicos que incorporan metodologías digitales en la actividad docente, recualifican la educación a distancia y obligan a potenciar el valor de la presencialidad. La creciente importancia y significación social de la formación a lo largo de la vida complementa la formación universitaria en la juventud. La autonomía del aprendizaje en un entorno digital permite al profesorado centrarse en guiar la reflexión, e innovar la experiencia docente, complementando así el papel tradicional centrado fundamentalmente en el control de la memorización, habida cuenta de la disponibilidad y accesibilidad de la información a través de Internet.

En consonancia con estas transformaciones, el sistema universitario del Estado, complejo y multinivel, ha protagonizado un continuado esfuerzo de transformación y democratización, alejándose de una concepción socialmente elitista para abarcar sectores cada vez más amplios de la población, y de una concepción intelectual cerrada y excluyente del saber, para entablar una relación de diálogo y colaboración, a través del conocimiento, el pensamiento crítico y la investigación, con el conjunto de la sociedad, con entidades, empresas y agentes sociales. Este diálogo y colaboración contribuyen a la construcción de una sociedad democrática avanzada en un marco normativo caracterizado por un Espacio Europeo de Educación Superior cada vez más presente y expansivo, y por la autonomía universitaria y el desarrollo competencial del Estado de las autonomías que ha ido enriqueciendo y diversificando nuestro sistema universitario. Las universidades son, hoy más que nunca, no solo depositarias del conocimiento, sino productoras de dicho conocimiento. Docencia, investigación y capacidad de compartir y transferir ese conocimiento constituyen funciones centrales de su actividad. En efecto, la Universidad del siglo XXI no puede replegarse en una torre de marfil, sino que tiene que continuar la labor emprendida y seguir profundizando en su inserción, significación y capacidad de servicio con relación al tejido social, cultural y económico. Asimismo, la creciente gobernanza multinivel del sistema exige intensos esfuerzos de coordinación y cooperación entre los actores. El marco jurídico universitario ha ido desarrollándose en estas últimas cuatro décadas. Cabe destacar, principalmente, dos hitos: la Ley Orgánica 11/1983, de 25 de agosto, de Reforma Universitaria, y la Ley Orgánica 6/2001, de 21 de diciembre, de Universidades, incluida la modificación de esta operada por la Ley Orgánica 4/2007, de 12 de abril. La primera de estas leyes sentó las bases de un sistema universitario propio de un Estado social y democrático de Derecho, garantizando la autonomía universitaria, mientras que la ley aprobada en 2001 desarrolló dicho sistema y reformó la organización de las enseñanzas universitarias en consonancia con el Espacio Europeo de Educación Superior.

Han transcurrido ya dos décadas desde la promulgación de la Ley Orgánica 6/2001, de 21 de diciembre, habiéndose producido no solo los cambios y transformaciones generales ya mencionados y que exigen una renovación de las bases del sistema, sino también evoluciones significativas en nuestro panorama universitario. En las últimas décadas se ha producido un incremento muy considerable del número de universidades, particularmente universidades privadas. Si bien ello ha permitido una ampliación de la oferta educativa, los requisitos para la creación y funcionamiento de dichas universidades han de poder asegurar los criterios de calidad exigibles en instituciones de este tipo. La crisis económica iniciada a finales de la primera década del siglo XXI planteó desafíos inéditos a todas las instituciones educativas, sometiendo, especialmente a las universidades públicas, a tensiones y limitaciones presupuestarias muy profundas cuyos efectos aún persisten. Si bien en estas últimas cuatro décadas se ha duplicado el estudiantado universitario, superando ampliamente el millón y medio de estudiantes, la insuficiente financiación pública, el aumento de las tasas universitarias, las disfunciones en la configuración de su profesorado debido a las bajas tasas de reposición, la precarización de parte del profesorado asociado, interino, sustituto o visitante y el envejecimiento de las plantillas universitarias, así como la profundización de las desigualdades sociales, han puesto en riesgo la sostenibilidad y la calidad del sistema.

El gasto público en educación universitaria se redujo en la segunda década del presente siglo el doble que el gasto general educativo y tres veces más que el gasto en educación no universitaria. En efecto, la desinversión en educación universitaria ha sido más acentuada y prolongada en el tiempo que en la educación no universitaria. Además, en el ámbito universitario, se ha producido una reducción significativamente mayor de la financiación pública y, simultáneamente, un aumento de la financiación de origen privado de las universidades mediante el incremento notable de los precios públicos que soportan las familias. Así la financiación pública universitaria nos alejó de la media de la inversión de nuestro entorno europeo más cercano. Más financiación pública deberá implicar más capacidad de servicio y de alianzas con el conjunto de sectores sociales que puedan beneficiarse de esa fuente de formación y conocimiento que siempre ha sido y quiere seguir siendo la Universidad.

Nuestro sistema universitario ha ido reforzando e intensificando su integración en el Espacio Europeo de Educación Superior. Ya no es posible imaginar que podamos articular y orientar el futuro de las universidades en España sin incorporar la perspectiva, las iniciativas y la regulación que procede de la Unión Europea. La europeización del sistema universitario español no debería impedirnos ampliar el proceso de internacionalización hacia otras áreas de cooperación, en especial con el Espacio Iberoamericano de Educación Superior y del Conocimiento que cuenta con una base idiomática común de cerca de 600 millones de personas. Todo ello ha conllevado y seguirá conllevando adaptaciones estructurales e institucionales en la oferta académica, la organización de las enseñanzas, el reconocimiento de las titulaciones, el aseguramiento de la calidad conforme a criterios compartidos o en el refuerzo de la cooperación interuniversitaria internacional. La Estrategia Europea más reciente al respecto, marca objetivos y ritmos muy concretos en esa línea. En este sentido conviene destacar que, si bien el Estado español es el primer destino del estudiantado del programa Erasmus en los últimos años y uno de los principales emisores de estudiantes de este programa, la cifra del estudiantado extranjero en España es, en términos relativos, inferior a la de muchos países de nuestro entorno europeo. Por otra parte, apenas el 3 % del personal docente e investigador universitario posee una nacionalidad distinta a la española cuando, en cambio, cerca del 15 % de los residentes en España han nacido fuera del país. La significativa y creciente presencia de universidades españolas en las alianzas de universidades europeas nos indica el camino a seguir en ese proceso imparable de compartir conocimiento, docencia e investigación a escala europea, siendo las universidades la expresión más evidente de los valores de humanismo, defensa de los derechos y valores democráticos, de libertad de pensamiento y creación, que Europa quiere proyectar al mundo.

En este contexto, se deben abordar reformas esenciales relacionadas con los desajustes entre el sistema universitario y las necesidades de la sociedad.

Para hacer frente a dichos retos estructurales, se revela necesario y oportuno abordar una reforma integral del marco jurídico del sistema universitario. En el contexto de la gobernanza multinivel, el sistema universitario debe, con base en la transformación digital a través de servicios y equipos multidisciplinares, promover una madurez organizativa y documental que favorezca dicha gobernanza y que le permita garantizar, ampliar y poner al día el conjunto de servicios públicos de educación superior de calidad, mediante una Universidad autónoma e internacionalizada, que garantice e incentive tanto la docencia como la investigación y el intercambio y transferencia del conocimiento, y que resulte efectivamente accesible, equitativa, democrática y participativa. Una Universidad que, como principal productora y difusora de conocimiento, esté al servicio de la sociedad, contribuya al desarrollo social y económico sostenible, promueva una sociedad inclusiva y diversa comprometida con los derechos de los colectivos más vulnerables y que constituya un espacio de libertad, de debate entre perspectivas culturales, sin jerarquías, impulsando el desarrollo personal, contando para ello con recursos humanos y financieros adecuados y suficientes.

Las universidades son un lugar privilegiado de formación y de conocimiento y al mismo tiempo un espacio crítico en que pueden abordarse los retos a los que nos enfrentamos, experimentar respuestas y generar puentes de colaboración y acción con el entorno social más cercano y con otras muchas universidades y centros de investigación de todo el mundo. Esta ley orgánica pretende proporcionar instrumentos y habilitar espacios y dinámicas para que las universidades puedan seguir siendo un espacio de experimentación, innovación y participación. Se trata de lograr universidades al servicio de la sociedad en la que se insertan; universidades en red para vincular comunidades, compartir conocimiento, crear nuevas ideas e instrumentos para una nueva sociedad.

Asimismo, esta ley orgánica desarrolla un modelo académico que asegura una formación integral avanzada y amplia y el desarrollo de habilidades personales y profesionales, tanto docentes como investigadoras, para desarrollar el pensamiento crítico y para acceder a empleos de calidad.

Junto con la labor imprescindible de potenciar la investigación y de generar conocimiento, contribuyendo a su divulgación y contraste con la comunidad científica, se trata además de convertir ese conocimiento en socialmente útil, generando vínculos con los actores sociales más próximos a la temática de cada investigador, de cada grupo y centro de investigación, partiendo de la especialidad de cada uno, pero buscando en la interdisciplinariedad y la multidisciplinariedad las vías con las que responder a la complejidad creciente de los retos a los que nos enfrentamos como humanidad. Necesitamos una Ciencia Abierta, que asuma ese conocimiento como un bien común, accesible y no mercantilizado, una Ciencia Ciudadana en la que se construya conocimiento de manera compartida, asumiendo la complejidad de la investigación de manera colectiva. Por ello, esta ley orgánica promueve la labor conjunta con la sociedad de creación y difusión del conocimiento, fomentando la Ciencia Abierta y Ciudadana mediante el acceso a publicaciones, datos, códigos y metodologías que garanticen la comunicación de la investigación.

Las universidades han venido siendo esencialmente espacios de formación para los jóvenes. Se debe ahora ir más allá, reforzando la capacidad de servicio al conjunto de la sociedad para lograr una Universidad para todas las edades; un lugar en el que la formación a lo largo de la vida para cualquier persona y colectivo sea un objetivo básico; una Universidad en la que la experiencia de una docencia presencial y compartida sea un valor central y diferencial; un lugar en el que converjan y se relacionen científicas y científicos, estudiantado, profesionales que buscan actualizar sus capacidades, especialistas y agentes sociales, buscando todas ellas y ellos reforzar conocimientos, construir competencias y plantear caminos de transformación e innovación de manera compartida.

Por ello, esta ley orgánica incluye la formación permanente o a lo largo de toda la vida como dimensión esencial de la función docente de la Universidad. Igualmente, se establecen fórmulas de transferencia y conexión entre la formación profesional superior y la Universidad al servicio de los procesos de actualización laboral y personal del conjunto de la población.

Además de la plena integración ya mencionada en el Espacio Europeo de Educación Superior, se entiende necesario incentivar las redes de conocimiento y de formación compartida con el Espacio Iberoamericano de Educación Superior y del Conocimiento, y reforzar las dinámicas de colaboración abiertas en la cuenca mediterránea o en la apertura de nuevos vínculos con los centros de educación superior de América del Norte, Asia y Oceanía. A tal fin, esta ley orgánica incorpora, por primera vez, un título dedicado a la internacionalización, y fomenta un sistema universitario de calidad, con mecanismos ágiles y fiables de evaluación de la misma, en línea con lo que la Unión Europea propone. Se prevé además la elaboración de estrategias de internacionalización por parte de las diferentes Administraciones públicas y de las propias universidades, la creación de alianzas interuniversitarias y la participación en proyectos de carácter internacional, supranacional y eurorregional. Por otra parte, se impulsa la movilidad del conjunto de la comunidad universitaria, se incentivan los doctorados en cotutela internacional y se insta a las Administraciones públicas a eliminar los obstáculos a la atracción de talento internacional, agilizando y facilitando los procedimientos de reconocimiento y homologación de títulos, de admisión en las universidades o de carácter migratorio.

Esta ley orgánica no quiere imponer soluciones ni trazar caminos concretos en que todo ello deba resolverse. Busca abrir posibilidades, facilitar conexiones, desde un compromiso de

los poderes públicos de financiar adecuadamente ese nuevo escenario de transformación y cambio. Las universidades públicas españolas han sufrido de manera persistente una insuficiente financiación pública en el último decenio, y una gran precarización y deterioro de las condiciones de trabajo, que han pasado socialmente inadvertidas sin que ello haya generado una reacción social a la altura del retroceso sufrido. Recuperar niveles de financiación adecuados deberá ir en consonancia con una mayor presencia de las universidades en los entornos sociales en los que se asientan y una mayor y más visible contribución a las necesidades que tiene planteadas el conjunto de personas y colectivos del país, más implicación en las dinámicas de desarrollo local, en la búsqueda de alternativas frente al reto demográfico o la emergencia climática. Alcanzar un mínimo de financiación pública del 1 % del PIB, como recoge esta ley orgánica, debería ser una exigencia de todos y todas. Pero también debería serlo reforzar la docencia, mejorar los procesos formativos de la ciudadanía sin distinción de edades, orígenes, género o capacidad económica, trabajar por la empleabilidad o generar más y mejor investigación desde una lógica de transferencia e intercambio.

El estudiantado, sea cual sea su edad, ha de tener el papel de protagonista. Con este objetivo, esta ley orgánica refuerza la docencia, es decir, se preocupa por la formación y actualización de las capacidades del profesorado, por generar espacios para que se vele por la adecuación de contenidos y formatos de enseñanza, por facilitar que sea el propio estudiantado el que asuma labores de tutoría, mentoría y experiencias de prácticas efectivas, por la salud emocional del estudiantado, promoviendo asimismo su participación en el gobierno de la universidad en sus distintas unidades y en la propia gestión de servicios. Adicionalmente, y en defensa de los derechos del estudiantado, la ley permite avanzar hacia el horizonte de la gratuidad de la educación superior universitaria pública, mediante la reducción de precios públicos, así como la disminución de su disparidad entre comunidades autónomas y la concepción de la beca como un derecho subjetivo vinculado a la situación socioeconómica de las personas solicitantes. Asimismo, la ley incorpora modificaciones sustanciales en las disposiciones relativas al estudiantado. Por una parte, el estatuto del estudiantado se incorpora a esta norma, consolidando y ampliando un catálogo de derechos y deberes que hasta ahora venía recogido en una norma reglamentaria, y añadiendo el paro académico como derecho del estudiantado. Por otra, se otorga mayor publicidad a la oferta académica y se clarifica el régimen de acceso y admisión. Asimismo, se prevé que cada universidad fomente la participación estudiantil en todos los servicios y aspectos que les afecta en su trayectoria académica y vital, la calidad e intensidad de la experiencia universitaria y se propone el reconocimiento al estudiantado de créditos académicos por su implicación en actividades sociales y universitarias.

La construcción de una Universidad equitativa impregna el contenido de toda la ley. Así, se establecen requisitos en materia de igualdad entre mujeres y hombres previos a la creación de una universidad como los planes de igualdad, o la eliminación de la brecha salarial y de toda forma de acoso. A su vez, la ley establece que los órganos colegiados y las comisiones de evaluación y selección en las universidades garantizarán una composición equilibrada entre mujeres y hombres, medidas de acción positiva en los concursos y a favor de la conciliación y el fomento de la corresponsabilidad de los cuidados, entre otras muchas actuaciones. En materia de accesibilidad las universidades deben garantizar a personas con discapacidad un acceso universal a los edificios y sus entornos físicos y virtuales, así como al proceso de enseñanza-aprendizaje y evaluación.

Esta norma apuesta por una Universidad como espacio de libertad, de debate cultural y de desarrollo personal. A estos efectos, se fomenta la condición de las universidades como agentes de creación y reflexión cultural, así como de protección, conservación y difusión del patrimonio histórico y cultural del que son depositarias. Por otra parte, las universidades se configuran como actores clave en la promoción y fomento de la diversidad y riqueza lingüística del Estado, en el desarrollo local y en la cohesión territorial en un contexto de lucha contra el cambio climático.

Esta norma parte del reconocimiento de los recursos humanos del sistema universitario como núcleo de su fortaleza. Respecto del personal docente e investigador, esta ley orgánica tiene como uno de sus objetivos prioritarios la eliminación de la precariedad en el empleo universitario y la implantación de una carrera académica estable y predecible. Se establecen tres niveles de progresión frente a los cuatro vigentes hasta ahora. Así, la carrera académica seguirá las etapas de incorporación, consolidación y promoción. Por otra parte, se reduce del 40 al 8 % el máximo de contratos de carácter temporal del personal docente e investigador que pueden estar vigentes en las universidades públicas. Esta norma persigue poner fin a la precariedad asociada a determinadas figuras del profesorado laboral, ofreciendo a quienes se encuentran en dicha situación vías de entrada adecuadas para que continúen la carrera académica si cumplen determinados requisitos. Asimismo, se incentivan programas de estabilización y promoción de forma transitoria y se garantiza la equiparación de derechos y deberes académicos del profesorado funcionario y laboral permanente. Finalmente, en materia de personal investigador esta norma configura pasarelas entre la carrera investigadora y la Universidad. Entre otras cuestiones, se incentiva la atracción de personal investigador de programas de excelencia mediante la reserva de un porcentaje de determinadas plazas universitarias.

Esta nueva ley revaloriza la figura del personal técnico, de gestión y de administración y servicios, como un actor clave para el funcionamiento eficiente y eficaz de la institución universitaria. En línea con este objetivo, se incorpora la carrera profesional horizontal de dicho personal, así como el marco para la evaluación de su desempeño. Igual que sucede con el personal docente e investigador, la norma persigue la reducción de la temporalidad y se fomenta la formación y la movilidad de dicho personal.

Para asegurar una Universidad autónoma, democrática y participativa, en la que, simultáneamente, la toma de decisiones y su gestión pueda realizarse de forma eficaz y eficiente, la ley consagra la transparencia y la rendición de cuentas de las universidades públicas, en correlación con el desarrollo y protección de su autonomía. Como parte del sector público institucional, el binomio autonomía-transparencia deberá regir toda su actividad, especialmente en lo relacionado con su régimen económico y financiero y la selección de su personal. Así, en este último caso, se refuerza la objetividad en el acceso a los cuerpos docentes y a las modalidades de contratación laboral estableciendo que la mayoría de los miembros de las comisiones de selección no pertenezca a la universidad convocante y que sean elegidos mayoritariamente mediante sorteo.

En lo referente a las estructuras internas y la gobernanza de la Universidad, la ley refuerza la autonomía universitaria en el marco de las bases comunes del sistema universitario, la necesaria conexión y colaboración con el entorno en el que se inserta la universidad mediante el Consejo Social, al mismo tiempo que adopta novedades en relación con la elección de la Rectora o Rector, y en relación con los límites de los mandatos de las personas titulares de los órganos unipersonales electos. Finalmente, esta ley orgánica fomenta la multidisciplinariedad e interdisciplinariedad mediante una estructura interna que permita la cooperación entre sus diferentes elementos.

Por otro lado, la participación de los diferentes sectores de la comunidad universitaria se erige como un componente definitorio de las universidades públicas. De esta forma, se apuesta por el desarrollo de procesos participativos, consultas y otros mecanismos de participación del conjunto de la comunidad universitaria asegurando la igualdad de oportunidades y la no discriminación. Además, entre otros aspectos, se aumenta la representación mínima del estudiantado en diversos órganos de gobierno de la universidad, y se mandata la creación de un Consejo de Estudiantes en cada universidad.

El conjunto de reformas que se aprueba parte del pleno respeto al principio de autonomía universitaria, integrado en el derecho fundamental a la educación reconocido en el artículo 27 de la Constitución Española. Asimismo, estas reformas se fundamentan en el reconocimiento de la distribución competencial entre el Estado y las comunidades autónomas en materia de política y gestión universitarias. En esta línea, la ley establece un mínimo común denominador, habilitando un amplio margen al desarrollo de sus disposiciones mediante la labor normativa de las comunidades autónomas y las concreciones de los Estatutos y normas de organización y funcionamiento de las propias universidades.

El expresado contenido de esta ley orgánica se divide en 100 artículos, que se articulan en un título preliminar al que siguen diez títulos. El título I regula las funciones del sistema universitario y la autonomía de las universidades, mientras que el título II se dedica a su creación y reconocimiento, así como a la calidad del sistema universitario. El título III versa sobre la función docente y la organización de enseñanzas. Por su parte, el título IV aborda lo relativo a la investigación, la transferencia e intercambio del conocimiento y la innovación, y el título V organiza la coordinación, cooperación y participación en el sistema universitario. Los títulos VI y VII tratan de la imbricación de la Universidad en la sociedad y en la cultura, así como de la internacionalización del sistema universitario, respectivamente. El título VIII incorpora el estatuto del estudiantado en el sistema universitario, al que sigue el título relativo a las universidades públicas. Así, el título IX, en sus cinco capítulos, se ocupa del régimen jurídico y estructura de estas, su gobernanza, su régimen económico y financiero, su personal docente e investigador y su personal técnico, de gestión y de administración y servicios, respectivamente. Por último, esta ley orgánica se ocupa en el título X del régimen específico de las universidades privadas.

Por otro lado, la parte final de la ley orgánica se divide en diecisiete disposiciones adicionales, doce disposiciones transitorias, una disposición derogatoria y doce disposiciones finales. Así, las disposiciones adicionales recogen determinaciones particulares respecto a la regulación contenida en el articulado, que mayoritariamente se refieren a instituciones universitarias con elementos que las singularizan.

A continuación, las disposiciones transitorias fundamentalmente persiguen facilitar el tránsito al régimen jurídico previsto por la nueva regulación tanto a las instituciones universitarias como al personal que en ellas desarrolla su labor.

Por su parte, la disposición derogatoria deja sin vigencia expresamente, para mayor seguridad jurídica, tres normas de rango legal: la Ley Orgánica 6/2001, de 21 de diciembre, de Universidades; la Ley Orgánica 4/2007, de 12 de abril, por la que se modifica la Ley Orgánica 6/2001, de 21 de diciembre, de Universidades, salvo sus disposiciones finales segunda y cuarta, y el Real Decreto-ley 14/2012, de 20 de abril, de medidas urgentes de racionalización del gasto público en el ámbito educativo.

Las disposiciones finales, además de las determinaciones típicas, incluyen la modificación de la Ley 53/1984, de 26 de diciembre, de Incompatibilidades del personal al servicio de las Administraciones públicas, con la finalidad de autorizar la compatibilidad para el desempeño de un puesto de trabajo en la esfera docente como Profesor universitario asociado en régimen de dedicación no superior a la de tiempo parcial; la Ley 14/1986, de 25 de abril, General de Sanidad, en lo relativo a la vinculación asistencial del personal docente universitario laboral; la Ley Orgánica 4/2000, de 11 de enero, sobre derechos y libertades de los extranjeros en España y su integración social, en lo relativo a la vigencia de las autorizaciones iniciales de estancia por estudios superiores cuya duración se extienda más allá de un curso académico y a las prórrogas de las autorizaciones de otras categorías, así como respecto de los lugares de presentación de las solicitudes y exigencia de comparecencia personal; la Ley 33/2011, de 4 de octubre, General de Salud Pública, para clarificar la regulación relativa a los requisitos para el ejercicio profesional de la psicología en el ámbito sanitario y la Ley 14/2013, de 27 de septiembre, de apoyo a los emprendedores y su internacionalización, para ampliar los períodos de eficacia de las autorizaciones de residencia del estudiantado para búsqueda de empleo y la autorización de residencia para prácticas.

En la elaboración y tramitación de esta ley orgánica se han observado los principios de necesidad, eficacia, proporcionalidad, seguridad jurídica, transparencia y eficiencia, exigidos por el artículo 129 de la Ley 39/2015, de 1 de octubre, del Procedimiento Administrativo Común de las Administraciones públicas. Así, su necesidad resulta de los retos que debe afrontar el sistema universitario ya descritos. La ley cumple los principios de eficacia y proporcionalidad puesto que aborda tales retos a través de innovaciones normativas idóneas y necesarias para llevar a cabo las transformaciones que requiere el sistema universitario para adecuarse a lo que se le demanda en el siglo XXI. Igualmente cumple

el principio de seguridad jurídica, pues su contenido es coherente con el resto del ordenamiento jurídico, nacional y de la Unión Europea, así como internacional, en particular con el Espacio Europeo de Educación Superior y, por otro, ofrece un marco normativo sistemático, ordenado y claro para facilitar la toma de decisiones por los particulares y la gestión de sus recursos por las Administraciones Públicas con competencias en la materia. Asimismo, en aplicación del principio de eficiencia, en esta ley orgánica se limitan las cargas administrativas a las imprescindibles para la consecución de los fines descritos previamente, siempre dentro del marco del ordenamiento jurídico nacional, de la Unión Europea e internacional. Por último, en aras del principio de transparencia, además de la realización de los trámites de consulta previa y audiencia e información públicas, y a fin de obtener la mayor participación posible de las partes interesadas, se ha posibilitado la participación de la sociedad y de las restantes Administraciones públicas; participación que se ha visto reforzada con la información al Consejo de Universidades, la Conferencia General de Política Universitaria y el Consejo de Estudiantes Universitario del Estado.

Esta ley orgánica se dicta al amparo de las reglas 30.ª y 1.ª del artículo 149.1 de la Constitución Española, que reservan al Estado la competencia para la aprobación de las normas básicas para el desarrollo del artículo 27 de la Constitución, a fin de garantizar el cumplimiento de las obligaciones de los poderes públicos en esta materia y la regulación de las condiciones básicas que garanticen la igualdad de todos los españoles en el ejercicio de los derechos, así como en el cumplimiento de los deberes constitucionales, respectivamente.

De lo anterior se exceptúa el título IV, el artículo 56.4, el artículo 57.7 y los artículos 60, 61, 62 y 63 que se dictan al amparo del artículo 149.1.15.ª de la Constitución que atribuye al Estado el fomento y coordinación general de la investigación científica y técnica, así como la disposición final primera de modificación de la Ley 53/1984, de 26 de diciembre, de Incompatibilidades del personal al servicio de las Administraciones públicas; la disposición final segunda de modificación de la Ley 14/1986, de 25 de abril, General de Sanidad; la disposición final tercera de modificación de la Ley Orgánica 4/2000, de 11 de enero, sobre derechos y libertades de los extranjeros en España y su integración social; la disposición final cuarta de modificación de la Ley 33/2011, de 4 de octubre, General de Salud Pública, y la disposición final quinta de modificación de Ley 14/2013, de 27 de septiembre, de apoyo a los emprendedores y su internacionalización, que se incardinan en las competencias expresadas en las leyes objeto de modificación.

1.3. Estructura de la Ley Orgánica del Sistema Universitario. Naturaleza

1.3.1. Estructura

Los 100 artículos de la Ley Orgánica del Sistema Universitario tienen la siguiente estructura:

- **Preámbulo**
- **Título Preliminar**: Disposiciones generales (art. 1)

- **Título I:** Funciones del Sistema Universitario y autonomía de las Universidades (arts. 2 y 3)
- **Título II**: Creación y reconocimiento de las Universidades y calidad del Sistema Universitario (arts. 4 y 5)
- **Título III**: Organización de enseñanzas (arts. 6 a 10)
- **Título IV:** Investigación y transferencia e intercambio del conocimiento e innovación (arts. 11 a 13)
- **Título V**: Cooperación, coordinación y participación en el Sistema Universitario (arts. 14 a 17)
- **Título VI**: Universidad, sociedad y cultura (arts. 18 a 22)
- **Título VII:** Internacionalización del Sistema Universitario (arts. 23 a 30)
- **Título VIII**: El estudiantado en el Sistema Universitario (arts. 31 a 37)
- **Título IX:** Régimen específico de las Universidades públicas (arts. 38 a 94)
  * Capítulo I: Régimen jurídico y estructura de las Universidades públicas (arts. 38 a 43)
  * Capítulo II: Gobernanza de las Universidades Públicas (arts. 44 a 52)
  * Capítulo III: Régimen económico y financiero de las Universidades Públicas (arts. 53 a 63)
  * Capítulo IV: Personal docente e investigador de las Universidades Públicas (arts. 64 a 88)
    • Sección 1.ª El profesorado de los cuerpos docentes universitarios
    • Sección 2.ª El personal docente e investigador laboral
    • Sección 3.ª El profesorado de la Unión Europea
  * Capítulo V: Personal técnico, de gestión y administración y servicios de las universidades públicas (arts. 89 a 94).
- **Título X**: Régimen específico de las universidades privadas (arts. 95 a 100)
- Disposiciones Adicionales (17)
- Disposiciones Transitorias (12)
- Disposición Derogatoria (1)
- Disposiciones Finales (12)

De conformidad con el artículo 1 de la LOSU cconstituye el objeto de esta ley orgánica la regulación del sistema universitario, así como de los mecanismos de coordinación, cooperación y colaboración entre las Administraciones públicas con competencias en materia universitaria.

A los efectos de esta ley orgánica, se entiende por sistema universitario el conjunto de universidades, públicas y privadas, y de los centros y estructuras que les sirven para el desarrollo de sus funciones.

Por su parte, se entiende por universidades aquellas instituciones, públicas o privadas, que desarrollan las funciones centrales de docencia, investigación y transferencia e intercambio del conocimiento, además de las recogidas en el artículo 2.2 de la LOSU y que ofertan títulos universitarios oficiales de Grado, Máster Universitario y Doctorado en la mayoría de ramas de conocimiento, pudiendo desarrollar otras actividades formativas.

1.3.2. Naturaleza de Ley Orgánica y habilitación normativa

Del articulado de la LOSU tienen carácter orgánico el artículo 1.2, el título I, el título II –salvo el artículo 5.4–, el artículo 6 –salvo su apartado 2–, el artículo 7.1 y 2, el artículo 9 –salvo sus apartados 6 a 8–, el artículo 11 –salvo sus apartados 4 y 5–, el artículo 29, el título VIII –salvo los artículos 32.2, 3, 4 y 5, 33.o) y 37.2–, el título X, las disposiciones adicionales cuarta, octava y novena y la disposición final tercera, apartados dos y cuatro.

Se habilita al Gobierno a dictar, en el ámbito de sus competencias, las disposiciones necesarias para la aplicación, la ejecución y el desarrollo de lo establecido en la LOSU.

1.4. La autonomía universitaria

1.4.1. Configuración de la autonomía universitaria. La autonomía universitaria como derecho fundamental

A) Introducción

El artículo 27.10 de la Constitución española de 1978 reconoce la autonomía de las universidades en los términos que la ley establezca, garantizando con ella la libertad de cátedra, de estudio y de investigación, así como la autonomía de gestión y administración de sus propios recursos. Con este precepto los constituyentes españoles pretendieron modificar sustancialmente el anterior régimen jurídico administrativo centralista de la Universidad española.

Podemos afirmar, con LUCIANO PAREJO ALFONSO, que hay una conciencia de autonomía de las universidades desde antes de la Constitución misma, pero que se trata de un derecho de configuración legal cuyos confines y contenido queda al alcance de la potestad legislativa.

El reconocimiento constitucional de la autonomía universitaria provocó, una intensa labor de producción normativa que transformó radicalmente el contexto legislativo del sistema universitario español; la principal de estas disposiciones fue la Ley Orgánica 11/1983, de 25 de agosto, de Reforma Universitaria (LRU). La LRU fue derogada por la Ley Orgánica 6/2001, de 21 de diciembre, de Universidades (LOU), que fue publicada en el Boletín Oficial del Estado (BOE) el 24 de diciembre y entró en vigor a los veinte días de su publicación en el mismo, es decir, el día 13 de enero de 2002. Esta última ley ha sido derogada por la reciente **Ley Orgánica 2/2023, de 22 de marzo, del Sistema Universitario (LOSU),** que fue publicada en el BOE el 23 de marzo y entró en vigor el 12 de abril.

En su Disposición adicional decimoquinta la LOSU establece que la aplicación y el desarrollo de lo dispuesto en esta ley orgánica respetará la autonomía universitaria reconocida constitucionalmente en el artículo 27.10 de la Constitución, así como las competencias atribuidas a las comunidades autónomas por sus respectivos Estatutos de Autonomía.

La jurisprudencia del Tribunal Constitucional, en un primer momento, vino a encuadrar a la autonomía universitaria en el doble campo de los derechos fundamentales y de las garantías institucionales, pero el Tribunal Constitucional, en su conocida sentencia 26/1987, de 27 de febrero, entendió **que tal reconocimiento de la autonomía universitaria era un derecho fundamental,** cuya regulación se traslada al legislador, pero manteniendo un núcleo indisponible o esencial que la propia Constitución garantiza "en términos reconocibles para la imagen que de la misma tiene la conciencia social en cada tiempo y lugar".

En este sentido, **la comunidad universitaria**, como sujeto colectivo, es titular de un derecho fundamental, y en virtud del mismo, puede defender ante otros poderes jurídicamente prevalentes la imagen que la sociedad tiene en cada tiempo y lugar de la universidad, preservándola en términos recognoscibles (Sentencia 32/1981, de 28 de junio, del Tribunal Constitucional).

La autonomía universitaria tiene un **contenido esencial**, formado por todos los elementos necesarios para el aseguramiento de la libertad académica, que a su vez comprende la libertad de enseñanza, estudio e investigación. El legislador puede regular dicha autonomía en la forma que estime más conveniente, dentro del marco de la Constitución y de respeto de su contenido esencial y de su garantía institucional o imagen típica, pero esta regulación legislativa no puede rebasar o desconocer la autonomía universitaria introduciendo limitaciones o sometimientos que la conviertan en mera proclamación teórica (Sentencia 26/1987, de 27 de febrero, del Tribunal Constitucional).

Una vez delimitado legalmente el ámbito de su autonomía, la universidad, posee, en principio, plena capacidad de decisión en aquellos aspectos que no son objeto de regulación específica en la ley, lo cual no significa que no existan **limitaciones** derivadas del ejercicio de otros derechos fundamentales (igualdad de acceso al estudio, docencia e investigación), o de un sistema universitario nacional que exige instancias coordinadoras; lo cual se complementa con la potestad de autonormación de las universidades entendida como capacidad para dotarse de su propia norma de funcionamiento o, lo que es lo mismo, de un ordenamiento específico y diferenciado, sin perjuicio de las relaciones de coordinación con otros ordenamientos en los que el universitario tenga necesariamente que integrarse, en el marco de la ley que sirve como parámetro controlador del límite de legalidad de los estatutos, que son la pieza básica de concreción de la autonomía de las universidades (Sentencia 55/1989, de 23 de febrero, del Tribunal Constitucional).

La Sentencia del Tribunal Constitucional 235/1991, de 12 de diciembre, complementa los anteriores pronunciamientos con la declaración de que la configuración constitucional de la autonomía universitaria es la propia de un **derecho fundamental** cuya titularidad ostentan las universidades, por lo que la legitimación originaria para la defensa de dicha autonomía tan solo a ellas asiste.

B) Consecuencias de conceptuar la autonomía universitaria como un derecho fundamental

Como señala OLIVER ARAUJO la opción por la tesis del derecho fundamental frente a la tesis de la garantía institucional comporta estas cinco consecuencias:

a) Hay un contenido esencial de la autonomía universitaria.

b) La normativa de desarrollo deberá adoptar la forma de ley orgánica (reserva de ley orgánica).

c) Existe la posibilidad de interponer el recurso de amparo, ordinario y constitucional, para defender el derecho a la autonomía universitaria.

d) Se prohíben los decretos legislativos y los decretos-leyes en el ámbito de la autonomía universitaria.

e) Deberá seguirse el procedimiento superrígido de reforma constitucional para modificar el precepto que reconoce el derecho a la autonomía universitaria.

1.4.2. Alcance de la autonomía universitaria. Contenido esencial

Tal y como señala el artículo 3 de la LOSU las universidades están dotadas de personalidad jurídica y desarrollan sus funciones en régimen de autonomía en virtud del derecho fundamental reconocido en el artículo 27.10 de la Constitución Española. Y en su artículo 3.3 establece que la autonomía universitaria garantiza la libertad de cátedra del profesorado, que se manifiesta en la libertad en la docencia, la investigación y el estudio.

La autonomía universitaria tiene un **contenido esencial**, formado por todos los elementos necesarios para el aseguramiento de la libertad académica, que a su vez comprende la libertad de enseñanza, estudio e investigación. El legislador puede regular dicha autonomía en la forma que estime más conveniente, dentro del marco de la Constitución y de respeto de su contenido esencial y de su garantía institucional o imagen típica, pero esta regulación legislativa no puede rebasar o desconocer la autonomía universitaria introduciendo limitaciones o sometimientos que la conviertan en mera proclamación teórica (Sentencia 26/1987, de 27 de febrero, del Tribunal Constitucional).

Este contenido esencial, como subraya la Sentencia anterior, se encontraba, en el artículo 3.2 de la propia Ley de Reforma Universitaria que fue conservado por la LOU en el artículo 2.2 y trasladado al artículo 3.2 de la LOSU, y comprende, siguiendo a ANTONIO ARIAS RODRÍGUEZ, los siguientes aspectos:

a) **Autonomía normativa**. La elaboración de los Estatutos y de las demás normas de funcionamiento interno.

b) **Autonomía política**. La Universidad cuenta con un amplio margen de libertad a la hora de ejercer esta potestad de auto-organización, hasta el punto de que se sustrae prácticamente al control jurisdiccional, que podrá adentrarse en aspectos formales o procedimentales, pero no, como afirma JOSÉ RAMÓN CHAVES GARCÍA, en los criterios de oportunidad o de fondo. También se incluye la creación de estructuras específicas que actúen como soporte de la investigación y de la docencia.

c) **Autonomía académica**. En relación con los planes de estudio, con el profesorado y con los estudiantes.

d) **Autonomía financiera**. En relación con la elaboración, aprobación y gestión de sus presupuestos y la administración de sus bienes. En este sentido, el artículo 3.4 de la LOSU señala que, para el desarrollo efectivo de la autonomía universitaria, todas las Administraciones públicas con competencias en la materia deberán asegurar a las universidades públicas su suficiencia y estabilidad financiera conforme a lo establecido en el Título IX.

Efectivamente, el artículo 3.2 de la LOSU establece que, en los términos de esta ley orgánica, la autonomía de la universidad comprende y requiere:

a) El establecimiento de las líneas estratégicas de la universidad, entre otras, en las políticas docentes, de investigación e innovación, de aseguramiento de la calidad, de gestión financiera, de personal, de estudiantado, de cultura y de internacionalización.

b) La elaboración de sus Estatutos, en el caso de las universidades públicas, y de sus normas de organización y funcionamiento, en el caso de las universidades privadas, así como de las demás normas de régimen interno.

c) La determinación de su organización y estructuras, incluida la creación de organismos y entidades que actúen como apoyo para sus actividades.

d) La elección, designación y remoción de las personas titulares de los correspondientes órganos de gobierno y de representación.

e) La autonomía económica y financiera.

f) La propuesta y determinación de la estructura y organización de la oferta de enseñanzas universitarias oficiales, así como de enseñanzas propias universitarias, incluida la formación a lo largo de la vida.

g) La elaboración y aprobación de planes de estudio conducentes a la obtención de títulos universitarios oficiales de Grado o de Máster Universitario, o que conduzcan a la obtención de títulos propios, así como la oferta de programas de Doctorado.

h) La expedición de los títulos correspondientes a las enseñanzas universitarias de carácter oficial, así como de títulos propios, incluida la formación a lo largo de la vida.

i) El establecimiento e implantación de programas de investigación y de transferencia e intercambio del conocimiento e innovación.

j) La selección, formación y promoción del personal docente e investigador y personal técnico, de gestión y de administración y servicios, así como la determinación de las condiciones en que han de desarrollar sus actividades y las características de estas.

k) El establecimiento de sus relaciones de puestos de trabajo o plantillas, y su eventual modificación.

l) La admisión del estudiantado, régimen de permanencia, verificación de conocimientos, competencias y habilidades, y la gestión de sus expedientes académicos.

m) El fomento y la gestión de programas de movilidad propios o promovidos por las Administraciones públicas.

n) La organización y desarrollo de actividades de tutoría académica y de apoyo al estudiantado.

o) El impulso de programas específicos de becas y ayudas al estudiantado, así como, en su caso, la colaboración en la gestión de estos cuando son establecidos por las Administraciones públicas.

p) La definición, estructuración y desarrollo de sistemas internos de garantía de la calidad de las actividades académicas.

q) La definición, estructuración y desarrollo de políticas propias que contribuyan a la internacionalización de la Universidad.

r) El establecimiento de relaciones con otras universidades, instituciones, organismos, Corporaciones de Derecho Público, Administraciones públicas o empresas y entidades locales, nacionales e internacionales, con el objeto de desarrollar algunas de las funciones que le son propias a la Universidad.

s) El desarrollo de las normas de convivencia y de los mecanismos de mediación para la solución alternativa de los conflictos en el ámbito universitario.

t) Cualquier otra competencia o actuación necesaria para el adecuado cumplimiento de las funciones señaladas en las letras anteriores.

Como nos recuerda ARIAS RODRIGUEZ este artículo es reconocido como orgánico, lo que supone un sustancial blindaje del espacio competencial propio de las universidades.

Por otro lado, el artículo tercero de la LOSU, en su apartado quinto, establece que, en el ejercicio de su autonomía, las universidades deberán rendir cuentas a la sociedad del uso de sus medios y recursos humanos, materiales y económicos, desarrollar sus actividades mediante una gestión transparente y ofrecer un servicio público de calidad.

Finalizamos este apartado con las palabras del profesor GARCÍA DE ENTERRÍA, indicando que la vertiente exterior de la autonomía universitaria se configura como la defensa de un servicio público libre de interferencia, (protegiendo su libertad académica) y que la vertiente interior o colegial, que deja en manos de los académicos las principales decisiones, no es por autosuficencia, sino en razón de su eficacia real, de los altos e imprescindibles fines que han de cumplir las universidad en la sociedad de nuestro tiempo.

1.4.3. Límites de la autonomía universitaria

Como recuerda el Tribunal Constitucional (STC 106/1990, de 6 de junio), una vez delimitado legalmente el ámbito de su autonomía, la universidad, "posee, en principio, plena capacidad de decisión en aquellos aspectos que no son objeto de regulación específica en la ley". Lo cual, como hemos precisado no excluye la existencia de otras limitaciones a la autonomía universitaria.

El citado derecho a la autonomía universitaria cuenta, tal y como señala ARIAS RODRIGUEZ, con los siguientes límites:

a) La concurrencia de otros derechos fundamentales, como la igualdad de acceso al estudio, la docencia y la investigación, o sobre todas, la libertad de cátedra.

b) La coordinación del Sistema Universitario Nacional y la existencia de instancias coordinadoras del mismo.

c) El carácter de servicio público que la Universidad realiza mediante la docencia, el estudio y la investigación, como forma de provisión pública o privada.

d) Los mandatos constitucionales (o legales) para todas las Administraciones públicas, como el mérito y la capacidad en el acceso a la función pública o su sistema de incompatibilidades y los principios de legalidad y eficacia previstos en el artículo 103 de la CE.

Las limitaciones anteriores se complementan con la potestad de autonormación de las universidades entendida como capacidad para dotarse de su propia norma de funcionamiento o, lo que es lo mismo, de un ordenamiento específico y diferenciado, sin perjuicio de las relaciones de coordinación con otros ordenamientos en los que el universitario tenga necesariamente que integrarse, en el marco de la ley que sirve como parámetro controlador del límite de legalidad de los estatutos, que son la pieza básica de concreción de la autonomía de las universidades (Sentencia 55/1989, de 23 de febrero, del Tribunal Constitucional).

2. La naturaleza jurídica de las Universidades en la Ley del Sistema Universitario. Funciones del Sistema Universitario

2.1. Configuración

Establece el artículo tercero de la Ley Orgánica 2/2023, de 22 de marzo, del Sistema Universitario (en adelante LOSU) que la universidad están dotadas de personalidad jurídica y desarrollan sus funciones en régimen de autonomía en virtud del derecho fundamental reconocido en el artículo 27.10 de la Constitución Española.

La LOSU, en su Título II, regula la creación y reconocimiento de las universidades y calidad del sistema universitario, estableciendo a tal efecto las reglas para su puesta en marcha y funcionamiento.

La regulación reglamentaria actualmente vigente en materia de universidades y centros es el Real Decreto 640/2021, de 27 de julio, de creación, reconocimiento y autorización de universidades y centros universitarios, y acreditación institucional de centros universitarios, que ha venido a sustituir a un Real Decreto del año 2015.

Podemos señalar que la LOSU respeta el diseño de la universidad que realizaba la ya derogada Ley Orgánica 11/1983, de 25 de agosto, de Reforma Universitaria (LRU) y la Ley Orgánica 6/2001, de 21 de diciembre, de Universidades (LOU). Es decir, hay universidades públicas y hay universidades privadas, y entre estas últimas se configuran con determinadas peculiaridades las Universidades de la Iglesia Católica.

El artículo 1.2 de la LOSU establece que, a los efectos de esta ley orgánica, se entiende por sistema universitario el conjunto de universidades, públicas y privadas, y de los centros y estructuras que les sirven para el desarrollo de sus funciones.

Por su parte, se entiende por universidades aquellas instituciones, públicas o privadas, que desarrollan las funciones centrales de docencia, investigación y transferencia e intercambio del conocimiento, además de las recogidas en el artículo 2.2 y que ofertan títulos universitarios oficiales de Grado, Máster Universitario y Doctorado en la mayoría de ramas de conocimiento, pudiendo desarrollar otras actividades formativas.

2.2. La Universidad como servicio público

La LOSU atribuye en su artículo 2.1 señala que el Sistema Universitario presta y garantiza el servicio público de la educación superior universitaria mediante la docencia, la investigación y la transferencia del conocimiento.

Como apunta J.M. Souvirón Morenilla la noción de servicio público aquí utilizada opera como título finalista y abstracto de un régimen jurídico peculiar que halla sus claves fundamentales en los siguientes tres elementos determinantes:

a) La reserva legal de la institucionalización de las universidades. La facultad de creación de centros docentes reconocida en la Constitución española a los poderes públicos (artículo 27.5) y a las personas físicas y jurídicas (artículo 27.6), puede dar lugar respectivamente a la creación de universidades públicas o universidades privadas, institucionalizadas como tales mediante la aprobación de la correspondiente ley de creación o de reconocimiento, ley que es condición inexcusable en ambos casos de la institucionalización de tales centros como universidades.

b) La reserva estatal de la homologación de los estudios y títulos. La LOSU establece, sobre la base de la competencia estatal para la regulación de las condiciones de obtención, homologación y expedición de títulos académicos y profesionales (artículo 149.1.30), y no obstante la autonomía académica reconocida a las universidades, una reserva estatal para el otorgamiento de carácter oficial y validez en todo el territorio nacional a los títulos acreditativos de las enseñanzas impartidas por aquellas y los centros de educación superior. Esta reserva estatal se concreta en el establecimiento por el Gobierno de las directrices y las condiciones para la obtención de los títulos universitarios de carácter oficial y con validez en todo el territorio nacional (artículo 8 de la LOSU); las universidades aprueban los planes de estudios, pero deben obtener la verificación del Consejo de Universidades de que dicho plan se ajusta a las directrices y condiciones establecidas por el Gobierno (arts. 8 y 9 LOSU). Tras la autorización de la Comunidad Autónoma y la verificación del plan de estudios que otorgue el Consejo de Universidades, el Gobierno establecerá el carácter oficial del título y ordenará su inscripción en el Registro de universidades, centros y títulos (art. 35.3). Igualmente, el Gobierno establecerá las condiciones de homologación de títulos extranjeros de educación superior (art. 10 LOSU).

c) Las formas de la provisión de la educación superior. Las universidades públicas aparecen como el aparato instrumental de las Administraciones Territoriales (Estado y comunidades autónomas) para prestar el servicio de la educación superior, lo que sitúa la actividad de las universidades públicas en las típicas coordenadas de la actividad prestacional de la Administración, es decir, del servicio público. No sucede, sin embargo estrictamente lo mismo con las universidades privadas, pues la necesidad de ley para el reconocimiento de aquellas y los requisitos establecidos para su creación, o el control de los cambios sobrevenidos en su titularidad y funcionamiento no responden en este caso a las exigencias y rasgos del servicio público como tarea del sector público y llevada a cabo por este o, por encomienda del mismo, por el sector privado, sino a la reserva de institucionalización de las universidades.

La declaración que la LOSU realiza de la educación superior como servicio público, implica, en primer lugar, que aquella constituye un "servicio a la sociedad". Por ello tanto las universidades públicas como las privadas han de "rendir cuentas del uso de sus medios y recursos a la sociedad" (art. 3.5 LOSU). Pero ese servicio a la sociedad es susceptible de prestación concurrente tanto por la Universidad pública como por la Universidad privada.

2.3. Personalidad jurídica. Funciones de la Universidad

El artículo 2.2. de la LOSU establece que son funciones de las universidades:

a) La creación, desarrollo, transmisión y crítica de la ciencia, de la técnica y de la cultura.

b) La educación y formación del estudiantado a través de la creación, desarrollo, transmisión y evaluación crítica del conocimiento científico, tecnológico, social, humanístico, artístico y cultural, así como de las capacidades, competencias y habilidades inherentes al mismo.

c) La preparación para el ejercicio de actividades profesionales que exijan la aplicación y actualización de conocimientos y métodos científicos, tecnológicos, sociales, humanísticos, culturales y para la creación artística.

d) La generación, desarrollo, difusión, transferencia e intercambio del conocimiento y la aplicabilidad de la investigación en todos los campos científicos, tecnológicos, sociales, humanísticos, artísticos y culturales.

e) La promoción de la innovación a partir del conocimiento en los ámbitos sociales, económicos, medioambientales, tecnológicos e institucionales.

f) La contribución al bienestar social, al progreso económico y a la cohesión de la sociedad y del entorno territorial en que estén insertas, así como a la promoción de las lenguas oficiales de las mismas, a través de la formación, la investigación, la transferencia e intercambio del conocimiento y la cultura del emprendimiento, tanto individual como colectiva, a partir de fórmulas societarias convencionales o de economía social.

g) La generación de espacios de creación y difusión de pensamiento crítico.

h) La transferencia e intercambio del conocimiento y de la cultura al conjunto de la sociedad a través de la actividad universitaria y la formación permanente o a lo largo de la vida del conjunto de la ciudadanía.

i) La formación de la ciudadanía a través de la transmisión de los valores y principios democráticos.

j) El fomento de la participación de la comunidad universitaria y de la ciudadanía en actividades promovidas por entidades de voluntariado y del tercer sector que se encuentren en línea con los principios y valores del sistema universitario.

k) Las demás funciones que se les atribuyan legalmente.

El ejercicio de las anteriores funciones tendrá como referente los derechos humanos y fundamentales, la memoria democrática, el fomento de la equidad e igualdad, el impulso de la sostenibilidad, la lucha contra el cambio climático y los valores que se desprenden de los Objetivos de Desarrollo Sostenible.

3. Cooperación, coordinación y participación en el Sistema Universitario

Recoge el Título V de la LOSU bajo la rúbrica "Cooperación, Coordinación y Participación en el sistema universitario" la regulación de la Conferencia General de Política Universitaria, del Consejo de Universidades y del Consejo de Estudiantes Universitario del Estado.

Las comunidades autónomas son responsables de la política universitaria de acuerdo con lo previsto en la Constitución y en los Estatutos de Autonomía, mientras que al Estado, conforme al artículo 149.1.30.ª, le corresponde establecer las normas básicas para el desarrollo del artículo 27.10 que reconoce la autonomía de las universidades. La articulación de este complejo organizativo de Estado-comunidades autónomas y universidades requiere alcanzar una armonía de todos los agentes implicados y una relación clara y fluida entre todos ellos. Es especialmente importante articular las relaciones intergubernamentales, de un lado, y de otro, la coordinación y cooperación en el ámbito académico. Por ello, la LOU creó y la LOSU mantiene **la Conferencia General de Política Universitaria y el Consejo de Universidades** con funciones de asesoramiento, cooperación y coordinación en el ámbito académico. Además, como órgano de nueva creación la LOSU implementa el Consejo de Estudiantes Universitarios del Estado.

3.1. Cooperación y coordinación del Sistema Universitario

De conformidad con lo dispuesto en el artículo 14 de la LOSU, la Conferencia General de Política Universitaria y el Consejo de Universidades son los órganos de cooperación y coordinación entre las universidades y las Administraciones públicas con competencias en política universitaria, para el adecuado funcionamiento del sistema universitario.

Las universidades, en el marco de las funciones que les son propias, fomentarán la cooperación y colaboración entre ellas, con otras instituciones de educación superior, con organismos públicos de investigación, con organismos de investigación de otras Administraciones públicas, con otros organismos o Administraciones públicas, con entidades, empresas, agentes sociales y organizaciones de la sociedad civil y con otros agentes del Sistema Español de Ciencia, Tecnología e Innovación o del sistema europeo de investigación e innovación, o pertenecientes a otros países, mediante, entre otros instrumentos, la creación de alianzas estratégicas y redes de colaboración.

Sin perjuicio del respeto y pleno desarrollo del principio constitucional de autonomía universitaria, corresponde al Gobierno y a las comunidades autónomas el desarrollo de las tareas de coordinación de las universidades de su respectivo ámbito competencial.

3.2. Conferencia General de Política Universitaria

3.2.1. Naturaleza

De conformidad con lo dispuesto en el artículo 15 de la LOSU, la Conferencia General de Política Universitaria, sin perjuicio de las funciones atribuidas a los órganos de coordinación universitaria de las comunidades autónomas, es el órgano de **cooperación y coordinación de la política universitaria** entre las distintas Administraciones públicas, al que corresponden las funciones de:

a) Planificar, informar, consultar y asesorar sobre la programación general y plurianual de la educación universitaria.

b) Informar las disposiciones legales y reglamentarias que afecten al conjunto del sistema universitario.

c) Formular propuestas para asegurar la transparencia, evaluación, desburocratización y eficacia de los principales procesos docentes, investigadores y de financiación y gestión de recursos humanos y económicos, que se desarrollan en las universidades.

d) Informar con carácter preceptivo sobre la creación y reconocimiento de universidades.

e) Aprobar, para cada curso, la oferta general de enseñanzas y plazas de las titulaciones oficiales del sistema universitario.

f) Plantear medidas y acciones que garanticen el acceso a los estudios universitarios, la continuidad en ellos y la finalización de estos, en igualdad de condiciones para todo el estudiantado.

g) Formular propuestas e informar los planes para fomentar la relación entre el sistema universitario y el entorno social y económico.

h) Elaborar informes sobre la aplicación del principio de igualdad de género, y de las políticas antidiscriminación o de reconocimiento de la diversidad en todos los aspectos de la vida universitaria.

i) Establecer y valorar las líneas generales de política universitaria, su internacionalización y, en especial, su articulación en el Espacio Europeo de Educación Superior y su interrelación con las políticas de investigación científica y tecnológica.

j) Desarrollar cuantas otras funciones le atribuya el ordenamiento jurídico.

Bajo la presidencia del Ministro o Ministra de Universidades, estará compuesta por las personas responsables de la educación universitaria en los Consejos de Gobierno de las comunidades autónomas.

La organización y el funcionamiento de la Conferencia se establecerán en su reglamento interno, en el marco de lo dispuesto en la Ley 40/2015, de 1 de octubre, de Régimen Jurídico del Sector Público.

3.2.2. Funciones de la Conferencia General de Política Universitaria previstas en la LOSU

Además de las funciones ya analizadas, determinados preceptos de la LOSU introducen previsiones específicas de medidas que deben ser objeto de decisión en el marco de la Conferencia General de Política Universitaria.

A) Creación y reconocimiento de Universidades

El artículo 4 de la LOSU establece que para la creación de universidades públicas y para el reconocimiento de las universidades privadas **será preceptivo el informe previo de la Conferencia General de Política Universitaria**.

B) Garantía de la Calidad

El artículo 5.2 de la LOSU establece que el aseguramiento de la calidad se hará efectivo en las condiciones y mediante los procedimientos de evaluación, certificación y acreditación que establezca el Gobierno, mediante real decreto, **previo informe de la Conferencia General de Política Universitaria**.

C) Títulos universitarios oficiales

El Gobierno, mediante real decreto, previo informe de la **Conferencia General de Política Universitaria** y del Consejo de Universidades, establecerá las directrices y condiciones para la obtención y expedición de los títulos universitarios oficiales. Estos serán expedidos, en nombre del Rey, por el Rector o Rectora de la universidad (art. 8.1 LOSU).

D) Acceso a la Universidad

Corresponde al Gobierno, **previo informe de la Conferencia General de Política Universitaria** y del Consejo de Estudiantes Universitario, mediante real decreto, establecer las normas básicas para el acceso del estudiantado a las enseñanzas universitarias oficiales, siempre con respeto de los principios de igualdad, mérito y capacidad y, en todo caso, de acuerdo con el artículo 38 de la Ley Orgánica 2/2006, de 3 de mayo, de Educación, así como con el resto de normas de carácter básico que le sean de aplicación (artículo 31.1 LOSU).

El Gobierno**, previo acuerdo de la Conferencia General de Política Universitaria,** podrá establecer límites máximos de admisión de estudiantes en los estudios de que se trate para cumplir las exigencias derivadas de la Unión Europea o del Derecho Internacional, o bien por motivos de interés general igualmente acordados en dicha Conferencia. Dichos límites afectarán al conjunto de las universidades públicas y privadas (art. 31.6 LOSU).

E) Excedencia del personal de las Universidades

El profesorado funcionario de los cuerpos docentes universitarios, las Profesoras y Profesores Permanentes Laborales y el personal técnico, de gestión y de administración y servicios, funcionario o laboral con vinculación permanente, que fundamente su participación en las actividades de investigación a las que se refiere el apartado 1 del artículo 61 podrán solicitar la autorización para incorporarse a dicha empresa o entidad participada por la universidad, mediante una excedencia temporal.

El Gobierno, mediante real decreto y **previo informe de la Conferencia General de Política Universitaria**, regulará las condiciones y el procedimiento para la concesión de dicha excedencia que, en todo caso, solo podrá concederse por un tiempo máximo de cinco años. Durante este período, el personal en situación de excedencia tendrá derecho a la reserva del puesto de trabajo y a su cómputo a efectos de antigüedad. Si con anterioridad a la finalización del período por el que se hubiera concedido la excedencia la persona interesada no solicitase el reingreso al servicio activo, será declarada de oficio en situación de excedencia voluntaria por interés particular (artículo 61.3 LOSU).

3.3. El Consejo de Universidades

3.3.1. Naturaleza y funciones

Tal y como establece el artículo 16 de la LOSU el Consejo de Universidades **es el órgano de coordinación académica del sistema universitario español, así como de cooperación, consulta y propuesta en materia universitaria.** Está adscrito al Ministerio de Universidades y le corresponden las siguientes funciones, que desarrolla con plena autonomía funcional:

a) Servir de espacio para la colaboración, la cooperación y la coordinación en el ámbito académico entre las universidades.

b) Informar las disposiciones legales y reglamentarias que afecten al conjunto del sistema universitario.

c) Prestar el asesoramiento que en materia universitaria sea requerido por el Ministerio de Universidades y la Conferencia General de Política Universitaria o, en su caso, por las comunidades autónomas.

d) Formular propuestas al Gobierno y a la Conferencia General de Política Universitaria en materias relativas al sistema universitario.

e) Verificar la adecuación de los planes de estudios.

f) Coordinar las características que deben seguirse en las distintas modalidades de impartición docente en el conjunto del sistema universitario, para garantizar su calidad.

g) Desarrollar cuantas otras tareas le encomienden las leyes y sus disposiciones de desarrollo.

h) En su Reglamento también se le atribuye "la acreditación nacional para el acceso a los cuerpos docentes universitarios, de acuerdo con el procedimiento establecido en el Real Decreto 1312/2007, de 5 de octubre".

La organización y el funcionamiento del Consejo de Universidades se regularán por Real Decreto del Consejo de Ministros. Por Real Decreto 1677/2009, de 13 de noviembre, se aprobó el Reglamento del Consejo de Universidades.

3.3.2. Composición del Consejo de Universidades

De conformidad con lo dispuesto en el artículo 16.2 de la LOSU el Consejo de Universidades será presidido por el Ministro o Ministra de Universidades y estará compuesto por las siguientes vocalías:

a) Los Rectores o Rectoras de las universidades del sistema universitario.

b) Cinco miembros designados por el Presidente o Presidenta del Consejo, uno de los cuales habrá de ser una persona perteneciente a la Conferencia de Consejos Sociales de las Universidades Españolas y otra al Consejo de Estudiantes Universitario del Estado, a propuesta de estos órganos de representación, y otra un representante a propuesta de los sindicatos más representativos en el ámbito universitario. De los dos restantes, uno será el titular de un órgano directivo del ministerio que ejercerá como secretario, y otro, un profesional de reconocido prestigio. Se procurará, en todo caso, la presencia equilibrada de mujeres y hombres.

3.3.3. Funciones del Consejo de Universidades en la LOSU

Además de las ya vistas con anterioridad la LOSU recoge las siguientes funciones del Consejo de Universidades:

1. Títulos universitarios oficiales.

   El Gobierno, mediante real decreto, previo informe de la Conferencia General de Política Universitaria y del **Consejo de Universidades**, establecerá las directrices y condiciones para la obtención y expedición de los títulos universitarios oficiales. Estos serán expedidos, en nombre del Rey, por el Rector o Rectora de la universidad.

   La iniciativa para impartir una enseñanza requiere el informe preceptivo y favorable sobre la necesidad y viabilidad académica y social de la implantación del título universitario oficial por la Comunidad Autónoma competente, el informe favorable a efectos de la verificación de la calidad de la memoria del plan de estudios por la agencia de calidad correspondiente, la verificación por el **Consejo de Universidades** del plan de estudios y la autorización de la implantación de este por la indicada Comunidad Autónoma (art. 8 LOSU).

2. Convalidación o adaptación de estudios, homologación y declaración de equivalencia de títulos extranjeros, validación de experiencia y reconocimiento de créditos.

Corresponde al Gobierno, **previo informe del Consejo de Universidades**, regular:

a) Los criterios generales a los que habrán de ajustarse las universidades en materia de convalidación y adaptación de estudios cursados en centros académicos españoles o extranjeros. Este procedimiento deberá estructurarse partiendo de los principios que sustenten el Espacio Europeo de Educación Superior, en cuanto al mutuo reconocimiento de títulos académicos de los países que lo han implementado, así como de acuerdo con el Convenio sobre reconocimiento de cualificaciones relativas a la educación superior en la Región Europea (número 165 del Consejo de Europa), hecho en Lisboa el 11 de abril de 1997.

b) Las condiciones de homologación de títulos oficiales extranjeros de educación superior con títulos universitarios oficiales españoles.

c) Las condiciones para la declaración de equivalencia de un título oficial extranjero de educación superior en relación con el nivel académico universitario oficial de Grado o de Máster Universitario. Los títulos de Grado expedidos por universidades en los Estados miembros de la Unión Europea serán equivalentes, a todos los efectos, a aquellos expedidos por universidades españolas.

d) Las condiciones para el reconocimiento académico de la experiencia laboral o profesional, así como la formación a lo largo de la vida.

e) El régimen de convalidaciones y de reconocimiento de créditos entre las enseñanzas oficiales universitarias y las otras enseñanzas que constituyen la educación superior (artículo 10 LOSU).

3. Estructura de las enseñanzas oficiales.

   Los estudios de Doctorado se organizarán en la forma que determinen los Estatutos o normas de organización y funcionamiento de las respectivas universidades, de acuerdo con los criterios que para la obtención del título de Doctor o Doctora apruebe el Gobierno, mediante real decreto, previo informe del **Consejo de Universidades**. Este real decreto regulará, entre otras, las menciones internacional e industrial en el título de Doctor/a (art. 9 LOSU).

4. Acceso a la Universidad.

   Con el fin de facilitar la actualización de la formación y la readaptación profesionales, el Gobierno, **previo informe del Consejo de Universidades**, establecerá reglamentariamente las condiciones y regulará los procedimientos para el acceso a la Universidad de quienes, acreditando una determinada experiencia laboral o profesional, no dispongan de la titulación académica legalmente requerida al efecto con carácter general (artículo 31.3 LOSU).

5. Acreditación de los cuerpos docentes universitarios.

   Por real decreto del Consejo de Ministros, **previo informe del Consejo de Universidades**, se regulará el procedimiento de acreditación. En estos procedimientos el sentido del silencio administrativo será desestimatorio (artículo 69.3 LOSU).

   Podrá presentarse una reclamación ante el **Consejo de Universidades** contra las resoluciones de las comisiones de acreditación. Una comisión, cuya composición se determinará reglamentariamente, valorará la reclamación (artículo 73 LOSU).

6. Ámbitos de conocimiento del personal docente e investigador.

   Todos los puestos de trabajo de profesorado funcionario y laboral deberán adscribirse a los ámbitos de conocimiento que serán establecidos reglamentariamente por el Gobierno, **previo informe del Consejo de Universidades.** Dichos ámbitos serán suficientemente amplios para permitir y favorecer la movilidad del profesorado y facilitar su carrera profesional (art. 64 LOSU).

7. Profesorado de la Unión Europea.

   El profesorado de las universidades de los Estados miembros de la Unión Europea que haya alcanzado en aquellas una posición comparable a la de Catedrático/a de Universidad, Profesor/a Titular de Universidad o Profesor/a Permanente Laboral será considerado acreditado a los efectos previstos en esta ley orgánica, según el procedimiento y condiciones que se establezcan por orden de la persona titular del Ministerio de Universidades, **previo informe del Consejo de Universidades**. Con carácter general, estos reconocimientos de acreditación con otros Estados miembros estarán sujetos al principio de reconocimiento mutuo (artículo 88 LOSU).

8. Régimen de conciertos entre Universidades e Instituciones sanitarias.

   Corresponde al Gobierno, a propuesta de las personas titulares de los Ministerios de Universidades y de Sanidad, **previo informe del Consejo de Universidades**, establecer las bases generales del régimen de conciertos entre las universidades del sistema universitario español y las instituciones sanitarias y establecimientos sanitarios, en las que se deba impartir educación universitaria, a efectos de garantizar la docencia práctica de las titulaciones en Ciencias de la Salud que así lo requieran. En dichas bases generales, se preverá la participación de las comunidades autónomas en los conciertos que se suscriban entre universidades e instituciones sanitarias (Disposición final novena LOSU).

En los asuntos que afecten en exclusiva a las universidades públicas tendrán derecho a voto el Presidente o la Presidenta del Consejo, los Rectores y Rectoras de las universidades públicas y los cinco miembros del Consejo designados por el Presidente o la Presidenta (artículo 16.3 LOSU).

3.4. El Consejo de Estudiantes Universitario del Estado

3.4.1. Naturaleza

El artículo 17 de la LOSU define al Consejo de Estudiantes Universitario del Estado como el órgano de participación, deliberación y consulta de las y los estudiantes universitarios ante el Ministerio de Universidades.

El Consejo de Estudiantes Universitario del Estado se adscribe al Ministerio de Universidades.

3.4.2. Funciones

Corresponden al Consejo de Estudiantes Universitario del Estado las siguientes funciones:

a) Ser interlocutor ante el Ministerio de Universidades, en los asuntos que conciernen al estudiantado.

b) Informar los criterios de las propuestas del Gobierno en materia de estudiantes universitarios y en aquellas materias para las cuales le sea requerido informe.

c) Contribuir activamente a la defensa de los derechos estudiantiles, cooperando con las asociaciones de estudiantes y los órganos de representación estudiantil.

d) Velar por la adecuada actuación de los órganos de gobierno en las universidades en lo que se refiere a los derechos y deberes del estudiantado establecidos en los Estatutos de cada una de ellas.

e) Elevar propuestas al Gobierno en materias relacionadas con la competencia de este.

f) Pronunciarse sobre cualquier asunto para el que sea requerido por el Ministerio de Universidades.

g) Ostentar la representación del estudiantado universitario y participar en la fijación de criterios para la concesión de becas y otras ayudas, en el ámbito de las competencias del Estado.

h) Fomentar el asociacionismo estudiantil y la participación del estudiantado en la vida universitaria.

i) Desarrollar cualesquiera otras funciones que se le asignen legal o reglamentariamente.

3.4.3. Composición, organización y funcionamiento

La composición, así como la organización y el funcionamiento del Consejo de Estudiantes Universitario del Estado se determinarán reglamentariamente. En todo caso, estarán representadas todas las universidades y estará presidido por el Ministro o Ministra de Universidades.

El Secretario o Secretaria General de Universidades actuará como Vicepresidente o Vicepresidenta primera, correspondiendo la vicepresidencia segunda al estudiantado.

4. Creación y régimen jurídico de las universidades en la Ley Orgánica del Sistema Universitario. La calidad del sistema universitario

4.1. Creación y reconocimiento de Universidades públicas y privadas. Requisitos básicos

A tenor del artículo 4 de la LOSU, la creación de Universidades públicas y el reconocimiento de las Universidades privadas del sistema universitario español se llevará a cabo:

a) Por Ley de la Asamblea Legislativa de la Comunidad Autónoma en cuyo ámbito territorial vaya a ubicarse, previo informe preceptivo de la Conferencia General de Política Universitaria.

b) Por Ley de las Cortes Generales, a propuesta del Gobierno, de acuerdo con el Consejo de Gobierno de la Comunidad Autónoma en cuyo ámbito territorial hayan de establecerse, cuando se trate de universidades de especiales características, previo informe preceptivo de la Conferencia General de Política Universitaria.

En el caso de estas últimas universidades las referencias que en la LOSU se hacen a las Comunidades Autónomas y sus órganos se entenderán efectuadas al Ministerio de Universidades.

El artículo 4.2 de la LOSU dispone que para garantizar la calidad del sistema universitario y, en particular, de la docencia e investigación, el Gobierno, mediante real decreto, determinará las condiciones y requisitos básicos para la creación de universidades públicas y el reconocimiento de universidades privadas, así como para el desarrollo de sus actividades. Corresponde a los órganos competentes de la Comunidad Autónoma en la que radique la universidad otorgar la autorización para el inicio de sus actividades una vez comprobado el cumplimiento de las condiciones y requisitos establecidos, así como la supervisión y control periódico de su cumplimiento. El incumplimiento grave de las condiciones y requisitos de la autorización será causa de su revocación, en los términos que reglamentariamente se establezcan.

En todo caso, como requisito para su creación y reconocimiento, las universidades deberán contar con los planes que garanticen la igualdad de género en todas sus actividades, medidas para la corrección de la brecha salarial entre mujeres y hombres, condiciones de accesibilidad y ajustes razonables para las personas con discapacidad, y medidas de prevención y respuesta frente a la violencia, la discriminación o el acoso amparadas en la Ley 3/2022, de 24 de febrero, de convivencia universitaria.

La regulación reglamentaria actualmente vigente en materia creación de universidades y centros es el Real Decreto 640/2021, de 27 de julio, de creación, reconocimiento y autorización de universidades y centros universitarios, y acreditación institucional de centros universitarios, que ha venido a sustituir a un Real Decreto del año 2015.

4.2. Requisitos específicos para la creación de Universidades privadas y Centros Universitarios privados

De conformidad con lo dispuesto en el artículo 96 de la LOSU las personas físicas o jurídicas podrán crear universidades privadas o centros universitarios privados, dentro del respeto de los principios constitucionales y con sometimiento a lo dispuesto en esta ley orgánica y en las normas de desarrollo que, en su caso, dicten el Estado y las Comunidades Autónomas en el ámbito de sus respectivas competencias.

No podrán crear dichas universidades o centros universitarios quienes presten servicios en una Administración educativa, tengan antecedentes penales por delitos dolosos o hayan sido sancionados administrativamente con carácter firme por infracción muy grave o grave en materia educativa o profesional.

Se entenderán incursas en esta prohibición las personas jurídicas cuyos administradores, representantes o cargos rectores, vigente su representación o designación, o cuyos fundadores, promotores o titulares de un 20 % o más de su capital, por sí o por persona interpuesta, se encuentren en alguna de las circunstancias previstas en el párrafo precedente.

La realización de actos y negocios jurídicos que modifiquen la personalidad jurídica o la estructura de la universidad privada, o que impliquen la transmisión o cesión, inter vivos, total o parcial, a título oneroso o gratuito, de la titularidad directa o indirecta que las personas físicas o jurídicas ostenten sobre las universidades privadas o centros universitarios privados adscritos a universidades públicas, deberá ser comunicada previamente a la Comunidad Autónoma correspondiente. Para ser jurídicamente eficaces, dichos actos y negocios deberán contar con la conformidad de dicha Comunidad Autónoma.

En los supuestos de cambio de titularidad, el nuevo titular quedará subrogado en todos los derechos y obligaciones del titular anterior.

El incumplimiento de lo previsto en los apartados anteriores supondrá una modificación de las condiciones esenciales del reconocimiento o de la aprobación de la adscripción y será causa de su revocación por parte de la Comunidad Autónoma competente, en los términos que reglamentariamente se establezcan.

Los centros universitarios privados deberán estar integrados como centros propios de una universidad privada, o adscritos a una universidad pública o privada. En el supuesto de la adscripción de un centro privado a una universidad pública, se estará a lo dispuesto en la LOSU.

Dichos centros deberán adscribirse a una única universidad. No obstante, esta condición podrá ser dispensada, con arreglo a lo legal o reglamentariamente establecido, si se aprecian en un centro o en determinados tipos de centros características particulares que así lo justifican.

4.3. Régimen jurídico de las Universidades

4.3.1. Universidades públicas

A) Régimen jurídico

A tenor de lo dispuesto en el artículo 38 de la LOSU las universidades públicas se regirán por esta ley orgánica, por la ley de su creación y por sus Estatutos, que serán elaborados por aquellas y aprobados, previo control de su legalidad, por la Comunidad Autónoma, así como por las normas que dicten el Estado y las Comunidades Autónomas en el ejercicio de sus respectivas competencias en lo que les sean de aplicación[2].

La Comunidad Autónoma dispondrá de un plazo de cuatro meses para la elaboración del informe de legalidad.

Una vez aprobados por la Comunidad Autónoma que corresponda, los Estatutos se publicarán en el diario oficial de la Comunidad Autónoma. Asimismo, serán publicados en el «Boletín Oficial del Estado».

En especial, cuando los Estatutos solo deban ser aprobados por Real Decreto del Consejo de Ministros por tratarse de una universidad de especiales características (de las previstas en el artículo 4.1.b) de la LOSU), aquellos únicamente se publicarán en el «Boletín Oficial del Estado».

Las resoluciones del Rector o Rectora y los acuerdos del Consejo Social, del Consejo de Gobierno y del Claustro Universitario ponen fin a la vía administrativa. Los Estatutos podrán sustituir el previo recurso de reposición por cualquiera de los procedimientos recogidos en el artículo 112.2 de la Ley 39/2015, de 1 de octubre, del Procedimiento Administrativo Común de la Administraciones públicas, respetando su carácter potestativo para el interesado, así como los principios, garantías y plazos que dicha ley reconoce a las personas y a los interesados en todo procedimiento administrativo, todo ello sin perjuicio de la posibilidad de impugnación directamente ante la Jurisdicción Contencioso-administrativa.

B) Rendición de cuentas, transparencia e integridad

El artículo 39 de la LOSU dispone que las universidades, en el ejercicio de su autonomía, deberán establecer mecanismos de rendición de cuentas y de transparencia en la gestión, conforme a la normativa de la Comunidad Autónoma correspondiente, o del Estado, en el caso de Universidades de especiales características (artículo 4.1.b de la LOSU).

En particular, las universidades deberán establecer en sus Estatutos los mecanismos de rendición de cuentas respecto a la gestión de los recursos económicos y de personal, la calidad y evaluación de la docencia y del rendimiento del estudiantado, las actividades

---

2 La Disposición transitoria primera de la LOSU señala: "Las universidades públicas tendrán un plazo máximo de dos años, a contar desde la entrada en vigor de esta ley orgánica, para aprobar los nuevos Estatutos y constituir el nuevo Claustro y Consejo de Gobierno, de acuerdo con los preceptos de esta ley orgánica".

de investigación y de transferencia e intercambio del conocimiento, la captación de recursos para su desarrollo, la política de internacionalización, y la calidad de la gestión y la disponibilidad de los servicios universitarios.

Las universidades deberán contar con un portal de transparencia y garantizar el derecho de acceso a la información que consideren institucionalmente relevante, de acuerdo con la normativa específica en la materia.

Las universidades velarán por el cumplimiento de los principios éticos y de integridad académica, así como de las directrices antifraude, que deben guiar la función docente y la investigación, en colaboración con los organismos y planes de los que, para estos efectos, disponga cada universidad.

4.3.2. Universidades privadas

De conformidad con lo dispuesto en el artículo 95 de la LOSU las universidades privadas tendrán personalidad jurídica propia en cualquiera de las formas legalmente existentes, pudiendo ser entidades con ánimo de lucro o de carácter social, incluidas las sociedades cooperativas. Su objeto social exclusivo será la educación superior y la investigación y, en su caso, la transferencia e intercambio del conocimiento. Deberán realizar todas las funciones a las que se refiere el artículo 2.2 de la LOSU.

Su régimen jurídico resulta de lo dispuesto en los preceptos de la LOSU que le son de aplicación y en las normas que los desarrollen. Además de lo dispuesto en el Título X de la LOSU, les será igualmente de aplicación lo establecido en los títulos preliminar, I, II, III, IV exceptuando el artículo 13, V, VI, VII y VIII, así como las disposiciones adicionales cuarta, séptima, octava y novena.

No obstante, siempre que sea posible, los programas de fomento de proyectos para la investigación, creación y transferencia e intercambio del conocimiento impulsados por las Administraciones públicas facilitarán la participación de las universidades de carácter social y sin ánimo de lucro declaradas de interés público.

Asimismo, estas universidades, a las que también serán de aplicación las normas correspondientes a la clase de personalidad jurídica adoptada, se regirán por la ley de su reconocimiento, por las normas que dicten el Estado y las Comunidades Autónomas, en el ejercicio de sus respectivas competencias y por sus propias normas de organización y funcionamiento.

Las normas de organización y funcionamiento de las universidades privadas serán elaboradas por ellas mismas, con sujeción a los principios constitucionales y con garantía efectiva del principio de libertad de cátedra. Dichas normas deberán ser aprobadas por la Comunidad Autónoma a efectos de su control de legalidad.

Estas universidades se organizarán de forma que quede asegurada la participación y representación en sus órganos de los diferentes sectores de la comunidad universitaria.

4.4. Régimen jurídico de otras Universidades, Centros Universitarios y Centros de Educación Superior no universitarios

4.4.1. Universidad Nacional de Educación a Distancia (Disposición adicional primera LOSU)

La Universidad Nacional de Educación a Distancia es una institución que forma parte del sistema universitario español, cuyo objeto fundamental es el desarrollo de actividades académicas no presenciales e híbridas, siendo su ámbito de actuación el conjunto del Estado y aquellos lugares del extranjero donde pueda desarrollar legalmente su actividad.

Las Cortes Generales y el Gobierno ejercerán las competencias que esta ley orgánica atribuye, respectivamente, a la Asamblea Legislativa y al Consejo de Gobierno de las Comunidades Autónomas en cuanto se refiere a la Universidad Nacional de Educación a Distancia.

El Gobierno regulará las particularidades de los regímenes del personal docente e investigador, del personal técnico, de gestión y de administración y servicios, así como de las y los tutores, y las condiciones de los centros asociados de la Universidad Nacional de Educación a Distancia promoviendo su relación con el entorno en el que se ubiquen.

Asimismo, sin perjuicio de lo establecido en el artículo 56.3 de la LOSU (programación plurianual), regulará su financiación teniendo en consideración las particularidades de la Universidad Nacional de Educación a Distancia, cuyos presupuestos se incluirán en los Presupuestos Generales del Estado. En todo caso, el recurso al endeudamiento por parte de la Universidad Nacional de Educación a Distancia habrá de autorizarse por la Ley de Presupuestos Generales del Estado. No obstante, a lo largo del ejercicio presupuestario, para atender desfases temporales de tesorería, la Universidad Nacional de Educación a Distancia podrá recurrir a la contratación de pólizas de crédito o préstamos, en una cuantía que no superará el 5 % de su presupuesto, que habrán de quedar cancelados antes del 31 de diciembre de cada año.

En el resto de los ámbitos, la Universidad Nacional de Educación a Distancia tendrá los mismos derechos y obligaciones que el resto de las universidades públicas españolas, y se regirá por el principio de autonomía universitaria y por lo que estipulen sus Estatutos.

En el plazo de un año desde la aprobación de la LOSU, el Gobierno regulará reglamentariamente el régimen del profesorado tutor de los centros asociados a la Universidad Nacional de Educación a Distancia.

4.4.2. Universidad Internacional Menéndez Pelayo (Disposición adicional segunda LOSU)

La Universidad Internacional Menéndez Pelayo es una institución que forma parte del sistema universitario español, y que tiene como objeto fundamental la contribución a la generación, divulgación y difusión del conocimiento científico, tecnológico, humanístico y artístico a través de la organización de cursos avanzados y actividades culturales, así como del desarrollo de programas de posgrado y formación a lo largo de la vida.

De acuerdo con su objeto y dada su especificidad en el sistema universitario español, la Universidad Internacional Menéndez Pelayo tiene naturaleza de organismo autónomo adscrito al Ministerio de Universidades, con personalidad jurídica y patrimonio propios, con plena capacidad para organizar los medios humanos y materiales para realizar sus actividades, sin más limitaciones que las establecidas por las leyes y los criterios de calidad exigibles.

La Universidad Internacional Menéndez Pelayo se regirá por el principio de autonomía universitaria en relación con la planificación, organización y desarrollo de sus actividades académicas. La colaboración de profesorado de universidades públicas para el desarrollo de las funciones de la Universidad Internacional Menéndez Pelayo en los términos que se determinen en sus Estatutos, será compatible con la dedicación de dicho profesorado.

La actividad económica y financiera de la Universidad Internacional Menéndez Pelayo se acomodará a un presupuesto de carácter anual, que estará incluido en los Presupuestos Generales del Estado. La financiación de la universidad tendrá en consideración los objetivos académicos definidos y programados. El régimen económico-financiero será el establecido en la Ley 47/2003, de 26 de noviembre, General Presupuestaria, para los organismos autónomos. La Intervención Delegada de la Intervención General de la Administración del Estado realizará el control interno de la gestión económico-financiera de la Universidad Internacional Menéndez Pelayo.

Dada su especificidad, el Gobierno regulará el mecanismo de elección y de nombramiento del Rector o de la Rectora de la Universidad Internacional Menéndez Pelayo.

La Universidad Internacional Menéndez Pelayo podrá celebrar convenios de colaboración académica con universidades, instituciones de educación superior, instituciones de investigación, organismos y entidades tanto nacionales como extranjeras.

4.4.3. Otras universidades públicas con especificidades académicas (Disposición adicional tercera LOSU)

La creación de universidades públicas con especificidad académica deberá regularse por su ley de creación, dentro de los principios generales que establece la LOSU, y regirse por el principio de autonomía universitaria.

Serán las Comunidades Autónomas en cuyo territorio estén ubicadas las que, en ejercicio de sus competencias en materia universitaria, regularán los mecanismos de elección y nombramiento del Rector o la Rectora de estas universidades, así como los mecanismos de gobernanza y el régimen económico y patrimonial.

4.4.4. Universidades de la Iglesia Católica (Disposición adicional cuarta LOSU)[3]

En aplicación de la LOSU, las universidades de la Iglesia Católica establecidas en España con anterioridad al Acuerdo de 3 de enero de 1979, entre el Estado español y la Santa Sede, sobre Enseñanza y Asuntos Culturales, en virtud de lo establecido en el Convenio entre la Santa Sede y el Estado español, de 10 de mayo de 1962, y el mencionado Acuerdo, mantendrán sus procedimientos especiales en materia de reconocimiento de efectos civiles de planes de estudios y títulos, en tanto en cuanto no opten por transformarse en universidades privadas.

No obstante, estas universidades y sus centros adscritos deberán adaptarse a los demás requisitos y condiciones que la legislación establezca con carácter general.

Las universidades establecidas o que se establezcan en España por la Iglesia Católica con posterioridad al Acuerdo entre el Estado español y la Santa Sede de 3 de enero de 1979, y sus centros adscritos, deberán cumplir las condiciones y requisitos establecidos en la LOSU y en sus normas reglamentarias de desarrollo y ejecución, específicamente para las universidades privadas o con carácter general para todas las universidades.

4.4.5. Centros Universitarios de la Defensa (Disposición adicional quinta LOSU)

Los Centros Universitarios de la Defensa, adscritos a una universidad pública, impartirán títulos de grado universitario del sistema educativo general, así como estudios conducentes a la obtención de títulos oficiales de posgrado, contribuyendo de tal forma a la formación de los futuros/as oficiales de las Fuerzas Armadas. Asimismo, estos Centros Universitarios de la Defensa desarrollarán líneas de investigación consideradas de interés en el ámbito de la defensa.

Los Centros Universitarios de la Defensa se regirán, además de por sus propias normas de organización y funcionamiento, por lo dispuesto en la LOSU, en la normativa básica estatal y en las demás normas que les sean de aplicación, así como por los acuerdos contenidos en cada convenio de adscripción.

Todas las referencias que en la LOSU se hacen a las Comunidades Autónomas y sus órganos se entenderán referidas, en el caso de los Centros Universitarios de la Defensa, al Ministerio de Universidades que regulará las particularidades de las enseñanzas a impartir, sin perjuicio de las competencias del Ministerio de Defensa en cuanto a los regímenes del personal docente e investigador y del personal técnico, de gestión y de administración y

---

3 El Gobierno, a propuesta de las personas titulares de los Ministerios de Universidades y de Presidencia, Relaciones con las Cortes y Memoria Democrática, en aplicación de lo establecido en los Acuerdos de Cooperación entre el Estado y la Federación de Entidades Religiosas Evangélicas de España, aprobado por la Ley 24/1992, de 10 de noviembre, la Federación de Comunidades Israelitas de España, aprobado por la Ley 25/1992, de 10 de noviembre, y la Comisión Islámica de España, aprobado por la Ley 26/1992, de 10 de noviembre, regulará las condiciones para el reconocimiento de efectos civiles de los títulos académicos relativos a enseñanzas de nivel universitario, de carácter teológico y de formación de ministros de culto, impartidas en centros docentes de nivel superior dependientes de las mencionadas entidades religiosas. Del mismo modo se podrán reconocer otros acuerdos siempre que en ellos se recoja esta posibilidad (Disposición final décima primera de la LOSU).

servicios de los Centros Universitarios de la Defensa. A tales efectos, las figuras del personal docente e investigador en los Centros Universitarios de la Defensa serán las contempladas en la LOSU, junto con las del personal militar que reúna los requisitos exigibles.

4.4.6. Centro Universitario de la Guardia Civil y Centro Universitario de Formación de la Policía Nacional (Disposición adicional sexta LOSU)

El Centro Universitario de la Guardia Civil, adscrito a una o varias universidades públicas, impartirá los títulos de grado universitario y postgrado del sistema educativo general, y promoverá las acciones de formación que faciliten a los guardias civiles la obtención de títulos de Grado. Asimismo, desarrollará líneas de investigación consideradas de interés para la seguridad pública.

El Centro Universitario de Formación de la Policía Nacional, adscrito a una o varias universidades públicas, impartirá los títulos de grado universitario y postgrado del sistema educativo general, y podrá promover las acciones de formación que faciliten a los miembros del Cuerpo Nacional de Policía la obtención de títulos de Grado. Asimismo, desarrollará líneas de investigación consideradas de interés para la seguridad pública.

El Centro Universitario de la Guardia Civil y el Centro Universitario de Formación de la Policía Nacional se regirán, además de por sus propias normas de organización y funcionamiento, por lo dispuesto en la LOSU, en la normativa básica estatal y en las demás normas que les sean de aplicación, así como por los acuerdos contenidos en cada convenio de adscripción. Asimismo, el Centro Universitario de la Guardia Civil se regirá por lo dispuesto en la Ley 29/2014, de 28 de noviembre, de Régimen del Personal de la Guardia Civil y el Centro Universitario de Formación de la Policía Nacional por lo dispuesto en la Ley Orgánica 9/2015, de 28 de julio, de Régimen de Personal de la Policía Nacional y en su ley de creación.

Todas las referencias que en la LOSU se hacen a las Comunidades Autónomas y sus órganos, se entenderán efectuadas en los casos del Centro Universitario de la Guardia Civil y el Centro Universitario de Formación de la Policía Nacional, al Ministerio de Universidades, que regulará las particularidades de las enseñanzas a impartir, sin perjuicio de las competencias del Ministerio del Interior en cuanto a los regímenes de su personal docente e investigador y personal técnico, de gestión y de administración y servicios. A tales efectos, las figuras del personal docente e investigador en los centros universitarios a que se refiere este apartado serán las contempladas en la LOSU, junto con las del personal militar que reúna los requisitos exigibles para el Centro Universitario de la Guardia Civil.

4.4.7. Centros docentes privados de educación superior no universitarios (Disposición adicional octava LOSU)

Las Comunidades Autónomas, en el ejercicio de sus competencias, aprobarán los criterios para la creación, supresión y funcionamiento de los centros docentes privados de educación superior en su ámbito territorial que impartan enseñanzas no oficiales de nivel similar al universitario y que no estén adscritos a ninguna universidad pública o privada.

No podrán utilizarse denominaciones de títulos de educación superior no universitarios que puedan inducir a confusión con las denominaciones de los títulos universitarios tanto oficiales como propios, especialmente los de formación a lo largo de la vida, sin perjuicio de las establecidas por la Ley Orgánica 2/2006, de 3 de mayo, de Educación, para las enseñanzas que en la misma se regulan, así como por el ordenamiento jurídico que resulte de aplicación en las enseñanzas Artísticas, Deportivas y de Formación Profesional.

4.5. La calidad del Sistema Universitario

De conformidad con lo dispuesto en el artículo 5 de la LOSU el sistema universitario deberá garantizar niveles de buen gobierno y calidad contrastables con los estándares internacionalmente reconocidos, en particular, con los criterios y directrices establecidos para el aseguramiento de la calidad en el Espacio Europeo de Educación Superior[4].

La promoción y el aseguramiento de dicha calidad es responsabilidad compartida por las universidades, las agencias de evaluación y las Administraciones públicas con competencias en esta materia.

El aseguramiento de la calidad se hará efectivo en las condiciones y mediante los procedimientos de evaluación, certificación y acreditación que establezca el Gobierno, mediante real decreto, previo informe de la Conferencia General de Política Universitaria.

Las universidades garantizarán la calidad académica de las actividades de sus centros, a través de los sistemas internos de garantía de calidad.

Las funciones de acreditación y evaluación del profesorado universitario, de acreditación institucional, de evaluación de titulaciones universitarias, de seguimiento de resultados e informe en el ámbito universitario, y de cualquier otra que les atribuyan las leyes estatales y autonómicas, corresponden a la Agencia Nacional de Evaluación de la Calidad y Acreditación (en adelante, ANECA) y a las agencias de evaluación de las Comunidades Autónomas inscritas en el Registro Europeo de Agencias de Calidad (EQAR), en el ámbito de sus respectivas competencias, todo ello sin perjuicio de los acuerdos internacionales de colaboración en el ámbito del aseguramiento de la calidad, así como del papel que agencias de calidad de otros Estados miembros inscritas en EQAR puedan desarrollar en el marco del Espacio Europeo de Educación Superior.

Las agencias de evaluación mencionadas deberán contar con medidas de igualdad relativas a sus procesos de evaluación y, en caso de contar con más de 50 personas trabajadoras, con un plan de igualdad relativo a su organización.

4 La creación de un Espacio Europeo de la Educación Superior (EEES) antes del año 2010 fue el objetivo fundamental de la Declaración de Bolonia firmada el 19 junio de 1999 por los ministros de Educación de 29 países europeos. Esta Declaración viene precedida por la firmada en la Sorbona en 1998, en la que se proponía la necesidad de potenciar una armonización europea en la Educación Superior en Europa.

El Gobierno regulará el procedimiento y las condiciones para la acreditación institucional de los centros universitarios, basada en el reconocimiento de la capacidad de la universidad para garantizar la calidad académica de aquellos.

5. La estructura de las universidades en la Ley Orgánica del Sistema Universitario

5.1. Estructura de las Universidades públicas

La estructura de las Universidades públicas aparece regulada en el Capítulo I del Título IX de la LOSU.

5.1.1. Centros y estructuras

A) Tipología

El artículo 40 de la LOSU señala que las universidades podrán estructurarse, según lo determinen sus Estatutos, en:

a) Campus.

b) Facultades.

c) Escuelas.

d) Departamentos.

e) Institutos universitarios de investigación.

f) Escuelas de doctorado.

g) En otros centros o estructuras necesarios para el desarrollo de las funciones que le son propias.

Los Estatutos establecerán las funciones de los centros o estructuras que componen la universidad para proponer y organizar las enseñanzas universitarias oficiales y los procedimientos académicos, administrativos y de gestión conducentes a la obtención de los correspondientes títulos, para proponer y organizar las enseñanzas conducentes a la obtención de títulos propios y las estructuras encargadas de su gestión, así como, en su caso, las creadas específicamente para desarrollar, transferir, intercambiar y promover la investigación científica, tecnológica, humanística, social, cultural o la creación artística.

Dichos centros y estructuras deberán fomentar la cooperación, la multidisciplinariedad y la interdisciplinariedad, así como una gestión administrativa integrada, y contar con los medios necesarios para desarrollar adecuadamente y con eficacia las funciones que tengan asignadas.

B) Creación, modificación y supresión de centros y estructuras

En su artículo 41 la LOSU establece que la creación, modificación y supresión de facultades y escuelas serán acordadas por la Comunidad Autónoma, a iniciativa de la universidad mediante propuesta y aprobación de su Consejo de Gobierno.

La creación, modificación y supresión de departamentos, institutos, escuelas de doctorado y otros centros o estructuras corresponden a la universidad, conforme a lo estipulado en esta ley orgánica y en su normativa de desarrollo, así como en sus Estatutos.

La regulación reglamentaria actualmente vigente en materia de universidades y centros es el Real Decreto 640/2021, de 27 de julio, de creación, reconocimiento y autorización de universidades y centros universitarios, y acreditación institucional de centros universitarios, que ha venido a sustituir a un Real Decreto del año 2015.

C) Los Colegios Mayores y las Residencias Universitarias

La Disposición adicional séptima de la LOSU establece que los colegios mayores son centros que, integrados en la Universidad, proporcionan residencia al estudiantado universitario y promueven actividades culturales y científicas de divulgación que fortalecen la formación integral de sus colegiales. Estos colegios constituyen instituciones universitarias.

Los colegios mayores universitarios solo podrán ser gestionados y promovidos por entidades sin ánimo de lucro.

Las universidades, mediante sus Estatutos, establecerán las normas de creación, supresión y funcionamiento de los colegios mayores de fundación directa, y el procedimiento de adscripción de los colegios mayores adscritos, que gozarán de los beneficios o exenciones fiscales de la universidad en la que estén integrados.

Los colegios mayores privados que tengan un régimen no mixto o segregado no podrán adscribirse a una universidad pública. Aquellos convenios que se encuentren vigentes a la entrada en vigor de esta ley orgánica podrán mantenerse hasta su vencimiento, pero no renovarse.

En lo que resulte aplicable, y no se oponga a la LOSU, los Colegios Mayores se rigen por el Decreto 2780/1973, de 19 de octubre, regulador de los Colegios Mayores, posteriormente modificado por el Real Decreto 1857/1981, de 20 de agosto.

5.1.2. Adscripción de Centros

De conformidad con lo previsto en el artículo 42 de la LOSU la adscripción de centros docentes universitarios requerirá la previa celebración de un convenio con la universidad, de acuerdo con lo previsto en los Estatutos de dicha universidad, y con lo establecido reglamentariamente por el Gobierno que, asimismo, establecerá los requisitos básicos que deben cumplir los centros adscritos.

La adscripción de centros docentes a universidades públicas requerirá la aprobación de la Comunidad Autónoma correspondiente al ámbito territorial en la que estuvieren ubicados los centros. La propuesta se elevará por el Consejo de Gobierno de la universidad, una vez informado el Consejo Social y conocida la necesidad que justifica su adscripción.

Los centros, que podrán tener naturaleza pública o privada, solo podrán adscribirse a una única universidad. De manera excepcional, esta condición podrá ser dispensada, legal o reglamentariamente, si se aprecian en un centro o en determinados tipos de centros características particulares que así lo justifican.

5.1.3. Unidades básicas

A) Unidades de igualdad y de diversidad

El artículo 43 de la LOSU establece que las universidades contarán con unidades de igualdad y de diversidad, que se podrán constituir de forma conjunta o separada, de defensoría universitaria y de inspección de servicios, así como servicios de salud y acompañamiento psicológico y pedagógico y servicios de orientación profesional, dotados con recursos humanos y económicos suficientes.

Las unidades de igualdad serán las encargadas de asesorar, coordinar y evaluar la incorporación transversal de la igualdad entre mujeres y hombres en el desarrollo de las políticas universitarias, así como de incluir la perspectiva de género en el conjunto de actividades y funciones de la universidad. Corresponde a los Estatutos de la universidad establecer el régimen de funcionamiento de esta unidad.

Las unidades de diversidad serán las encargadas de coordinar e incluir de manera transversal el desarrollo de las políticas universitarias de inclusión y antidiscriminación en el conjunto de actividades y funciones de la universidad. Estas unidades deberán contar con un servicio de atención a la discapacidad.

Corresponde a los Estatutos de la universidad establecer el régimen de funcionamiento de esta unidad.

B) La Defensoría Universitaria

La defensoría universitaria se encargará de velar por el respeto de los derechos y las libertades del profesorado, estudiantado y personal técnico, de gestión y de administración y servicios, ante las actuaciones de los diferentes órganos y servicios universitarios, pudiendo asumir tareas de mediación, conciliación y buenos oficios. Sus actuaciones vendrán regidas por los principios de independencia, autonomía y confidencialidad.

Corresponde a los Estatutos de la universidad establecer el régimen de funcionamiento y estructura de la defensoría universitaria, cuyo máximo cargo podrá ser un órgano unipersonal o colegiado, así como el procedimiento para su elección por el Claustro Universitario.

C) Servicios de orientación psicopedagógica

Las universidades, en colaboración con las Comunidades Autónomas en las que se encuentren ubicadas, ofrecerán servicios gratuitos dirigidos a la orientación psicopedagógica, de prevención y fomento del bienestar emocional de su comunidad universitaria y, en especial, del estudiantado, así como servicios de orientación profesional.

D) La Inspección de Servicios

La inspección de servicios actuará regida por los principios de independencia y autonomía. Tendrá por función velar por el correcto funcionamiento de los servicios que presta la institución universitaria de acuerdo con las leyes y normas que los rigen. Asimismo, en el marco de la legislación aplicable en la materia, tendrá las funciones de incoación e instrucción de los expedientes disciplinarios que afecten a miembros de la comunidad universitaria.

La dirección de este servicio será atribuida a personal técnico, de gestión y de administración y servicios de la universidad con los requisitos de titulación necesarios para el desempeño de las funciones que dicha inspección tiene encomendados.

La inspección de servicios actuará *motu proprio,* a instancia de los distintos órganos de Gobierno de la universidad o tras denuncia escrita interpuesta por algún miembro de la comunidad universitaria.

5.2. Los centros en el extranjero

El artículo 29 de la LOSU establece que las universidades podrán crear centros en el extranjero, que impartan enseñanzas conducentes a la obtención de títulos universitarios de carácter oficial y validez y eficacia en todo el Estado o títulos propios, por sí solos o mediante acuerdos con otras instituciones nacionales, supranacionales o extranjeras, que tendrán la estructura y el régimen establecido en la normativa aplicable.

Los centros en el extranjero podrán actuar como agentes de internacionalización de las universidades que los hayan creado, en colaboración con el Servicio Exterior del Estado, en ejercicio de las competencias de acción exterior en materia educativa previstas en su normativa específica.

La propuesta de creación y supresión de estos centros corresponderá al Consejo de Gobierno de la universidad y se aprobará por la Comunidad Autónoma competente, previo informe favorable de los Ministerios de Universidades y de Asuntos Exteriores, Unión Europea y Cooperación.

5.3. Estructura de las Universidades privadas

A tenor de lo dispuesto en el artículo 97 de la LOSU las universidades privadas se estructurarán en la forma en que lo determinen sus normas de organización y funcionamiento.

Las universidades privadas deberán contar con una defensoría universitaria, y con unidades de igualdad y de diversidad.

La creación, modificación y supresión de las estructuras de una Universidad privada, se efectuarán a propuesta de la universidad, en los términos previstos para las Universidades públicas.

6. Gobernanza de las Universidades

6.1. Gobernanza de las Universidades públicas

6.1.1. Normas generales de gobernanza, representación y participación en las universidades públicas

A) Órganos colegiados y unipersonales

El artículo 44 de la LOSU establece que los Estatutos de las universidades establecerán y regularán los siguientes órganos colegiados:

a) Claustro Universitario.

b) Consejo de Gobierno.

c) Consejo de Estudiantes.

d) Asimismo, establecerán el Consejo Social y podrán establecer y regular Consejos de Escuela y de Facultad, Consejos de Departamento u otros órganos específicos que se determinen.

Los Estatutos de las universidades establecerán y regularán, entre otros, los siguientes órganos unipersonales:

a) Rector o Rectora.

b) Vicerrectores o Vicerrectoras.

c) Secretario o Secretaría General.

d) Gerente.

e) Así como, en su caso, Decanos o Decanas de Facultades, Directores o Directoras de Escuelas, de Departamentos, o de otros órganos específicos para los centros o estructuras que determinen los Estatutos.

B) Mandato[5]

El mandato de los titulares de órganos unipersonales electos será, en todos los casos, de seis años improrrogables y no renovables. La dedicación a tiempo completo del

---

5 La Disposición transitoria primera de la LOSU establece: "Los cargos unipersonales electos que, a la entrada en vigor de esta ley orgánica, estuvieran en su primer mandato de cuatro años, podrán finalizar el mismo y concurrir a la reelección por un periodo de seis años improrrogable y no renovable. En el caso de aquéllos que estuvieran en su segundo mandato de cuatro años podrán finalizar el mismo y, conforme a la limitación de mandatos que ya les era de aplicación, no podrán optar a una nueva reelección"

profesorado universitario será requisito necesario para el desempeño de órganos unipersonales de gobierno. En ningún caso, podrá ejercerse la titularidad de más de un cargo simultáneamente.

C) Elección

La elección de las y los representantes de los distintos sectores de la comunidad universitaria en el Claustro Universitario o, en caso de contar con facultades, escuelas o departamentos, en los Consejos o Juntas de Facultad o Escuela y en los Consejos de Departamento se realizará mediante sufragio universal, libre, igual, directo y secreto.

Los Estatutos establecerán las normas electorales aplicables, las cuales deberán garantizar en todos los órganos colegiados el principio de composición equilibrada, entre mujeres y hombres, tal como indica la disposición adicional primera de la Ley Orgánica 3/2007, de 22 de marzo, para la igualdad efectiva de mujeres y hombres.

Los Estatutos establecerán mecanismos incentivadores de la participación y representación de los diferentes sectores de la comunidad universitaria en los órganos de gobierno de la universidad, centros, departamentos e institutos, con especial atención a la participación del estudiantado, y con información actualizada en los portales de transparencia de los espacios de participación que se habiliten en cada momento. Con esta finalidad, podrán desarrollar procesos participativos, consultas y otros mecanismos de participación del conjunto de la comunidad universitaria.

6.1.2. El Claustro Universitario

A) Naturaleza y funciones

A tenor de lo dispuesto en el artículo 45 de la LOSU el Claustro Universitario es el máximo órgano de representación y participación de la comunidad universitaria.

Las funciones fundamentales del Claustro son:

a) Elaborar y aprobar los Estatutos de la universidad y, en su caso, modificarlos, sin perjuicio de su aprobación definitiva por la Comunidad Autónoma, así como el reglamento general de centros y estructuras, y otras normas.

b) Debatir y realizar propuestas de política universitaria para que sean elevadas al Equipo de Gobierno. Cuando estas propuestas puedan tener un carácter normativo se elevarán al Consejo de Gobierno.

c) Elaborar y modificar su reglamento de funcionamiento.

d) Elegir a los representantes del Claustro en otros órganos de gobierno de la universidad.

e) Convocar, con carácter extraordinario, elecciones a Rector o Rectora a iniciativa de un tercio de sus componentes, que incluya, al menos, un 30 % del personal de los cuerpos docentes universitarios funcionarios y Profesoras y Profesores Per-

manentes Laborales. La aprobación de la iniciativa por al menos dos tercios del Claustro conllevará su disolución y el cese del Rector o Rectora, que continuará en funciones hasta la toma de posesión del nuevo Rector o de la nueva Rectora. Si la iniciativa no fuese aprobada, ninguno de los solicitantes podrá participar en la presentación de otra iniciativa de este carácter hasta transcurrido un año desde su votación.

f) Ejercer cualquier otra función que establezcan los Estatutos de la universidad.

g) Analizar y debatir otras temáticas de especial trascendencia.

B) Mandato y composición

Los Estatutos establecerán la duración del mandato y el número de componentes del Claustro, siendo miembros natos de este órgano el Rector o Rectora, que lo presidirá, el Secretario o Secretaria General y el o la Gerente.

Los Estatutos de cada universidad establecerán los porcentajes de representación del personal docente e investigador no permanente, personal investigador no permanente, profesorado asociado, estudiantado y personal técnico, de gestión y de administración y servicios, asegurando un mínimo del 25 % de representación del estudiantado.

El personal de los cuerpos docentes universitarios funcionarios y Profesoras y Profesores Permanentes Laborales tensdrá una representación del 51 % de los miembros del Claustro.

6.1.3. El Consejo de Gobierno

A) Naturaleza y funciones

De conformidad con el artículo 46 de la LOSU el Consejo de Gobierno es el máximo órgano de gobierno de la universidad.

Corresponden al Consejo de Gobierno las siguientes funciones:

a) Promover y aprobar los planes estratégicos de la universidad a propuesta del Equipo de Gobierno.

b) Fijar las directrices fundamentales y los procedimientos de aplicación de todas las políticas de la universidad.

c) Proponer al Consejo Social para su aprobación el Plan Plurianual de Financiación.

d) Aprobar la oferta y la programación docente de la universidad.

e) Aprobar las convocatorias de plazas y la relación de puestos de trabajo, y su modificación, del personal docente e investigador y del personal técnico, de gestión y de administración y servicios, que deberán ser finalmente aprobadas por las Comunidades Autónomas.

f) Proponer al Consejo Social para su aprobación los presupuestos de la universidad y de los entes dependientes, y las cuentas anuales de la universidad.

g) Aprobar los convenios de adscripción a la universidad de centros de educación superior públicos y privados.

h) Aprobar los convenios de colaboración y cooperación académica y de investigación suscritos entre la universidad y otras universidades nacionales o extranjeras, así como con otras instituciones, organismos, entidades o empresas con fines académicos o de investigación, salvo que dicha facultad sea atribuida a otros órganos estatutarios a través de mecanismos internos de distribución de competencias de la universidad.

i) Definir y aprobar planes de captación, estabilización y promoción del personal docente e investigador.

j) Definir e impulsar, en coordinación con la unidad de igualdad, un plan de igualdad de género del conjunto de la comunidad universitaria.

k) Informar de la aprobación del Plan de Igualdad negociado con la representación de la universidad y la representación legal de los y las trabajadoras, que contendrá al menos las materias recogidas en el artículo 46.2 de la Ley Orgánica 3/2007, de 22 de marzo.

l) Definir e impulsar, en coordinación con la unidad de diversidad, un plan de inclusión y no discriminación del conjunto del personal y sectores de la universidad por motivos de discapacidad, origen étnico y nacional, orientación sexual e identidad de género, y por cualquier otra condición social o personal, elaborar protocolos y desarrollar medidas de prevención y respuesta frente a la violencia, el acoso laboral o la discriminación.

m) Definir e impulsar una Estrategia de Mitigación del Cambio Climático que incluya planes de eficiencia energética y sustitución a energías renovables, de alimentación sostenible y de cercanía, y de movilidad.

n) Aprobar la normativa de funcionamiento de la inspección de servicios y los procedimientos de rendición de cuentas anuales de la misma.

o) Desarrollar cualquier otra función de gobierno de la universidad que establezcan sus Estatutos.

B) Composición y mandato

Los Estatutos establecerán el número de componentes del Consejo de Gobierno, siendo miembros natos de este órgano el Rector o Rectora, que lo presidirá, el Secretario o Secretaria General y el o la Gerente.

La composición deberá asegurar la representación de las estructuras que conforman la universidad y del personal docente e investigador, del estudiantado, del personal técnico, de gestión y de administración y servicios y del Consejo Social.

Los representantes del personal y del estudiantado serán elegidos por el Claustro.

En caso de que existan varios campus en distintas localidades se procurará la representación de estos en el Consejo de Gobierno.

Los Estatutos de cada universidad establecerán la duración y la forma en que se materializa la representación de todos los sectores mencionados, garantizando una mayoría de personal de los cuerpos docentes universitarios y Profesorado Permanente Laboral y asegurando la presencia de las demás figuras docentes no permanentes, del personal investigador no permanente y del profesorado asociado. Un mínimo del 10 % del Consejo de Gobierno deberán ser representantes del estudiantado y otro mínimo del 10 % deberán ser representantes del personal técnico, de gestión y de administración y servicios. En todo caso, un tercio de los miembros del Consejo de Gobierno será elegido por el Rector o Rectora, incluyendo en ese cupo los miembros natos.

6.1.4. El Consejo Social

A) Naturaleza y funciones

El artículo 47 de la LOSU establece que el Consejo Social es el órgano de participación y representación de la sociedad, un espacio de colaboración y rendición de cuentas en el que se interrelacionan con la universidad las instituciones, las organizaciones sociales y el tejido productivo. Su composición deberá reflejar adecuadamente la pluralidad del entorno social en la que está radicada.

Corresponden al Consejo Social las siguientes funciones esenciales:

a) Elaborar, aprobar y evaluar un plan trienal de actuaciones dirigido prioritariamente a fomentar las interrelaciones y cooperación entre la universidad, sus antiguos alumnos y su entorno cultural, profesional, científico, empresarial, social y territorial, así como su desarrollo institucional. Se realizará, con la periodicidad que determinen los Estatutos, una sesión conjunta del Consejo Social y del Consejo de Gobierno de cada universidad a fin de realizar el seguimiento del plan y, en su caso, establecer las modificaciones necesarias.

b) Informar, con carácter previo, la oferta de titulaciones oficiales y de formación permanente, así como la creación y supresión de centros propios y en el extranjero.

c) Promover acciones para facilitar la conexión de la universidad con la sociedad y para el fortalecimiento de las actividades de formación a lo largo de la vida que desarrollan las universidades.

d) Promover la captación de recursos económicos destinados a la financiación de la universidad, procedentes de los diversos ámbitos sociales, empresariales e institucionales locales, nacionales e internacionales.

e) Analizar y valorar el rendimiento de las actividades académicas y proponer acciones de mejora.

f) Informar sobre las normas que regulen el progreso y la permanencia del estudiantado en la universidad.

g) Contribuir a la incorporación de las previsiones del plan trienal de actuaciones en los presupuestos, y aprobarlos, así como supervisar las actividades de carácter económico de la universidad y aprobar las cuentas anuales de la institución universitaria y de las entidades que de ella dependan, sin perjuicio de la legislación mercantil u otra a la que dichas entidades puedan estar sometidas en función de su personalidad jurídica.

h) Crear, de mutuo acuerdo con el Consejo de Gobierno de cada universidad, comisiones conjuntas para promover, desplegar y evaluar iniciativas tendentes a reforzar el papel de la Universidad en el entorno social.

i) Aprobar, a propuesta del Consejo de Gobierno, el Plan Plurianual de Financiación de la universidad y realizar su seguimiento.

j) Aprobar las asignaciones de los complementos retributivos.

k) Participar, con voz y voto, en el Consejo de Gobierno de acuerdo con lo que se establezca en los Estatutos.

l) Velar por el cumplimiento de los principios éticos y de integridad académica, así como de las directrices antifraude, que deben guiar la función docente y la investigación, en colaboración con los organismos y planes de los que, para estos efectos, disponga cada universidad.

m) Ejercer aquellas otras funciones que la ley de la Comunidad Autónoma determine.

B) Composición, mandato y organización

Por ley de la Comunidad Autónoma se regulará la composición del Consejo Social procurando que su funcionamiento sea eficaz y eficiente. Dicha norma establecerá un estatuto de sus miembros.

La ley garantizará la presencia de personas propuestas por los diferentes sectores representativos de la vida económica, social y cultural del entorno, conocedoras de la actividad y dinámica universitarias, así como la ausencia de conflicto de intereses con la universidad.

La ley autonómica también regulará la duración de su mandato y el procedimiento de designación de sus miembros por parte de la Asamblea Legislativa, oída la universidad. Además, serán miembros del Consejo Social el Rector o Rectora, el o la Gerente, el Secretario o Secretaria General, así como un representante del personal docente e investigador, otro del personal técnico, de gestión y de administración y servicios, elegidos por el Consejo de Gobierno de entre sus miembros, y un tercero del Consejo de Estudiantes, elegido por el propio Consejo, todos ellos con voz y voto.

Para el adecuado cumplimiento de sus funciones, el Consejo Social dispondrá de una organización de apoyo con recursos suficientes.

La ley que establezca su composición y funcionamiento podrá contemplar la dotación de un presupuesto propio del Consejo Social, así como su gestión económico-presupuestaria con carácter autónomo.

6.1.5. El Consejo de Estudiantes

A) Naturaleza y composición

El artículo 48 de la LOSU establece que el Consejo de Estudiantes es el órgano colegiado superior de representación y coordinación del estudiantado en el ámbito de la universidad. Sus miembros serán elegidos entre estudiantes de los distintos centros, con la duración y en la forma en que lo determinen los Estatutos de la universidad.

El Consejo de Estudiantes gozará de plena autonomía para el cumplimiento de sus fines dentro de la normativa propia de la universidad, y esta le dotará de los medios y espacios necesarios para el desarrollo de sus funciones.

Los Estatutos contemplarán la posibilidad de establecer consejos de estudiantes en las diferentes estructuras organizativas de la universidad de las que forme parte el estudiantado.

B) Funciones

Corresponden al Consejo de Estudiantes las siguientes funciones:

a) Defender los intereses del estudiantado en los órganos de gobierno.

b) Velar por el cumplimiento y el respeto de sus derechos y deberes.

c) Realizar propuestas a los órganos de gobierno en materias relacionadas con sus competencias para su inclusión en el orden del día.

d) Fomentar el asociacionismo estudiantil y la participación del estudiantado en la vida universitaria.

e) Cualesquiera otras funciones que le asignen los Estatutos de la universidad.

6.1.6. Otros órganos colegiados

De conformidad con lo dispuesto en el artículo 49 de la LOSU en caso de contar con facultades, escuelas o departamentos, estas estructuras tendrán un Consejo como órgano de gobierno, que estará presidido por el Decano o Decana, en el primer caso, o Director o Directora, en los restantes.

Las universidades podrán crear otros órganos colegiados.

Los Estatutos determinarán las funciones de los órganos referidos en los apartados anteriores, su composición, la duración de su función y el procedimiento de elección de sus miembros, que deberán ser en su mayoría personal de los cuerpos docentes universitarios funcionarios y Profesoras y Profesores Permanentes Laborales de la universidad. Asimismo, establecerán las condiciones en las que sus miembros podrán compaginar sus tareas con el desarrollo de su formación, carrera docente e investigadora.

Deberá garantizarse en la regulación de cada órgano colegiado un funcionamiento efectivo del mismo y una representación del estudiantado que alcance como mínimo el 25 % de su composición.

6.1.7. El Rector o la Rectora y su Equipo de Gobierno

A) Naturaleza y funciones

El artículo 50 de la LOSU señala que el Rector o la Rectora ejerce las funciones de dirección, gobierno y gestión de la universidad y ostenta la representación de esta ante otras universidades, organismos, instituciones, Administraciones públicas o entidades sociales o empresariales locales, nacionales e internacionales. Además, ejerce las funciones propias de máximo órgano académico de la universidad. Le corresponden asimismo cuantas competencias no sean expresamente atribuidas a otros órganos de la universidad.

Serán funciones del Rector o Rectora las siguientes:

a) Ejercer la dirección global de la universidad.

b) Coordinar las actividades y políticas del Equipo de Gobierno de la universidad.

c) Impulsar los ejes principales de la política universitaria.

d) Definir las directrices fundamentales de la planificación estratégica de la universidad.

e) Desarrollar las líneas de actuación aprobadas por los órganos colegiados correspondientes y ejecutar sus acuerdos, especialmente en lo referente a la programación y desarrollo de la docencia, a la investigación, a la transferencia e intercambio del conocimiento e innovación, a la gestión de los recursos económicos y del personal, a la internacionalización, a la cultura y promoción universitarias y a las relaciones institucionales.

f) Nombrar y cesar a los miembros del Equipo de Gobierno.

En los Estatutos se deberá consignar el mecanismo de sustitución temporal del Rector o la Rectora.

El Rector o la Rectora podrá, igualmente, nombrar personal eventual para realizar las funciones previstas y con las condiciones establecidas en el artículo 12 del texto refundido de la Ley del Estatuto Básico del Empleado Público, aprobado por el Real Decreto Legislativo 5/2015, de 30 de octubre[6]. El número máximo de personal eventual se recogerá en los Estatutos de acuerdo con lo dispuesto en la normativa de la Comunidad Autónoma correspondiente. Este número y las condiciones retributivas serán públicas.

---

[6] Dicho artículo establece lo siguiente: "1. Es personal eventual el que, en virtud de nombramiento y con carácter no permanente, sólo realiza funciones expresamente calificadas como de confianza o asesoramiento especial, siendo retribuido con cargo a los créditos presupuestarios consignados para este fin. 2. Las leyes de Función Pública que se dicten en desarrollo de este Estatuto determinarán los órganos de gobierno de las Administraciones públicas que podrán disponer de este tipo de personal. El número máximo se establecerá por los respectivos órganos de gobierno. Este número y las condiciones retributivas serán públicas. 3. El nombramiento y cese serán libres. El cese tendrá lugar, en todo caso, cuando se produzca el de la autoridad a la que se preste la función de confianza o asesoramiento. 4. La condición de personal eventual no podrá constituir mérito para el acceso a la Función Pública o para la promoción interna. 5. Al personal eventual le será aplicable, en lo que sea adecuado a la naturaleza de su condición, el régimen general de los funcionarios de carrera.

El Rector o la Rectora podrá nombrar aquellos representantes de la universidad en diversos órganos, entidades e instituciones en los cuales tenga representación la universidad.

Durante su mandato, el Rector o Rectora no podrá presentarse a ningún proceso de promoción académica ni formar parte de una comisión de promoción.

B) Elección y nombramiento[7]

A tenor de lo dispuesto en el artículo 51 de la LOSU los candidatos o candidatas deberán ser personal docente e investigador permanente doctor a tiempo completo y reunir los méritos de investigación, docencia y experiencia de gestión universitaria que determinen los Estatutos. En todo caso, dichos méritos deberán garantizar una alta capacidad investigadora, una acreditada trayectoria docente así como una suficiente experiencia de gestión universitaria en algún cargo unipersonal.

El Rector o la Rectora será elegido o elegida mediante elección directa por sufragio universal ponderado por todos los miembros de la comunidad universitaria. De acuerdo con lo dispuesto en el artículo 44.3 de la LOSU, la duración de su mandato será de seis años improrrogables y no renovables.

Los Estatutos fijarán el procedimiento para su elección y establecerán los porcentajes y procedimiento de ponderación de cada sector velando por incentivar la participación de todos los estamentos y asegurando que, en todo caso, la representatividad del personal de los cuerpos docentes universitarios funcionarios y Profesoras y Profesores Permanentes Laborales de la universidad no sea inferior al 51 %.

Será proclamado Rector o Rectora, en primera vuelta, el candidato o candidata que logre el apoyo de más de la mitad de los votos válidamente emitidos, una vez aplicadas las ponderaciones contempladas en los Estatutos. Si se presentara más de un candidato o candidata a Rector o Rectora y ningún candidato o candidata lo alcanzara, se procederá a una segunda votación entre los dos candidatos o candidatas que hayan conseguido el mayor número de votos en primera vuelta, teniendo en cuenta las citadas ponderaciones. En la segunda vuelta será proclamado el candidato o la candidata que obtenga la mayoría simple de votos atendiendo a esas mismas ponderaciones.

El Rector o la Rectora será nombrado o nombrada por el órgano correspondiente de la Comunidad Autónoma.

---

7 Establece la Disposición transitoria primera de la LOSU que: "Hasta que se produzca la adaptación de los Estatutos a lo establecido en el artículo 51.1 y se determinen por la universidad los méritos de investigación, docencia y experiencia de gestión universitaria que deberán reunir los candidatos o candidatas a Rector o Rectora, se le exigirá como mínimo estar en posesión de tres sexenios de investigación, tres quinquenios docentes y cuatro años de experiencia de gestión universitaria en algún cargo unipersonal"

C) El Equipo de Gobierno

Señala el artículo 50 de la LOSU que como unidad de apoyo al Rector o Rectora se constituirá un Equipo de Gobierno, que será presidido por él o ella, y que estará integrado por los Vicerrectores y Vicerrectoras, el o la Gerente y el Secretario o la Secretaría General, así como por cualquier otro miembro que establezcan los Estatutos de cada universidad.

Las personas titulares de las Vicerrectorías serán nombradas de entre las funcionarias y funcionarios que integran el personal de los cuerpos docentes universitarios y las Profesoras y Profesores Permanentes Laborales, para el desarrollo de las políticas universitarias.

La persona titular de la Secretaría General será nombrada de entre el personal docente e investigador funcionario doctor o el personal técnico, de gestión y de administración y servicios funcionario con titulación universitaria que preste servicios en la universidad, actuará como fedatario/a y presidirá la Comisión Electoral.

La persona titular de la Gerencia será nombrada, de acuerdo con el Consejo Social, atendiendo a criterios de competencia profesional y experiencia en la gestión, y tendrá como función la gestión de los servicios administrativos y económicos de la universidad y de recursos humanos. El o la Gerente no podrá, una vez asumido el cargo, ejercer funciones docentes ni investigadoras.

6.1.8. Otros órganos unipersonales

El artículo 52 de la LOSU establece que las universidades que cuenten con facultades, escuelas o departamentos tendrán los siguientes órganos unipersonales, que ostentarán la representación de sus centros y ejercerán las funciones de dirección y gestión ordinaria de estos: Decano o Decana de Facultad, Director o Directora de Escuela, y Director o Directora de Departamento.

Asimismo, estos órganos unipersonales nombrarán a los miembros del Equipo de Dirección de sus centros de acuerdo con lo dispuesto en los Estatutos de la universidad, y elegirán un Secretario o Secretaria del centro que ejercerá como fedatario de las decisiones tomadas por el Consejo de Facultad, de Escuela o de Departamento.

Los Decanos y Decanas de Facultad y los Directores y Directoras de Escuela se elegirán mediante elección directa por sufragio universal en la forma en que se recoja estatuariamente, de entre el personal de los cuerpos docentes universitarios funcionarios y Profesoras y Profesores Permanentes Laborales de la universidad.

Los Directores y Directoras de Departamento se elegirán mediante elección directa por sufragio universal por todos los miembros del Consejo de Departamento de entre el personal de los cuerpos docentes universitarios funcionarios y Profesoras y Profesores Permanentes Laborales de la universidad.

Los Estatutos fijarán los mecanismos de sustitución temporal del cargo y el procedimiento para convocar, con carácter extraordinario, elecciones a los mismos, así como sus efectos sobre los Consejos de Facultad o Escuela.

Las universidades deberán contar, además, con directores o directoras en todas las estructuras que definan en sus Estatutos y con un Secretario o Secretaria que ejercerá como fedatario o fedataria. Serán elegidos en la forma en que se recoja estatutariamente, prevaleciendo lo dispuesto en el convenio de adscripción para los Institutos universitarios de investigación adscritos a universidades públicas.

6.2. Gobernanza de las Universidades privadas

El artículo 98 de la LOSU señala que las normas de organización y funcionamiento de las universidades privadas establecerán sus órganos de gobierno, participación y representación, así como los procedimientos para su designación y remoción, garantizando la presencia en ellos de representantes del personal docente e investigador, del personal técnico, de gestión y de administración y servicios, y del estudiantado, y garantizando el principio de composición equilibrada entre mujeres y hombres. En todo caso, las normas de organización y funcionamiento deberán garantizar que las decisiones de naturaleza estrictamente académica se adopten por órganos en los que el personal docente e investigador tenga una representación mayoritaria.

Los órganos unipersonales de gobierno de las universidades privadas podrán tener la misma denominación que la establecida para los de las universidades públicas.

Las normas de organización y funcionamiento de las universidades privadas deberán explicitar el mecanismo y el procedimiento de nombramiento y cese del Rector o de la Rectora o equivalente. Igualmente, deberán garantizar que el personal docente e investigador, el personal técnico, de gestión y de administración y servicios y el estudiantado sean consultados en el nombramiento de dicho cargo.

Cómo acceder al Curso

Personal Auxiliar de Servicios Generales y Auxiliar de Conserjería de Universidades

Temario general volumen 1

El uso de los códigos **es exclusivo de los compradores de los productos de Editorial MAD**. Cada producto posee un código único y de un solo uso. Es personal e intransferible y da acceso a servicios y contenidos adicionales. Editorial MAD se reserva el derecho de hacer cuantas comprobaciones sean necesarias para identificar al legítimo poseedor del código y dejar de dar servicio a quien haga uso fraudulento del mismo, además de emprender cuantas acciones legales estime oportunas según la legislación vigente.

Deberás acceder a:

mad.es/registro-campus

Si una vez aceptadas las condiciones de uso del Campus decides hacer uso del mismo, necesitarás del siguiente código de acceso junto con los códigos del resto de títulos que se exigen (si fuera el caso):

RSPH4B9EX1